Le Pacte

Jodi Picoult

Le Pacte

Traduit de l'anglais par
Danièle Darneau

Catalogage avant publication de Bibliothèque et Archives Canada

Picoult, Jodi, 1966-
Le Pacte
Traduction de : The Pact.
ISBN 978-2-7648-0341-7
I. Titre.

PS3566.I372P314 2007 813'.54 C2006-942098-X

Cet ouvrage est une œuvre de fiction, toute ressemblance avec des personnes ou des faits réels n'est que pure coïncidence.

Titre original
THE PACT

Traduction
DANIÈLE DARNEAU

Maquette de la couverture
FRANCE LAFOND

Infographie et mise en pages
LUC JACQUES

Tous droits de traduction et d'adaptation réservés ; toute reproduction d'un extrait quelconque de ce livre par quelque procédé que ce soit, et notamment par photocopie ou microfilm, est strictement interdite sans l'autorisation écrite de l'éditeur.

© 1998, Jodi Picoult
© 1999, Presse de la Cité pour la traduction française
© 2007, Éditions Libre Expression pour l'édition française au Canada

Les Éditions Libre Expression
Groupe Librex
La Tourelle
1055, boul. René-Lévesque Est
Bureau 800
Montréal (Québec) H2L 4S5
Tél. : 514 849-5259
Téléc. : 514 849-1388

Distribution au Canada
Messageries ADP
2315, rue de la Province
Longueuil (Québec) J4G 1G4
Téléphone : 450 640-1234
Sans frais : 1 800 771-3022

Dépôt légal – Bibliothèque et Archives nationales du Québec, 2007

ISBN : 978-2-7648-0341-7

Ce livre est pour mon frère John, qui connaît le coût de la toilette de l'espace, qui sait comment s'écrit *Tetris* et comment retrouver un chapitre accidentellement égaré dans les entrailles de mon ordinateur. J'espère que tu sais aussi à quel point je te trouve génial.

PREMIÈRE PARTIE

LE GARÇON D'À CÔTÉ

De tous ceux qui ont aimé,
quel est celui qui n'a pas aimé dès le premier regard ?

CHRISTOPHER MARLOWE
Héro et Léandre

Embrassons-nous, et en ce moment ultime,
faisons vœu de partager le même et éternel malheur.

THOMAS OTWAY
L'Orphelin

AUJOURD'HUI

Novembre 1997

Il n'y avait plus rien à dire.

Il se mit tout contre elle et elle l'enferma dans ses bras, absorbant l'image de celui qu'elle revit en cet instant dans toutes ses incarnations : à l'âge de cinq ans, alors qu'il était encore blond ; à onze ans, poussé en graine ; à treize ans, avec des mains d'homme, déjà.

La lune se promenait dans le ciel noir. Elle respirait le parfum de sa peau.

— Je t'aime, lui dit-elle.

Il l'embrassa si doucement qu'elle se demanda si elle n'avait pas rêvé. Elle recula légèrement pour le regarder au fond des yeux.

Et alors il y eut un coup de feu.

Il n'y avait jamais eu de réservation ferme, et pourtant la table d'angle du fond était toujours retenue pour la famille Harte et la famille Gold, qui se retrouvaient le vendredi soir au restaurant chinois *Happy Family* depuis des temps immémoriaux. Autrefois, ils amenaient leurs enfants et encombraient le coin avec des chaises hautes et tout le matériel pour changer les couches, rendant l'accès à leur table presque impossible aux serveurs... Mais à présent, leur nombre se limitait à quatre. Ils apparaissaient en ordre dispersé aux alentours de six heures du soir et convergeaient les uns vers les autres, comme sous l'effet d'une sorte d'attraction magnétique.

James Harte était arrivé le premier. L'intervention chirurgicale qu'il avait effectuée dans l'après-midi s'était terminée plus tôt que prévu. Il attrapa les baguettes, les sortit de leur papier et les prit délicatement entre ses doigts, comme des instruments chirurgicaux.

— Salut ! lui lança soudain Mélanie Gold, qu'il n'avait pas vue entrer. J'ai l'impression que je suis en avance...

— Non, répliqua James, ce sont les autres qui sont en retard !

— Ah bon ? s'exclama-t-elle en s'extirpant de son manteau qu'elle jeta sur le siège voisin. J'espérais pourtant bien être en avance. Ça ne m'arrive jamais !

— Effectivement, convint James en réfléchissant, ça ne t'est jamais arrivé.

Le seul lien qui les unissait était la personne d'Augusta Harte, qui brillait hélas par son absence. Aussi se retrouvèrent-ils tous deux en proie à un malaise augmenté par le fait qu'ils connaissaient l'un sur l'autre des détails extrêmement privés qu'ils ne s'étaient jamais confiés directement, mais qui avaient été répétés par Gus Harte à son mari, sur l'oreiller, ou à Mélanie devant une tasse de café... James se racla la gorge et se mit à jouer de ses baguettes avec dextérité.

— Qu'en penses-tu ? dit-il en souriant à son interlocutrice. Tu ne crois pas que je ferais mieux de tout envoyer valser et de me lancer dans une carrière de batteur ?

Mélanie rougit, comme toujours lorsqu'elle était mise dans l'embarras. Habituée par sa profession à répondre aux questions concrètes, elle avait du mal à entrer dans le jeu de la décontraction. Si James lui avait demandé : « Quelle est la population actuelle d'Addis-Abeba ? » ou « Est-ce que tu peux me dire quels sont les produits utilisés dans un bain de développement de photos ? », elle n'aurait pas hésité. Mais que répondre à une question aussi bizarre ?

— Non, tu n'aimerais pas du tout, dit-elle en essayant de paraître désinvolte. Il faudrait que tu te laisses pousser les cheveux et que tu te mettes un anneau dans le sein ou quelque chose du même genre...

— Qui est-ce qui parle de se mettre des anneaux dans le sein ? s'étonna Michael Gold en s'approchant de la table.

Il se pencha en avant et toucha l'épaule de son épouse, ce qui pouvait passer pour un baiser après tant d'années de mariage.

— Pas de faux espoirs ! l'avertit Mélanie. C'est James qui veut s'en mettre un, pas moi.

Michael éclata de rire.

— Je crois que ce serait une raison suffisante pour te faire retirer le droit d'exercer la chirurgie, fit-il.

— Pourquoi ? riposta James. Tu te souviens du prix Nobel que nous avons rencontré pendant notre croisière en Alaska, l'été dernier ? Il avait bien un anneau dans le sourcil !

— C'est vrai... reconnut Michael.

Il déplia sa serviette et la posa sur ses genoux.

— Où est Gus ? s'enquit-il.

James consulta sa montre. Alors que lui vivait l'œil rivé dessus, Gus n'en portait jamais, ce qui le rendait fou furieux.

— Peut-être qu'elle est allée conduire Kate chez une copine qui l'a invitée à dormir.

— Vous avez déjà commandé ? demanda Michael.

— C'est Gus qui commande, répondit son ami en guise d'excuse.

Effectivement, c'était Gus qui arrivait généralement la première et, comme pour tout le reste, c'était elle qui veillait au bon déroulement du repas.

L'objet de la conversation fit alors son apparition.

— Je suis en retard ! s'exclama-t-elle tout en déboutonnant son manteau d'une main. Vous n'avez pas idée de la journée que j'ai passée !

Les trois autres convives se penchèrent en avant et s'apprêtèrent à écouter une des histoires extraordinaires dont elle avait le secret, mais Gus se contenta de faire signe à un serveur :

— Comme d'habitude ! dit-elle avec un grand sourire.

Ah bon ? Mélanie, Michael et James échangèrent un regard qui signifiait : ce n'est donc pas plus difficile que cela ?

Le métier de Gus était un peu particulier : il consistait à attendre à la place des autres. Sa clientèle était constituée de gens pressés qui faisaient appel à elle lorsqu'ils n'avaient pas le temps de faire la queue au service des immatriculations, ou d'attendre le réparateur télé pendant des heures.

Tout en entreprenant de mettre un peu d'ordre dans sa chevelure rousse et frisée, la jeune femme se lança dans son récit :

— Pour commencer, dit-elle, un élastique coincé entre ses dents, j'ai passé la matinée au service des immatriculations, et ça, c'est toujours une épreuve terrible, quelles que soient les circonstances. (Elle fit une courageuse tentative pour relever ses cheveux en queue de cheval, ce qui équivalait à vouloir arrêter un courant électrique.) C'était enfin mon tour, j'étais devant le guichet, mais au moment de s'occuper de moi, eh bien, je vous jure que c'est vrai, l'employé, il a fait une crise cardiaque. Il s'est écroulé par terre et il est mort !

— Mais c'est affreux ! dit Mélanie dans un souffle.

— Je ne te le fais pas dire ! Surtout qu'ils ont fermé le guichet et que j'ai dû recommencer à zéro.

— Ça te fait plus d'heures à facturer, dit Michael.

— Non, pas dans ce cas, parce que j'avais un autre rendez-vous à deux heures à Exeter.

— À l'école ?

— Oui. Avec un certain M. J. Foxhill. Quand je suis arrivée, je me suis retrouvée devant un élève de quatrième qui avait récolté un nombre respectable d'heures de retenue et qui était prêt à payer quelqu'un avec son argent de poche pour les faire à sa place.

— C'est ce qu'on appelle de l'ingénuité ! dit James en éclatant de rire.

— Inutile de vous dire que le directeur n'a pas accepté. J'ai eu beau lui expliquer que je n'avais aucune idée des projets de son élève, ça ne l'a pas empêché de me faire une leçon de morale sur la responsabilité des adultes vis-à-vis des jeunes... Après ça, en allant chercher Kate à son entraînement de foot, j'ai crevé, et j'ai dû changer ma roue. Le temps que j'arrive, elle était déjà partie avec la mère de Susan.

— Gus, intervint Mélanie, qu'est-ce qui s'est passé pour l'employé ?

— Tu as changé une roue ? s'étonna James en ignorant la question de Mélanie. Je n'en reviens pas.

— Moi non plus ! Mais je préfère prendre ta voiture ce soir au cas où je l'aurais montée à l'envers.

— Ah bon ? Tu as encore du boulot ?

Gus hocha la tête en souriant au serveur qui apportait leurs plats.

— On m'envoie acheter des billets pour un concert de Metallica, fit-elle.

— Qu'est-ce qui s'est passé pour l'employé ? répéta Mélanie d'une voix forte.

Ils se tournèrent tous vers elle comme un seul homme.

— Oh là, Mel, pas la peine de crier ! fit Gus.

Mélanie rougit, et Gus se radoucit aussitôt.

— Je ne sais pas ce qui s'est passé, avoua-t-elle. Il a été emmené en ambulance. Tiens, au fait, j'ai vu le tableau d'Em, aujourd'hui, au centre administratif.

— Qu'est-ce que tu faisais au centre administratif ? s'enquit James.

— Je suis allée voir le tableau d'Em, répéta son épouse avec un haussement d'épaules. Il fait un effet... je dirais, professionnel, avec ce cadre doré et ce grand ruban bleu en dessous. Quand je pense que vous vous fichiez tous de moi quand je gardais précieusement les dessins aux crayons de couleur qu'elle faisait avec Chris, à la maison...

Michael sourit.

— Ce qui nous faisait rire, c'est que tu disais que grâce à ça tu pourrais t'assurer une bonne retraite.

— Vous verrez... Artiste locale à dix-sept ans, elle ouvre une galerie à vingt et un... Elle sera exposée au Musée d'art moderne avant trente ans.

S'emparant du poignet de James, elle le tourna pour regarder sa montre.

— Il me reste cinq minutes.

James laissa retomber sa main sur ses genoux.

— Le guichet ouvre à sept heures du soir ?

— À sept heures du matin ! rectifia son épouse. J'ai mon sac de couchage dans la voiture. (Elle bâilla.) Je crois qu'il faut que je change de métier. Je vais me trouver un boulot un petit peu moins stressant... par exemple, contrôleur du ciel ou premier ministre d'Israël...

Elle tendit la main vers le plat de poulet *mushi* et se mit à rouler les galettes qu'elle fit ensuite passer à la ronde.

— Comment va la cataracte de Mme Greenblatt ? demanda-t-elle d'un ton absent.

— C'est fini. Il y a des chances pour qu'elle recouvre une vision de dix sur dix.

Mélanie poussa un soupir.

— Je veux qu'on m'opère de la cataracte. Oh, ce serait extraordinaire si je me réveillais un beau jour en voyant clair !

— Je ne crois pas que tu aies vraiment envie de te faire opérer de la cataracte, rétorqua Michael.

— Et pourquoi pas ? Comme ça, je pourrais être débarrassée de mes lentilles de contact, et, de plus, je connais un bon chirurgien.

— James ne pourrait pas t'opérer, objecta Gus avec un sourire. Est-ce qu'il n'y a pas une sorte de règle d'éthique qui s'y opposerait ?

— Elle ne s'étend pas à la famille virtuelle, répondit Mélanie.

— La famille virtuelle, ça me plaît bien, comme expression, dit Gus. Il devrait y avoir un statut... vous savez, comme pour le concubinage. Au bout d'un certain temps de vie côte à côte, on devient parents.

Elle avala son dernier morceau de galette et se leva.

— Bien, déclara-t-elle. Le repas était délicieux et on a passé un bon moment.

— Tu ne peux pas partir comme ça, l'arrêta Mélanie en faisant signe à un serveur de leur apporter des petits gâteaux à prédiction.

Elle en remplit les poches de son amie.

— Tiens, tu ne trouveras rien à manger, là-bas !

Michael prit un gâteau et lut le petit papier à voix haute :

— « Un cadeau d'amour ne doit pas être pris à la légère », annonça-t-il.

— « Vous êtes aussi jeune que vous vous sentez », enchaîna James, lisant sa prédiction. Bon, pour l'instant, ça ne veut pas dire grand-chose...

Ils tournèrent tous la tête vers Mélanie, mais celle-ci se contenta de lire le petit papier et de le mettre dans sa poche. Elle pensait que le fait de l'énoncer à voix haute empêchait l'heureuse prédiction de se réaliser.

Gus prit l'un des petits gâteaux qui restaient sur l'assiette et défit l'emballage.

— Vous vous rendez compte, dit-elle en riant, il n'y a rien !

— Ah bon ? s'étonna Michael. Ça vaut un repas gratuit, ça !

— Regarde par terre, Gus, tu as dû le faire tomber. Ça n'existe pas, un gâteau à prédiction sans prédiction !

Mais le papier n'était pas par terre, ni sous une assiette, ni dans les plis du manteau de Gus. Cette dernière secoua la tête tristement.

— Eh bien, à mon avenir ! déclara-t-elle en levant sa tasse de thé qu'elle vida d'un trait avant de s'éclipser en hâte.

Bainbridge, dans le New Hampshire, était une petite ville résidentielle habitée principalement par des professeurs du Dartmouth College et des médecins travaillant à l'hôpital local. Elle était située suffisamment près de l'université pour être considérée comme un placement immobilier intéressant, et suffisamment loin pour être classée dans la catégorie « campagne ». D'étroites routes reliant entre elles de vieilles exploitations laitières lançaient leurs ramifications vers les terrains de vingt-cinq mille mètres carrés sur lesquels s'était construite la ville à la fin des années soixante-dix. Et Wood Hollow Road, qui desservait les maisons des familles Gold et Harte, était l'une de celles-ci.

Mis ensemble, leurs terrains formaient un carré, deux triangles se rejoignant le long d'une hypoténuse commune. Le terrain des Harte, étroit près de l'allée, allait ensuite en s'ouvrant. Celui des Gold était fait à l'inverse. Ainsi les deux maisons se trouvaient-elles à un demi-hectare environ de distance, séparées par un mince fourré qui ne cachait pas complètement la vue.

Michael et Mélanie, chacun dans sa voiture, suivaient la Volvo grise de James, qui s'engagea dans Wood Hollow Road. Après avoir gravi la colline sur environ un kilomètre, James tourna à gauche à l'endroit où un poteau de granit portait le numéro 33. Michael tourna dans l'allée suivante.

Il coupa le contact de sa voiture tout-terrain et sortit dans le petit carré de lumière formé par l'éclairage du côté passager. Grady et Beau, les deux setters irlandais, se précipitèrent vers lui et vinrent poser leurs pattes sur sa poitrine, puis bondirent en cercle autour de leur maître.

— Em n'a pas l'air d'être à la maison, constata-t-il.

Mélanie descendit de sa voiture et referma la portière d'un geste mesuré.

— Il n'est que huit heures, répondit-elle, elle vient sans doute tout juste de partir.

Elle pénétra dans la maison par la porte latérale donnant sur la cuisine et Michael la suivit. Elle posa une petite pile de livres sur la table.

— Qui est de garde cette nuit ? lui demanda-t-elle.

Michael s'étira.

— Je ne sais pas. Pas moi. Je pense que c'est Richard, de la clinique vétérinaire de Weston.

Il se dirigea vers la porte et appela les setters, qui se contentèrent de le regarder sans la moindre velléité d'obéissance.

— C'est un gag ! commenta Mélanie. Un vétérinaire qui n'est même pas capable de se faire obéir de ses propres chiens !

Michael s'effaça pour laisser passer Mélanie, qui alla se poster sur le seuil et émit un bref sifflement. Les chiens entrèrent en trombe dans la pièce, apportant avec eux la senteur fraîche de la nuit.

— Ce sont les chiens d'Emily, dit-il, ce n'est pas pareil.

Lorsque le téléphone sonna, à trois heures du matin, James Harte se réveilla instantanément. C'était sûrement un problème touchant Mme Greenblatt, son urgence potentielle. Qu'est-ce qui pouvait bien se passer ? Il rampa à travers le lit, à la place où aurait dû se trouver sa femme, pour décrocher le téléphone.

— Oui ?

— Vous êtes monsieur Harte ?

Oui, je suis le Dr Harte, rectifia James.

— Docteur Harte, officier de police Stanley à l'appareil. Votre fils a été blessé, il a été transporté au Bainbridge Memorial Hospital.

James voulut parler, mais les mots s'emmêlèrent au fond de sa gorge.

— Est-ce que... est-ce qu'il a eu un accident de voiture ? finit-il par articuler.

Il y eut une courte pause, puis l'officier répondit.

— Non, monsieur.

Le cœur de James se serra.

— Merci, dit-il en raccrochant, tout en se demandant pourquoi il remerciait quelqu'un qui venait de lui annoncer une aussi terrible nouvelle.

Une foule de questions se pressèrent dans sa tête. Quelle était la blessure de Christopher ? Était-elle grave ou superficielle ? Que s'était-il passé ?

Il alla repêcher les vêtements qu'il avait déjà mis dans le panier à linge sale et descendit au rez-de-chaussée en quelques instants. En faisant du cent-quarante sur l'autoroute, il pourrait être à l'hôpital en dix-sept minutes.

Lorsqu'il s'empara du téléphone de bord pour appeler Gus, il roulait déjà à toute allure.

— Qu'est-ce qu'ils ont dit? demanda Mélanie pour la vingtième fois. Qu'est-ce qu'ils ont dit exactement?

Michael boutonna son jean et mit ses tennis. Il se rappela trop tard qu'il n'avait pas de chaussettes. Tant pis.

— Michael!

Il leva la tête.

— Qu'Em était blessée et qu'elle avait été emmenée à l'hôpital, répondit-il.

Ses mains tremblaient tant qu'il s'étonna d'être capable de faire les gestes nécessaires : pousser Mel vers la porte, trouver ses clés de voiture, prendre la route la plus rapide pour le Bainbridge Memorial.

Il s'était déjà demandé vaguement comment il réagirait si le téléphone devait sonner au milieu de la nuit, le genre de coup de fil qui vous laissait incrédule et sans voix. Il avait espéré, du fond du cœur, que cela resterait une hypothèse. Et maintenant, voilà que cette hypothèse devenait réalité et qu'il se retrouvait au volant de sa voiture, parfaitement calme en apparence, simplement trahi par un léger tic dans la joue.

Il entendit la voix de Mélanie qui disait, dans une suite de mots difficilement articulés :

— C'est l'hôpital où travaille James. Il saura nous dire qui il faut contacter, ce que nous devons faire.

— Ma chérie, répondit Michael en lui prenant la main dans l'obscurité, pour l'instant, nous ne savons rien.

Mais, en passant devant la maison des Harte, il nota, dans le silence absolu de la nuit, l'absence de lumière à travers les fenêtres; et il ne put s'empêcher de ressentir une piqûre de jalousie devant la normalité de la scène. « Pourquoi faut-il que ça tombe sur nous? » se dit-il, sans remarquer, au bout de Wood Hollow Road, les feux arrière d'une autre voiture qui prenait la direction de la ville.

Gus était couchée sur le trottoir, entre un trio d'adolescents aux cheveux verts dressés sur la tête et un couple à deux doigts de forniquer en public... « Si jamais Chris fait ça à ses cheveux, pensa-t-elle, on... » On quoi? Inutile d'y penser, ce n'était pas le genre de Chris, qui, depuis toujours, portait la même coupe de cheveux, légèrement plus longs que la coupe réglementaire. Et en ce qui concernait les amoureux couchés à sa droite, eh bien, elle n'avait pas à s'en faire non plus. Car, dès que le moment était venu, Emily et Chris avaient commencé à sortir ensemble, ce que tout le monde avait applaudi des deux mains.

Plus que quatre heures et demie, et le fils de son client aurait des places au premier rang à un concert de Metallica. Et elle, elle pourrait enfin aller se mettre au lit. Le temps de rentrer, et James serait de retour de la chasse (c'était sûrement la saison d'un gibier quelconque), Kate courrait à un match de foot, et Chris tomberait sûrement tout juste du lit. Ensuite, elle ferait comme tous les samedis, lorsqu'elle n'avait rien de prévu : elle irait voir Mélanie, ou ce serait Mélanie qui viendrait la voir, et elles bavarderaient. Elles parleraient boulot, adolescents et maris. Elle avait plusieurs bonnes amies, mais Mélanie était la seule avec laquelle elle n'avait pas besoin de faire de chichis et pouvait parler tranquillement sans craindre les répercussions.

— Madame, lui dit l'un des jeunes à cheveux verts, z'auriez pas du feu ?

Surprise, elle regarda la cigarette qu'il lui agitait sous le nez. Non, ça n'avait pas l'air d'être un pétard.

— Désolée, répondit-elle en secouant la tête.

Dire que ces jeunes gens avaient l'âge de son fils ! Ils appartenaient à deux mondes totalement différents. Peut-être que ces enfants aux coiffures de sauvages et en veste de cuir se déguisaient ainsi pour sortir, et qu'ils se transformaient en adolescents bien sous tous rapports lorsqu'ils étaient avec leurs parents. « C'est ridicule ! se reprit-elle. Est-ce que tu imagines Chris avec une double personnalité ? C'est absurde ! On ne peut pas avoir donné le jour à quelqu'un et ne pas sentir qu'il se passe des choses aussi graves dans sa vie. »

Une sorte de frétillement vint chatouiller sa hanche et elle s'éloigna un peu des deux amoureux. Sans doute la serraient-ils d'un peu trop près. Mais le bourdonnement persista, et elle se souvint tout à coup du téléavertisseur qu'elle portait toujours dans son sac depuis qu'elle avait commencé à travailler ainsi. C'était James qui avait insisté, pour le cas où il serait rappelé à l'hôpital pendant son absence, laissant les enfants seuls.

Naturellement, de la même façon qu'il suffit bien souvent d'emporter un parapluie pour conjurer la pluie, le fait d'avoir sur elle ce téléavertisseur avait réussi à éloigner les cas d'urgence. Il n'avait fonctionné que deux fois en cinq ans : une fois lorsque Kate l'avait appelée pour lui demander où elle rangeait le nettoyant pour tapis, et l'autre fois parce que les piles étaient à plat. Elle l'attrapa au fond de son sac et appuya sur le bouton pour identifier la personne qui appelait. C'était depuis son téléphone de voiture. Mais qui pouvait bien être dans sa voiture au beau milieu de la nuit?... C'était sans doute James qui l'avait prise pour rentrer du restaurant.

Après s'être extirpée de son sac de couchage, elle traversa la rue pour gagner la cabine téléphonique la plus proche.

— Gus, fit la voix étranglée de James, il faut que tu viennes.

Une minute plus tard, elle se mettait à courir, abandonnant derrière elle son sac de couchage.

Ils ne se décidaient pas à éteindre les lumières qui l'aveuglaient. Les deux soucoupes brillantes suspendues au-dessus de sa tête le gênaient terriblement. Ils devaient être au moins à trois sur lui, à s'affairer, à crier des instructions, à découper ses vêtements. Impossible de bouger les bras ou les jambes. Il essaya, mais il se rendit compte qu'il était attaché, et que sa tête était maintenue par un collier.

— La tension artérielle faiblit, elle est tombée à sept, dit une voix féminine.

— Ses pupilles sont dilatées mais ne réagissent pas. Christopher? Christopher? Vous m'entendez?

— Il fait de la tachycardie. Passez-moi deux perfs de quatorze ou seize. Donnez-lui du sérum physiologique normal, un litre pour commencer. Et je veux un bilan sanguin complet avec plaquettes, coagulation, VS, alcoolémie et recherche toxicologique.

Il ressentit une piqûre au creux de son bras et entendit un bruit de sparadrap qu'on déchirait.

— Qu'est-ce qu'on a, là ? demanda une voix nouvelle.

La voix féminine répondit :

— Il est drôlement arrangé !

Chris ressentit une forte piqûre près de son front. Tout ficelé qu'il était, il se cabra sous l'effet de la douleur, puis retomba entre les mains douces et apaisantes de l'infirmière.

— Tout va bien, Chris, murmura-t-elle.

Comment connaissaient-ils son nom ?

— Il y a un trauma crânien visible. Appelez la radiologie, il faut vérifier le rachis.

Il y eut un remue-ménage de bruits, d'appels. Chris glissa un œil par l'entrebâillement du rideau et aperçut son père. Donc, il était à l'hôpital, car son père travaillait à l'hôpital. Mais il ne portait pas sa blouse blanche. Il portait des habits de ville, une chemise qui n'était pas boutonnée correctement. Il était avec les parents d'Emily ; il essayait de s'approcher de lui, mais il en était empêché par les infirmières.

Chris se débattit de façon si brusque qu'il parvint à faire sauter la perfusion. Les yeux fixés sur Michael Gold, il hurla, mais il n'entendit rien. Il n'y eut aucun bruit. Il se sentit simplement submergé par des vagues successives de terreur.

— Je m'en fous, du règlement ! dit James.

Il y eut alors un fracas d'instruments et un bruit de pas qui détournèrent l'attention des infirmières. James profita de l'occasion pour se glisser derrière le rideau. Son fils, étendu sur une table, luttait pour se défaire de ses attaches. Du sang maculait son visage, son cou et sa chemise.

— Je suis le Dr Harte, annonça-t-il au médecin qui lui barrait le chemin. Je suis de la maison, ajouta-t-il en se saisissant fermement de la main de Chris. Qu'est-ce qui se passe ?

— On l'a amené ici avec une jeune fille, répondit calmement le médecin. À première vue, il a une déchirure du cuir chevelu. Nous nous préparons à l'envoyer à la radio pour vérifier le crâne et les vertèbres cervicales. S'il n'y a pas de fracture, nous ferons un scanner.

James sentit son fils lui serrer la main si fort que son alliance s'enfonça dans sa chair. « Il ne doit pas aller trop mal s'il lui reste autant de force », se dit-il.

— Emily, murmura Chris d'une voix rauque. Où est-ce qu'ils l'ont emmenée ?

— James ? appela-t-on d'une voix timide.

Il se retourna et, à l'autre bout du rideau, aperçut Mélanie et Michael. Sans doute devaient-ils être horrifiés à la vue de tout ce sang. Dieu seul savait comment ils avaient réussi à passer le barrage des dragons.

— Est-ce que Chris va bien ? demandèrent-ils.

— Ça va, répondit James, plutôt pour s'en persuader lui-même. Ça va aller.

Une aide-soignante décrocha un téléphone.

— La radio vous attend, annonça-t-elle.

Le médecin fit un signe de tête à James.

— Vous pouvez l'accompagner, dit-il. Veillez à ce qu'il reste calme.

James suivit le chariot sans lâcher la main de son fils et, en passant devant ses amis, il eut la présence d'esprit de demander :

— Comment va Emily ?

Mais il disparut avant qu'ils aient eu le temps de répondre.

Le médecin qui s'était occupé de Chris se retourna.

— Vous êtes monsieur et madame Gold ?

Ils s'avancèrent d'un même mouvement.

— Pouvez-vous me suivre ?

Le médecin les conduisit dans un petit recoin meublé de banquettes bleues et d'affreuses tables en Formica. Aussitôt, Mélanie se détendit. Elle était passée maîtresse dans l'art de déchiffrer les indices, formulés ou non. Puisqu'on ne les emmenait pas dans une salle d'examen, cela signifiait certainement que le danger était passé. Peut-être Emily était-elle déjà dans une chambre, à moins qu'elle ne soit à la radio comme Chris. Peut-être même viendrait-elle les rejoindre ici.

— Je vous en prie, dit le médecin, asseyez-vous.

Mélanie n'avait pas l'intention de s'asseoir, mais ses genoux lâchèrent. Michael resta debout, figé.

— Je suis vraiment désolé, commença le médecin.

C'étaient les seuls mots auxquels Mélanie ne prêtait qu'une interprétation. Se ratatinant sur elle-même, prise de tremblements, elle rentra la tête dans les épaules et fut incapable d'entendre les paroles qui suivirent.

— Nous n'avons pu que constater le décès de votre fille après son arrivée à l'hôpital. Elle a reçu une balle dans la tête. La mort a été instantanée. Elle n'a pas souffert.

Le médecin s'arrêta quelques instants, puis reprit :

— Je vais avoir besoin de l'un de vous pour identifier le corps.

Michael fit un effort pour battre des yeux. Avant, ç'aurait été un acte spontané. Mais, en cet instant, des actes naturels comme respirer, se tenir debout, exister tout simplement, lui demandaient un effort de volonté.

— Je ne comprends pas, dit-il d'une voix trop haut perchée pour être la sienne, elle était avec Chris Harte...

— Oui, confirma le médecin, ils ont été amenés ici ensemble.

— Je ne comprends pas, répéta Michael.

En réalité, ce qu'il voulait dire, c'était : « Comment peut-elle être morte s'il est vivant ? »

— Qui a fait ça ? parvint à prononcer Mélanie, les dents serrées autour de la question comme autour d'un os qu'elle aurait refusé de lâcher. Qui lui a tiré dessus ?

Le médecin secoua la tête.

— Je ne sais pas, madame Gold. Mais je suis sûr que les policiers qui étaient sur place ne vont pas tarder à venir vous en parler.

Les policiers ?

— Vous êtes prêt à y aller ?

Michael fixa le médecin sans comprendre. Pourquoi cet homme voulait-il le faire partir ?... Puis il se souvint. Emily. Son corps.

Emboîtant le pas au médecin, il le suivit aux urgences. Était-ce un effet de son imagination, ou les infirmières le regardaient-elles différemment, à présent ? Il dépassa des box où gémissaient des blessés, des gens encore vivants, puis s'arrêta devant un rideau à travers lequel ne transparaissait aucun bruit, aucun murmure, aucun signe d'activité. Le médecin attendit que Michael eût incliné la tête, puis repoussa le rideau.

Emily reposait sur une table, couchée sur le dos. Michael avança d'un pas et posa une main sur ses cheveux. Son front était doux, encore chaud. Le médecin devait se tromper, tout bonnement... Elle n'était pas morte, elle ne pouvait pas être morte, elle... Il bougea sa main, et la tête d'Emily roula sur le côté, lui permettant de voir, juste au-dessus de l'oreille droite, un trou de la taille d'une pièce d'argent usée sur les bords, maculé de sang séché. Mais le sang ne s'écoulait plus de la blessure.

— Monsieur Gold ? dit le médecin.

Michael hocha la tête et sortit brusquement de la salle. Il dépassa un homme attaché sur un brancard, qui avait quatre fois l'âge d'Emily. Il dépassa une aide-soignante portant une tasse de café. Il dépassa Gus Harte, hors d'haleine elle-même, qui tendit la main pour l'arrêter. Il accéléra encore. Puis il tourna à l'angle du couloir, tomba à genoux et vomit.

Gus parcourait en courant les couloirs de l'hôpital, tentant désespérément de garder l'espoir, ce qui devenait de plus en plus difficile à chaque pas. Mais James n'était pas dans la salle d'attente des urgences, et tous les vœux qu'elle formulait pour qu'il ne s'agisse que d'une blessure sans gravité – un bras cassé ou une légère contusion – s'étaient écroulés lorsqu'elle était tombée sur Michael.

— Cherchez encore, supplia-t-elle l'infirmière. Christopher Harte. C'est le fils du Dr James Harte.

L'infirmière hocha la tête.

— Je sais qu'il était là il y a un moment, répondit-elle, mais je ne sais pas où ils l'ont emmené. (Elle jeta à Gus un regard plein de compassion.) Voulez-vous que j'essaie de trouver quelqu'un qui puisse vous renseigner ?

— Oui, fit Gus du ton le plus décidé possible.

Mais dès que l'infirmière eut tourné les talons, tout son courage l'abandonna.

Elle laissa son regard errer sur le hall d'entrée de l'hôpital, depuis les fauteuils roulants vides qui semblaient faire tapisserie en attendant leurs clients, jusqu'au téléviseur accroché au plafond. À l'autre bout de la pièce, elle aperçut un morceau de tissu rouge. Elle fondit droit dessus, reconnaissant le manteau que Mélanie et elle avaient trouvé en solde chez Filene.

— Mel ? chuchota-t-elle.

Mélanie leva la tête et montra un visage aussi ravagé que celui de Michael quelques instants auparavant.

— Est-ce qu'Emily est blessée, elle aussi ?

Mélanie la dévisagea pendant un interminable moment.

— Non, finit-elle par dire avec précaution, Emily n'est pas blessée.

— Oh, merci mon Dieu...

Elle l'interrompit :

— Em est morte.

— Qu'est-ce qui prend tant de temps ? demanda pour la troisième fois Gus qui faisait les cent pas devant la petite fenêtre de la chambre particulière attribuée à Christopher. Si vraiment il va bien, pourquoi ne l'ont-ils pas encore amené ?

James, assis sur l'unique chaise, avait plongé la tête dans ses mains. Lui-même avait vu les images du scanner, qu'il avait étudiées avec la folle angoisse d'y détecter un traumatisme crânien ou une hémorragie interne. Mais le cerveau de

Chris était intact et ses blessures superficielles. Ils l'avaient reconduit aux urgences afin de recoudre sa plaie ; il serait mis sous monitorage pendant la nuit, puis subirait des examens complémentaires le jour suivant.

— Est-ce qu'il t'a dit quelque chose sur ce qui s'était passé ?

James secoua la tête.

— Il était affolé, Gus, il souffrait. Je n'ai pas voulu le bousculer. Il a simplement demandé où ils avaient emmené Emily.

Gus se tourna lentement vers lui.

— Tu ne lui as pas dit.

— Non, répondit son mari avant d'avaler péniblement sa salive. Sur le moment, je n'ai même pas pensé à ça. Au fait qu'ils étaient ensemble quand c'est arrivé.

Gus traversa la pièce et l'enlaça. Mais, même dans ces circonstances, il se raidit. Il n'avait pas l'habitude des effusions en public, et le contact de la mort ne changeait rien à cette règle.

— Je préfère ne pas y penser, murmura Gus en posant sa joue contre le dos de James. J'ai vu Mélanie… et je me dis que j'aurais facilement pu être à sa place.

James la repoussa et s'avança vers le radiateur qui dispensait sa chaleur.

— Je me demande ce qui leur a pris d'aller se balader dans un quartier mal fréquenté.

— Quel quartier ? s'enquit Gus, s'emparant de ce nouveau détail. D'où venait donc l'ambulance ?

James se tourna vers elle.

— Je ne sais pas, dit-il, c'est une supposition.

Soudain, elle éprouva le besoin d'agir.

— Je pourrais retourner aux urgences pendant que nous attendons, proposa-t-elle. Là-bas, ils disposent forcément de ce genre d'informations.

Elle se dirigea d'un pas décidé vers la porte, mais, au moment où elle s'apprêtait à saisir la poignée, on l'ouvrit de l'extérieur. Chris, la tête enveloppée d'épais bandages blancs, était assis dans un fauteuil roulant poussé par un brancardier.

Gus en resta clouée sur place, incapable de reconnaître en ce garçon replié sur lui-même le fils plein de vigueur qui la dominait de toute sa hauteur le matin même. Une infirmière prononça quelques paroles – que Gus ne se donna pas la peine d'écouter –, avant de disparaître avec le brancardier.

Elle entendit sa propre respiration répondre au léger *glou-glou* de la perfusion de Chris. Les sédatifs avaient opacifié les yeux de son fils, toujours habités par l'angoisse. Elle s'assit sur le bord du lit et le prit dans ses bras.

— Chut, tout va bien, dit-elle, car il s'était mis à pleurer, la tête enfouie dans la poitrine maternelle.

Les larmes de Chris, discrètes au début, se muèrent bientôt en sanglots sonores et impossibles à maîtriser. Au bout de quelques minutes, ses hoquets s'atténuèrent et ses yeux se fermèrent. Gus essaya de le maintenir contre elle, même après que son corps vigoureux se fut affaissé dans ses bras. Elle jeta un regard à son mari, qui restait assis sur sa chaise, raide comme une sentinelle.

James avait envie de pleurer. Mais il ne pouvait pas se le permettre. Ce n'était pas digne...

Gus n'aimait pas non plus pleurer en sa présence. Il ne lui avait jamais fait aucune remarque en ce sens, mais, devant pareil stoïcisme, elle se sentait un peu stupide.

Elle se mordit la lèvre et sortit de la chambre pour pouvoir se laisser aller sans témoin. Dans le couloir, elle appliqua ses mains contre le béton froid et s'efforça de repenser simplement à la veille, à cette journée ordinaire au cours de laquelle elle avait fait des courses, nettoyé la salle de bains du bas et crié après Chris parce qu'il n'avait pas remis le lait au frais, ce qui l'avait fait tourner... La veille, où tout était encore normal.

— Excusez-moi.

Gus se retourna et aperçut une femme grande et brune.

— Je suis l'inspecteur Marrone, de la police de Bainbridge. Êtes-vous madame Harte ?

Gus hocha la tête et serra la main de la femme policier.

— C'est vous qui les avez trouvés ? demanda-t-elle.

— Non, ce n'est pas moi. Mais j'ai été appelée sur place. J'ai besoin de vous poser quelques questions.

— Oh, répondit Gus, surprise, j'avais pensé que vous pourriez répondre aux miennes.

L'inspecteur Marrone sourit. Un court instant, Gus fut stupéfaite de voir la transformation opérée sur son visage soudain embelli.

— Ce sera donnant donnant, dit l'inspecteur.

— Je ne sais pas si je pourrai vous être très utile, fit remarquer Gus. Que voudriez-vous savoir ?

L'inspecteur sortit un carnet et un crayon.

— Hier soir, votre fils vous a-t-il dit qu'il avait l'intention de sortir ?

— Oui.

— Est-ce qu'il vous a dit où il irait ?

— Non, répondit Gus. Mais il a dix-sept ans, et il a toujours été très responsable... jusqu'à ce soir, ajouta-t-elle avec un regard en direction de la porte de la chambre.

— Bien, bien. Est-ce que vous connaissiez Emily Gold, madame Harte ?

Les yeux de Gus se remplirent de larmes. Embarrassée, elle les essuya du dos de la main.

— Oui, répondit-elle. Em est... était comme ma fille.

— Et qu'est-ce qu'elle était pour votre fils ?

— Sa petite amie.

Gus était plus troublée que jamais. Emily avait-elle été impliquée dans une affaire illégale ou dangereuse ? Était-ce pour cette raison que Chris avait traversé un quartier mal fréquenté ?

Elle avait parlé à haute voix sans s'en rendre compte.

L'inspecteur Marrone fronça les sourcils :

— Un quartier mal fréquenté ? reprit-elle.

— Euh... répondit Gus en rougissant, nous savons en tout cas qu'il y a eu un coup de feu.

L'inspecteur referma son calepin d'un geste sec.

— Je voudrais parler à Chris, maintenant.

— Vous ne pouvez pas, s'insurgea Gus en lui barrant le passage. Il dort. Il a besoin de se reposer. Et de plus, il n'est pas au courant pour Emily. Nous ne pouvions pas lui annoncer ça comme ça, sans précaution. Il l'aimait.

L'inspecteur Marrone regarda Gus bien en face.

— Peut-être bien, mais c'est peut-être aussi lui qui l'a tuée.

HIER

Automne 1979

Mélanie soupesa le pain aux bananes dans la paume de sa main d'une manière si indécise que son mari ne sut si elle comptait le manger ou le jeter. Fermant la porte d'entrée qui était encore brillante de peinture fraîche, elle posa enfin la miche sur les deux cartons qui faisaient office de table de cuisine. D'un doigt respectueux, elle effleura le joli ruban qui l'entourait et retira une carte d'un jaune éclatant décorée d'un cheval dessiné à la main. « Bienven-hue-hue parmi nous ! » lut-elle.

— Ta réputation de vétérinaire t'a précédé, commenta-t-elle en tendant la carte à Michael.

Ce dernier parcourut le bref message, sourit et déchira le papier cellophane.

— C'est bon, dit-il. Tu en veux ?

Mélanie pâlit. La simple idée de manger du pain aux bananes, ou quelque aliment que ce soit, avant midi, lui donnait la nausée. C'était curieux d'ailleurs, car tous les livres qu'elle avait lus sur la grossesse – et elle en avait lu un certain nombre – disaient qu'au quatrième mois on se sentait mieux.

— Je vais leur téléphoner pour les remercier, dit-elle en retournant la carte. Oh, dis donc ! Ils s'appellent Gus et James ! Et ils nous envoient une pâtisserie maison ! Tu crois qu'ils sont... enfin... tu vois ce que je veux dire ?...

— Pédés ?

— Moi, j'aurais dit : « Ayant opté pour un mode de vie non conventionnel »...

— Mais tu ne l'as pas dit, sourit Michael.

Il souleva un carton et commença à gravir les marches menant au premier.

— Mais quelles que soient leurs... tendances, je suis sûre qu'ils sont très bien, déclara Mélanie, large d'esprit.

En composant leur numéro, elle ne put s'empêcher cependant de se demander une nouvelle fois dans quel genre de ville Michael et elle venaient de s'installer...

Elle n'avait pas souhaité venir à Bainbridge, elle était très bien à Boston, même si elle se trouvait loin de son Ohio natal. Mais cette ville-ci était située au bout du monde... sans compter qu'elle n'avait jamais été très douée pour tisser des liens amicaux... Et pourquoi donc Michael n'aurait-il pas trouvé des animaux à soigner dans une région un peu plus méridionale ?

À la troisième sonnerie, une voix de femme répondit.

— La gare principale ! annonça la voix.

Mélanie reposa le téléphone d'un geste sec. Elle recomposa le numéro plus lentement, et la même voix répondit, brève mais contenant néanmoins un sourire :

— Harte.

— Bonjour, dit Mélanie, je suis votre nouvelle voisine, Mélanie Gold. Je voudrais vous remercier pour le pain.

— Oh, très bien, vous l'avez eu... Vous êtes bien installés ?

Il y eut un silence durant lequel Mélanie se demanda qui était cette personne et quels étaient les usages dans cette région. Était-on censé raconter sa vie à une femme de ménage ou à une nounou ?

— Est-ce que James ou Gus sont là ? finit-elle par demander. Je... hum... je voudrais me présenter.

— Je suis Gus, dit la femme.

— Mais vous n'êtes pas un homme ! laissa échapper Mélanie.

Gus Harte éclata de rire.

— Ah, vous pensiez que... Ouh là ! Eh bien non, je suis désolée de vous décevoir, mais la dernière fois que j'ai vérifié, j'étais une femme ! Gus, c'est le diminutif d'Augusta. Mais plus personne ne m'appelle comme ça depuis que ma grand-mère s'est tuée à force d'essayer... Est-ce que vous avez besoin d'un coup de main ? reprit-elle. James est sorti, et moi, j'ai fait le ménage à fond dans mon salon. Je n'ai plus rien à faire.

Sans laisser à Mélanie le temps de réagir, elle prit elle-même la décision.

— Laissez la porte ouverte, fit-elle, j'arrive dans quelques minutes.

Mélanie avait encore le récepteur à la main lorsque Michael rentra dans la cuisine, chargé d'un grand carton plein de vaisselle en porcelaine.

— Tu as parlé à Gus Harte ? À quoi il ressemble ?

Elle s'apprêtait à répondre lorsque la porte d'entrée, ouverte à la volée et refermée violemment par une rafale de vent, livra le passage à une femme en état de grossesse avancée, dont le visage, auréolé d'une masse de cheveux indisciplinés, était illuminé d'un sourire incongrûment angélique.

— *Elle* ressemble à un ouragan, répondit Mélanie.

Mélanie avait pris ses fonctions de libraire à la bibliothèque municipale de Bainbridge.

Elle était tombée amoureuse du petit bâtiment de brique le jour où elle était arrivée pour son entretien d'embauche. Elle avait été immédiatement séduite par le décor chaleureux et vieillot. C'était une adorable petite bibliothèque, mais il était clair qu'elle avait besoin de ses services... Les livres, écrasés les uns contre les autres, étaient entreposés pêle-mêle dans des bacs ; les reliures de certains avaient craqué ; les fiches verticales étaient surchargées. Pour Mélanie, les bibliothécaires s'apparentaient vaguement à des dieux, car ne fallait-il pas posséder un peu de l'omniscience divine pour pouvoir répondre à des questions aussi diverses que celles dont on les assaillait dans le cadre de leurs fonctions ? La connaissance était un pouvoir, mais un bon bibliothécaire ne conservait pas jalousement son don pour lui. Il apprenait aux autres à chercher, à regarder, à voir.

Et elle était justement tombée amoureuse de Michael parce que lui l'avait déconcertée. Étudiant à l'école vétérinaire, il était venu la voir avec deux demandes : d'une part, il voulait savoir où trouver un ouvrage traitant des conséquences du diabète sur le foie des chats ; et d'autre part, si elle accepterait de dîner avec lui... Elle eût pu répondre à sa première question les yeux fermés. La seconde la laissa sans voix.

Le gris précoce de ses cheveux impeccablement coupés court avait l'éclat d'une pièce d'argenterie bien astiquée. Et ses mains douces, capables de faire boire au compte-gouttes un oiseau tout juste sorti de l'œuf, lui firent prendre conscience de son propre corps de façon entièrement différente.

Même après leur mariage et pendant les premières années de pratique de son mari, Mélanie continua à travailler à l'université. Elle eut à cœur de parfaire ses connaissances de bibliothécaire, persuadée que si un jour Michael en avait assez de sortir avec une fille timide et bafouillante, elle réussirait néanmoins à le garder en l'impressionnant par son intelligence.

Mais Michael avait fait des études pour s'occuper de vaches, de moutons et de chevaux, et après plusieurs années passées à châtrer des chiots à pedigree et à abattre des animaux atteints de la rage, il lui annonça qu'il avait besoin de changement. Le problème était que les fermes d'élevage n'étaient pas très nombreuses dans une grande ville comme Boston...

Il n'avait pas été très difficile pour Mélanie, avec ses qualifications, de trouver ce poste à la bibliothèque municipale de Bainbridge. Cependant, elle était habituée à une clientèle formée de jeunes gens et jeunes filles sérieux, d'étudiants studieux qu'elle était obligée de mettre à la porte le soir... Alors qu'à la bibliothèque de Bainbridge, le moment le plus animé était celui où on lisait une histoire aux tout-petits, parce qu'on offrait un café à leurs mères. Mélanie passait des journées entières assise derrière son bureau sans voir personne, à l'exception du facteur.

Elle se languissait de voir un lecteur, un vrai lecteur comme elle. Et elle le trouva sous la forme improbable de Gus Harte.

Gus venait invariablement à la bibliothèque les mardis et les vendredis, c'est-à-dire les jours où Mélanie était de service. Après avoir franchi l'étroite porte voûtée en se dandinant, elle se débarrassait des livres qu'elle avait empruntés les jours précédents. Mélanie les ouvrait avec précaution, replaçait les fiches et les posait sur le chariot pour les faire remettre en rayon.

Gus Harte lisait Dostoïevski, et Kundera, et Pope. Elle lisait George Eliot et Thackeray et des livres d'histoire. Parfois en quelques jours seulement. Mélanie en était surprise et terrifiée à la fois. Elle-même était devenue une spécialiste dans son domaine, mais elle avait dû travailler dans ce but. Alors que Gus Harte semblait absorber toute cette masse de connaissances avec une trop grande facilité.

— Vous savez, déclara-t-elle un beau jour à sa lectrice assidue, je crois que vous êtes la seule personne de cette ville à apprécier les classiques.

— Exact, répondit Gus sobrement.

— Vous avez aimé *Le Morte Darthur* ?

Gus secoua la tête.

— Je n'y ai pas trouvé ce que je cherchais.

« Et qu'est-ce que c'était ? se demanda Mélanie. L'absolution ? Un divertissement ? Une bonne crise de larmes ? »

Comme pour répondre à son interrogation, la jeune femme précisa :

— Un prénom.

Mélanie se sentit soulagée d'une sorte de poids. Était-ce celui du défi qu'elle avait ressenti devant sa voisine, qui dévorait des romans historiques compliqués aussi aisément que s'il s'agissait de littérature de gare ? Était-ce de découvrir que celle-ci avait seulement parcouru l'ouvrage dans l'espoir de trouver un prénom fort et classique pour son bébé ?

— Comment allez-vous appeler le vôtre ? reprit Gus.

Mélanie en resta interdite. Personne ne savait qu'elle était enceinte ; on ne voyait rien encore pour l'instant et elle était suffisamment superstitieuse pour vouloir laisser planer le doute le plus longtemps possible.

— Je ne sais pas, répondit-elle doucement.

— Alors nous sommes dans le même bateau ! lança Gus avec un sourire éclatant.

Mélanie, qui était restée trop plongée dans ses livres pendant ses études pour avoir une vie sociale, s'était soudain fait une copine de classe. L'exubérance de Gus, loin de lui faire ombrage, était complémentaire de sa propre réserve. C'était un peu comme le mélange de l'huile et du vinaigre : ni l'un ni l'autre de ces deux ingrédients ne sont bons à consommer seuls dans la salade, mais, ensemble, ils forment un couple naturel où chacun semble avoir été créé pour l'autre.

À la première heure, chaque matin, elle recevait un appel de Gus :

— Quel temps fait-il ? demandait cette dernière, alors qu'il lui suffisait de jeter un coup d'œil par la fenêtre pour en juger. Qu'est-ce que je vais mettre ?

Elle allait rejoindre Gus chez elle et elles se retrouvaient toutes deux assises sur le grand canapé de cuir, feuilletant son album de mariage et s'esclaffant devant les coiffures apprêtées des invités.

Quand elle avait eu une discussion avec Michael, Mélanie téléphonait toujours à Gus pour que celle-ci lui confirme sans équivoque que c'était elle qui avait raison.

Gus devint assez intime pour entrer dans la maison de ses voisins sans frapper. Mélanie se procura des livres de prénoms de bébés dans les bibliothèques voisines et les mit dans la boîte aux lettres de Gus. Elle se mit à porter les vêtements de maternité de sa nouvelle amie, qui, de son côté, acheta sa marque favorite de café décaféiné pour en avoir chez elle en permanence... Ainsi, peu à peu, chacune finit par connaître l'autre au point de pouvoir terminer ses phrases.

— Donc, tu es chirurgien, dit Michael en prenant le verre de gin-tonic que James Harte lui avait préparé.

James s'assit en face de lui. De la cuisine leur parvenaient les voix, l'une haute, l'autre douce, de Gus et de Mélanie qui bavardaient comme des pies.

— C'est ça, répondit James. Je termine mon internat au Bainbridge Memorial. Chirurgie ophtalmologique. Gus m'a dit que tu avais repris le cabinet de Howath ?

Michael hocha la tête.

— Je l'ai eu comme professeur à l'école vétérinaire, expliqua-t-il. Quand il m'a écrit qu'il prenait sa retraite ici, j'ai pensé qu'il y aurait de la place pour un nouveau vétérinaire. (Il éclata de rire.) Je n'ai pas réussi à trouver une seule Holstein dans un rayon de quarante kilomètres à Boston, mais j'en ai vu six dans la seule journée d'aujourd'hui !

Les deux hommes sourirent, mal à l'aise. Ils baissèrent le nez vers leurs verres.

Michael indiqua la cuisine du regard.

— Elles s'entendent comme larrons en foire, dit-il. Gus est si souvent à la maison que je me demande parfois si elle n'a pas emménagé chez nous. Elles sont inséparables.

James rit :

— Gus avait besoin de quelqu'un comme Mélanie. J'ai comme l'impression qu'elle trouve une oreille plus compatissante auprès de ta femme qu'auprès de moi quand elle se plaint de ses vergetures ou de ses chevilles enflées.

Michael ne répondit pas. Peut-être James n'était-il pas très curieux des problèmes de grossesse, mais lui voulait participer autant qu'il le pouvait. Non content d'emprunter des livres sur ce sujet à la bibliothèque, il avait demandé à assister aux cours d'accouchement naturel. Et, alors que Mélanie avait honte de son corps déformé, lui le trouvait adorable. Il se retenait de ne pas poser les mains sur son ventre dès qu'elle passait à sa portée. Mais Mélanie se déshabillait dans le noir, tirait les couvertures jusqu'à son menton, le repoussait lorsqu'il voulait l'enlacer. De temps à autre, Michael observait Gus lorsqu'elle se dirigeait vers leur maison... Avec ses cinq mois d'avance, elle avait la démarche lourde, mais une assurance et une vigueur qui semblaient l'éclairer de l'intérieur, et il pensait : « Voilà comment devrait être Mélanie. »

Jetant un coup d'œil vers la cuisine, il aperçut furtivement le ventre proéminent de la maîtresse de maison.

— En fait, toute cette histoire de grossesse me plaît assez, dit-il doucement.

James émit un grognement.

— J'ai fait un stage d'obstétrique. Ce n'est pas drôle, tu peux me croire.

— Je sais, répondit Michael.

— Peut-être, mais sortir des veaux, ça doit être différent, insista-t-il. Les vaches ne hurlent pas qu'elles ont envie de tuer leur mari parce qu'il leur a fait ça. Un placenta de vache ne traverse pas la salle d'accouchement comme un boulet de canon...

— Ah, intervint Gus, qu'ils n'avaient pas vue arriver, vous êtes encore en train de parler boutique. (Elle posa une main sur l'épaule de James.) Mon docteur de mari a une peur panique de la naissance, plaisanta-t-elle à l'adresse de Michael. Est-ce que ça te plairait de m'accoucher ?

— Oh oui, dit en souriant le vétérinaire. Mais je serais plus à l'aise dans une étable !

Gus prit un plateau des mains de Mélanie et le posa sur la table basse.

— Oh, je m'adapte à tout ! lança-t-elle.

Elle s'assit sur le bras du fauteuil de son époux. Michael nota que celui-ci ne faisait pas un geste pour la toucher. Il se pencha en avant vers le plateau.

— C'est du pâté ? demanda-t-il.

Gus hocha la tête.

— Fait maison, précisa-t-elle. James chasse le canard.

— Ah bon ? fit Michael en prenant un biscuit salé pour goûter la spécialité proposée.

— Oui, poursuivit Gus, et il chasse aussi le cerf, le chevreuil et l'ours, et un jour il a même chassé un pauvre petit lapin.

— Comme tu peux le constater, commenta James sans s'émouvoir, Gus n'est pas vraiment une adepte de cette pratique... Et je suppose que toi non plus, qui es vétérinaire.

Mais il y a une véritable beauté, là-dedans... Se lever avant tout le monde, quand tout est d'un calme absolu, se mettre dans la peau du gibier...

— Je vois, dit Michael, qui ne voyait pas du tout.

— James est vraiment idiot, déclara Gus à Mélanie au téléphone. Il m'a dit que si je n'arrêtais pas d'aller me promener à pied sur Wood Hollow Road, je finirais par accoucher de mon bébé au pied d'un poteau téléphonique...

— À mon avis, tu auras quand même plus de temps que ça...

— Essaie de le lui faire comprendre !

— Change de tactique, conseilla Mélanie. Dis-lui que plus tu seras en forme avant la naissance, plus vite tu retrouveras ensuite ta ligne d'avant.

— Et pourquoi est-ce que je voudrais retrouver ma ligne d'avant ? Est-ce que je ne pourrais pas piquer la ligne de quelqu'un d'autre ? Jane Fonda... Raquel Welsh... Ah, tu ne connais pas ta chance, soupira Gus.

— Pourquoi ? Parce que je n'en suis qu'à mon sixième mois ?

— Non, parce que tu as un mari comme Michael.

Mélanie ne répondit pas tout de suite. Elle aimait beaucoup James Harte, son style décontracté, son charme naturel, sa pointe d'accent de Boston. Ils avaient beaucoup de choses en commun, mais ce qui était chez elle un handicap était un avantage pour lui : elle était réservée, il était pondéré ; elle était timide, il était introspectif ; elle était obsessionnelle, il était persévérant.

Et il ne s'était pas trompé. Gus perdit les eaux trois jours plus tard, sur Wood Hollow Road, et si la voiture d'une compagnie de téléphone ne s'était pas arrêtée, Chris aurait très bien pu naître sur le bord de la route.

Le rêve se déroulait de la façon suivante : Mélanie voyait Michael de dos. Il était accroupi dans un box ; ses cheveux argentés brillaient dans le soleil levant ; ses mains s'activaient sur le ventre d'une jument en train de mettre bas. Et elle observait tout cela, perchée quelque part – peut-être dans un grenier à foin ? –, un liquide coulait le long de ses jambes, comme si elle avait uriné sous elle, et elle l'appelait, mais aucun son ne sortait de sa bouche.

C'est ainsi qu'elle sut qu'elle aurait son bébé toute seule.

« J'appellerai toutes les heures quand ce sera le moment », lui avait-il assuré. Mais elle savait comment il fonctionnait : lorsqu'il était pris par un cheval qui avait la colique ou par une brebis qui présentait une mastite, il n'avait plus aucune notion du temps. Sans compter que, sur la plupart des routes qu'il empruntait comme vétérinaire de campagne, il n'y avait pas pléthore de cabines téléphoniques.

La fin du mois d'avril arriva. C'était la date prévue pour l'accouchement. Une nuit, Mélanie entendit son époux répondre au téléphone à côté du lit. Il chuchota des mots que son esprit n'enregistra pas, puis disparut dans l'obscurité.

Elle rêva encore de l'écurie et se réveilla en constatant que le matelas était trempé.

La douleur s'installa. Michael devait avoir laissé un papier quelque part avec un numéro où on pouvait le joindre. Mélanie fit le va-et-vient entre la chambre et la salle de bains en s'arrêtant à intervalles réguliers, prise de contractions, mais elle ne trouva rien. Elle attrapa le téléphone et appela Gus.

— Ça y est, dit-elle, et Gus comprit.

James avait une intervention à l'hôpital, aussi Gus installa-t-elle le petit Chris dans la voiture.

— Ne t'inquiète pas, on va trouver Michael, affirma-t-elle à son amie.

Puis elle plaça la main de Mélanie sur le levier de vitesse en lui conseillant de le serrer pendant les contractions. Arrivée devant le bâtiment des urgences, elle arrêta la voiture.

— Reste ici, dit-elle en attrapant son bébé.

Et elle franchit les portes en courant.

— Venez m'aider, s'il vous plaît ! cria-t-elle à une infirmière. Il y a une femme en train d'accoucher !

L'infirmière la regarda, puis regarda le bébé.

— J'ai l'impression que c'est déjà fait, dit-elle.

— Ce n'est pas moi, répliqua Gus, c'est mon amie. Elle est dans ma voiture.

Et, en l'espace de quelques minutes, Mélanie se retrouva en salle de travail, vêtue d'une blouse propre, le visage déformé par la douleur. L'infirmière se tourna vers Gus :

— Je suppose que vous ne savez pas où se trouve le père ?

— Il est en route, répondit Gus, bien que ce ne fût pas l'exacte vérité... Je suis censée le remplacer pour l'instant.

L'infirmière regarda Mélanie qui avait attrapé la main de son amie, puis Chris, qui dormait dans un berceau de plastique.

— Je l'emmène à la pouponnière, déclara-t-elle, je n'ai que faire d'un bébé en salle de travail.

— Je croyais pourtant que l'endroit était fait pour, marmonna Gus, ce qui arracha un gloussement à Mélanie.

— Tu ne m'avais pas dit que ça faisait mal, dit cette dernière.

— Bien sûr que si.

— Tu ne m'avais pas dit que ça faisait si mal que ça ! rectifia-t-elle.

— Laissez-moi deviner... dit l'obstétricienne, qui avait déjà accouché Gus. Vous vous êtes tant amusée la première fois que vous n'avez pas pu résister à l'idée de revenir...

Elle aida Mélanie à se mettre en position assise.

— Très bien, Mélanie, dit-elle, et maintenant, vous allez pousser.

C'est ainsi que Mélanie, s'arc-boutant contre sa meilleure amie qui la maintenait aux épaules et criait en chœur avec elle, donna le jour à une fille.

— Oh ! mon Dieu, dit-elle, les yeux humides, regarde-moi ça !

— Je sais, répondit Gus, la gorge serrée, je la vois.

Et elle sortit pour aller retrouver son enfant à elle.

L'infirmière venait de poser des glaçons entre les jambes de Mélanie et de remonter les couvertures sur sa poitrine lorsque Gus revint dans la chambre, Chris dans les bras.

— Regarde qui j'ai rencontré ! annonça-t-elle, tenant la porte ouverte pour laisser passer Michael.

— Je te l'avais dit ! gronda Mélanie en tournant le bébé vers son mari.

Michael effleura les fins sourcils de sa fille. Son ongle était plus grand que le nez du nourrisson.

— Elle est magnifique. Elle... Je ne sais pas quoi dire.

— Peut-être que tu me dois une fière chandelle, suggéra Gus.

— Oui, oui, répondit Michael en souriant de bonheur. Je te donnerai tout ce que tu voudras pour te remercier, sauf ma fille première-née.

La porte de la pièce s'ouvrit de nouveau, livrant passage à James Harte qui brandissait une bouteille de champagne.

— Alors ! s'exclama-t-il en serrant la main de Michael. La rumeur s'est répandue que tu as eu une sacrée matinée ! (Il sourit à Gus.) Et que toi, tu as joué les sages-femmes !

Il fit sauter le bouchon de la bouteille, s'excusa d'avoir légèrement arrosé les couvertures de Mélanie et versa le champagne dans quatre gobelets de plastique.

— Aux nouveaux parents que nous sommes, dit-il en levant son gobelet, et à... comment s'appelle-t-elle ?

Michael regarda sa femme.

— Emily, répondit-il.

— À Emily.

Michael leva son gobelet à son tour.

— Et, avec un peu de retard, à Chris, dit-il.

Mélanie pencha la tête vers son bébé, examina ses paupières translucides et la moue de sa petite bouche, puis le posa à regret dans le berceau placé à côté de son lit. Emily occupait moins d'un tiers de l'espace.

— Je peux ? demanda doucement Gus en désignant le berceau, puis Chris endormi au creux de ses bras.

— Vas-y.

Mélanie ne perdit pas un geste de Gus pendant que celle-ci posait son fils à côté d'Emily.

— Regarde-moi ça ! s'exclama Michael. Ma fille n'a qu'une heure et elle est déjà couchée avec un garçon !

Tous les yeux se braquèrent sur le berceau. Le bébé fille sursauta par réflexe. Ses longs doigts s'ouvrirent comme un volubilis, puis se refermèrent en cherchant une prise. Et Emily Gold se rendormit en serrant très fort, instinctivement, la main de Christopher Harte.

AUJOURD'HUI

Novembre 1997

Anne-Marie Marrone n'était pas du genre à s'émouvoir facilement.

Elle avait cru que les dix années passées au sein de la police métropolitaine de Washington lui avaient permis de faire le tour des surprises réservées par le métier, mais elle s'était trompée. Car à Washington, elle avait affaire à des inconnus, alors qu'à Bainbridge, lorsqu'elle avait dû arrêter le directeur de l'école élémentaire, un homme connu et aimé de tous, pour violences conjugales, elle en avait éprouvé quelque trouble. De même lorsqu'elle avait découvert un champ de marijuana amoureusement cultivé à côté du basilic et de la marjolaine chez la vieille Mme Inglenook : elle en avait été plus perturbée qu'en mettant la main sur un réseau de distribution de drogue.

Le fait de trouver une adolescente mortellement blessée, un garçon couvert de sang et une arme encore fumante ne faisait peut-être pas partie de la routine à Bainbridge, mais cela ne signifiait pas pour autant qu'Anne-Marie n'était pas préparée à ce genre d'affaire.

— Je voudrais parler à Chris, répéta-t-elle.

— Vous vous trompez, déclara Gus Harte en croisant les bras sur sa poitrine.

— Eh bien, c'est à votre fils de me le dire.

Elle n'avait pas l'intention de dévoiler la vérité à la mère, de lui dire que, bien que ne disposant encore d'aucun indice lui permettant de procéder à l'arrestation de Christopher Harte à titre de suspect d'homicide, elle traiterait l'affaire comme telle jusqu'à preuve du contraire.

— Je connais mes droits, dit Gus.

L'inspecteur Marrone leva la main.

— Moi aussi, madame Harte. Et si vous le souhaitez, je me ferai un plaisir de vous les lire ainsi qu'à votre fils. Mais il ne fait l'objet d'aucune suspicion ; simplement, il peut nous aider dans nos investigations. Et comme il est le seul témoin oculaire, je ne comprends pas que vous voyiez une objection à ce que j'aie une conversation avec lui. À moins qu'il ne vous ait confié quelque chose que vous préférez cacher...

Le visage brûlant, Gus Harte recula pour laisser passer l'inspecteur.

Bien qu'elle ne portât pas d'uniforme ni d'objet plus menaçant qu'un carnet de notes, il flottait autour d'elle un parfum d'autosatisfaction qui provoqua chez James un réflexe de défense et le fit se rapprocher du lit de son fils.

— James, dit Gus à voix basse pour éviter de réveiller son fils, l'inspecteur Marrone aimerait parler à Chris.

— Eh bien... fit remarquer James, en tant que médecin, je peux vous dire qu'il n'est pas en état...

— Je me permets de vous faire remarquer que vous n'êtes pas son médecin traitant, docteur Harte, rétorqua l'inspecteur. Le Dr Coleman m'a donné l'autorisation d'entrer.

S'asseyant sur le bord du lit, elle posa son carnet sur ses genoux.

Gus regarda cette femme qui s'était assise à sa propre place et sentit monter en elle un accès de fureur semblable à ceux qui l'envahissaient autrefois, quand un bambin poussait Chris sur l'aire de jeux, ou lorsque l'un de ses professeurs, en réunion de parents, avait l'audace de prétendre que son fils était loin d'être parfait. « La tigresse », c'était ainsi que l'appelait James lorsqu'elle partait sur le sentier de la guerre pour protéger son enfant. Mais de quoi donc le protégeait-elle, cette fois-ci ?

— Chris… prononça doucement l'inspecteur, Chris, est-ce que je peux vous parler ?

Les yeux de Chris papillotèrent, puis s'ouvrirent… des yeux d'une pâleur insondable, qui contrastaient avec son teint mat et ses cheveux noirs.

— Je suis l'inspecteur Marrone, de la police de Bainbridge, fit-elle.

— Inspecteur, intervint James, Chris a subi un traumatisme. Je ne vois pas ce qu'il y a de si urgent…

Le jeune homme leva les yeux vers l'inspecteur en agrippant sa couverture.

— Est-ce que vous savez ce qui s'est passé pour Emily ?

Anne-Marie Marrone se demanda pendant quelques instants s'il lui demandait une information ou s'il lui offrait ses aveux.

— Emily a été emmenée à l'hôpital, comme vous, répondit-elle.

Puis elle prit son stylo :

— Qu'est-ce que vous faisiez au manège, hier soir, Chris ?

— On y est allés pour… euh… s'amuser un peu. On avait emporté du Canadian Club, précisa-t-il en détournant les yeux.

De saisissement, Gus ouvrit grand la bouche. Comment ? Chris, qui, tout comme elle, faisait partie de l'Association contre l'alcool au volant, avait bu en conduisant ?

— Et c'est tout ce que vous aviez sur vous ? reprit l'inspecteur.

— Non, murmura Chris, j'ai… enfin… j'ai emprunté l'arme de mon père.

— Quoi ? s'exclama Gus, avançant d'un pas pendant que son époux, simultanément, poussait un cri de protestation.

— Chris, poursuivit l'inspecteur sans bouger d'un cil, tout ce que je vous demande, c'est ce qui s'est passé hier soir. J'ai besoin de connaître votre version.

— Parce que Em ne peut pas vous donner la sienne, c'est ça ? prononça Chris en se recroquevillant. Elle est morte, hein ?

Avant de laisser à Gus le temps d'approcher du lit pour enlacer son fils, l'inspecteur Marrone le fit à sa place.

— Oui, répondit-elle.

Chris se mit à sangloter bruyamment dans ses bras. Son dos, la seule partie de sa personne visible pour sa mère, était secoué de soubresauts.

Au bout de quelque temps, l'inspecteur le lâcha.

— Est-ce que vous vous êtes battus ? reprit-elle.

Gus sut à quel moment exact son fils comprit ce que l'inspecteur sous-entendait. Son sang ne fit qu'un tour et elle eut envie de hurler pour chasser cette femme. Mais elle fut incapable d'émettre le moindre son. Paralysée de stupeur, elle attendit, comme James, la dénégation de Chris.

Pourtant, l'espace d'un instant, le doute les envahit.

Chris secoua la tête avec force, comme si, maintenant que cet inspecteur avait semé le doute dans son esprit, il avait besoin de l'en déloger physiquement.

— Oh, mon Dieu, non ! Je l'aime ! Je l'aime, Em !

Enfouissant son visage dans ses genoux repliés, il ajouta dans un murmure :

— On allait le faire ensemble.

— Faire quoi ?

Cette question n'avait pas été posée par sa mère, mais c'est vers elle que Chris leva son visage, un visage où se lisait la crainte.

— Nous suicider, dit-il à voix basse. Em devait le faire la première. Elle... elle s'est tiré une balle dans la tête. Et avant que j'aie pu le faire moi aussi, la police est arrivée.

Gus se précipita vers le lit et prit son fils dans ses bras, complètement abasourdie. Emily et Chris, se suicider ? C'était tout simplement impossible... Mais l'alternative avancée par l'inspecteur était encore plus sinistre. S'il était impensable qu'Emily ait voulu se suicider, l'idée que Chris ait pu la tuer était encore plus ridicule.

Par-dessus l'épaule de son fils, Gus regarda Anne-Marie Marrone.

— Partez, dit-elle. Maintenant.

Anne-Marie hocha la tête :

— Je vous recontacterai. Je suis désolée.

Après son départ, Gus continua à bercer son fils, se demandant si elle s'excusait de ce qui venait de se passer ou de ce qui se passerait lorsqu'elle reviendrait.

Michael aida Mélanie à se coucher, comptant sur l'effet du Valium que lui avait prescrit le médecin des urgences. Il s'assit de l'autre côté du lit et attendit jusqu'à ce que son souffle devienne régulier. Il ne voulait pas quitter son chevet avant d'être sûr qu'elle ne lui serait pas arrachée, elle aussi, à son insu.

Il se rendit alors dans la chambre d'Emily. Lorsqu'il ouvrit la porte, une multitude de souvenirs l'assaillirent, comme si l'essence même de sa fille avait été enfermée à l'intérieur. Pris de vertige, il s'appuya contre le montant et respira le délicat parfum d'Emily qui flottait dans la pièce, mélangé à l'odeur de cire et d'éthylène exhalée par la toile d'une peinture à l'huile récente. Il tâta une serviette jetée au pied du lit ; elle était encore humide.

Elle allait revenir. Il fallait qu'elle revienne, elle avait laissé tellement de choses en suspens, ici !

À l'hôpital, Michael avait vu l'inspecteur chargé de l'affaire. Il était persuadé jusque-là qu'il s'agissait d'une agression commise par un individu masqué, d'une balle tirée d'une voiture... Il s'était vu étranglant de ses propres mains l'étranger qui lui avait tué sa fille.

Il lui avait fallu un certain temps avant de comprendre que cette personne était Emily elle-même.

L'inspecteur Marrone avait vu Christopher. Et elle avait dit que toutes les affaires similaires – un survivant, un mort – étaient traitées comme des homicides. Mais Chris Harte avait parlé d'un pacte de suicide.

Michael avait tenté de se remémorer des détails, des conversations, des événements. La dernière discussion qu'il avait eue avec Emily avait eu lieu au petit déjeuner. « Papa, avait-elle demandé, est-ce que tu as vu mon sac à dos ? Je ne le trouve pas. »

Était-ce une sorte de code ?

Michael s'avança vers le miroir qui surmontait la coiffeuse et y vit un visage qui ressemblait trop à celui de sa fille... En posant ses mains sur le meuble, il renversa un petit pot de Blistex. À l'intérieur, imprimée dans la paraffine jaune translucide, il vit l'empreinte d'un doigt. Était-ce son petit doigt ? Était-ce celui qu'il embrassait quand, enfant, elle était tombée de son vélo ou qu'elle l'avait coincé dans un tiroir ?

Il sortit précipitamment de la pièce, quitta la maison sans faire de bruit et s'installa au volant de sa voiture pour prendre la direction du nord.

Les Simpson, dont la jument primée avait failli mourir en donnant le jour à deux poulains la semaine précédente, furent très surpris de le trouver dans leur écurie à l'aube lorsqu'ils vinrent nourrir les chevaux. Car ils ne l'avaient pas appelé et tout allait bien depuis quelques jours. Mais Michael balaya leurs scrupules d'un geste de la main en assurant qu'une visite gratuite de suivi était toujours incluse dans les mises bas à problème. Il garda obstinément le dos tourné à Joe Simpson jusqu'à ce que celui-ci s'éloigne avec un haussement d'épaules. Alors il caressa les flancs minces de la jument, effleura la crinière duveteuse de ses rejetons et tenta de se rappeler qu'il avait eu un jour le pouvoir de guérir.

Lorsque Chris se réveilla, il eut l'impression qu'il avait la gorge bloquée. Ses yeux étaient atrocement secs. Un mal de tête affreux le taraudait, prévisible après sa chute et ses points de suture.

Sa mère était recroquevillée au pied de son lit ; son père s'était endormi sur l'unique chaise. Il n'y avait personne d'autre. Pas d'infirmière, pas de médecin, pas d'inspecteur.

Il pensa à Emily et tenta d'imaginer l'endroit où elle se trouvait. Était-elle dans une chambre mortuaire ? À la morgue ? Et d'ailleurs, où était la morgue ?... Elle n'était indiquée nulle part aux arrêts d'ascenseur. Il remua avec peine, grimaçant sous l'effet de la douleur, et essaya de se souvenir des dernières paroles que lui avait dites Emily.

Sa tête lui faisait mal, mais infiniment moins que son cœur.

— Chris ?

La voix de sa mère lui parvint en volutes, comme une fumée. Gus s'était redressée au pied du lit ; la couverture avait imprimé une marque sur sa joue.

— Ça va, mon chéri ?

Il sentit la main de sa mère sur sa joue, aussi fraîche que l'eau d'une rivière.

— Tu as mal à la tête ? lui demanda-t-elle.

Son père aussi s'était réveillé.

Et voilà que maintenant il se retrouvait flanqué de ses deux parents qui enserraient son lit comme deux serre-livres assortis, avec la même expression de pitié et de souffrance au fond des yeux.

Chris se tourna sur le côté et enfouit son visage dans son oreiller.

— Quand tu rentreras à la maison, lui dit sa mère, tu te sentiras mieux.

— J'ai l'intention de louer une tronçonneuse pour ce week-end, ajouta son père. Si les médecins te déclarent apte, il n'y a pas de raison pour que tu ne me donnes pas un coup de main.

Qu'est-ce qu'il racontait ? Une tronçonneuse ?

— Mon chéri, reprit sa mère, répétant l'une des mille et une platitudes que le psy des urgences lui avait sans doute serinées pendant la nuit, pleure, si tu en as envie.

Mais Chris garda obstinément la tête cachée dans son oreiller. Sa mère prit alors l'initiative de soulever l'un des bords. L'oreiller valsa par terre, dévoilant le visage du blessé, un visage écarlate aux yeux secs et furibonds.

— Allez-vous-en ! lança-t-il, crachant les mots un à un.

Il attendit d'entendre le signal de l'ascenseur à l'autre bout du couloir pour passer une main tremblante sur l'arc de ses sourcils, puis sur l'arête de son nez, et enfin sur ses yeux vides de larmes, pour essayer de découvrir l'être qu'il était devenu.

James roula en boule sa serviette en papier et la jeta au fond de sa tasse.

— Bon, dit-il avec un coup d'œil à sa montre, il faut que j'y aille.

Gus le regarda à travers la vapeur qui s'échappait du thé qu'elle avait oublié de boire.

— Quoi ? Où donc ?

— J'ai une intervention à neuf heures ce matin, et il est déjà huit heures et demie.

Gus n'en crut pas ses oreilles.

— Tu vas travailler aujourd'hui ?

James hocha la tête.

— Je peux difficilement annuler maintenant, dit-il en empilant les tasses et les assiettes en carton sur le plateau de la cafétéria. Si j'y avais pensé cette nuit, ç'aurait été possible. Mais je n'y ai pas pensé.

Gus se dit qu'il s'exprimait comme si tout avait été de sa faute à elle.

— Mais je rêve ! siffla-t-elle. Ton fils veut se suicider, sa copine est morte, la police est toujours en possession de *ton* arme, et toi, tu vas faire comme s'il ne s'était rien passé ? Tu vas te contenter de reprendre ton train-train quotidien ?

James se leva et commença à s'éloigner.

— Si je ne le fais pas, dit-il, comment veux-tu attendre de Chris qu'il le fasse ?

Mélanie, assise dans le bureau des pompes funèbres, attendait la personne qui devait leur indiquer la marche à suivre pour les funérailles. À côté d'elle, Michael jouait avec sa cravate, l'un des trois seules qu'il possédait et qu'il avait absolument tenu à porter. Mélanie, quant à elle, avait refusé de changer de vêtements. Elle portait toujours ceux de la nuit précédente.

Un homme entra en trombe dans la pièce.

— Monsieur Gold, madame Gold, fit-il en leur serrant la main chacun à leur tour et en la gardant un peu plus longtemps que nécessaire, permettez-moi de vous présenter mes condoléances pour la perte que vous avez subie.

Michael marmonna un remerciement. Mais Mélanie se contenta de battre des paupières. Comment confier des funérailles à un homme qui choisissait ses mots avec si peu de soin ? Le mot de « perte » était grotesque. On perdait une chaussure ou un trousseau de clés. On ne pouvait pas décrire la douleur occasionnée par la mort d'un enfant en la cataloguant de perte. C'était un cataclysme, un anéantissement. Un enfer.

Jacob Saltzman se glissa derrière son vaste bureau.

— Je vous assure que nous ferons tout ce qui est en notre pouvoir pour que cette transition soit la moins pénible possible pour vous.

« Transition ! répéta Mélanie en elle-même. Le papillon qui sort de la chrysalide... Tout mais pas ça ! »

— Pouvez-vous me dire où se trouve Emily en ce moment ? demanda Saltzman.

— Non, répondit Michael avant de s'éclaircir la gorge.

Mélanie était embarrassée pour lui. Il paraissait si nerveux, si inquiet de commettre une erreur en face de cet homme. Mais qu'avait-il à prouver à ce Jacob Saltzman ?

— Elle était au Bainbridge Memorial, mais les... circonstances de la mort ont nécessité une autopsie.

— Dans ce cas-là, elle a été emmenée à Concord, répondit Saltzman d'une voix feutrée, tout en prenant des notes dans un carnet. Je suppose que vous souhaitez que les funérailles aient lieu le plus tôt possible, ce qui nous mènerait à... lundi.

Mélanie savait qu'il comptait un jour pour l'autopsie et un jour pour ramener le corps à Bainbridge. Elle émit un léger son de gorge qu'elle n'avait pu refréner.

— Nous allons devoir discuter de certains détails, reprit l'entrepreneur de pompes funèbres. En premier lieu, bien sûr, le cercueil. (Il se leva et indiqua d'un geste une porte qui communiquait avec son bureau.) Voulez-vous entrer quelques instants pour faire votre choix ?

— Le meilleur, répondit Michael d'une voix ferme. Le haut de gamme.

Mélanie regarda Jacob Saltzman opiner du chef. Elle pensa au comique de la scène. C'était un sujet dont elle aurait pu rire avec Gus : les pompes funèbres, le commerce de la mort... Comment des parents en deuil pourraient-ils marchander le prix d'un cercueil, ou choisir le modèle standard ?

— Avez-vous déjà une concession ? s'enquit l'homme.

Michael secoua négativement la tête :

— C'est vous qui vous occupez de cela ? demanda-t-il.

— Nous nous occupons de tout.

Suivit une négociation où les deux hommes parlèrent d'annonces dans les journaux, de réfrigération, de faire-part, de pierres tombales. Venir en ce lieu, c'était comme être admis dans un saint des saints où l'on posait des questions dont on ne désirait pas réellement connaître les réponses... Mélanie ignorait que les funérailles comportaient tant de détails : le cercueil pouvait être ouvert ou fermé, le registre de condoléances pouvait être relié de cuir ou de carton, la quantité de roses composant la couronne mortuaire pouvait varier.

La facture grossit peu à peu pour atteindre une somme confortable : deux mille dollars pour le cercueil, deux mille dollars pour le coffrage de ciment qui ne ferait que retarder l'inévitable, trois cents dollars pour le rabbin, cinq cents pour l'annonce dans le *Times*, mille cinq cents dollars pour préparer le site de la tombe, mille cinq cents dollars pour utiliser la chapelle de la morgue. Où trouveraient-ils tout cet argent ? Ah ! oui... Ils le prendraient sur l'argent mis de côté pour payer les études universitaires d'Emily.

Jacob tendit le total à Michael, qui n'eut pas un battement de cils.

— C'est bien, répéta-t-il, je veux le meilleur.

Mélanie se tourna lentement vers Saltzman.

— Les roses, le cercueil en acajou, le ciment tout autour, le *New York Times*... le meilleur... Emily n'en sera pas moins morte pour autant ! lança-t-elle en tremblant de tous ses membres.

Michael pâlit. Tendant un sac en plastique à l'entrepreneur de pompes funèbres, il lui dit :

— Je crois que nous ferions mieux de partir. Voici les vêtements.

Mélanie, qui était en train de se lever, s'arrêta net.

— Les vêtements ?

— Oui, pour être enterrée avec, précisa Jacob Saltzman de sa voix feutrée.

Mélanie se saisit du sac et l'ouvrit. Elle en sortit une robe d'été de couleurs vives bien trop légère pour la saison, des sandales qui n'allaient plus à Emily depuis deux ans, une petite culotte qui sentait encore l'assouplissant et une barrette dont le fermoir était cassé. Michael n'avait pas apporté de soutien-gorge. Est-ce qu'il se souvenait vraiment bien de sa fille ?

— Pourquoi as-tu apporté ces affaires-là ? murmura-t-elle. Où les as-tu trouvées ?

Des vêtements oubliés et passés de mode ! Jamais Emily n'aurait voulu les porter pour l'éternité. Ses parents disposaient de cette dernière chance de montrer qu'ils la connaissaient, qu'ils l'écoutaient. Ils ne pouvaient pas se permettre de se tromper.

Mélanie se précipita dehors, essayant de toutes ses forces de ne pas voir le vrai problème... Le vrai problème, ce n'était pas que Michael se trompait dans ses choix ; c'était qu'il lui fallait faire ces choix.

En rentrant, ils trouvèrent Anne-Marie Marrone qui les attendait dans l'allée.

Michael l'avait rencontrée brièvement la nuit précédente, mais il n'était pas d'humeur à l'écouter. C'était elle qui lui avait annoncé que Chris et Emily avaient essayé de se suicider. Que pouvait-elle avoir à lui dire de plus, puisque sa fille était déjà morte ?

— Docteur Gold, appela l'inspecteur en sortant de sa Taurus.

Elle remonta le chemin gravillonné jusqu'à leur voiture. Si elle remarqua la présence de Mélanie prostrée sur son siège à l'intérieur, elle ne fit aucun commentaire.

— Je ne savais pas que vous étiez médecin, dit-elle avec amabilité en désignant le nom de son cabinet peint sur son 4×4.

— Pour les animaux, répondit-il sèchement. Ce n'est pas la même chose.

Michael poussa un soupir. Oui, il vivait une journée affreuse. Mais il n'avait pas à traiter cette femme comme si elle en était responsable. Elle était là pour faire son travail.

— Écoutez, inspecteur Marrone, dit-il. Nous avons eu une matinée difficile. Je n'ai pas vraiment le temps de parler.

— Je comprends, mais je ne vous retiendrai qu'une minute.

Il hocha la tête et désigna la maison.

— C'est ouvert.

Il vit l'inspecteur ouvrir la bouche pour lui faire remarquer son imprudence, puis se raviser.

Il contourna la voiture pour aider Mélanie à sortir.

— Rentre à la maison, dit-il de la voix douce qu'il employait pour calmer un cheval nerveux.

Il la conduisit jusqu'à la cuisine, où elle se laissa tomber sur une chaise sans enlever son manteau.

L'inspecteur Marrone resta debout.

— La nuit dernière, dit-elle sans préambule, je vous ai donné la version du jeune Harte qui a parlé d'un double suicide. Votre fille a peut-être mis fin elle-même à ses jours, mais il faut que vous sachiez que, jusqu'à ce que nous en obtenions la preuve, sa mort sera traitée comme une affaire d'homicide.

— Un homicide ! souffla Michael.

En entendant ce mot terrible et néanmoins séduisant, il sentit s'ouvrir devant lui comme une porte de sortie : la possibilité de rejeter sur quelqu'un d'autre la responsabilité de la mort de sa fille.

— Vous voulez dire que c'est Chris qui l'a tuée ? fit-il.

L'inspecteur secoua la tête.

— Je ne dis rien du tout. Je vous explique un point de procédure, qui prévoit de suspecter en premier lieu la personne trouvée auprès d'une arme qui vient de servir. Celle qui est encore vivante, précisa-t-elle.

— Si vous reveniez dans quelques jours, quand... les choses se seront un peu calmées, répliqua Michael, je serais heureux de vous montrer notre album photo, ou les cahiers de classe d'Emily, ou les lettres que Chris lui a écrites quand il partait camper. Il n'a pas tué ma fille, inspecteur Marrone. S'il dit qu'il ne l'a pas fait, vous pouvez le croire. Je peux vous le garantir : je connais bien Chris.

— Aussi bien que vous connaissiez votre fille, docteur Gold ? Tellement bien que vous ne saviez pas qu'elle voulait se suicider ? Parce que si l'histoire de Christopher Harte est vraie, cela signifie que votre fille a voulu se suicider – qu'elle s'est suicidée –, sans révéler aucun symptôme de dépression.

L'inspecteur se gratta le nez.

Écoutez, reprit-elle, j'espère pour vous et aussi pour Emily et Chris – qu'il s'agit d'un double suicide qui n'a pas abouti. Le suicide n'est pas considéré comme un crime dans le New Hampshire. Mais si le suicide n'est pas prouvé, le procureur général déterminera s'il y a lieu d'intenter un procès pour meurtre contre le garçon.

Michael n'avait pas besoin qu'on le lui précise : ce serait Emily qui parlerait *post mortem*, après l'autopsie de son corps, pour dire s'il y avait lieu ou non.

— Est-ce que nous aurons une copie du rapport médical ? s'enquit-il.

Anne-Marie Marrone hocha la tête.

— Si vous voulez, je pourrai vous en montrer une.

— Oui. S'il vous plaît.

Ce serait sa dernière déclaration. Le mot qu'elle n'avait pas laissé.

— Mais je suis sûr que nous n'en arriverons pas là.

Anne-Marie l'approuva de la tête et se dirigea vers la porte. Arrivée sur le seuil, elle se retourna.

— Avez-vous parlé à Chris ?

— Eh bien... je crois que ce n'était pas le bon moment.

— Non, bien sûr. Je me posais la question, c'est tout.

Après avoir présenté ses condoléances une dernière fois, elle sortit.

Michael descendit au sous-sol pour ouvrir la porte aux deux setters qui exprimèrent leur joie avec force démonstrations. Il les escorta jusqu'à l'allée et resta quelque temps devant la porte ouverte. Il ne remarqua pas que Mélanie, qui avait resserré son manteau autour d'elle sous l'effet du courant d'air froid, arrondissait la bouche pour former le mot « homicide » et s'abîmait, se noyait dans ce mot.

James était avec Chris à l'hôpital. Ils attendaient la signature du médecin qui autorisait le transfert du jeune homme dans l'unité psychiatrique pour adolescents. Gus avait été soulagée de cette décision : elle ne se faisait pas confiance pour déceler chez son fils les signes de dépression qu'elle n'avait apparemment pas su voir auparavant. Il serait en meilleures mains auprès d'une équipe hospitalière expérimentée.

James, quant à lui, avait violemment réagi. Est-ce que ça paraîtrait sur le dossier médical de son fils ? À dix-sept ans, serait-il autorisé à signer le registre de sortie à n'importe quel moment ? Est-ce que son école, ses futurs employeurs, le gouvernement sauraient qu'il avait passé trois jours dans un établissement psychiatrique ?

Par la fenêtre du salon, Gus regarda le sentier dégagé qui courait de leur maison à celle des Gold. À cette époque de l'année, il était parsemé d'aiguilles de pin et recouvert de givre. Elle aperçut une lumière dans la chambre de Mélanie. Puis, sur la pointe des pieds, elle alla jeter un coup d'œil sur Kate, qui avait appris la nouvelle de la mort d'Emily dans l'après-midi. Comme elle s'en doutait, sa fille s'était endormie en pleurant.

Gus jeta son manteau sur ses épaules et courut le long du sentier jusque dans la cuisine de Mélanie. Là, elle n'entendit aucun bruit, à l'exception du tic-tac d'une pendule.

— Mélanie ? appela-t-elle.

Elle monta à l'étage et passa la tête dans la chambre, puis dans le bureau où se trouvait l'ordinateur. La porte de la chambre d'Emily était fermée. Gus n'y entra pas. Elle frappa à l'autre porte fermée, celle de la salle de bains, puis l'ouvrit doucement.

Mélanie était assise sur le rabat du siège des toilettes. À la vue de Gus, elle leva la tête, mais ne manifesta aucune surprise.

À présent que son amie était devant elle, Gus ne savait que dire. Il lui sembla soudain incongru de venir offrir son réconfort alors qu'elle-même était si étroitement liée à la souffrance de Mélanie.

— Bonjour, prononça-t-elle doucement. Comment ça va ?

Mélanie haussa les épaules.

— Je ne sais pas, répondit-elle en remontant ses genoux sur sa poitrine. L'enterrement a lieu lundi. Nous sommes allés aux pompes funèbres.

— Ça a dû être affreux.

— Je n'ai même pas écouté. Je ne supporte pas Michael en ce moment.

Gus hocha la tête.

— Je te comprends. James a engueulé le médecin qui voulait faire admettre Chris dans une unité psychiatrique, parce que ça va entacher le nom de la famille...

Mélanie la regarda.

— Est-ce que tu avais vu arriver tout ça ? demanda-t-elle.

— Non, répondit Gus d'une voix brisée. Si je l'avais vu arriver, je t'en aurais parlé. Et je sais que toi aussi, tu m'en aurais parlé. (Elle se laissa tomber sur le rebord de la baignoire.) Qu'est-ce qui pouvait leur être aussi insupportable ?

Elle savait qu'elle pensait à la même chose que son amie : Chris et Emily avaient été élevés avec amour, dans l'aisance, ensemble. Que leur fallait-il de plus ?

Mélanie attrapa le bord du rouleau de papier hygiénique et se mit à triturer le papier.

— Michael avait apporté des vêtements affreux pour enterrer Em avec. Je les ai repris, je ne voulais pas qu'on lui mette ça.

Gus se leva, soulagée à l'idée d'avoir quelque chose à faire.

— Il faut que nous lui trouvions autre chose, alors.

Elle prit Mélanie par la main, la fit se relever et l'emmena dans la chambre de sa fille. Elle tourna résolument la poignée, refusant de céder à l'affolement qui la saisit à l'idée d'affronter tous les souvenirs qui viendraient à sa rencontre.

Mais elle ne vit que la chambre d'Emily dans toute sa splendeur. Une chambre d'adolescente où étaient éparpillés des vêtements en jean, des huiles parfumées et des photos de son propre fils.

Pendant que Gus farfouillait dans l'armoire, Mélanie resta plantée au milieu de la pièce, prête à céder à son envie de s'enfuir.

— Qu'est-ce que tu penses du corsage bleu qu'elle portait pour la photo de classe ? proposa Gus. Ses yeux ressortaient magnifiquement.

— Il est sans manches, répondit Mélanie d'un ton absent.

Elle mourrait de froid.

En voyant les mains de son amie s'activer parmi les cintres, elle se couvrit la bouche de la main.

— Non ! gémit-elle, les yeux remplis de larmes.

— Oh, Mel ! murmura Gus en la prenant dans ses bras, je l'aimais moi aussi. Nous l'aimions tous.

Mélanie la repoussa et lui tourna le dos.

— Tu sais quoi, poursuivit Gus en hésitant, je pourrais peut-être demander à Chris. Il saura mieux que nous ce qu'elle aimait mettre.

Mélanie ne répondit pas. Gus se demanda ce que l'inspecteur leur avait dit, à elle et à Michael. Et surtout ce qu'ils croyaient.

— Tu sais bien que Chris l'aimait, dit-elle doucement. Et tu sais qu'il ferait n'importe quoi pour Em.

Mélanie pivota sur elle-même, portant soudain sur son visage une expression que Gus ne lui connaissait pas.

— Tout ce que je sais de Chris, dit-elle, c'est qu'il est toujours vivant.

HIER

Été 1984

Cette fois-ci, Gus rêvait qu'elle était dans sa voiture, sur la Route 6. À l'arrière, Chris jouait avec un petit personnage en plastique qu'il tapait contre le montant de son siège auto. À côté de lui, le visage obscurci dans l'angle du rétroviseur, était installé le bébé.

— Est-ce qu'elle boit son biberon ? demanda-t-elle à Chris, le grand frère, le copilote.

Il n'eut pas le temps de répondre. Un homme frappa à la vitre. Elle sourit et descendit la glace, prête à le renseigner.

Mais l'homme lui agita un revolver sous le nez.

— Sortez de la voiture ! lui ordonna-t-il.

En tremblant, Gus coupa le moteur. Elle sortit de la voiture – on dit qu'il faut toujours sortir de la voiture – et elle lança les clés le plus loin possible.

— Salope ! hurla l'homme en courant ramasser les clés.

Gus savait qu'elle ne disposait que de trente secondes. En trente secondes, elle ne pourrait pas détacher les deux sièges auto, attraper les enfants et les mettre en sécurité.

Il revint vers elle. Elle devait faire un choix. Elle s'affaira sur la portière arrière en sanglotant. « Vite ! Vite ! » criait-elle en détachant le bébé et en le tirant hors de son siège.

Elle se précipita de l'autre côté de la voiture, le côté de Chris, mais l'homme démarrait déjà et, tenant l'un de ses enfants dans ses bras, elle le regarda s'éloigner avec l'autre.

— Gus ! Gus !

Elle s'éveilla péniblement et distingua le visage de son mari.

— Tu étais encore en train de gémir.

— Tu sais, dit Gus hors d'haleine, on dit que quand on gémit dans son sommeil, c'est qu'on crie dans son rêve.

— C'est toujours le même cauchemar ?

Elle hocha la tête.

— Cette fois-ci, c'était Chris.

James passa son bras autour de l'énorme ventre de sa femme et sentit les bosses et les creux formés par ce qui devait être des genoux, des coudes.

— Ce n'est pas bon pour toi, murmura-t-il.

— Je sais.

Elle était trempée de sueur. Son cœur battait à tout rompre.

— Peut-être... peut-être qu'il faudrait que j'aille voir quelqu'un.

— Un psychiatre ? jeta James. Tu parles, Gus, c'est un cauchemar, rien de plus. Et n'oublie pas que nous sommes à Bainbridge, pas à Chicago !

Il lui déposa un baiser dans le cou avant d'ajouter :

— Personne ne va t'attaquer en voiture. Personne ne volera nos enfants.

— Comment peux-tu le savoir ? rétorqua-t-elle doucement, les yeux au plafond. Comment peux-tu être aussi sûr que ta vie est protégée ?

Sur ce, elle se leva pour aller voir son fils. Il dormait, étalé de tout son long en travers de son lit. Elle se dit qu'il dormait avec l'insouciance de quelqu'un qui sait qu'il est en sécurité.

L'été était inhabituellement chaud, une chaleur que Gus n'attribuait ni à El Niño ni au réchauffement de la planète, mais à la loi de Murphy, puisqu'elle était au milieu de sa seconde grossesse. Depuis quinze jours, tous les matins, la température grimpait à 29° avant neuf heures. Et, tous les matins, Gus et Mélanie conduisaient les enfants à Tally Pond, un étang géré par la municipalité.

Chris et Emily jouaient sur le bord de l'eau. Leurs deux têtes étaient penchées l'une vers l'autre, leurs membres emmêlés brunis par le soleil.

Emily mit de la boue sur ses doigts et les agita tendrement devant le visage de Chris.

— Tu es un Indien, lui dit-elle en lui barbouillant la figure avec de la peinture de guerre.

À son tour, Chris remplit ses deux mains de boue et les appliqua sur le torse nu d'Emily en descendant jusqu'à son ventre.

— Toi aussi, répondit-il.

— Hum hum, marmonna Gus. Je crois que je ferais bien de mettre rapidement un terme à cette habitude...

Mélanie éclata de rire.

— De caresser la poitrine des filles, tu veux dire ? Avec un peu de chance, quand ça sera vraiment important, les objets de son attention mettront leur soutien-gorge de bikini.

Soudain, Emily se détourna de Chris, poussa un cri et se mit à courir sur la petite plage. Mélanie regarda les deux enfants disparaître derrière un rocher.

— Je vais aller les récupérer, déclara-t-elle.

— Tu as raison, fit Gus, tu y seras plus vite que moi !

Elle rejeta la tête en arrière et s'assoupit, mais pas pour longtemps. Bientôt, le sol se mit à trembler sous l'effet d'une cavalcade et elle ouvrit les yeux. Emily et Chris se tenaient en face d'elle, entièrement nus.

— On veut savoir pourquoi Emily a un géant, annonça son petit garçon.

Mélanie surgit derrière eux, portant leurs maillots de bain.

— Un géant ? s'étonna-t-elle.

Chris montra son sexe.

— Oui, précisa-t-il, moi, j'ai un zizi, et elle, elle a un géant !

Mélanie sourit benoîtement à son amie.

— Moi, j'ai fait ce que je devais faire, je les ai ramenés, alors, à toi de jouer les femmes éclairées.

Gus s'éclaircit la gorge.

— Emily n'a pas de zizi, expliqua-t-elle, parce que Emily est une fille. Les filles ne sont pas faites comme les garçons.

Emily et Chris échangèrent un regard qui en disait long et gloussèrent.

— Est-ce qu'elle pourra s'acheter un zizi? demanda Chris.

— Non, répondit sa mère. Ce qu'on a, on le garde. C'est comme pour les bonbons d'Halloween.

— Mais nous, on a envie d'être pareils! pleurnicha Emily.

— Non, ce n'est pas possible! se récrièrent les deux mamans avec un bel ensemble.

Mélanie tendit sa culotte de bikini à Emily.

— Allez, habille-toi, maintenant. Toi aussi, Chris.

Les deux enfants remirent sagement leurs maillots humides et coururent vers le château de sable qu'ils avaient construit. Mélanie jeta un regard interrogateur à Gus :

— Les bonbons d'Halloween?

Son amie éclata de rire :

— Tu aurais trouvé mieux, toi?

Mélanie s'assit à côté d'elle :

— À leur mariage, on repensera à ça et ça nous fera bien rire.

Charlie, le chien de chasse de James, était malade depuis quelque temps. L'année précédente, Michael avait diagnostiqué un ulcère et prescrit des médicaments pour humains, comme le Tagamet et le Zantac, qui coûtaient une fortune. Le chien devait être nourri en petites quantités et surveillé, afin qu'il n'aille pas fouiller dans les poubelles à la recherche de quelque nourriture contre-indiquée. Mais la maladie revenait cycliquement : pendant des mois entiers il se portait bien, puis il faisait une rechute et Gus retournait consulter Michael. Elle cachait soigneusement ses ordonnances, sachant pertinemment que jamais James n'accepterait de dépenser cinq cents dollars par hiver pour un chien qui allait mourir. Mais elle refusait d'envisager une autre solution.

Cet été-là, cependant, un nouveau problème se déclara. Charlie buvait en permanence... L'eau des toilettes, le bain de Chris, les flaques d'eau. Il urinait sur les tapis et les dessus-de-lit, alors qu'il était habituellement très propre. Michael annonça à Gus qu'il s'agissait probablement d'un diabète. Ce n'était pas courant chez les épagneuls, mais ce n'était pas fatal, bien que délicat et difficile à contrôler. Et, chaque matin, une injection d'insuline serait nécessaire.

Le samedi après-midi, Gus emmenait Charlie chez les Gold et le faisait examiner par Michael. Chaque semaine, ils discutaient de l'absence d'amélioration de son état et de l'éventualité de le faire piquer.

— Il est malade, lui expliquait Michael, je ne te blâmerai pas si tu prends cette décision.

Le troisième samedi d'août, Gus emprunta le sentier qui reliait sa maison à celle des Gold, accompagnée de Charlie qui bondissait autour de ses jambes. Chris et Emily étaient de la partie : ils venaient de passer la matinée ensemble chez elle. Ils gravirent tous ensemble les marches de la véranda, dans un tourbillon de pattes et de petits pieds. Les enfants s'engouffrèrent dans la cuisine et Charlie passa comme un boulet de canon entre les jambes de Mélanie lorsqu'elle ouvrit la porte.

— Il fait toujours pipi ? demanda-t-elle.

Gus hocha la tête.

— Charlie ! cria Mélanie. Reviens tout de suite !

Mais avant que le chien ait eu le temps de souiller un tapis ou de monter au premier, Michael apparut avec lui à ses côtés.

— Comment fais-tu ? demanda Gus en riant. Moi, je n'arrive même pas à le faire asseoir !

— C'est le fruit d'une longue pratique ! répondit Michael en souriant. Tu es prête ?

Gus se tourna vers Mélanie :

— Tu jettes un œil sur Chris ?

— Je crois qu'Em s'en occupe. À quelle heure veux-tu que nous venions ce soir ?

— À sept heures. On couchera les enfants et on fera comme si on n'en avait pas.

Michael tapota le ventre de Gus.

— Ce sera extrêmement facile pour toi, avec ta silhouette de jeune fille !

— Si tu n'étais pas le vétérinaire de mon chien, je te mettrais une claque !

Riant et plaisantant, ils se dirigèrent vers le petit bureau que Michael avait installé au-dessus du garage, sous le regard de Mélanie qui les observa jusqu'à ce qu'ils fussent hors de vue : elle était époustouflée de leur aisance et de la simplicité de leurs rapports.

James vint se placer derrière Gus alors que celle-ci fixait sa boucle d'oreille devant le miroir.

— J'ai quel âge ? lui demanda-t-il en passant la main dans ses cheveux.

— Trente-deux ans, répondit-elle.

Les yeux de James s'agrandirent.

— Non, trente et un !

Gus sourit.

— Tu es né en 1952. Fais le calcul.

— Oh, mon Dieu, moi qui pensais que j'en avais trente et un ! s'exclama-t-il alors que fusait le rire de sa femme. Tu sais, c'est comme quand on se réveille en étant persuadé qu'on est vendredi, alors qu'en réalité on n'est que mardi. Moi, j'ai sauté une année entière.

En bas, la sonnette retentit.

— Papa, annonça Chris en surgissant dans la pièce en pyjama Batman, c'est Em ! C'est Em !

— Fais-la entrer, répondit sa mère. Dis à Mélanie qu'on descend.

Les yeux de James rencontrèrent ceux de Gus, dans le miroir.

— Est-ce que je t'ai déjà dit que tu étais très mignonne ce soir ?

Gus sourit.

— C'est uniquement parce que tu ne vois que le haut, dans cette glace.

— Non, non, murmura James en lui déposant un baiser dans le cou.

— Et moi, est-ce que je t'ai dit que j'aimais chacune de tes trente et une années ?

— Trente-deux.

— Oh, dans ce cas, oublie ce que j'ai dit !

Elle eut un sourire éblouissant et recula, superbe dans son large caftan de soie.

— Tu viens ?

James lui emboîta le pas.

Au milieu de la soirée, le chien eut une crise.

Ils venaient de finir de dîner. Les hommes étaient montés pour coucher les deux enfants dans le grand lit de la chambre principale. James était en train de descendre les escaliers lorsqu'il entendit une toux suivie d'un son impossible à ne pas identifier.

Il retrouva Charlie en train de vomir sur le kilim ancien, au milieu d'une flaque d'urine.

— Nom de Dieu ! lança-t-il.

Attrapant Charlie par le collier, il le fit sortir.

— Ce n'est pas sa faute, l'excusa Gus d'une voix douce.

Mélanie était déjà à quatre pattes, en train de réparer les dégâts avec une serviette en papier.

— Je sais, répondit James sèchement. Mais ce n'est pas ça qui rend les choses plus faciles.

Il se tourna vers Michael qui se tenait un peu plus loin, les mains dans les poches :

— Tu ne peux rien faire ?

— Non, sinon, il risque un choc insulinique.

— C'est merveilleux, ricana James en frottant le tapis du bout de son pied. Parfait.

Gus prit la serviette des mains de Mélanie, qui se releva lentement.

— Il est peut-être temps de rentrer, suggéra-t-elle, et son époux hocha la tête.

Pendant que Gus et James essayaient de sauver leur tapis ancien, ils montèrent au premier. Perdue dans un océan de draps, leur fille dormait contre Chris, et l'or et le cuivre de leurs cheveux entremêlés étaient répandus sur le même oreiller. Michael les sépara avec douceur et prit sa fille dans ses bras.

Gus les attendait devant la porte d'entrée.

— Je vous appellerai, dit-elle.

— Oui, répondit Mélanie avec un sourire triste en maintenant la porte ouverte pour laisser passer son époux.

Michael attendit encore quelques instants et regarda Gus, sa fille endormie et chaude toujours dans ses bras.

— C'est peut-être le moment, Gus, dit-il.

Elle secoua la tête.

— Je suis vraiment désolée.

— Non, répondit Michael, c'est moi.

Cette nuit-là, l'agresseur avait un museau de chien et exhibait des gencives noires et rétractées.

— Sortez de la voiture ! ordonna-t-il.

Gus s'exécuta en hâte, tout en se disant que cette fois-ci, elle devait jeter les clés plus loin, qu'elle devait absolument les jeter plus loin !

Elle ouvrit la portière arrière, sortit le bébé et cria à Chris :

— Détache-toi !

L'enfant essaya, mais ses petits doigts n'y parvenaient pas.

— Détache-toi !

Elle se précipita de son côté. L'agresseur se glissa sur le siège du conducteur et dirigea son arme sur elle. Elle sentit une griffure au poignet. Elle baissa les yeux vers le bébé et s'aperçut que depuis le début, c'était Charlie qu'elle serrait contre elle.

James sortit du lit avant le lever du soleil, mit un jean et un T-shirt. Curieux comme il faisait froid quand le brouillard n'était pas encore apparu ! Faisant délibérément le vide dans sa tête, il avala un bol de céréales à la cuisine, puis descendit au sous-sol.

Charlie, qui le sentait toujours bien avant de le voir, faisait des bonds dans sa niche grillagée.

— Salut, mon chien, dit James en levant le loquet. Tu veux aller faire un tour ? Tu veux qu'on parte à la chasse ?

Le chien, enchanté, roula des yeux en sortant sa langue rose. Puis il s'accroupit et urina sur le sol de ciment.

James avala sa salive et fouilla dans sa poche, à la recherche de la clé de son râtelier. Il sortit le calibre 22 qu'il destinait à Chris, quand il serait assez grand pour chasser les écureuils et les lapins. Puis, après avoir passé un chiffon à la silicone sur la crosse et sur le canon du fusil, il prit deux balles et les enfouit dans la poche de son jean.

Le chien, qui se sentait dans son élément, prit la tête de l'expédition. Le nez pointé sur le sol, il dénicha un gros crapaud brun. Puis il fit demi-tour, suivant sa propre odeur.

James siffla.

— Par là, Charlie, lui dit-il en le conduisant dans la partie boisée de la propriété.

Il introduisit les balles dans le fusil. Charlie s'engouffra dans les broussailles touffues, à la recherche d'un faisan ou d'une perdrix, comme le lui dictait son instinct. Soudain, il s'arrêta, leva la tête et regarda le ciel.

Les joues inondées de larmes, James s'arrêta derrière lui, si doucement et de façon si familière que l'animal ne se retourna même pas. Et, levant son fusil, il abattit son chien d'une balle dans la tête.

— Bonjour, dit Gus en entrant dans la cuisine. Tu t'es levé bien tôt, ce matin.

James, qui se lavait les mains dans l'évier, répondit sans la regarder :

— Écoute, le chien est mort.

Gus s'arrêta net au milieu de la pièce. S'appuyant contre un meuble, les yeux remplis de larmes, elle murmura :

— C'est sûrement l'insuline. Michael m'a dit...

— Non, la coupa son époux en évitant toujours son regard. Je l'ai emmené à la chasse ce matin.

Ce n'était pas la saison de la chasse, mais l'idée ne parut pas effleurer Gus.

— Il a eu une attaque ? s'enquit-elle, fronçant les sourcils.

— Non, il n'a pas eu d'attaque. Gus... c'est moi qui l'ai fait.

Elle porta la main à sa gorge.

— Tu as fait... quoi ?

— Je l'ai tué, merde ! D'accord ? Ça me fait quelque chose, tu sais. Et ce n'est pas à cause du tapis, c'est parce que je voulais l'aider. Je voulais l'empêcher de souffrir.

— Donc, tu l'as abattu ?

— Qu'est-ce que tu aurais fait, à ma place ?

— Je l'aurais amené à Michael !

— Pour que ce soit lui qui l'abatte ? Pendant que toi, tu le tiendrais et que tu le regarderais faire ? Ce que j'ai fait est bien plus humain ! C'était mon chien. C'était moi qui m'occupais de lui.

Il traversa la pièce et regarda sa femme :

— Quoi ? lui demanda-t-il d'un air de défi.

Gus secoua la tête.

— Je ne te connais pas, dit-elle.

Et elle sortit en courant.

— Je me demande vraiment comment on peut tirer sur son propre chien ! s'exclama Gus, ses mains tremblantes crispées sur sa tasse de café.

Assise en face d'elle, Mélanie la regardait.

— Ce n'était pas par méchanceté, dit-elle.

Mais elle avait prononcé ces paroles sans conviction. Tout à l'heure, en voyant arriver chez elle sa meilleure amie en larmes, elle avait compris à quel point elle appréciait les qualités de cœur de Michael.

— Il ne tue pas ses patients, lui ? s'écria Gus, comme si elle avait lu dans ses pensées. Et qu'est-ce que je vais dire à Chris ? ajouta-t-elle.

— Dis-lui que Charlie est mort, et que maintenant tout va mieux pour lui.

Gus passa les mains sur son visage.

— Je lui mentirais.

— Il aura moins de peine comme ça, répondit Mélanie.

Et, involontairement, les deux jeunes femmes repensèrent à l'acte de James, et à la raison qui l'y avait poussé.

Gus trouva Chris qui l'attendait sur les marches de la véranda quand elle rentra.

— Papa m'a dit que Charlie est mort, fit-il.

— Je sais, ça me fait de la peine.

— Est-ce qu'on va le mettre dans une *combe* ?

— Une tombe ?

Gus fronça les sourcils. À propos, qu'avait fait James de la dépouille du chien ?

— Je ne pense pas, mon chéri. Je crois que papa a enterré Charlie quelque part dans le bois.

— Est-ce que Charlie est un ange, maintenant ?

Oui, Charlie-le-bondissant semblait avoir des ailes aux pattes...

— Je pense que oui.

Chris se frotta le nez.

— Quand est-ce qu'on va le revoir ?

— Pas avant qu'on aille au ciel. Pas avant longtemps.

Sur les joues de son petit garçon, elle vit couler des larmes argentées. Sans réfléchir, elle s'engouffra dans la maison, Chris sur ses talons. Elle se rendit dans la salle de bains et prit sa brosse à dents et son shampoing, son rasoir et son parfum à l'abricot. Elle emballa tout cela dans sa chemise de nuit de coton et posa le ballot sur son lit. Puis elle attrapa au hasard quelques vêtements dans son armoire.

— Tu aimerais qu'on aille habiter chez Em pendant quelque temps ?

Gus et Chris dormaient dans la chambre d'amis, une petite pièce située à côté du cabinet vétérinaire, meublée d'un lit à deux places, d'une commode branlante, et baignant dans une pénétrante odeur d'alcool. Gus alla se coucher à huit heures, en même temps que son fils, un peu confuse à l'idée de s'être ainsi imposée à ses amis. Elle s'efforça de ne pas penser à James.

Michael et Mélanie n'avaient pas fait de commentaire. Ils avaient bien fait, car que dire dans un cas pareil ? Ils seraient tombés à côté, de toute façon. Il fallait mettre au crédit de James qu'il avait téléphoné quatre fois et qu'il s'était déplacé à deux reprises, en vain. Gus refusait de le voir.

Elle attendit que tout bruit se soit tu dans la maison et guetta la respiration régulière de Chris. Puis elle se leva doucement et alla prendre le téléphone au fond du couloir.

James répondit à la troisième sonnerie.

— Allô ! dit-il d'une voix ensommeillée.

— C'est moi.

— Gus !

Elle l'entendit se réveiller pour de bon, s'asseoir, rapprocher l'appareil.

— Je voudrais que tu rentres, dit-il.

— Où est-ce que tu l'as enterré ?

— Dans le bois. Près du mur de pierre. Je t'y emmène quand tu veux.

— Non, c'était juste pour savoir, pour que je puisse le dire à Chris.

En réalité, elle n'avait pas l'intention de le dire à son fils. C'était la crainte de tomber un beau jour sur un squelette déterré par quelque tempête qui la poussait à vouloir connaître l'endroit.

— Je ne l'ai pas fait par vengeance, dit James, je me fous de ce satané tapis. Tu sais très bien que si j'avais eu le pouvoir de reprendre les choses et de guérir Charlie, je l'aurais fait !

— Peut-être, mais tu ne l'as pas fait, répondit-elle.

Elle reposa le récepteur, appuya ses poings contre sa bouche... Il lui fallut un moment avant d'apercevoir Michael devant elle.

Il portait un pantalon de jogging troué au genou et un T-shirt délavé.

— J'ai entendu du bruit, lui expliqua-t-il. Je suis descendu pour m'assurer que tout allait bien.

— Tout va bien... dit-elle.

Elle songea à Mélanie et à sa précision dans le choix des mots. Ce matin, James avait dit : le chien est mort. Mais en fait, le chien n'était pas mort, le chien avait été tué. Grosse différence.

— Eh bien non, tout ne va pas bien, se reprit-elle. Il n'y a même pas grand-chose qui aille.

Michael posa une main sur son bras.

— Il a fait ce qu'il pensait devoir faire, Gus. Il a même emmené Charlie à la chasse avant. Quand Charlie est mort, il était avec la personne qu'il préférait au monde. J'aurais pu l'euthanasier, moi-même, mais je n'aurais pas pu lui donner cette dernière joie.

Il se leva et lui prit les mains pour qu'elle se lève.

— Allez, va te coucher, dit-il.

Et il la reconduisit jusqu'à sa chambre, avec sa main légère et chaude posée au creux de ses reins.

Le lendemain, Mélanie et Gus emmenèrent les enfants à l'étang. Sitôt arrivés, Chris et Emily se ruèrent dans l'eau, tandis que les mamans prenaient leurs quartiers sur la plage.

Soudain, un mouvement se fit du côté de la cabine de surveillance. Un jeune homme musclé et bronzé, en maillot de bain rouge, plongea prestement dans l'étang et nagea vers les rochers. Les deux jeunes femmes restèrent pétrifiées sur leurs sièges, paralysées par le même effroi : leurs enfants n'étaient visibles nulle part.

Puis elles virent apparaître Emily, accompagnée d'une femme qu'elles ne connaissaient pas. La petite fille était trempée, ses cheveux dégoulinants plaqués sur son visage.

Un remous ovale tournoyait lentement à la surface de l'eau... Le secouriste plongea, puis réapparut. À grandes brasses rapides, il alla déposer son fardeau sur le sable.

Chris resta couché sur le sol, parfaitement immobile. Son visage était blanc, sa poitrine ne bougeait pas. Gus se fraya un chemin parmi la foule, incapable de parler, et se laissa tomber sur le sol à quelques centimètres de son fils. Le secouriste se pencha, posa ses lèvres sur celles de Chris et lui insuffla la vie.

L'enfant tourna la tête sur le côté, il vomit de l'eau. Reprenant ses esprits, il se mit à pleurer. Négligeant son sauveur, il se leva et alla se réfugier dans les bras de sa mère. Le jeune homme se leva.

— Il devrait être OK, maintenant, madame, dit-il. La petite fille, c'est sa copine ? Elle a glissé des rochers et il a sauté pour aller la repêcher. Le problème, c'est qu'elle a atterri dans un endroit où elle avait pied, mais pas lui.

— Maman ! dit Chris.

Gus, tremblant de tous ses membres, se tourna vers le secouriste.

— Je suis désolée... Merci.

— Pas de problème, répondit le jeune homme en retournant à son poste.

— Maman ! répéta Chris avec plus d'insistance.

De ses mains glacées et tremblantes, il encadra le visage de sa mère.

— Qu'est-ce qu'il y a ? demanda Gus, le cœur si lourd qu'il devait peser sur le bébé qu'elle portait en elle.

— Je l'ai vu ! répondit l'enfant, les yeux brillants. J'ai revu Charlie !

Gus et Chris retournèrent chez eux cet après-midi-là. Ils rangèrent soigneusement leurs affaires à leur place et, lorsque James rentra le soir, il retrouva son enfant endormi et sa femme l'attendant dans son lit, comme s'ils n'étaient jamais partis.

Cette fois-ci, dans son cauchemar, Gus parvint à lancer les clés plus loin encore, sous un véhicule qui était garé de l'autre côté de la route. Elle défit sa ceinture de sécurité et réussit à dégager le bébé, avant d'entendre un bruit de pas derrière elle.

— Salaud! hurla-t-elle.

C'était la première fois qu'elle se défendait dans son cauchemar. Elle donna un coup de pied dans les pneus. Elle s'apprêta à tirer Chris par la portière arrière, mais c'est alors qu'elle s'aperçut que son mari plongeait déjà les mains à l'intérieur de la voiture. Et elle se demanda pourquoi il lui avait fallu tout ce temps pour noter la présence de James sur le siège du passager.

AUJOURD'HUI

Novembre 1997

— J'ai engagé un avocat pour Chris, annonça James le samedi soir au dîner.

Il avait lâché ces mots comme un renvoi et s'était empressé ensuite de recouvrir sa bouche avec sa serviette, comme s'il pouvait les reprendre et les reformuler d'une façon plus civilisée.

Un *avocat.* Gus en laissa tomber le plat qu'elle tenait sur la table.

— Tu as fait quoi ?

— J'ai eu un entretien confidentiel avec Gary Moorhouse. Tu te souviens de lui ? C'est lui qui me l'a conseillé...

— Mais Chris n'a commis aucun crime ! La dépression n'est pas un crime !

Kate tourna vers son père un visage incrédule.

— Tu veux dire qu'ils croient que c'est lui qui a tué Emily ?

— C'est faux ! intervint Gus en croisant les bras, soudain prise de frissons. Chris n'a pas besoin d'avocat. D'un psychiatre, oui. Mais pas d'un avocat...

James hocha la tête.

— Gary dit que quand Chris a déclaré à l'inspecteur Marrone qu'il s'agissait d'un double suicide, il s'est impliqué lui-même. Le simple fait qu'il déclare qu'il n'y avait pas de tierce personne, qu'ils étaient seuls tous les deux, dirige les soupçons contre lui.

— Mais c'est complètement dingue ! s'écria Gus.

— Gus, je ne dis pas que Chris a fait ce qu'ils pensent, mais je crois que nous devrions nous préparer à le défendre...

— Tu ne vas pas engager un avocat pour le défendre alors qu'il n'a pas commis de crime ! rétorqua Gus d'une voix tremblante.

— Gus...

— Non, James ! Je ne te laisserai pas faire. Si jamais ils découvrent que nous avons engagé un avocat, ils penseront que Chris a quelque chose à cacher.

— Mais c'est ce qu'ils croient déjà ! En ce moment, ils sont en train d'autopsier Emily et d'analyser le revolver. Écoute, toi et moi, nous savons ce qui s'est passé réellement. Chris sait ce qui s'est passé. Tu ne crois pas que nous aurions intérêt à demander à un spécialiste de faire savoir à la police ce qui s'est réellement passé ?

— Il ne s'est rien passé ! hurla Gus. (Et elle se détourna.) Il ne s'est rien passé ! répéta-t-elle.

« Va dire ça à Mélanie », lui murmura sa conscience.

Soudain, elle se remémora un jour où Chris s'était réveillé en lui mettant les bras autour du cou... Elle s'était fait la réflexion qu'il n'avait plus une haleine de bébé. Ce n'était plus son odeur sucrée de lait. Elle s'était reculée instinctivement, comme si cette transformation n'était pas due au passage à la nourriture solide, mais au fait que ce petit corps fût désormais capable de contenir en lui des péchés.

Elle respira plusieurs fois d'affilée, puis se retourna vers les siens. Kate, penchée au-dessus de son assiette, pleurait. Le plat de service était resté intact. Et la chaise de James était vide.

Kate, mal à l'aise, se tenait sur le seuil de la chambre où se trouvait son frère, une main prudente posée sur la poignée, au cas où il aurait totalement disjoncté, comme ce garçon blond aux cheveux gras qu'elle avait vu rôder dans le couloir, lorsqu'elle était arrivée avec sa mère. En fait, elle était venue sans grande envie : Chris rentrerait à la maison le mardi suivant. Et puis, les médecins avaient bien dit qu'il fallait qu'il soit entouré par les gens qu'il aimait, mais Kate ne pensait pas qu'elle était incluse dans le lot... Depuis un an, ses rapports avec son frère aîné étaient surtout conflictuels : ils se bagarraient pour la salle de bains, il lui reprochait de ne pas frapper avant d'entrer, ou encore de l'avoir surpris en train de passer les mains sous le chandail d'Emily.

Voir Chris dans une chambre capitonnée était assez effrayant... Pas vraiment capitonnée, bien sûr, mais on n'entendait aucun bruit. Il n'était pas du tout comme d'habitude, avec ces grands cercles noirs sous ses yeux et cet air d'être sur la défensive, comme s'il s'attendait à tout moment à être pris au piège. Ah non, il n'avait rien à voir avec le champion de natation qui avait liquidé une brasse papillon en deux minutes l'année passée. Kate en ressentit comme un coup dans la poitrine. Elle fit le serment de laisser Chris passer le premier à la salle de bains tous les matins, à partir de ce jour. Dire qu'elle n'arrêtait pas de lui crier : « Tu peux crever ! » et qu'il était passé si près de la mort...

— Salut ! lui lança-t-elle d'une voix mal assurée.

Elle tourna la tête. Mais, à sa grande surprise et peut-être aussi à celle de Chris, leur mère avait disparu.

— Comment tu te sens ? fit-elle.

Son frère haussa les épaules :

— À chier ! répondit-il.

Kate se mordit la lèvre et essaya de se souvenir des recommandations de sa mère. « Remonte-lui le moral. Ne parle pas d'Emily. Raconte-lui tes petites histoires. »

— Euh... c'est mon équipe qui a gagné au foot.

Chris leva vers elle des yeux vides. Il ne répondit rien, mais ce n'était pas la peine. « Emily est morte, Kate, j'en ai rien à faire, de ton jeu à la con. »

— J'ai marqué trois buts, bafouilla-t-elle.

Peut-être que si elle ne le regardait pas... Elle se tourna vers la fenêtre. Celle-ci donnait sur l'incinérateur qui crachait son épaisse fumée noire.

— Eh ben, souffla-t-elle, je ne donnerais pas une vue pareille à quelqu'un qui a des idées de suicide !

Chris émit un son. Pivotant sur elle-même, Kate mit sa main sur sa bouche.

— Oh, zut ! Ce n'est pas ce qu'on m'avait dit de dire !

Tout à coup, elle vit que son frère souriait. Elle avait réussi à le faire sourire !

— Ils t'avaient dit de me parler de quoi ?

Elle s'assit sur le bord du lit :

— De choses qui te feraient plaisir, avoua-t-elle.

— Ce qui me ferait plaisir, dit Chris, c'est de savoir quand on va l'enterrer.

— Lundi, répondit sa sœur, détendue par cette marque de confiance. Mais surtout, tu ne sais rien, je n'ai pas le droit de te le dire !

Un sourire triste s'inscrivit sur le visage de Chris.

— Rassure-toi, je ne te trahirai pas.

En entrant dans la chambre, le lundi suivant, Gus et James trouvèrent Chris assis sur le bord de son lit, mal arrangé avec son pantalon bleu et la chemise qu'il portait le fameux soir. Le sang avait été lavé, mais laissait dans le tissu des traces qui paraissaient roses à la lumière fluorescente. La bande qui entourait sa tête avait été remplacée par un petit pansement collé sur le sourcil. Ses cheveux encore humides étaient soigneusement peignés.

— Bien, dit-il en sautant à bas du lit. Allons-y.

Gus s'arrêta.

— Où ?

— À l'enterrement ! Vous ne pensiez pas me laisser ici, quand même ?

Ses parents échangèrent un regard. C'était effectivement ce qu'ils avaient envisagé, sur la recommandation du psychiatre qui leur avait exposé le pour et le contre. Le contre l'avait emporté : le risque était trop grand de toucher une corde extrêmement sensible qui lui aurait rappelé que, maintenant qu'Emily était morte, il n'avait aucune raison de rester vivant.

Gus s'éclaircit la voix :

— Ce n'est pas aujourd'hui qu'on enterre Emily.

Chris détailla ostensiblement sa robe noire, le costume sobre de son père :

— Je suppose que vous vous êtes habillés pour aller danser ? ironisa-t-il.

Il s'avança vers eux d'un pas incertain.

— C'est Kate qui me l'a dit. Et je viens avec vous.

— Mon chéri, l'arrêta Gus en tendant la main vers lui, les médecins pensent que tu ne devrais pas.

— J'emmerde les médecins, maman, coassa-t-il en se débarrassant de sa main. Je veux la voir. Après, je ne pourrai plus jamais.

— Chris, intervint son père. Emily est morte. Le mieux est de regarder vers l'avenir et de guérir.

— Ah bon ? Tu crois que c'est aussi simple que ça ? dit Chris d'une voix qui s'élevait en crescendo. Alors comme ça, si maman mourait et si toi, tu étais enfermé à l'hôpital le jour de son enterrement, et si les médecins te disaient que tu n'es pas assez bien pour sortir, tu te contenterais de retourner te coucher ?

— Ce n'est pas la même chose, répondit James. Ce n'est pas comme si tu avais une simple jambe cassée.

Furieux, Chris attaqua :

— Pourquoi est-ce que vous ne me le dites pas en face, hein ? hurla-t-il. Vous êtes convaincus que ce que j'ai dans la tête, c'est d'aller voir enterrer Em et de courir me jeter du haut de la falaise la plus proche !

— Si tu veux, on ira au cimetière le jour de ta sortie, promit Gus.

— Vous ne pouvez pas me forcer à rester ici, s'entêta Chris en marchant lentement vers la porte.

Son père se leva d'un bond et l'attrapa par les épaules. Le jeune homme tenta de se dégager.

— Laisse-moi !

James ne lâcha pas prise.

— Chris, non !

— Je peux très bien signer mon bon de sortie.

— Ils ne te laisseront pas faire, dit sa mère. Ils savent que l'enterrement a lieu aujourd'hui.

— Vous ne pouvez pas faire ça ! rugit Chris, qui se libéra d'un bond de l'emprise de son père en lui envoyant son bras dans la mâchoire.

James recula en chancelant, la main sur la bouche, et Chris en profita pour se précipiter hors de la pièce.

Gus fonça derrière lui.

— Arrêtez-le ! cria-t-elle aux infirmières de l'accueil.

Un remue-ménage se fit entendre derrière elle, mais elle ne lâcha pas son fils des yeux. Elle le vit s'affairer sur les portes closes de l'entrée, elle vit les infirmiers l'empoigner et lui tordre les bras derrière le dos, lui enfoncer une aiguille dans le biceps. Elle le vit s'affaler sur le sol avec des yeux accusateurs et le nom d'Emily aux lèvres.

C'était Michael qui avait organisé la réception après le service funèbre. Mélanie avait refusé d'être mêlée aux préparatifs. Michael avait donc commandé des petits pains et du saumon fumé, des salades, du café et des biscuits secs. Une voisine avait disposé la nourriture sur la table de la salle à manger pendant leur retour du cimetière.

Mélanie monta tout droit à l'étage avec son flacon de Valium. Michael s'assit sur le canapé du salon pour recevoir les condoléances de son dentiste, d'un confrère vétérinaire, de quelques clients et des amis d'Emily.

Ceux-ci s'approchèrent ensemble en une masse compacte et amorphe du centre de laquelle il s'attendit à voir se détacher sa fille.

— Monsieur Gold, dit l'une des filles (Heather ou Heidi, Michael ne savait plus au juste), fixant sur lui des yeux bleus et tristes. On se demande comment une telle chose a pu arriver.

Elle lui tendit une main laiteuse et douce, de la même taille que celle d'Emily.

— Je ne sais pas non plus, répondit Michael, frappé tout à coup par cette évidence.

En surface, Emily était une fille brillante, très occupée, une superbe adolescente pleine d'énergie... Ce qu'il voyait lui convenait, aussi n'avait-il jamais songé à creuser plus loin. De crainte de faire surgir les spectres de la drogue, du sexe, de choix d'adultes qu'il ne souhaitait pas la voir faire.

Il tenait toujours la main de la jeune fille. Ses ongles étaient petits et ovales. Des coquillages qu'on aurait eu envie de fourrer dans sa poche... Michael la souleva et la porta contre sa joue.

L'adolescente recula vivement en retirant sa main, cramoisie. Elle lui tourna le dos et fut aussitôt absorbée par le groupe de jeunes.

Michael se racla la gorge, cherchant une explication à lui donner. Mais laquelle ? « Tu m'as fait penser à elle. J'aurais voulu que tu sois ma fille. » Non, ça n'allait pas.

Il se leva et se fraya un passage au milieu des gens compatissants et des membres de sa famille en larmes.

— Excusez-moi, dit-il d'une voix forte et ferme. Excusez-moi. Oui.

Il attendit que tous les yeux se soient tournés vers lui.

— Au nom de Mélanie et en mon nom propre, je voudrais vous remercier d'être venus aujourd'hui. Nous... euh... nous sommes sensibles à vos témoignages de sympathie. Vous pouvez rester tant que vous le voulez.

Et sous le regard incrédule de cinquante personnes qui le connaissaient bien, Michael Gold quitta sa propre maison.

Il y avait deux horaires de visite au service psychiatrique : l'un à neuf heures trente et l'autre à quinze heures. La mère de Chris non seulement réussissait à venir aux deux, mais avait convaincu les infirmières de la laisser rester après le temps écoulé, de telle sorte que lorsqu'il revenait d'un entretien avec un psychiatre ou de prendre une douche dans la salle de bains commune, il la trouvait souvent en train de l'attendre.

Mais lorsque Chris se réveilla du sommeil artificiel dans lequel on l'avait plongé le jour de l'enterrement d'Emily, sa mère n'était pas dans sa chambre. Il ignorait si c'était parce qu'il n'était pas encore quinze heures, ou si les médecins lui avaient interdit de lui rendre visite après la scène de la matinée, ou si elle avait peur de se montrer après ce qu'elle lui avait fait. Il se souleva dans son lit et frotta son visage de la main. Il avait du papier mâché dans la bouche et des bourdonnements dans la tête, comme si une mouche s'amusait à tourner en rond dans son crâne.

Une infirmière ouvrit la porte avec précaution.

— Ah, très bien, dit-elle, vous êtes réveillé. Vous avez de la visite.

Si c'était sa mère qui voulait lui raconter l'enterrement, il n'avait pas envie de la voir. Il voulait tout savoir, la forme du cercueil, les prières qu'ils avaient dites pour Em, la texture de la terre où elle avait été enterrée, et sa mère ne pouvait pas se souvenir de ces détails. Et s'il devait remplir les trous de son récit, ce serait pire que de ne rien savoir.

Mais l'infirmière s'effaça pour livrer passage au père d'Emily.

— Chris, prononça Michael en s'arrêtant à cinquante centimètres du lit.

Le jeune homme sentit les muscles de son estomac se contracter.

— Je ne devrais sans doute pas être là, poursuivit Michael en s'extirpant de son manteau qu'il se mit à tordre entre ses mains. Non, je sais que je ne devrais pas être là.

Il posa son manteau sur le bord d'une chaise et mit ses mains dans les poches de son pantalon.

— Tu sais, Em a été enterrée aujourd'hui.

— Oui, on me l'a dit, répondit Chris d'une voix si ferme qu'il en fut agréablement surpris. Je voulais venir.

Michael hocha la tête.

— Elle en aurait été contente.

— Ils ne me l'ont pas permis.

La voix de Chris se brisa. Il pencha la tête pour éviter de montrer ses larmes, car il supposait que le père d'Em, comme le sien, les prendrait pour un signe de faiblesse.

— Je ne crois pas qu'il était très important d'être là aujourd'hui, prononça lentement Michael. Tu as été avec Em quand elle en avait le plus besoin.

Il fixa le jeune homme jusqu'à ce que celui-ci lève les yeux.

— Dis-moi, chuchota-t-il, dis-moi ce qui s'est passé vendredi soir.

Chris le regarda, saisi, non pas de sa question, mais de voir à quel point la ressemblance entre Em et son père était frappante : leurs yeux étaient du même bleu, leur menton était pareillement déterminé, et le sourire d'Emily se dessinait derrière les lignes de la bouche de son père. C'était Emily qui lui posait cette question, et non son père. « Dis-moi, le suppliait-elle, sa bouche encore humide de sa propre bouche, le sang coulant le long de sa tempe, dis-moi ce qui s'est passé. »

Chris détourna son regard.

— Je ne sais pas, fit-il.

— Tu dois savoir, répliqua Michael en lui saisissant le menton.

Mais sa peau d'adolescent était si chaude qu'elle lui brûla le bout des doigts, et il le lâcha presque aussitôt. Il passa cinq bonnes minutes à tenter d'obtenir de Chris un détail ou une information qu'il pourrait emporter dans sa poche de poitrine, comme on emporte un mot d'amour ou un porte-bonheur.

Mais lorsqu'il quitta la pièce, il n'était sûr que d'une chose : Chris n'avait pas été capable de le regarder dans les yeux.

Anne-Marie Marrone ferma la porte de son bureau, se débarrassa de ses chaussures et s'assit avec le rapport d'autopsie d'Emily Gold qu'elle venait de recevoir par fax. Posant les pieds sur sa chaise, elle ferma les yeux pour faire le vide dans sa tête, de façon à ne pas préjuger de ce qu'elle s'apprêtait à lire. Puis elle passa les doigts dans ses cheveux et regarda fixement la page jusqu'à ce que les mots se mettent à danser.

La patiente était une jeune fille de dix-sept ans admise inconsciente au service des urgences. Elle présentait une blessure par balle à la tête. Quelques minutes après son admission, sa tension artérielle était descendue à cinq/sept. Le décès était intervenu à vingt-trois heures onze.

Le premier examen avait révélé la présence de poudre autour de l'orifice de la plaie à la tempe droite. La balle n'avait pas suivi une trajectoire rectiligne à travers la tête, mais avait traversé les lobes temporal et occipital du cerveau et avait écorché le cervelet avant de ressortir à droite du centre, à l'arrière du crâne. Un fragment correspondant à une balle de calibre 45 avait été trouvé dans le lobe occipital. Les blessures correspondaient à celles infligées par une balle de 45 tirée directement contre le crâne.

L'un dans l'autre, une mort qui accréditait la thèse du suicide que Christopher Harte avait avancée.

Mais Anne-Marie sentit ses cheveux se dresser sur sa tête lorsqu'elle parcourut la seconde page du rapport d'autopsie. L'examen externe avait révélé la présence d'une ecchymose au poignet droit. Des cellules épithéliales avaient été retrouvées sous les ongles d'Emily.

Les signes d'une lutte.

Elle se leva et pensa à Chris Harte. Elle n'avait pas encore reçu le rapport d'analyse du Colt, mais cela n'avait pas d'importance. Il avait pris le revolver chez lui, ses empreintes se retrouveraient partout. Il ne restait plus qu'à voir si celles d'Emily s'y trouvaient aussi.

Quelque chose lui trottait en tête, et elle reprit la première page du rapport. Le médecin légiste avait grossièrement décrit les plaies d'entrée et de sortie, mais cela ne lui suffisait pas.

Elle souleva sa main droite et porta son doigt sur sa tempe comme s'il s'agissait d'une arme. Elle replia son pouce comme pour tirer. La balle aurait dû ressortir à côté de l'oreille gauche d'Emily. Au lieu de cela, elle était ressortie à l'arrière de sa tête, à quelques centimètres derrière l'oreille droite.

Anne-Marie tordit son poignet de manière à faire effectuer une trajectoire similaire à la balle de son revolver imaginaire. Ainsi tourné, son coude prit une position très peu naturelle, de telle sorte que le revolver se retrouva presque parallèle à la tempe... C'était une posture très inconfortable pour se tirer une balle dans la tête.

Cependant, c'était une trajectoire parfaitement normale quand la personne qui tirait était placée en face de la victime.

Mais pourquoi ?

Elle passa à la dernière page de l'autopsie pour lire le compte rendu de l'examen de la vésicule biliaire, de l'appareil digestif, de l'appareil génital. Soudain, elle s'arrêta de lire et retint son souffle.

Elle remit ses chaussures, prit le téléphone et composa le numéro du bureau du procureur général.

« Madame Gold, avait dit l'inspecteur au téléphone, j'ai les résultats de l'autopsie de votre fille. J'aimerais venir vous voir quand cela vous conviendra et vous les montrer. »

Mélanie avait repassé les mots dans sa tête. Quelque chose dans la demande de l'inspecteur Marrone lui avait semblé curieux, et elle ne cessait de se répéter les phrases que celle-ci avait prononcées, se demandant ce qui clochait, les étudiant à travers différents filtres comme si son cerveau était un kaléidoscope. Peut-être était-ce à cause de la politesse de l'inspecteur, qui était en contradiction radicale avec la façon dont elle s'était immiscée dans leur deuil jusqu'alors. Peut-être était-ce tout simplement le fait d'entendre les mots *autopsie* et *votre fille* dans la même phrase.

Mélanie et Michael étaient assis sur leur canapé, en face de l'inspecteur Marrone qu'ils regardaient avec des yeux élargis en se tenant la main, cramponnés l'un à l'autre comme deux réfugiés.

Le rapport d'autopsie était étalé sur la table basse.

— Je ne vais pas y aller par quatre chemins, dit l'inspecteur. J'ai des raisons de croire que la mort de votre fille n'est pas due à un suicide.

Mélanie sentit son corps tout entier fondre comme neige au soleil. N'était-ce pas ce qu'elle avait espéré ? Cette absolution donnée par un policier qui dirait : « Ce n'est pas votre faute ; vous n'avez pas vu chez votre fille les signes avant-coureurs du suicide, parce qu'il n'y avait rien à voir. »

— L'État du New Hampshire croit qu'il y a suffisamment de présomptions pour porter cette affaire devant un grand jury et lui soumettre une proposition de mise en examen pour meurtre, poursuivit l'inspecteur. Le procès aura lieu même si vous, les parents d'Emily, ne portez pas plainte. Mais nous espérons que vous vous plierez aux requêtes du procureur général s'il y a lieu.

— Je ne comprends pas, rétorqua Michael. Vous êtes en train d'émettre l'hypothèse...

— Que votre fille a été assassinée, compléta l'inspecteur Marrone sans sourciller. Très certainement par Christopher Harte.

Michael secoua la tête.

— Mais il a dit qu'Emily s'était suicidée. Qu'ils avaient prévu de se suicider ensemble.

— Je sais ce qu'il a dit, répondit l'inspecteur d'un ton plus doux. Mais votre fille dit autre chose.

Elle souleva la première page du rapport d'autopsie, recouvert d'annotations.

— En un mot, le médecin légiste a confirmé qu'Emily était décédée des suites d'une blessure par balle à la tête. Cependant...

Elle lut le passage concernant les traces de violence laissant supposer qu'Emily s'était défendue.

Mélanie n'en écouta pas plus. Elle croisa les mains sur ses genoux et les écrasa l'une contre l'autre, comme si Chris Harte se trouvait entre elles et pouvait mourir étouffé par cette pression.

— Attendez ! fit Michael en secouant la tête. Je n'y crois pas. Chris Harte ne peut pas avoir tué Emily. Il ne ferait pas de mal à une mouche. Et, mon Dieu, ils ont été élevés ensemble !

— Tais-toi ! fit Mélanie entre ses dents.

Michael se tourna vers elle :

— Tu sais que j'ai raison !

— Tais-toi !

Il regarda l'inspecteur.

— Écoutez, je regarde les émissions juridiques à la télévision... Je sais que des erreurs peuvent être commises. Et je sais que chacun des éléments de preuve que vous avez trouvés dans cette autopsie a probablement une explication parfaitement logique qui n'a rien à voir avec un meurtre. Je connais Chris. S'il dit que lui et Em avaient l'intention de se suicider ensemble, eh bien, je ne comprends pas pourquoi et suis profondément choqué par cette révélation, mais je crois que c'est ce qu'ils voulaient faire. Il ne mentirait pas sur un sujet aussi douloureux.

— Si, répliqua Anne-Marie. Si sa propre vie en dépendait.

— Inspecteur Marrone, rétorqua Michael. Avec tout le respect que je vous dois, vous avez vu ces enfants pour la première fois il y a trois jours. Moi, je les connais depuis qu'ils sont nés.

Michael se sentit très nettement jaugé par l'inspecteur. Comment un père pouvait-il prendre ainsi la défense du garçon qui avait peut-être tué sa fille ?

— Vous dites que vous connaissez bien Chris Harte, dit-elle.

— Aussi bien que je connaissais ma propre fille.

Elle hocha la tête.

— Donc je ne vous apprendrai rien en vous disant qu'Emily était enceinte.

— Onze semaines, dit Mélanie d'un ton morne. Elle le savait depuis deux mois. J'aurais dû m'en apercevoir. Elle ne mettait plus de serviettes hygiéniques sur la liste des courses. Je ne savais même pas qu'ils couchaient ensemble...

Michael aussi l'ignorait. Depuis le départ de l'inspecteur Marrone, cette pensée ne cessait de le tarauder. Mais ce qui le tourmentait, ce n'était pas l'amorce de vie qui avait pris forme dans le corps de sa fille. C'était ce qui lui avait donné naissance. Les baisers et les caresses qui avaient transformé cette jeune fille en une femme dont personne n'avait voulu reconnaître l'existence.

— C'est sans doute à propos de ça qu'ils se sont battus, murmura Mélanie.

Michael regarda sa femme. Mais son profil ne cessait de bouger sur son oreiller, et il avait du mal à bien la distinguer.

— Qui ? demanda-t-il.

— Chris et Em, précisa Mélanie. Sans doute qu'il lui a demandé de s'en débarrasser.

Son mari ouvrit de grands yeux.

— Tu ne l'aurais pas fait, toi ? Un an avant d'entrer à l'université ?

Mélanie eut une moue de dédain :

— Moi, je l'aurais laissée faire ce qu'elle croyait devoir faire.

— Tu mens ! Tu dis ça uniquement parce que ça n'a plus d'importance. Tu ne sais même pas si elle l'avait dit à Chris.

Mélanie s'assit dans le lit :

— Qu'est-ce qui te prend ? siffla-t-elle. Ta fille est morte. La police pense que c'est Chris qui l'a tuée. Et toi, tu le défends bec et ongles.

Michael détourna son regard. Le drap du dessous était fripé, comme si le temps creusait sa marque dans le lit conjugal aussi impitoyablement qu'il faisait son œuvre sur un visage… Il essaya vainement de le lisser.

— Tu m'as dit dans le bureau de l'entrepreneur des pompes funèbres que les accessoires luxueux ne la feraient pas revenir. Eh bien, ce n'est pas non plus en clouant Chris au pilori que nous la ferons revenir. Moi, je considère qu'il est tout ce qui nous reste d'elle. Je ne veux pas l'enterrer lui aussi.

Mélanie le dévisagea :

— Je ne te comprends pas, dit-elle.

S'emparant de son oreiller, elle quitta la chambre.

Le lendemain, James fut prêt dès avant le lever du soleil. Il s'arrêta sur le seuil de la porte dans le froid du petit matin. Il serrait dans une main une pile d'affiches jaunes. La saison de chasse à la venaison était presque terminée, mais James était bien décidé. Il avait fini par retrouver quelques panneaux qu'il avait achetés des années auparavant et oubliés au grenier. Passant un marteau dans sa ceinture, il traversa son terrain en s'amusant à faire tinter les clous qu'il avait mis dans sa poche.

Il s'arrêta devant le premier arbre de l'allée et cloua un premier panneau. Puis il fit de même sur le deuxième arbre. ZONE DE SÉCURITÉ, pouvait-on lire sur les panneaux. Ainsi, les chasseurs sauraient qu'ils se trouvaient à trente mètres d'une résidence. Qu'une balle perdue pouvait avoir des conséquences dramatiques.

James cloua un panneau sur le troisième, puis sur le quatrième arbre. La dernière fois qu'il avait accroché des panneaux, Chris était encore petit garçon. Il les avait cloués à une distance d'environ six mètres, mais, cette fois-ci, il en accrocha un à chaque arbre.

L'allée fut ainsi garnie d'une centaine de panneaux d'un jaune criard qui se mirent à bruire dans le vent léger. James la parcourut pour examiner son œuvre. Ses panneaux semblaient avoir été placés là pour conjurer le mauvais sort, comme des amulettes. Sa démarche lui rappela aussi l'histoire des Hébreux qui avaient barbouillé leurs portes de sang d'agneau pour éviter d'être frappés par le malheur. Il se demanda contre quoi il essayait de se protéger, au juste.

HIER

1989

Chris était collé contre Emily. Leurs mains enserraient le même combiné téléphonique, et la sonnerie retentissait à son oreille.

— T'es qu'une poule mouillée, chuchota-t-il.

— Non ! protesta Em à voix basse.

On décrocha à l'autre bout du fil. Chris sentit les doigts d'Emily palpiter sur son poignet.

— Allô ?

Em prit une voix grave :

— Je voudrais parler à M. Longuequeue.

— Je suis désolée, répondit la femme, il n'est pas ici pour le moment. Puis-je prendre un message ?

Em se racla la gorge.

— Est-ce qu'il en a vraiment une ?

— Une quoi ? s'enquit la femme.

— Une longue queue.

Em raccrocha brutalement et roula sur le côté, prise d'un fou rire. Elle jeta au loin l'annuaire téléphonique.

Chris mit un moment à se remettre.

— Je pensais pas que tu le ferais vraiment !

— Eh ben si, espèce d'abruti !

— Je suis peut-être un abruti, mais au moins, je m'appelle pas Longuequeue ! dit-il en riant. Bon, par qui on continue ?

Il reprit l'annuaire :

— Tiens, là, il y a un type qui s'appelle Grosjean. On pourrait demander s'il est toujours comme devant.

Emily se mit sur le ventre.

— Je sais, dit-elle. Tu vas appeler ta mère et lui dire que tu es M. Chambers et que son fils a des problèmes.

— Tu parles qu'elle va croire que je suis le directeur !

Emily eut un petit sourire :

— T'as la trouille, t'as la trouille !

— C'est toi qui vas le faire, proposa Chris. Elle ne connaît pas la voix de la secrétaire de l'école.

— Qu'est-ce que tu me donneras pour ça ?

Chris fouilla dans ses poches.

— Cinq dollars.

Em tendit la main. Il la serra et lui passa le téléphone. Elle forma le numéro et se pinça le nez.

— Allôôô ! Vous êtes madame Harte ? Je suis Phyllis Ray, la secrétaire du directeur. Votre fils a des problèmes... Quel genre de problèmes ? Euh... il vaudrait mieux que vous veniez le chercher.

Elle raccrocha d'un geste rapide.

— Qu'est-ce qui t'a pris ? gémit Chris. Elle va y aller et on va lui dire que je suis rentré depuis une heure ! Ils vont me boucler dans ma chambre jusqu'à la fin de mes jours !

Il passa sa main dans ses cheveux et se laissa tomber sur le lit d'Emily.

Elle se lova contre lui et posa son menton sur son épaule.

— S'ils te bouclent, murmura-t-elle, je resterai avec toi.

Chris baissait lamentablement la tête devant ses parents dressés devant lui comme deux peupliers. Il se demanda si le mariage servait à ça : à transformer les gens en géants à deux têtes, pour permettre à l'un de se mettre à crier quand l'autre commençait à se calmer.

— Alors, conclut sa mère à bout de souffle, tu as quelque chose à dire ?

— Je m'excuse, répondit Chris machinalement.

— Tu t'excuses, mais ça ne suffit pas à rattraper tes bêtises ! répliqua son père. Ça ne permettra pas à ta mère de rattraper le rendez-vous qu'elle a dû annuler pour aller te chercher !

Chris ouvrit la bouche pour rétorquer que si sa mère avait réfléchi un peu, elle se serait dit que les enfants n'étaient plus à l'école à cette heure-là, mais il garda sa réflexion pour lui. Baissant le nez, il se contenta de fixer le tapis en se maudissant d'avoir oublié que sa mère était en train de monter sa propre affaire. Mais elle venait de commencer, ce n'était pas sa faute s'il ne s'en était pas souvenu ! Et d'ailleurs, tu parles d'un boulot ! Faire la queue à la place des autres !

— J'attendais mieux de ta part et de celle d'Emily ! lança sa mère.

Bon, ce n'était pas vraiment surprenant. Ils attendaient toujours mieux de leur part, tous les quatre, comme s'ils avaient un grand projet pour eux, mais un projet qu'ils étaient les seuls à connaître. Il se dit que ce serait très pratique de pouvoir regarder la solution de l'énigme à la fin du journal, ça lui éviterait de s'embêter à faire semblant.

— Tu vas rester dans ta chambre pendant trois jours, sauf pour aller à l'école, lui assena son père. On va voir si ça te donnera assez de temps pour réfléchir au nombre de personnes que tu as mises dans l'embarras avec tes petites plaisanteries...

Sur ce, le monstre à deux têtes sortit de sa chambre.

Chris se jeta sur son lit en se cachant les yeux avec son bras. Quelle plaie ! Et alors, qu'est-ce que ça pouvait faire si sa mère avait exigé de voir Mme Chambers, qui, bien sûr, n'était au courant de rien ? Dans un mois, tout le monde aurait tout oublié !

Il ouvrit les rideaux de sa fenêtre, qui donnait directement sur la chambre d'Emily. À cette distance, ils ne pouvaient pas se voir, mais ils pouvaient au moins apercevoir le petit carré de lumière formé par leurs fenêtres respectives. Chris savait que sa complice était en train de recevoir un bon savon, elle aussi, mais dans quelle pièce ? Il s'assit à côté de la lampe placée près de son lit et éteignit la lumière. Puis il la ralluma. Il recommença sa manœuvre plusieurs fois de suite.

Il plongea la pièce dans le noir pendant quatre longs moments, suivis de trois courts.

Il se leva et attendit près de la fenêtre. La chambre d'Emily, petit carré jaune coupé par les branches d'arbres, s'obscurcit. Puis s'éclaira.

Ils avaient appris le morse en camp de vacances, l'été précédent.

La chambre d'Emily lui envoya le message suivant : S... A... L... U... T.

Chris lui répondit : P...A...S... D...E... C...H...A...N...C...E.

Emily lui envoya deux signaux.

Il en renvoya trois.

Il sourit et se coucha sur le dos, guettant les mots d'Emily qui venaient éclairer sa nuit.

Dans le couloir, Gus et James s'écroulèrent contre le mur en retenant leur rire.

— Tu te rends compte, dit Gus, sur le point d'exploser, ils ont téléphoné à un type qui s'appelait Longuequeue ?

James laissa éclater son rire :

— Je me demandais si j'allais pouvoir me retenir !

— J'ai l'impression d'être une vieille bique quand je crie comme ça après lui.

— Il fallait le punir, parce que sinon il aurait continué à téléphoner partout en demandant à parler à M. Ponce.

— C'est quoi, cette histoire de M. Ponce ?

— Pierre Ponce, tu ne connais pas ?

James grogna et entraîna sa femme.

— Allez, ce n'est pas toi la vieille bique, c'est moi qui suis considéré comme un vieux schnoque.

Gus ouvrit la porte de leur chambre.

— Parfait. Toi, tu es un vieux ronchon. Et moi, je suis une folle qui se pointe dans le bureau du directeur en prétendant que son fils a fait une bêtise !

James éclata de rire.

— Ils t'ont bien eue, non ?

Pour toute réponse, elle lui envoya un oreiller à la figure.

James lui attrapa la cheville, et elle se dégagea avec un cri perçant.

— Tu n'aurais pas dû faire ça, dit-il. Je suis peut-être vieux, mais je ne suis pas mort !

Il se coucha sur elle et elle s'abandonna, lui offrant la courbe de ses seins et le velours de sa gorge. Il posa sa bouche sur la sienne.

Gus se rappela l'époque de leurs débuts, dix ans auparavant. La maison sentait encore le bois et la peinture fraîche, et leurs moments de tête-à-tête étaient des cadeaux octroyés par l'horaire de l'hôpital. Ils faisaient l'amour sur la table de la cuisine, ou dans le débarras, après le petit déjeuner... comme si la pression constante à laquelle il était soumis interdisait à James de laisser une place au sentiment.

— Tu penses trop, murmura-t-il contre sa tempe.

Gus sourit dans son cou. C'était un reproche qu'on lui faisait rarement.

— Peut-être que je devrais me contenter de ressentir, alors, dit-elle en passant les mains sous la chemise de son époux.

Elle sentit les muscles de son dos se tendre par vagues, comme une marée montante. Elle le fit alors rouler sur le côté et descendit sa fermeture éclair, sentant sa chaleur.

Puis elle le regarda, les yeux pétillants :

— Monsieur Longuequeue, je présume ?

— Pour vous servir !

Il fut en elle bientôt. Elle inspira une bouffée d'air, puis cessa de penser.

Cher journal,

Blizard, le cochon d'Inde de la classe, a eu des bébés.

Aujourd'hui, Mona Ripling a dit qu'elle a embrassé Kenny Lawrence pendant le cours de gym. C'est incroyable, parce que Kenny est le plus top de tous les gars de la classe.

Sauf Chris, mais Chris n'est pas comme les autres gars.

Chris est en train de lire une autobiographie de Muhammad Ali pour sa fiche de lecture. Il m'a demandé ce que je lisais et j'ai commencé à lui parler de Lancelot et de Guenièvre et du roi Arthur, mais je me suis arrêtée. Parce que, autrement, il m'aurait sûrement posé des questions sur les histoires de chevaliers, etc., et ces passages-là, je les ai sautés.

Ce qui me plaît, ce sont les passages où Guenièvre est avec Lancelot. Il est brun aux yeux bruns. Il fait des choses romantiques, par exemple, il la soulève de son cheval et il l'appelle ma dame. *Il la traite comme maman traite ses œufs en cristal, elle ne laisse personne s'en approcher, c'est tout juste si on a le droit de* respirer *à côté. Le roi Arthur est un vieux crétin. Je ne comprends pas pourquoi Guenièvre ne part pas avec Lancelot, alors qu'elle l'aime et qu'ils sont faits l'un pour l'autre.*

Je trouve que c'est très romantique.

Si Chris savait que j'adore les légendes, je ne saurais plus où me mettre.

La même semaine, à la suite d'un défi que lui avait lancé Emily, Chris subtilisa *Les Trente-Deux Positions* à la bibliothèque.

Il cacha le livre sous son manteau jusqu'à la maison, puis courut le mettre dans leur cachette secrète.

Le rocher était taillé comme un triangle droit à l'envers. Le côté large était en haut, et le rebord servait soit de perchoir, soit d'abri où l'on pouvait se tapir, selon l'humeur. À différentes époques de leur enfance, il avait servi de base pour les parties de cache-cache, ou encore de grotte de pirate, de tente d'Indiens.

Chris balaya les aiguilles de pin qui jonchaient le sol et ouvrit le livre. Puis il s'installa par terre avec sa complice.

Pendant un moment, ils restèrent penchés sans mot dire sur les illustrations où fleurissaient les membres imbriqués et les mains entremêlées. Emily passa son doigt sur les flancs d'un homme qui tenait une femme par-derrière.

— Je sais pas, murmura-t-elle, mais je vois pas très bien ce qu'ils font.

— Ça doit pas être pareil quand on le fait vraiment, répondit Chris.

Il tourna la page.

— Ouh là ! C'est des exercices de gym, ou quoi ?

Emily revint au début du livre. Elle s'arrêta à une page où l'on voyait une femme allongée de tout son long sur un homme. Leurs mains se rejoignaient au-dessus de leurs têtes.

— Tu parles, commenta Chris, des plaquages comme ça, tu m'en as fait des tonnes de fois !

Mais Emily ne l'écoutait pas. Elle était fascinée par la page suivante : un homme et une femme étaient assis face à face avec les jambes repliées comme des pattes de crabes et leurs mains prenaient appui sur leurs épaules respectives. Leurs deux corps rassemblés formaient une sorte de grande coupe, comme si leur raison de faire l'amour était de créer un réceptacle qui puisse contenir tous les sentiments qu'ils éprouvaient l'un pour l'autre.

— C'est sûrement bien quand on aime quelqu'un, déclara-t-elle.

Chris haussa les épaules.

— Sûrement !

En changeant les draps de son fils, Gus trouva *Les Trente-Deux Positions* coincé entre le matelas et le sommier.

Elle prit le livre et le feuilleta, ce qui lui permit de se rafraîchir la mémoire en retrouvant des positions qu'elle avait oubliées depuis longtemps... Puis elle le serra contre elle et fonça chez Mélanie.

Cette dernière ouvrit la porte avec une tasse de café à la main et prit sans mot dire le livre que lui tendait son amie.

— Je pense que ta visite n'est pas une simple visite de courtoisie...

— Il n'a que neuf ans ! explosa Gus en jetant son manteau par terre et en se laissant tomber sur une chaise. Théoriquement, un gamin de neuf ans devrait penser au base-ball, pas au sexe ! Et d'ailleurs, qui l'a laissé emprunter ce livre à la bibliothèque ? Quel est l'adulte qui a donné ça à un enfant ?

Mélanie examina le dos du livre.

— Personne. Il n'a pas été enregistré.

Gus cacha son visage dans ses mains.

— C'est parfait ! Non seulement c'est un pervers, mais en plus, c'est un voleur.

La porte de la cuisine s'ouvrit brutalement pour livrer le passage à Michael qui portait un gros carton rempli de produits vétérinaires.

— Qu'est-ce qui se passe, mesdames ? s'enquit-il en posant le carton sur le sol.

Après avoir jeté un coup d'œil par-dessus l'épaule de son épouse, il lui prit le livre en souriant.

— Ouaouh ! fit-il en le feuilletant. Ah oui, ça, je m'en souviens !

— Mais est-ce que tu avais neuf ans quand tu l'as lu ? lui demanda Gus.

Michael éclata de rire.

— Est-ce que je suis obligé de répondre ?

Mélanie se tourna vers lui, surprise.

— Tu regardais les filles, à cet âge-là ?

Il lui déposa un baiser dans la nuque.

— Si je n'avais pas commencé de bonne heure, je ne serais pas le super-mec que je suis maintenant.

Il s'assit en face de Gus et lui tendit le livre.

— Laisse-moi deviner. Tu l'as trouvé sous son matelas. C'est là que je cachais mon *Penthouse.*

Gus se frotta les tempes.

— Si on le boucle encore, on va avoir la protection de l'enfance sur le dos, dit-elle avec un regard piteux. Peut-être même que nous ne devrions pas le punir. Peut-être qu'il se pose tout simplement des questions sur les filles.

— Et quand il aura trouvé les réponses, tu lui diras de venir m'éclairer ? rigola Michael.

Mélanie poussa un soupir compatissant.

— Je ne sais pas ce que je ferais à ta place.

— Qui sait si tu n'es pas à ma place ? fit remarquer Gus. Tu es sûre qu'Emily n'est pas dans la combine ? Tout ce qu'ils font, ils le font ensemble. Peut-être bien que c'est elle, le cerveau de l'affaire, ajouta-t-elle en regardant Michael.

— Em a neuf ans ! s'exclama-t-il, pétrifié à cette idée.

— Exactement ! répliqua Gus.

Gus attendit jusqu'au moment où lui parvint un bruit de remue-ménage de la chambre de son fils. Elle frappa à la porte et se retrouva face à un amoncellement de vêtements, de gants de sport, de crosses de hockey, et à l'expression anxieuse de son garçon.

— Salut! fit-elle d'un ton affable. Tu as perdu quelque chose?

Le visage de Chris se colora de tous les tons de rouge.

Elle lui montra alors l'objet qu'elle cachait derrière son dos.

— C'est ça que tu as perdu? demanda-t-elle.

— Non, non, ça n'en a pas l'air, répondit son fils sans hésiter.

Gus en fut estomaquée. Où avait-il appris à mentir aussi facilement?

— Et de quoi ça a l'air, d'après toi?

— Ça a l'air de quelque chose que je n'aurais pas dû lire?

La jeune femme s'assit sur le lit.

— Tu me poses la question, ou tu m'informes?

Passant sa main sur la couverture du livre, elle demanda d'un ton radouci :

— Pourquoi penses-tu que tu n'aurais pas dû le lire?

Chris haussa les épaules.

— Je sais pas, moi. À cause des gens tout nus et tout ça.

— C'est pour ça que tu voulais le lire?

— Je pense que oui, répondit son fils, l'air si contrit qu'il lui fit presque – presque – pitié. Quand je l'ai pris, ajouta-t-il, ça m'a semblé intéressant.

Gus regarda le sommet de la tête de son enfant et se rappela qu'au moment de sa naissance l'infirmière avait tenu une glace entre ses jambes, de façon à ce qu'elle puisse voir ses cheveux noirs et fournis.

— Allez, on oublie tout ça! la supplia-t-il.

Elle fut sur le point de lâcher prise, apitoyée par sa manière de se tortiller à côté d'elle, pareil à un papillon transpercé par une épingle. Mais ses yeux tombèrent par hasard sur ses mains, crispées chacune sur un genou osseux. Ce n'étaient plus des mains potelées d'enfant. Sans qu'elle s'en aperçoive, elles étaient devenues sèches et s'étaient veinées de bleu. Elles lui rappelaient celles de James.

Gus se racla la gorge. Ce garçon assis en face d'elle, dont elle aurait pu identifier le visage au simple toucher, dont la voix avait prononcé son nom avant tout autre, était devenu un être qu'elle ne reconnaissait plus. Un être qui avait entendu le mot *femme* et pour lequel ce mot n'évoquait plus les traits et les baisers de sa mère, mais une fille sans visage avec des seins et des hanches galbées.

Quand la transformation s'était-elle opérée ?

— Si tu te poses des questions sur... là-dessus... tu peux en parler à ton père, ou à moi, finit-elle par prononcer, tout en formant des vœux pour qu'il choisisse de s'adresser à son père.

Elle se demanda ce qui l'avait poussée à monter au front...

C'était à celui des deux qui serait le plus embarrassé.

— Oui, je me pose des questions, fit-il.

Il baissa le nez et se tordit les mains.

— Il y a des trucs dans ce livre... euh... il y en a qui n'ont pas l'air de marcher vraiment !

Gus lui caressa les cheveux.

— Si ça ne marchait pas, répondit-elle simplement, tu ne serais pas là.

Emily et Chris s'étaient installés sur le lit de la petite fille, sous une couverture qui faisait office de tente pour l'occasion, et avaient placé une lampe de poche entre leurs pieds nus. Les parents de Chris, invités à une soirée donnée par l'hôpital, avaient demandé à Mélanie et Michael de garder leurs enfants. Kate s'était couchée après son bain, mais Chris et Em avaient prévu de veiller jusqu'après minuit. Mélanie les avait bordés peu avant neuf heures et leur avait demandé d'éteindre, mais ils savaient que s'ils ne faisaient pas de bruit, ils ne seraient pas découverts.

— Alors, fit Chris d'un ton pressant, la vérité ou le gage ?

— La vérité, répondit Emily. Ma plus grosse bêtise... c'est quand j'ai appelé ta mère et que je lui ai fait croire que j'étais la secrétaire du directeur.

— Non, c'est pas vrai. Tu as oublié la fois où tu as renversé le dissolvant sur le bureau de ma mère et où tu as accusé Kate.

— Non, je l'ai fait parce que c'est toi qui m'as dit de le faire ! s'insurgea Emily avec véhémence. Tu m'as dit qu'elle s'en rendrait pas compte !... D'ailleurs, si ma plus grosse bêtise tu la connais mieux que moi, pourquoi tu me demandes ?

— OK. Je vais te poser une autre question. Lis-moi ce que tu as écrit dans ton journal pendant que je faisais ma toilette.

Emily balbutia :

— Gage.

Les dents de Chris brillèrent à la lueur de la lampe de poche :

— Va dans la salle de bains de tes parents et rapporte-moi leurs brosses à dents, comme ça je saurai que tu y as été.

— Très bien, répondit la petite fille en rejetant les couvertures.

Ses parents étaient allés se coucher une demi-heure plus tôt ; ils étaient sûrement endormis.

Dès qu'elle eut tourné les talons, Chris avisa le petit livre recouvert de tissu dans lequel Emily épanchait son cœur chaque soir. Il était fermé par un cadenas, mais il pouvait le faire sauter. Il posa la main sur le dos du journal, puis la retira vivement, comme sous l'effet d'une brûlure. Est-ce qu'il avait la trouille parce qu'il savait qu'Em ne voulait pas qu'il le lise ? À moins que ce ne soit parce qu'il avait peur de ce qu'il pourrait lire ?

Il donna plusieurs secousses et réussit à ouvrir le cadenas. Son nom était partout. Soudain, il sursauta et jeta le journal sur le bureau d'Emily. Il était certain que la culpabilité se voyait sur son visage.

— Voilà ! s'écria Em, hors d'haleine, en agitant deux brosses à dents.

Elle se faufila dans le lit et se pelotonna à l'intérieur, jambes repliées.

— À toi. D'après toi, qui est la plus jolie de la classe ?

Facile ! Elle s'attendait à ce qu'il dise « Molly Ettlesley », la seule fille qui ait besoin de mettre un soutien-gorge. Mais s'il disait que c'était Molly, elle serait jalouse parce que c'était elle qui était censée être sa meilleure amie.

Le regard de Chris tomba sur le journal. Est-ce qu'Em le voyait vraiment comme un chevalier ?

— Gage, murmura-t-il.

— OK. Embrasse-moi.

Il rejeta la couverture qui recouvrait leurs têtes.

— Quoi ?

— T'as bien entendu, répliqua la petite fille en fronçant les sourcils. C'est pas aussi grave que d'aller fouiller dans la salle de bains de mes parents.

Ses mains étaient devenues moites, tout à coup, et il dut les essuyer sur son pyjama.

— OK, dit-il.

Se penchant vers elle, il posa sa bouche sur la sienne. Puis il recula, aussi rouge qu'Emily.

— Ben... fit-il en essuyant ses lèvres du dos de la main, c'était pas mal.

Em porta doucement la main à son menton.

— Je suis d'accord, chuchota-t-elle.

L'unique McDonald's de Bainbridge employait un bataillon sans cesse renouvelé d'adolescents qui s'escrimaient au-dessus des grils graisseux et des bassines d'huile jusqu'à ce qu'ils aient obtenu leur diplôme de fin d'études. Mais, depuis plusieurs années, un homme y travaillait en permanence. Âgé de près de trente ans, il arborait une longue chevelure noire et il louchait. Les adultes disaient poliment qu'il avait « quelque chose de bizarre ». Les jeunes l'appelaient Quasimodo et imaginaient toutes sortes d'histoires à son sujet, par exemple qu'il faisait frire des enfants dans la bassine à frites et qu'il nettoyait ses ongles avec un couteau de cuisine.

Cet après-midi-là, c'était Quasimodo qui était de service dans la salle.

Les parents de Chris étaient venus reprendre leur fils chez Emily à l'heure du déjeuner. Après avoir fait son compte rendu de la soirée de la veille, Gus avait proposé d'emmener Em déjeuner chez McDonald's.

Chaque fois qu'Emily levait les yeux, ils tombaient sur Quasimodo qui la fixait de son œil normal en faisant mine de frotter les tables.

Chris était assis à côté d'elle, sur la banquette.

— J'ai l'impression qu'il a un faible pour toi, dit-il.

— Tais-toi, répliqua Em en frissonnant, tu me fais peur.

— Peut-être qu'il va te demander ton numéro de téléphone, poursuivit Chris. Peut être que...

— Chris ! fit Emily en lui donnant un coup de poing sur le bras.

— Qu'est-ce qui se passe ? s'enquit Gus.

— Rien ! répondirent-ils à l'unisson.

Quasimodo s'affairait autour de leur table. Emily l'observa à la dérobée pendant qu'il nettoyait le sol. Il leva les yeux vers elle, comme s'il avait senti son regard, et elle piqua aussitôt du nez dans son hamburger.

Soudain, Chris se pencha vers elle et lui chuchota à l'oreille :

— Le gage ultime.

Les gages ultimes vous rehaussaient incroyablement dans l'estime de l'autre. Ils ne vous donnaient pas de points supplémentaires, mais s'ils en avaient donné, Em eût pris incontestablement la tête. Elle se demanda si c'était pour Chris une façon de lui renvoyer la balle pour le baiser de la veille.

Le dernier gage ultime avait été donné par Emily. Chris avait montré ses fesses par la vitre du bus de l'école sur tout le parcours d'une rue résidentielle.

Elle hocha la tête.

— Va pisser dans les toilettes des hommes ! murmura Chris.

Elle sourit. Après tout, c'était un bon gage. Et ce n'était pas aussi grave que de montrer son arrière-train par la fenêtre. Si quelqu'un s'y trouvait, il lui suffirait de dire qu'elle s'était trompée et de sortir. Chris ne saurait jamais si elle était entrée ou pas.

Elle jeta un coup d'œil circulaire pour s'assurer qu'elle ne croiserait pas Quasimodo. Il était sorti de la salle.

Lorsqu'elle se leva, James et Gus lui jetèrent un regard interrogateur.

— Il faut que j'aille aux toilettes, expliqua-t-elle.

Gus s'essuya la bouche avec sa serviette.

— Je t'y conduis.

— Non ! s'écria la petite fille. C'est-à-dire, je peux y aller toute seule.

— Mélanie te laisse y aller seule ? s'étonna Gus.

Emily la regarda dans les yeux et acquiesça d'un hochement de tête. La mère de Chris se tourna vers son époux, qui haussa les épaules.

— Nous sommes à Bainbridge, dit-il. Que veux-tu qu'il lui arrive ?

Gus suivit la petite fille des yeux pendant qu'elle se frayait un chemin à travers le labyrinthe des tables et des chaises. Puis elle accorda son attention à Kate qui était en train de barbouiller la table de ketchup.

Les toilettes des hommes étaient à gauche. Celles des femmes à droite. Emily se retourna vers Chris pour être sûre qu'il la regardait, puis elle entra.

Moins de cinq minutes plus tard, elle se glissait sur la banquette à côté de lui.

— Bravo, dit-il en lui touchant le bras.

— Oh, ce n'était pas très difficile, murmura-t-elle.

— Ah oui ? chuchota-t-il. Pourquoi tu trembles, alors ?

— Pour rien, répondit-elle en haussant les épaules, mais sans le regarder.

Elle mastiqua son hamburger machinalement et se convainquit peu à peu qu'elle lui avait dit la vérité.

AUJOURD'HUI

Novembre 1997

S. Barrett Delaney consulta sa montre, s'aperçut qu'elle était en retard et courut tout le long du couloir pour aller rejoindre Anne-Marie Marrone à la cafétéria. Celle-ci, déjà installée à une table face à deux gobelets brûlants, la regarda s'asseoir en face d'elle.

— Ton café va être froid !

L'adjointe au procureur général Barrett Delaney et l'inspecteur Marrone s'étaient connues à l'école Notre-Dame-du-Chagrin-Perpétuel. Anne-Marie s'était ensuite dirigée vers l'école de police, tandis que Barrett avait opté pour le barreau.

— Bien, dit Barrett en ouvrant simultanément le couvercle de son gobelet de café et le dossier qui contenait les rapports de police, le compte rendu d'autopsie d'Emily Gold et les notes d'Anne-Marie sur Chris Harte. C'est tout ?

— C'est tout pour l'instant, répondit Anne-Marie. Je pense que tu tiens un procès.

— On tient toujours un procès, marmonna Barrett, plongée dans le dossier. La question est de savoir si c'est un bon procès.

Elle parcourut les premières lignes du rapport d'autopsie, puis se pencha en avant en triturant la croix d'or qui pendait à son cou.

— Raconte-moi ce que tu sais, dit-elle.

— Nos hommes ont été appelés à la suite d'un bruit de coup de feu. Quand ils sont arrivés, la fille était mourante et le garçon était blessé à la tête. Il saignait abondamment.

— Où était l'arme ?

— Sur le manège où ils se trouvaient. On a retrouvé de l'alcool, une bouteille de Canadian Club. Une balle avait été tirée, une deuxième se trouvait toujours dans le revolver. D'après la balistique, la balle tirée provenait du revolver. On n'a pas encore les empreintes. Quand j'ai interrogé le garçon...

— Après lui avoir lu ses droits, bien sûr, coupa Barrett.

— Eh bien... fit Anne-Marie avec une grimace. Pas mot pour mot... Mais il fallait que j'y aille, Barrett ! Il venait de sortir des urgences et ses parents ne voulaient pas me laisser m'en approcher...

— Continue, la pressa Barrett.

Elle écouta le récit d'Anne-Marie et garda le silence un moment. S'emparant du dossier, elle le lut, ponctuant sa lecture de hochements de tête.

— OK, dit-elle lorsqu'elle eut terminé. C'est bien ce que je pensais. Pour une mise en accusation pour meurtre au premier degré, nous devons prouver la préméditation, la volonté de tuer, le caractère délibéré. Est-ce que cet acte était délibéré ? Oui, parce que sinon Chris Harte n'aurait pas pris le revolver chez lui. On ne trimballe pas un vieux Colt sur soi comme un trousseau de clés. Est-ce qu'il a prémédité de tuer la fille, ne serait-ce que l'espace d'un instant ? Sans doute que oui, puisqu'il a emporté le revolver quelques heures avant. Est-ce que c'était un acte volontaire ? En partant du fait que depuis le début son intention était de tuer la fille, oui : il a mené son plan à terme.

Anne-Marie eut une moue.

— Son alibi est qu'il s'agissait d'un double suicide qui a raté quand son tour est arrivé.

— Ça prouve qu'il a suffisamment de présence d'esprit pour savoir retomber sur ses pieds. Jolie explication. Il a simplement oublié qu'il existait une médecine légale.

— Et qu'est-ce que tu penses d'une mise en accusation pour viol ?

Barrett parcourut les notes de l'inspecteur.

— Non, je ne crois pas. D'abord, elle était enceinte, donc ils ont eu des rapports avant. Et s'ils couchaient ensemble depuis quelque temps, ce sera difficile de le mettre en accusation pour viol. Nous pouvons toujours utiliser les éléments de preuves de trace de lutte. (Elle leva la tête.) J'ai besoin que tu l'interroges encore.

— Je te parie dix contre un qu'ils ont pris un avocat.

— Vois ce que tu peux obtenir, insista Barrett. S'il ne veut pas parler, essaie la famille et les voisins. Je ne veux pas foncer tête baissée. Il faut qu'on sache s'il savait que la fille était enceinte. Il faut qu'on sache quel était leur mode de relation... si leurs rapports étaient conflictuels, violents, ou non... Et il faut qu'on sache si Emily Gold avait des tendances suicidaires ou non.

Anne-Marie s'arrêta de griffonner sur son carnet de notes :

— Et pendant que moi je me remuerai les fesses, qu'est-ce que tu feras, toi ?

— Moi ? Je porterai tout ça devant un grand jury ! rigola Barrett.

Comme Mélanie ouvrait la porte, Gus glissa sa main dans l'entrebâillement, une main qui tenait une boîte d'olives noires.

— Je n'ai pas le rameau !... dit-elle à son amie qui essayait de lui refermer la porte au nez.

Déterminée, elle passa une épaule puis s'introduisit dans la cuisine où elle se retrouva face à Mélanie.

— S'il te plaît, dit-elle d'une voix douce. Je sais que tu souffres. Moi aussi. Et ça me tue de voir que nous ne pouvons pas souffrir ensemble.

Mélanie avait croisé les bras sur sa poitrine, si étroitement qu'elle semblait sur le point de se couper en deux.

— Je n'ai rien à te dire, répondit-elle sèchement.

— Mon Dieu, Mel, je regrette, dit Gus, les yeux remplis de larmes. Je regrette tout ce qui s'est passé, je regrette que tu ressentes les choses comme ça, je regrette de ne pas savoir quoi faire ni quoi dire.

— Tout ce qui te reste à faire, c'est de sortir d'ici, répondit Mélanie.

— Mel ! s'exclama Gus en tendant la main vers elle.

Mélanie eut un frisson de répulsion.

— Ne me touche pas ! se récria-t-elle d'une voix vibrante.

Gus recula sous le choc.

— Je... Excuse-moi. Je reviendrai demain.

— Je ne veux pas que tu reviennes demain. Je ne veux plus que tu reviennes, jamais ! cria Mélanie.

Elle prit une profonde inspiration.

— Ton fils a tué ma fille, cracha-t-elle.

Gus ressentit une brusque chaleur entre les côtes. Une brûlure qui s'étendit et prit de l'ampleur.

— Chris t'a dit et il a dit à la police qu'ils voulaient se suicider ensemble dit-elle. C'est la vérité. Je ne savais pas qu'ils étaient... enfin, tu sais. Mais si Chris le dit, je le crois.

— Toi, oui.

Gus fronça les sourcils.

— Écoute, Chris ne s'en sort pas frais comme une rose. Il a eu soixante-dix points de suture et il a passé trois jours en psychiatrie. Il a dit ce qui s'était passé à la police alors qu'il était encore sous le choc. Quelle raison aurait-il eue de mentir ?

Mélanie éclata d'un rire amer.

— Tu te rends compte de ce que tu dis, Gus ? Quelle raison aurait-il eue de mentir ?...

— Tu ne veux tout simplement pas admettre que ta fille pensait au suicide sans que tu t'en sois aperçu, répliqua Gus. Parce qu'elle n'avait pas de secrets pour toi !...

Mélanie secoua la tête.

— Et toi ?... Toi, tu acceptes peut-être l'idée d'être la mère d'un garçon qui risque de se suicider. Mais tu n'acceptes pas l'idée d'être la mère d'un assassin !

Gus avait tant de répliques indignées à opposer à cette attaque que celles-ci se bousculèrent au fond de sa gorge. De peur qu'elles ne la brûlent vivante, elle se rua dehors.

Elle courut se réfugier chez elle en respirant à grand-peine de grandes bouffées d'air froid, tout en tentant de faire taire la voix intérieure qui lui disait que Mélanie devait considérer sa fuite comme l'aveu d'une défaite.

— J'ai l'air de quoi comme ça ? maugréa Chris.

Il était installé dans une chaise roulante trop petite pour lui, mais il n'avait pas le choix. L'hôpital ne le laissait sortir que dans cette charrette d'invalide, muni d'un papier portant le nom du psychiatre qu'il consulterait désormais deux fois par semaine.

— C'est pour des raisons administratives, lui expliqua sa mère en montant dans l'ascenseur à la suite de l'infirmier qui le poussait. Et d'ailleurs, tu seras dehors dans cinq minutes.

— Cinq minutes de trop ! grogna-t-il.

Sa mère posa la main sur sa tête.

— J'ai l'impression que tu vas déjà mieux.

D'une voix enjouée, elle se mit à lui raconter les menus détails de la vie quotidienne de la famille et lui demanda s'il pensait qu'il neigerait avant Thanksgiving cette année. Sa fausse insouciance le fit grincer des dents. Il mourait d'envie de lui crier d'arrêter de faire semblant. D'arrêter de faire comme si rien ne s'était passé.

Mais il se retint et se força à sourire lorsqu'elle lui caressa la joue.

L'infirmier le fit descendre dans le hall d'entrée. Sa mère prit le relais et le conduisit vers les portes vitrées coulissantes.

Dehors, l'air était merveilleusement frais. Il l'inspira à pleins poumons.

— Je vais aller chercher la voiture, lui annonça sa mère.

Il s'appuya contre le mur et vit au loin les sommets des montagnes. Il ferma les yeux pour mieux se les remémorer.

Il les rouvrit en entendant son nom. L'inspecteur Marrone était en face de lui et lui cachait cette vue magnifique.

— Chris, répéta-t-elle. Je voudrais savoir si vous seriez d'accord pour venir faire une déposition.

Il n'était pas en état d'arrestation, mais ses parents étaient contre, malgré tout. « Tout ce que je ferai, c'est leur dire la vérité ! » avait affirmé Chris, mais sa mère avait failli tomber dans les pommes et son père s'était mis à la recherche d'un avocat qui l'assisterait au poste.

L'inspecteur Marrone avait fait remarquer qu'à l'âge de dix-sept ans Chris n'était pas soumis à l'autorisation de ses parents, ce qui était la vérité.

Il la suivit le long d'un étroit couloir qui aboutissait à une petite salle de réunion. Un magnétophone était posé sur la table.

Elle lui fit la lecture de ses droits et mit le magnétophone en route.

— Chris, dit-elle, je voudrais que vous me donniez le plus de détails possibles sur la nuit du 7 novembre.

Chris joignit les mains sur la table et se racla la gorge.

— Emily et moi, on s'était mis d'accord au collège pour que j'aille la prendre à sept heures et demie.

— Vous avez votre propre voiture ?

— Oui. Elle était là quand les flics sont arrivés. C'est une Jeep verte.

L'inspecteur Marrone hocha la tête.

— Continuez.

— On avait apporté à boire.

— À boire ?

— De l'alcool.

— « On » ?

— C'est moi qui l'ai apporté.

— Pourquoi ?

Chris bougea sur sa chaise. Mieux valait peut-être ne pas répondre à toutes ces questions. Comme si elle sentait qu'elle y allait trop fort, l'inspecteur Marrone changea de sujet :

— Vous saviez qu'Emily avait l'intention de se suicider ?

— Oui, elle avait préparé un plan.

— Parlez-moi de ce plan. Est-ce que c'était une affaire style Roméo et Juliette ?

— Non, répondit Chris, c'était simplement parce qu'elle avait envie de le faire.

— Elle avait envie de se suicider ?
— Oui.
— Et après ?
— Après, je devais me tuer aussi.
— À quelle heure êtes-vous allé la chercher ?
— À sept heures et demie, je vous l'ai déjà dit.
— C'est vrai. Est-ce qu'Emily a dit à quelqu'un d'autre qu'elle allait se suicider ?

Chris haussa les épaules.
— Je ne crois pas.
— Et vous ?
— Non.

L'inspecteur croisa les jambes.
— Pourquoi ?

Chris baissa la tête.
— Emily le savait, les autres, je m'en fichais.
— Et qu'est-ce qu'elle vous a dit ?

Tout en parlant, il se mit à dessiner sur la table avec l'ongle de son pouce.

— Elle disait toujours qu'elle aurait aimé que tout reste comme avant, qu'elle aurait aimé empêcher les choses de bouger. Elle était devenue très nerveuse, par exemple, à propos de l'avenir. Un jour, elle m'a dit qu'elle se voyait bien telle qu'elle était, qu'elle voyait bien le genre de vie qu'elle voulait avoir plus tard – les enfants, le mari, la vie en banlieue et tout ça – mais qu'elle ne savait pas comment aller du point A au point B.

— Et c'est ce que vous ressentiez aussi ?

— Parfois, répondit le jeune homme doucement. Surtout quand je pensais à ce qui la faisait souffrir. (Il se mordit la lèvre inférieure.) Quelque chose la faisait souffrir. Quelque chose qu'elle ne pouvait pas dire, même à moi. De temps en temps, quand on... quand on... (Sa gorge se serra et il détourna les yeux.) Est-ce que je peux m'arrêter une minute ?

L'inspecteur hocha la tête et arrêta le magnétophone sans faire de commentaire. Lorsque Chris lui fit signe, les yeux rougis, elle appuya de nouveau sur le bouton.

— Est-ce que vous avez essayé de la dissuader ? reprit-elle.

— Oui, des milliers de fois.

— Ce soir-là ?

— Oui, et avant.

— Où est-ce que vous êtes allés ce soir-là ?

— Sur le manège. Celui de l'ancien champ de foire, qui est devenu un parc pour les enfants maintenant. J'y ai travaillé.

— C'est vous qui aviez choisi l'endroit ?

— Non, c'est Emily.

— À quelle heure êtes-vous arrivés ?

— Vers huit heures.

— Après vous être arrêtés pour manger ?

— On n'a pas mangé ensemble, précisa Chris, on a mangé chacun chez soi.

— Et qu'est-ce que vous avez fait ensuite ?

Chris souffla lentement.

— Je suis sorti de la voiture et j'ai ouvert la portière du côté d'Em. On a pris la bouteille de Canadian Club et on s'est assis sur un banc du manège.

— Avez-vous eu un rapport sexuel avec Emily ce soir-là ?

Chris fronça les sourcils.

— Je ne crois pas que ça vous regarde.

— Tout ça me regarde, répliqua l'inspecteur Marrone. Alors ?

Chris hocha la tête, mais elle désigna le magnétophone du menton.

— Oui, répondit-il à voix basse.

— Et vous y avez consenti librement tous les deux ?

— Oui, grogna Chris, les mâchoires serrées.

— Vous en êtes sûr ?

Chris posa ses mains sur la table.

— J'y étais ! lança-t-il.

— Vous lui avez montré le revolver avant de faire l'amour ou après ?

— Je ne m'en souviens pas. Après, sans doute.

— Mais elle savait que vous l'aviez apporté ?

— C'est elle qui en avait eu l'idée.

L'inspecteur hocha la tête.

— Vous aviez une raison précise d'emmener Emily au manège pour se suicider ?

— Elle a demandé à y aller.

— C'est elle qui avait choisi cet endroit ?

— Oui, répondit le jeune homme. On en a discuté avant de finir par se mettre d'accord.

— Pourquoi le manège ?

— Emily aimait bien y aller. Moi aussi, d'ailleurs.

— Donc, reprit l'inspecteur, vous vous êtes assis sur le manège, vous avez bu, vous avez admiré le soleil couchant, vous avez fait l'amour...

Chris hésita, puis tendit la main et arrêta le magnétophone.

— Le soleil s'était déjà couché. Il était huit heures et demie, répondit-il tranquillement. Je vous l'ai déjà dit. (Il regarda l'inspecteur droit dans les yeux.) Vous ne croyez pas ce que je vous dis ?

Anne-Marie Marrone sortit la cassette du magnétophone sans le quitter des yeux.

— Je devrais ? fit-elle.

Le mardi après-midi, en dépit des protestations générales, Mélanie retourna travailler. C'était le jour où l'on racontait une histoire aux enfants. La bibliothèque était remplie de jeunes mères flanquées de leurs bambins engoncés dans des vêtements d'hiver. Lorsque Mélanie entra, elles reculèrent vivement pour lui laisser le passage jusqu'au bureau. Elle se demanda si la nouvelle de la mort d'Emily avait circulé aussi vite que cela, ou si c'était leur instinct qui les avait prévenues... par le truchement d'une odeur particulière émanant de sa peau ou des ondes électriques qui l'entouraient : *C'est une mère qui n'a pas su veiller sur son enfant.*

— Mélanie, fit une voix pleine de surprise derrière elle, personne ne s'attendait à te voir aujourd'hui !

C'était Rose, son adjointe.

— Cela fait dix-sept ans que je viens, répondit tranquillement Mélanie. Ça a toujours été l'endroit où je me sentais le mieux.

— Bien sûr, répondit Rose, qui ne savait visiblement que dire. Tu tiens le coup, mon chou ?

Mélanie se retourna.

— Je suis là, non ?

Elle se dirigea vers son bureau, s'installa dans son fauteuil avec une sorte d'appréhension : et si même son fauteuil lui était devenu étranger, tout à coup ? Mais non, rien n'avait changé, il épousait ses formes comme avant. Elle posa ses mains sur le comptoir et attendit.

Il lui suffirait d'avoir une demande de renseignement, et elle irait mieux. Elle se sentirait de nouveau utile.

Elle sourit aimablement à deux étudiants qui lui firent un signe de tête en passant devant elle pour se diriger vers les périodiques. Elle enleva ses escarpins, frotta ses pieds contre les montants chromés de son fauteuil pivotant, puis remit ses chaussures. Elle entra quelques mots sous « Recherche » dans son ordinateur, uniquement pour s'exercer : Procès en sorcellerie de Salem. Malachite. Elizabeth, reine.

— Excusez-moi.

Elle leva brutalement la tête. Une femme de son âge se tenait de l'autre côté du bureau.

— Oui, puis-je vous aider ?

— J'espère ! soupira la femme. J'essaie de trouver le plus de renseignements possible sur Atalante. (Elle hésita.) Vous savez, la coureuse grecque.

Mélanie sourit.

— Je vois.

Ses doigts se mirent à courir sur les touches, et son corps entier fut en proie à une agréable excitation.

— Vous trouverez Atalante dans les mythes grecs, sous le numéro...

Elle connaissait le numéro par cœur : 292. Mais avant de lui laisser le temps de le prononcer, la femme leva les yeux au ciel, soulagée.

— Ouf! soupira-t-elle. Ma fille écrit un mémoire en sociologie, et nous n'avons trouvé aucune information à la bibliothèque d'Orford. Il y a trois livres sur Atlas, mais rien sur Atalante...

Ma fille. Mélanie regarda la liste des livres disponibles indiqués sur son écran. Elle ouvrit la bouche pour donner l'information à la femme, mais au lieu de sa voix, elle entendit une voix qui ne pouvait être la sienne prononcer :

— Allez voir au numéro 641.5.

C'était dans la section des livres de cuisine.

La femme la remercia avec effusion et partit dans la mauvaise direction.

Mélanie sentit alors se diffuser à l'intérieur de son corps une substance nocive qui s'était formée dans la nuit du vendredi, et qui, maintenant libérée, pouvait l'empoisonner lentement. Elle serra les bras autour de sa taille pour tenter d'endiguer ce désir de nuire.

Elle envoya des étudiants dans la section des livres pour enfants ; des historiens dans la section des manuels de bricolage ; des amateurs de cassettes vidéo dans la section des guides de voyage. Un jeune homme lui demanda où se trouvaient les toilettes, elle l'envoya dans la réserve où l'on entreposait les livres retirés de la circulation. Et elle fit tout cela en souriant et en s'amusant follement, car elle éprouvait soudain bien plus de satisfaction en dispensant la contrariété et la frustration autour d'elle qu'en faisant correctement son métier.

Jordan McAfee, l'avocat recommandé par Gary Moorhouse, les avait rejoints dans la cuisine. Chris, assis à sa droite, arborait un visage renfrogné. Gus était restée debout derrière lui. L'avocat, qui sortait de son club de remise en forme, portait un short et un polo chiffonnés ; il avait les joues rouges, et une goutte de sueur coulait le long de sa tempe.

James se fiait toujours à sa première impression. D'accord, il était huit heures du soir... mais tout de même ! Ce débraillé, cette coiffure en hérisson, ces taches de sueur... Jordan McAfee avait peut-être chaud, mais il semblait surtout nerveux. Impossible d'imaginer cet homme en train de voler au secours de qui que ce soit, encore moins de son fils.

— Bon, dit McAfee, Chris m'a déjà dit ce qu'il avait déclaré à l'inspecteur Marrone. Parce qu'il est allé volontairement déposer et parce qu'elle lui a lu ses droits, tout ce qu'il a dit peut être utilisé contre lui. Toutefois, si nous devions en arriver là, je me battrais pour que la conversation de l'hôpital soit déclarée irrecevable. (Il leva les yeux vers James.) Je suis sûr que vous avez des questions. Vous pouvez y aller.

Les questions qui brûlaient les lèvres de James étaient : « Combien de procès avez-vous gagnés ? Comment savoir si vous allez sauver mon fils ? » Mais il ravala ses doutes. Moorhouse lui avait assuré que McAfee était un juriste en vue, qui écrivait des articles à Harvard, dont tous les cabinets juridiques de l'est du Mississippi s'arrachaient les services au moment où il avait décidé de rejoindre le bureau du procureur général du New Hampshire. Au bout de dix ans, cependant, il avait opté pour la défense. Il était connu pour son charme, son esprit et son caractère également vifs. James se demanda si McAfee avait des enfants lui-même.

— Quelles sont les probabilités de se retrouver avec un procès ? demanda-t-il.

McAfee se gratta la mâchoire.

— Chris n'a pas été formellement désigné comme suspect, mais il a été interrogé deux fois. Toutes les affaires de police de cette nature sont traitées comme des homicides. Et en dépit de son alibi, si le bureau du procureur général pense qu'il y a suffisamment de charges contre lui, il y aura une mise en accusation. (Il regarda James droit dans les yeux.) Je dirais qu'il y a une très forte probabilité.

Gus en eut le souffle coupé.

— Et qu'est-ce qui se passera ? Il a dix-sept ans !

— Maman...

— Dans l'État du New Hampshire, il sera jugé comme un adulte.

— Ce qui signifie ? demanda James.

— S'il est placé en détention provisoire, il comparaîtra sous vingt-quatre heures, et nous ferons une demande de libération sous caution, si nécessaire. Puis une date d'audience sera fixée.

— Vous voulez dire qu'il passera la nuit en prison ?

— Très certainement, répondit McAfee.

— Mais ce n'est pas juste ! s'insurgea Gus. Uniquement parce que le procureur général dit qu'il y a eu meurtre, nous devons nous plier à ses désirs ? Il n'y a pas eu de meurtre. Il y a eu un suicide. On n'est pas mis en prison pour ça.

— Madame Harte, il y a des livres entiers qui racontent des affaires où l'accusation a plongé dans l'eau tête baissée en s'apercevant trop tard que la piscine était vide. Chris et Emily sont les seules personnes à pouvoir nous dire ce qui s'est réellement passé. La vérité, c'est qu'Emily ne peut nous donner sa version et que l'État du New Hampshire n'a aucune raison de croire votre fils. Tout ce que voit l'accusation, pour l'instant, c'est qu'il y a une adolescente morte et qu'une balle a été tirée. Elle ne connaît pas l'histoire de ces jeunes gens, leurs rapports, leur état d'esprit. C'est là-dessus, sur le cœur, que nous nous appuierons pour gagner. Je peux vous dire dès maintenant que le procureur général fournira un rapport d'autopsie et qu'il y lira tout ce qu'il pourra. Je peux vous dire qu'il mettra en avant le fait que les empreintes de Chris sont sur le revolver. Et tout ce qu'il pensera avoir trouvé d'autre... Bien, coupa-t-il, il faut que j'aie un long entretien avec Chris.

Gus tira une chaise.

— Seul à seul, précisa McAfee avec un sourire décidé. C'est peut-être vous qui payez ma provision, mais c'est lui, mon client.

— Félicitations, docteur Harte, dit la réceptionniste en accueillant James le mercredi matin.

James resta un moment interdit. À quoi diable pouvait-elle faire allusion ?

Lorsqu'il avait quitté la maison ce matin, Chris était toujours assis sur le canapé où il l'avait laissé le soir précédent, les yeux fixés sur la même chaîne de télévision hispanique. Gus était à la cuisine, en train de préparer un petit déjeuner dont James eût pu prédire que Chris n'y toucherait pas. Franchement, en ce moment, il n'y avait vraiment pas lieu de le féliciter.

Comme il se rendait vers son bureau, un confrère lui tapa dans le dos en passant.

— J'ai toujours su que ça arriverait à l'un de nous, dit-il avec un grand sourire, avant de poursuivre son chemin.

De plus en plus perplexe, James entra dans son bureau et ferma la porte derrière lui. Sur sa table de travail, il trouva le courrier qu'il n'avait pas eu l'occasion d'ouvrir depuis le vendredi précédent. Le *New England Journal of Medicine* était au sommet de la pile, ouvert. Le rapport annuel qui établissait la liste des meilleurs médecins par spécialité s'étalait sur plusieurs pages. Sous la rubrique « Chirurgie ophtalmologique », il vit figurer son nom, entouré de rouge.

— La vache ! fit-il avec un sourire de bonheur.

Il attrapa son téléphone pour appeler Gus, désireux de partager sa joie avec elle, mais il n'y eut pas de réponse.

Il regarda son diplôme de Harvard encadré au mur. La récompense du *NEJM* ferait bel effet à côté. Ah, il se sentait de meilleure humeur, à présent !

James suspendit son manteau et descendit le couloir pour aller s'occuper de son premier patient. Il entra dans la salle de consultation et sortit le dossier de Mme Edna Neely.

— Madame Neely, dit-il en ouvrant la porte d'un geste vif. Comment allez-vous ?

— Pas mieux, sinon j'aurais annulé mon rendez-vous, répondit la vieille dame.

— Voyons si nous pouvons améliorer ça. Vous vous rappelez ce que je vous ai dit la semaine dernière sur la dégénérescence du macula ?

— Docteur, s'insurgea-t-elle, je viens vous voir pour des problèmes d'yeux. Pas pour des problèmes de sénilité.

— Bien sûr, répondit James d'une voix apaisante. Bon, nous allons donc faire l'angiographie.

Il fit asseoir Mme Neely devant une caméra. Puis il prit une seringue hypodermique et lui injecta de la fluorescéine dans le bras.

— Vous allez ressentir une sensation de brûlure dans votre bras. Nous allons suivre le parcours de la couleur. Elle va voyager de votre veine à votre cœur, puis à travers tout votre corps et finira par monter dans votre œil. Il n'y aura aucune modification de la couleur dans les vaisseaux normaux, mais elle va déborder des vaisseaux anormaux, des vaisseaux hémorragiques qui causent vos troubles. Nous allons donc pouvoir les localiser exactement et les traiter.

La fluorescéine passa du bras au cœur puis à l'œil, en douze secondes. La lumière du fond de l'œil éclaira le produit. Tels les affluents d'une rivière, les vaisseaux sains de la rétine se ramifiaient en capillaires fins et discrets. Les vaisseaux malades, en revanche, apparaissaient comme de minuscules feux d'artifice qui se diluaient et se transformaient en flaques blanches.

Dix minutes plus tard, lorsque la fluorescéine eut totalement disparu, James arrêta la caméra.

— Très bien, madame Neely, dit-il en se penchant vers elle. Maintenant, nous savons où diriger notre traitement au laser.

— Et quel sera le résultat ?

— Eh bien, j'espère que cela permettra de stabiliser les dommages de la rétine. La dégénérescence de la macula est un sérieux problème, mais nous avons une chance de sauvegarder un peu de vision, même si vous ne retrouvez pas votre acuité visuelle d'autrefois.

— Est-ce que je vais devenir aveugle ?

— Non, promit-il. Vous ne deviendrez pas aveugle. Vous perdrez peut-être un peu de vision centrale – pour lire, pour conduire – mais vous pourrez vous promener, vous doucher, faire la cuisine…

Il se tut. C'est alors que Mme Neely le gratifia d'un sourire charmant.

— Je les ai entendus parler dans la salle d'attente, docteur Harte. Ils disent que vous êtes l'un des meilleurs.

Elle tendit la main à travers le petit espace qui les séparait et tapota la sienne.

— Vous prendrez soin de moi.

James regarda son œil dilaté, déformé. Il hocha la tête, mais tout son enthousiasme avait disparu. Ce témoignage de confiance n'était pas un honneur, c'était une erreur.

James savait bien ce qu'avait ressenti Mme Neely un beau soir, lorsqu'elle s'était aperçue que la porte n'avait plus la même forme que quelques instants auparavant, que le journal n'était plus imprimé aussi clairement, que les mots n'étaient plus écrits tels qu'elle se les remémorait... Mais le comité du *New England Journal of Medicine* lui retirerait son prix lorsqu'il apprendrait que son fils avait voulu se suicider, qu'il allait comparaître devant un tribunal pour homicide. Car il ne voudrait sans doute pas rendre hommage à un spécialiste de la vue qui n'avait pas vu venir cette tragédie.

— Tu me l'as promis, dit Chris avec véhémence. Tu m'as dit qu'on irait le jour de ma sortie. Et il y a déjà une journée entière de passée.

Gus soupira.

— Je sais ce que j'ai dit, mon chéri. Simplement, je me demande si c'est une bonne idée.

Chris se leva d'un bond.

— Tu m'as déjà empêché une fois d'y aller, dit-il. Est-ce que tu as mis un sédatif dans ton frigo, maman ?... Parce que c'est le seul moyen de m'arrêter encore. (Il s'approcha d'elle et vint lui parler tout près de la joue.) Je suis plus grand que toi. Et je peux très bien passer, même si tu veux m'en empêcher. J'irai là-bas à pied s'il le faut.

Gus ferma les yeux.

— Non, dit-elle. Je t'emmène.

— Très bien.

Ni l'un ni l'autre ne parla jusqu'au cimetière.

Chris sortit de la voiture. Au début, Gus préféra regarder ailleurs. Mais bientôt, ce fut plus fort qu'elle, elle ne put s'empêcher d'observer son fils, agenouillé à côté du rectangle de terre couvert de fleurs encore fraîches. Elle le vit passer un doigt sur des pétales de roses, sur la corolle recourbée d'une orchidée.

Au bout d'un court moment, il revint à la voiture et frappa à la vitre.

— Comment se fait-il qu'il n'y ait pas de pierre tombale ? lui demanda-t-il.

Gus regarda la terre fraîchement retournée.

— C'est trop tôt, dit-elle. Mais de toute façon, je crois que dans la religion juive ils attendent au moins six mois.

Chris hocha la tête et mit ses mains dans les poches de son manteau.

— C'est dans quel sens, le haut ?

Sa mère le regarda sans comprendre.

— Qu'est-ce que tu veux dire ?

— La tête, précisa-t-il. La tête d'Emily est dans quel sens ?

Consternée, Gus jeta des regards un peu partout dans le cimetière. Les pierres tombales semblaient avoir été placées dans n'importe quel sens. Cependant, la plupart d'entre elles étaient tournées dans la même direction.

— Je pense que c'est de l'autre côté, répondit-elle. Mais je n'en suis pas sûre.

Chris retourna auprès de la tombe, et Gus se dit que c'était certainement pour parler à Emily qu'il voulait savoir où se trouvait la tête.

Mais, à sa grande surprise, elle vit son fils se coucher de tout son long sur le petit monticule, enserrer dans ses bras les fleurs qu'il écrasait et enfouir son visage dans la terre. Puis il se releva, les yeux secs, et vint la rejoindre.

Elle mit le moteur en route et roula, toute tremblante de l'effort qu'elle fournissait pour ne pas regarder Chris, dont la bouche maquillée de terre était marquée comme par un baiser.

HIER

Décembre 1993

Ils partaient skier pour Noël et avaient loué un appartement tous ensemble.

Chris était monté dans la voiture des parents d'Emily pour qu'ils puissent connecter leurs Game Boys et faire une partie de Tetris à deux.

Les haut-parleurs de l'arrière déversaient la musique d'Aerosmith, mais ceux de l'avant étaient au minimum.

— Genre !... Comment tu triches ! s'exclama Chris en riant, sans cesser de jouer fébrilement des pouces sur le mini-ordinateur.

Emily riposta :

— Et toi, comment tu mens !

— C'est pas vrai !

— Si !

— Oh, d'accord !

— Je m'en fous !

Au volant, Michael lança un regard à sa femme :

— Tu comprends pourquoi on n'a pas eu d'autre enfant ?

Mélanie sourit et regarda les feux arrière de la voiture de leurs amis.

— Est-ce que tu crois qu'ils écoutent Dvorak en mangeant du brie ?

— Non, répondit Chris en levant la tête. S'ils ont suivi Kate, je suis sûr qu'ils sont en train de chanter *Ma poule n'a plus que vingt-neuf poussins.*

Revenant à son petit écran, il s'écria :
— Oh non, c'est pas du jeu !
— Tu n'avais qu'à pas répondre à mes parents, répondit Emily d'une voix douce. C'est moi qui gagne.
Chris rougit de colère :
— À quoi ça sert de jouer si c'est pour tricher ?
— C'est régulier !
— Hé là ! protestèrent Mélanie et Michael d'une même voix.
— Je m'excuse, marmonna Chris.
Emily croisa les bras sur sa poitrine en souriant faiblement. Chris se tourna vers la fenêtre et bouda. Si Emily se mettait à le battre au Tetris, maintenant ! De toute façon, c'était un jeu de cons. Ah, elle allait voir ce qu'elle allait voir, ce week-end. Il lui montrerait ce que c'était que le ski !
À cette pensée, il se sentit mieux. Grand seigneur, il tendit la Game Boy.
— Tu as envie de faire une autre partie ?
Emily leva le menton et se tourna de façon à ne pas le voir.
— Oh là là ! Qu'est-ce que tu as, encore ? s'exclama Chris.
— Tu me dois des excuses.
— Pourquoi ?
Elle tourna vers lui des yeux sombres et enflammés :
— Tu as dit que je trichais. Je ne triche pas.
— Très bien, tu ne triches pas. Allez, on joue.
— Non, fit Emily d'un air vexé. Tu n'es pas obligé de le dire si tu ne le penses pas.
Chris, furieux, jeta la Game Boy comme on jette son gant. Qu'elle aille se faire foutre, avec son jeu et ses excuses ! Et d'ailleurs, qu'est-ce qui lui avait pris, à lui, d'accepter de monter dans sa voiture ? Oh, bien sûr, de temps en temps, il se marrait bien avec elle. Mais quand même, parfois, il avait envie de la tuer !

La mère de Chris était tellement en colère après son père qui avait décidé d'aller à la chasse avec un type rencontré sur le télésiège qu'elle ne lui avait pas adressé la parole de toute la matinée du 24 décembre.

— Mais il a amené son beagle, avait tenté d'expliquer son père pour se justifier.

Et alors, qu'est-ce qu'il y avait de mal à aller faire une petite incursion dans la forêt du Maine avec un gars qui avait apporté des fusils et son chien ? Et est-ce que c'était la faute de son père si lui, Chris, avait demandé à l'accompagner ?

— Qu'est-ce qu'on va trouver ? s'enquit Chris. Des élans ?

— Ce n'est pas la bonne saison, répondit son père. Sans doute des faisans.

Mais lorsqu'ils rejoignirent Hank Myers au bout d'une route sans aucune signalisation, ce dernier annonça que c'était un bon jour pour chasser le lièvre.

Hank parut heureux de faire la connaissance de Chris, auquel il tendit un fusil de calibre 12. Les trois hommes s'enfoncèrent à l'intérieur de la forêt avec Lucy, la chienne de Hank, qui alla fourrer son museau dans les buissons. Souples et alertes, ils avançaient à la manière de tous les chasseurs, en silence et avec ensemble, pareils à des marionnettes.

Chris gardait les yeux fixés sur la neige, à l'affût des curieuses empreintes à cinq pattes d'un hypothétique lièvre. La cinquième empreinte, c'était celle de la queue.

Tout ce blanc était aveuglant... Au bout d'une heure, il se retrouva avec les pieds gelés et le nez en fontaine, et il ne sentait plus ses oreilles à l'endroit où elles dépassaient de son couvre-chef. Finalement, il se serait moins ennuyé en skiant avec Emily.

Et d'ailleurs, est-ce qu'on mangeait du civet de lièvre le soir de Noël ?

Soudain, Lucy bondit et, sous un enchevêtrement de branches, Chris vit détaler un lièvre blanc à l'œil entouré de noir.

Aussitôt, il leva son fusil et visa. Ces animaux couraient si vite qu'on se demandait comment les gens faisaient pour arriver à les atteindre. Lucy était toujours sur ses talons, mais assez loin derrière. Soudain, il sentit que quelqu'un baissait le canon de son fusil. C'était Hank Myers, qui lui expliqua en souriant :

— Pas la peine d'insister. Les lièvres, ça tourne en rond. Lucy ne tiendra pas la distance, mais ça n'a pas d'importance. Elle va le courser et le ramener jusqu'à l'endroit d'où il est parti.

Effectivement, les aboiements du chien se firent plus lointains... puis se rapprochèrent de nouveau. Surgi de nulle part, le lièvre refit surface et se précipita vers les buissons d'où il avait été chassé.

Chris leva son fusil, visa et tira.

Sous l'effet du choc, il faillit perdre l'équilibre, mais son père le retint d'une main.

— Tu l'as eu ! exulta Hank Myers.

Lucy bondit par-dessus une souche pour aller renifler sa proie, la queue flottant comme un drapeau.

— Sacré coup de fusil ! rigola Hank. Tu l'as carrément fait exploser ! (Il souleva l'animal par les oreilles et le tendit à Chris.) Il ne reste plus grand-chose, mais ce n'est pas grave.

Chris avait déjà tué des cerfs ; il aurait été ravi de chasser des élans, ou des wapitis, ou des ours. Mais à la simple vue du lièvre, il eut la nausée. Il ne sut pas si c'était le contraste entre la blancheur de la neige et le rouge vif du sang, ou parce que le petit corps du lièvre lui rappelait ses peluches d'autrefois, ou parce que, pour la première fois, il s'attaquait à un petit être sans défense... toujours est-il qu'il se détourna et vomit.

Il entendit son père jurer entre ses dents.

Il essuya sa bouche contre sa veste et il leva la tête :

— Je m'excuse, dit-il.

Hank Myers cracha dans la neige et regarda James.

— Je croyais que vous aviez l'habitude de l'emmener chasser avec vous.

James hocha la tête, la bouche pincée.

— Oui, c'est vrai, je l'emmène souvent.

Le jeune homme évita de regarder son père pour ne pas voir l'expression de colère mélangée d'embarras qu'il arborait lorsqu'une situation n'évoluait pas dans le sens espéré. Il tenta de sauver la face :

— C'est moi qui vais m'en occuper, dit-il en tendant les mains pour saisir l'animal.

Hank fit un geste pour lui donner le lièvre, puis se rendit compte qu'il portait sa parka de ski.

— On va échanger nos vestes, d'accord ? dit-il en enlevant sa veste de chasse.

Chris enfila la veste de Hank, puis souleva le lièvre et l'enfouit dans la poche imperméable prévue à cet effet au dos du vêtement. Le corps de l'animal était encore chaud.

Il marcha sans mot dire à côté de son père, confus de son silence, mais sans pouvoir s'empêcher de penser au lièvre qui avait couru se réfugier dans son abri en espérant y trouver son salut.

Gus glissa sa main sous l'élastique du caleçon de son époux.

— C'est drôlement calme ici, murmura-t-elle. Il n'y a pas un bruit, pas même un bruit de souris.

Elle poursuivit son exploration.

— Ah... peut-être bien que j'ai trouvé un être vivant, après tout !

James rit, tout heureux de sa chance. Par bonheur, la colère de Gus avait miraculeusement disparu lorsqu'il était rentré de la chasse avec son fils. Ce qui était une bonne chose, après le fiasco de leur expédition.

Gus le pinça à un endroit sensible.

— Dis donc, chuchota-t-elle, ce n'est pas le moment de te moquer de moi.

— Je ne me moque pas de toi. Je pense à quelque chose.

Elle leva un sourcil.

— À quoi ?

James éclata de rire.

— Je pense que le père Noël va bientôt arriver.

Sa femme gloussa et s'assit en entreprenant de déboutonner sa chemise de nuit lentement et avec art...

— Qu'est-ce que tu en penses, fit-elle, tu pourrais ouvrir un de tes cadeaux dès ce soir ?...

— Ça dépend. C'est un gros cadeau ?

— Dis oui, et tu vas voir, ce sera ton seul et unique ! l'avertit-elle en jetant sa chemise de nuit en bas du lit.

James l'attira sur lui et lui caressa doucement le dos. Lorsque ses mains eurent atteint les rondeurs qu'il aimait, il murmura :

— Très bien... C'est juste ce qu'il me faut.

— Heureusement, souffla Gus, parce que je n'aurais pas su où m'adresser pour les retourner.

James sentit les jambes de Gus entourer ses hanches et son corps s'ouvrir pour lui. Ils roulèrent sur le lit et il se retrouva sur elle, les mains agrippées aux siennes. Il entra en elle et appuya fermement ses lèvres contre son épaule, de peur de parler ou de crier au moment où il se perdrait en elle.

Lorsque ce fut fini, Gus se détacha de lui, le souffle court et la peau humide. James la serra contre lui et blottit sa tête sous la sienne.

— J'ai sûrement été très sage cette année.

Gus déposa un baiser sur sa poitrine.

— Oui, c'est vrai, murmura-t-elle.

— Tu ne me croiras pas, déclara Michael, mais j'ai entendu des bruits de sabots sur le toit.

Mélanie, qui était en train de poser ses lunettes sur la table de nuit, s'arrêta net :

— Tu plaisantes !

— Non, insista son époux. Pendant que tu étais sous la douche !

— Des bruits de sabots ?

— Comme des sabots de rennes.

Elle éclata de rire.

— Eh bien voilà, c'est le père Noël qui se cache dans le placard !

Michael se renfrogna.

— Je suis sérieux. Attends, écoute ! C'est quoi, ce bruit, d'après toi ?

Mélanie leva la tête et écouta le bruit qui, effectivement, était une sorte de martèlement. Elle réfléchit, puis posa son oreille contre le mur sur lequel était appuyée la tête de lit.

— C'est Gus et James que tu entends, annonça-t-elle.

— Gus et...

Mélanie hocha la tête et fit bouger la tête de lit contre le mur :

— Tu vois, c'est ça, ton bruit de sabots !

Michael sourit :

— Ah bon, c'est Gus et James !...

Mélanie vint le rejoindre dans le lit.

— Oui, qui veux-tu que ce soit d'autre ?

— Bien sûr. Mais James...

Mélanie éteignit la lampe de chevet et tendit l'oreille, à l'affût des gémissements et des coups frappés contre la cloison.

— Quoi, James ?

— Oh, je ne sais pas, moi, j'ai moins de mal à imaginer Gus en train de faire l'amour que James !

Mélanie fronça les sourcils.

— Je n'ai pas l'habitude de penser à eux en train de faire l'amour. Tu y penses, toi ?

Michael rougit.

— Oh... Oui, ça m'arrive de temps en temps.

— En voilà des idées !

— Oh, arrête, rit Michael, je suis sûr qu'ils pensent à nous aussi, parfois !

D'un geste souple, il se tourna vers elle :

— On pourrait peut-être leur donner l'occasion de nous écouter ? proposa-t-il.

— Certainement pas ! se récria Mélanie, horrifiée à cette idée.

Ils se replacèrent chacun sur son oreiller. Une douce plainte sourdait à travers la mince cloison. Michael rit et se tourna de son côté. Longtemps après qu'il se fut endormi, Mélanie suivait encore les ébats amoureux de ses voisins, en essayant d'imaginer que ces gémissements sortaient de sa propre gorge.

Chris se souvenait des veilles de Noël où, trop excité par la perspective de découvrir le lendemain la voiture de course, le train électrique ou la bicyclette qui l'attendaient sous l'arbre, il lui était impossible de s'endormir. C'était une bonne insomnie, pleine de joyeuse impatience.

Mais ce soir-là, il en était bien loin.

Chaque fois qu'il fermait les yeux, il revoyait le lièvre qu'il avait tué.

Il pensa à ce que disait parfois son père, lorsqu'il avait passé une très mauvaise journée à l'hôpital : « Ce qu'il me faut, c'est un bon petit remontant. »

Il attendit que ses parents aient fini de jouer au père Noël, ce qui était vraiment idiot, compte tenu du fait que Kate n'y croyait plus, pour se faufiler dans la cuisine. Il savait qu'ils avaient mis une bouteille de Sambuca au frais. Son père et celui d'Emily l'avaient entamée ensemble en tirant sur leurs cigares, l'autre soir. Elle était encore aux trois quarts pleine.

Il trouva un verre à jus de fruits dans le placard et le remplit jusqu'au bord. Il renifla l'alcool – qui lui rappela l'odeur de la réglisse – et en but une gorgée. Une langue de feu enflamma sa gorge et descendit jusqu'à son ventre. « Un lièvre, ricana-t-il, quel lièvre ? »

Arrivé à la moitié de son verre, il se rendit compte qu'il ne sentait plus ses orteils, ni la pointe de ses doigts. La cuisine était délicieusement floue.

Il restait moins de la moitié de la bouteille. Chris la pencha pour regarder danser l'alcool. « Peut-être qu'ils vont penser que c'est le père Noël qui l'a bue ! se dit-il. J'en ai marre des biscuits et du lait ! » Pris d'un accès de gaieté, il se mit à rire. C'est à ce moment-là qu'il aperçut Emily sur le seuil de la porte.

Elle portait une chemise de nuit de flanelle imprimée de minuscules pingouins.

— Qu'est-ce que tu fais ? demanda-t-elle.

Chris sourit.

— À ton avis ?

Sans répondre, Emily s'approcha de lui et renifla la bouteille de Sambuca.

— Beurk ! fit-elle en fronçant le nez. C'est dégueulasse !

— Non, rectifia Chris, c'est super !

Il regarda Emily en se demandant si elle avait déjà pris de l'alcool. Certainement pas, il l'aurait su. Tiens, on va tenter l'expérience ! Il se pencha et lui présenta son verre.

— Vas-y, goûte ! C'est très bon, c'est comme les bonbons qu'on achète au cinéma.

— Les Good and Plentys ?

Il hocha la tête.

— C'est ça.

Emily hésita, mais elle prit quand même le verre.

— Peut-être que...

— T'es pas cap !

Il savait qu'il n'en fallait pas plus pour la décider. Les yeux d'Emily brillèrent à la lueur de la lune. Elle porta le verre à ses lèvres et en prit une bonne rasade, sans laisser à Chris le temps de lui recommander de commencer par une petite gorgée.

Elle se mit à tousser violemment, la poitrine en feu, la bouche pleine de liquide qu'elle recracha sur la table. Elle porta la main à sa gorge en ouvrant démesurément les yeux.

— Ouh là là ! fit Chris en lui tapant dans le dos.

Emily mit quelque temps à retrouver son souffle.

— Mon Dieu, gémit-elle. Ce truc... ce truc...

— ... n'est pas fait pour vous !

Les deux coupables relevèrent simultanément la tête et découvrirent les quatre parents agglutinés sur le seuil, à différents stades de nudité. James, l'air furieux, fit quelques pas en avant.

— Vous pouvez me dire ce que vous fabriquez ?

Chris fut abasourdi par la réponse d'Emily. Depuis toujours, lorsqu'ils étaient pris en flagrant délit de quelque méfait, ils faisaient front ensemble. La solidarité était la base même de leur amitié. Mais cette fois-là, sous le regard furibond de James, Emily craqua.

— C'est lui qui m'a fait essayer! dit-elle en pointant un index tremblant vers lui.

Confondu, Chris s'assit sur sa chaise.

— Quoi, c'est moi? protesta-t-il. C'est moi? C'est moi qui t'ai mis le verre aux lèvres et qui t'ai fait boire?

Emily ouvrit la bouche, puis la referma, comme un poisson.

— De toute façon, poursuivit James, tu peux me dire ce que tu fais ici à boire de l'alcool?

Chris commença à s'expliquer. Mais en regardant son père dans les yeux, il revit le lièvre avec son ventre éclaté, et les mots qu'il avait l'intention de prononcer ne purent franchir sa gorge. Il secoua la tête, et ce seul mouvement le ramena dans la forêt, un fusil fumant dans la main, les yeux braqués sur le sang qui tachait la neige.

Il mit sa main sur sa bouche et se précipita vers la salle de bains, ayant eu le temps, toutefois, de voir Emily baisser les yeux et se détourner.

Ce ne fut pas un joyeux Noël.

Chris passa la matinée seul dans sa chambre, assis sur son lit, pendant que les autres, en bas, ouvraient leurs cadeaux en poussant des exclamations qui parvenaient jusqu'à lui. La seule personne qui semblait parfaitement heureuse était Kate. Elle avait dormi, elle, pendant que s'étaient déroulées les péripéties de la nuit écoulée.

Il se demanda ce qu'ils feraient de ses cadeaux : allaient-ils les rapporter, les donner aux bonnes œuvres?... Il douta de les voir jamais. C'était vraiment embêtant, parce qu'il était sûr que parmi eux se trouvaient des skis flambant neufs dont il aurait pu se servir le jour même.

Il se jeta à plat ventre sur son lit en tentant de se convaincre que ses vieux skis étaient encore très bons.

Peu après trois heures, sa mère entra dans sa chambre. Elle portait sa tenue de ski et ses lunettes pendaient autour de son cou. À sa vue, Chris ressentit une bouffée d'envie. Si seulement il avait skié la veille au lieu d'aller à la chasse au lièvre!

Elle posa la main sur son bras.

— Bonjour, dit-elle. Joyeux Noël !

— Tu parles ! répondit Chris en se dégageant.

— Ton père et moi avons décidé que tu pouvais aller skier pour le restant de la journée.

Le restant de la journée, cela signifiait une heure en tout !

Chris nota que sa mère n'avait pas parlé de cadeaux.

— Emily est là, poursuivit-elle d'une voix douce. Elle n'a pas voulu aller skier sans toi.

« Comme si j'en avais quelque chose à foutre ! » se dit Chris, qui se contenta de pousser un grognement pour toute réponse. C'est seulement au moment où sa mère sortait de la pièce qu'il nota la présence d'Emily sur le seuil.

— Salut, dit-elle. Ça va ?

— Super ! marmonna-t-il.

— Euh... tu as envie de venir skier avec moi ?

Non, il n'avait pas envie. Il aurait même refusé de monter dans son canot de sauvetage en cas de naufrage. Même si elle avait eu peur, la nuit dernière, et si l'unique gorgée qu'elle avait bue l'avait rendue malade, et même s'il n'avait pas eu l'occasion de lui dire pourquoi il avait bu, Emily l'avait trahi, et il ne pouvait lui pardonner comme ça.

— J'ai descendu la Vipère-Noire toute seule, lui annonça-t-elle.

À ces mots, Chris la regarda. Car la Vipère-Noire était l'une des pistes les plus difficiles de la station, pleine de zigzags, de creux et de bosses qui vous arrivaient dessus sans prévenir. Il l'avait descendue quelquefois, mais toujours trop lentement, car il devait attendre Emily, qui n'était pas très hardie. Si elle l'avait descendue seule, elle avait dû mettre au moins deux heures.

Soudain, une idée germa dans sa tête. Il tenait le moyen de se venger de sa trahison. Elle se sentait coupable, c'était évident. Donc, il pouvait lui faire faire n'importe quoi. Il allait l'emmener sur une piste encore plus dure que la Vipère-Noire, une piste qui la ferait trembler tout du long. Ah, elle allait en baver !

Toute mauvaise humeur envolée, Chris sourit.

— Bon, dit-il en se levant, qu'est-ce qu'on attend pour y aller ?

Emily n'en menait pas large à la sortie du remonte-pente, le plus haut de tous. Elle tenait ses bâtons devant elle, comme pour mettre une barrière entre elle et la piste. Le vent lui fit parvenir la voix impatiente de Chris :

— Allez, Em, grouille-toi !

Elle se mordit les lèvres et poussa sur ses bâtons.

Elle descendit en chasse-neige pour réduire sa vitesse, mais le virage était trop sec et elle atterrit juste derrière Chris, dans un méli-mélo de bras, jambes et skis.

— C'est nul ! souffla-t-elle.

Chris eut un sourire supérieur.

— Et c'est la partie la plus facile !

Elle se demanda sérieusement si elle n'allait pas déchausser ses skis et descendre à pied, mais il fallait qu'elle rentre dans les bonnes grâces de son ami. Après tout, c'était sa faute si Chris avait passé toute la matinée dans sa chambre. Puisqu'il avait eu la bonté de la laisser skier avec lui, eh bien, elle en passerait par où il voudrait.

Elle vit Chris fendre le vent et slalomer avec une grâce féline. Cela semblait si facile, à le regarder faire ! Elle respira à fond et s'élança. « Au pire, se dit-elle, il freinera ma chute. »

Elle aborda le premier virage trop vite, de telle sorte qu'elle dépassa Chris en fonçant à une vitesse alarmante vers le bord de la piste.

— Coupe ton virage ! l'entendit-elle hurler.

Il en avait de bonnes ! Comme si elle en était capable !

Un ski, puis l'autre passèrent par-dessus le bord de la piste. Des branchages vinrent lui griffer les joues et un paquet de neige s'abattit sur elle. Elle tenta de garder les genoux serrés, les pieds droits, en implorant le ciel, mortellement effrayée. Elle sentit l'air vibrer, Chris cria son nom, puis ses skis se prirent dans les broussailles et la seule chose qu'elle ressentit en tombant, ce fut du soulagement.

Elle a eu de la chance de ne pas se rompre le cou.
Ç'aurait pu être pire.
Ça fait un mal de chien.

Ils ne savaient pas que Chris les entendait, et pourtant, il ne perdait pas une miette de leur conversation. Les secouristes qui étaient venus pour transporter Emily en ambulance n'avaient pas eu le choix : ils avaient été obligés de l'emmener avec eux à l'hôpital, parce qu'il était resté collé au brancard comme une glu et que les parents d'Em n'avaient pas répondu à l'appel. Il l'avait accompagnée dans l'ambulance, et même aux urgences, et au bout de quelque temps on avait renoncé à l'éloigner.

Lorsqu'il l'avait vue quitter la piste comme ça... Rien que d'y penser, il en tremblait encore. Il avait été obligé de l'abandonner pour aller chercher du secours, puis il était retourné près d'elle au pas de course. Elle avait perdu son bonnet, et ses cheveux étaient étalés sur la neige. Il lui avait pris la main, et il avait senti son estomac se soulever.

C'était de sa faute. S'il ne l'avait pas provoquée pour l'humilier, jamais elle n'aurait pris cette piste.

Emily avait repris connaissance dans l'ambulance qui l'emmenait à l'hôpital.

— J'ai mal, avait-elle dit en avalant péniblement. Qu'est-ce que j'ai ?

Impossible de lui dire que sa jambe était cassée, que sa cheville était tordue et à l'envers, comme dans un dessin animé. Impossible de lui dire qu'elle avait dévalé la pente au milieu des arbres avant de s'arrêter, que son visage était abîmé par les écorchures et les ecchymoses.

— Tu es tombée, dit-il simplement. Tout va bien, ne t'inquiète pas.

Les yeux de son amie se remplirent de larmes.

— J'ai peur, chuchota-t-elle, la gorge serrée. Où est ma maman ?

— Elle va venir, répondit-il, mais moi, je suis là, pour l'instant.

Il se pencha et passa les bras autour d'elle avec précaution. Il ferma les yeux et décida que désormais, il serait l'ange gardien d'Emily pour le restant de ses jours.

La jambe cassée d'Emily plongea dans l'oubli l'épisode de la transgression à la Sambuca. Mélanie et Gus insistèrent pour retourner au bercail. Michael, lui aussi, était plutôt pour, mais Emily réussit à les convaincre de terminer leurs vacances. Par solidarité, tous restèrent auprès d'elle, remplaçant le ski par des marathons de Scrabble et de Monopoly. Mais, dès le deuxième jour, Emily ne supporta plus d'être traitée comme une invalide et renvoya tout le monde sur les pistes. Après quelques discussions, Mélanie elle-même accepta de sortir pendant une heure ou deux. Mais Chris refusa de quitter Emily.

— Je n'ai pas envie, expliqua-t-il, et personne ne le força.

Il restait assis sur le canapé avec elle, en face de la cheminée. La jambe plâtrée d'Emily reposait sur la table basse. Ils bavardaient en regardant les flammes. Chris lui parla du lièvre. Elle lui avoua de son côté son sentiment de culpabilité de l'avoir trahi. En plaisantant, ils se demandèrent si ce n'était pas le moment de ressortir la Sambuca du congélateur, puisque leurs parents n'étaient pas là pour les surveiller. Cela rappela à Chris l'heureuse époque de leur petite enfance : il lui suffisait d'avoir une idée pour qu'elle germe au même moment dans le cerveau d'Emily.

Ce ne fut qu'en entendant le feu craquer à grand bruit qu'il se rendit compte qu'il s'était endormi et elle de même. Elle s'était blottie sous son bras.

Elle était assez lourde, et cette position n'était pas confortable. Il sentait la chaleur humide de sa joue à travers le coton de sa chemise... Ses cils étaient d'une longueur inimaginable. Son souffle sentait le fruit rouge.

Cela suffit pour le faire durcir comme du bois. Cramoisi, il tenta de bouger sans la réveiller. Mais, dans ce mouvement, son bras toucha la poitrine de son amie. Ses seins.

Bon Dieu ! C'était Emily ! Celle qui avait hérité de sa chaise haute, celle qui l'aidait à dessécher des limaces avec du sel, celle qui avait campé avec lui pour la première fois dans son jardin.

Comment une fille qu'il connaissait depuis toujours pouvait-elle se métamorphoser en une inconnue?

Elle remua, battit des cils et le repoussa lorsqu'elle se rendit compte qu'elle était étalée sur sa poitrine.

— Excuse-moi, dit-elle, encore assez près pour permettre à ses mots de tomber sur ses lèvres et de lui en faire sentir le goût.

Chris se dit que jamais il ne réussirait à rester seul avec Emily.

Pendant trois jours, il s'était débrouillé pour qu'elle s'appuie contre lui, l'effleure, le touche.

Il avait envie de l'embrasser. Et l'occasion rêvée qui se présentait à lui était en train de s'évanouir sous ses yeux.

Leurs parents étaient invités à une fête du Nouvel An organisée par la station de ski. Mais Mélanie et Michael n'étaient pas très chauds. Ils craignaient de ne pas pouvoir être joints en cas de besoin. C'était le moment de partir, et ils restaient plantés tous les quatre dans leurs vêtements de soirée noirs, hésitant sur la décision à prendre.

— J'ai treize ans, argumenta Emily. Je n'ai pas besoin de gardienne.

— Si jamais il arrivait quelque chose, ajouta Chris, je sais conduire... Je pourrais très bien prendre la deuxième voiture pour aller vous prévenir.

Gus et James pivotèrent sur eux-mêmes.

— Tu aurais mieux fait de garder ça pour toi, dit James sèchement.

Il se tourna vers Michael :

— Ne laisse pas tes clés ici !

Mélanie toucha le front de sa fille.

— Je me suis cassé la jambe, grogna cette dernière, je n'ai pas la grippe.

— Qu'est-ce que tu en penses? demanda Gus à Mélanie.

Mélanie haussa les épaules.

— Et toi, qu'est-ce que tu ferais?

— Je pense que j'irais. De toute façon, tu ne peux rien faire de plus pour elle !

Mélanie se leva et repoussa doucement les cheveux de sa fille en arrière. D'un geste impatient, Emily les remit en place.

— Très bien, dit Mélanie. Mais je pense que je rentrerai avant minuit. Et toi, Gus, tu me racontes des histoires. Si c'était Kate, tu ne la quitterais pas d'une semelle !

— Tu as raison, admit son amie. Mais est-ce que je n'ai pas été convaincante ?

Elle se tourna vers Chris.

— Tu coucheras Kate quand il sera l'heure ?

Kate cria depuis l'étage :

— Maman, est-ce que je peux rester debout jusqu'à minuit ?

— D'accord ! répondit Gus sur le même ton.

S'adressant à son fils en baissant la voix :

— D'ici une demi-heure, elle va sûrement s'endormir sur le canapé, tu la porteras là-haut !

Puis elle l'embrassa et fit un signe de la main à Emily :

— Sois sage, dit-elle.

Et elle s'éloigna avec les autres, laissant Chris et Emily en tête-à-tête.

Les mains de Chris tremblaient sur ses genoux, tant était grand leur désir de toucher Emily, qui était assise à au moins dix centimètres de lui. Il ferma les poings, espérant que ses doigts ne le trahiraient pas lorsqu'ils s'avanceraient vers la cuisse de la jeune fille.

— Chris, chuchota cette dernière, je crois que Kate dort. Tu devrais la porter là-haut.

Est-ce qu'elle lui faisait comprendre qu'elle aussi souhaitait rester seule avec lui ?... Il essaya de croiser son regard afin d'y lire la réponse, mais elle garda la tête fixée sur son plâtre qui la démangeait.

Il prit sa sœur dans ses bras et la porta jusqu'à sa chambre. Il la borda, puis referma la porte.

De retour dans le salon, il s'assit plus près d'Emily et étendit son bras sur le dossier du canapé.

— Tu veux boire quelque chose? demanda-t-il. Ou tu veux du maïs soufflé?

Emily secoua la tête.

— Non, non, ça va, répondit-elle en saisissant la télécommande pour zapper sur les chaînes de télévision.

Chris caressa le bord de sa manche du bout du pouce. Elle ne réagit pas, aussi ajouta-t-il un second doigt, puis un troisième. Bientôt, sa main entière caressa son épaule.

Il n'osait pas la regarder. Mais Emily était restée parfaitement immobile, et il avait senti la chaleur de sa peau augmenter par paliers. Pour la première fois, ce soir-là, il se détendit.

Dans leur dilemme sur la décision à prendre à propos d'Emily, ils avaient oublié que l'invitation spécifiait: « Apportez une bouteille. »

James se déclara volontaire pour courir chercher une bouteille de champagne, accompagné de la recommandation de sa femme de revenir avant minuit.

Il regarda sa montre en entrant dans le stationnement du troisième supermarché fermé. « Il est vingt-trois heures vingt-six, se dit-il, sans s'apercevoir que les piles de sa montre étaient mortes depuis quelques minutes. Je vais retourner à l'appartement prendre une bouteille de vin. »

En réalité, il était minuit moins deux.

Un jour, un papillon avait atterri dans la main de Chris. Émerveillé, il s'était bien gardé de bouger, il avait même essayé de ne pas penser, de peur de faire s'évanouir le miracle. C'était la même chose ce soir, avec Emily. Elle n'avait pas prononcé un mot et lui non plus, mais, depuis quarante-deux minutes, il gardait le bras passé autour d'elle comme s'il s'agissait de la chose la plus naturelle du monde.

À la télévision, des gens faisaient les fous à Times Square. Il y avait des hommes aux cheveux rouges et des femmes habillées comme Marie-Antoinette, des garçons de son âge qui faisaient sauter en l'air des petits bébés, et pourtant, l'heure du marchand de sable avait sonné depuis longtemps pour eux.

Chris sentit Emily se déplacer un tout petit peu vers lui.

Minuit sonna, annonçant l'année 1994. Emily baissa le son à l'aide de la télécommande. Le calme régnait dans la pièce. Il n'y avait ni cris ni fanfare. Chris crut entendre battre son propre cœur.

— Bonne année, chuchota-t-il en baissant la tête vers elle.

Elle tourna la tête au même moment et ils se cognèrent le nez durement. Elle rit, et c'était très bien, c'était tout à fait elle.

Sa bouche était d'une douceur incroyable. Il passa sa langue à travers ses lèvres légèrement entrouvertes.

Elle se recula aussitôt et il en fit autant. Du coin de l'œil, il voyait une foule de personnes déchaînées à Times Square.

— Qu'est-ce que tu en penses ? murmura-t-il.

Emily rougit comme une pivoine.

— J'en pense... Ouaouh ! répondit-elle.

Il sourit contre sa nuque.

— Moi aussi, dit-il en cherchant de nouveau sa bouche.

Lorsque James entra dans l'appartement, la télévision braillait. Puis elle se tut soudain. Il posa une bouteille de champagne sur la table de la cuisine et se dirigea vers le salon.

La première chose qu'il vit fut la télévision qui, bien que muette, annonçait clairement qu'on était déjà en 1994.

La deuxième chose qu'il vit, ce fut Chris et Emily en train de s'embrasser sur le canapé.

Pétrifié, James fut incapable du moindre mouvement, du moindre mot. Mais c'étaient des enfants ! L'incident de la bouteille de Sambuca était encore tout chaud... Comment son fils pouvait-il commettre deux actes aussi répréhensibles coup sur coup ?

Puis il lui vint à l'esprit que Chris et Emily faisaient exactement ce qu'ils espéraient tous depuis toujours.

Il battit en retraite sans se manifester et grimpa dans sa voiture. Il souriait encore en arrivant à la fête. Gus, les joues rouges de colère, les cheveux colorés par les confettis, l'accueillit d'un reproche :

— Tu es en retard !

Hilare, James leur raconta ce qu'il avait vu. Mélanie et Gus éclatèrent de rire, enchantées. Michael secoua la tête :

— Tu es sûr qu'ils ne faisaient que s'embrasser ?

Ils levèrent leurs verres à la nouvelle année. Aucun d'eux ne nota que James avait oublié le champagne.

AUJOURD'HUI

Mi-novembre à fin novembre 1997

Dans les jours qui suivirent la mort de sa fille, Mélanie se mit à remarquer les détails les plus ordinaires : le dessin du bois de la table de la cuisine, le mécanisme de fermeture d'une boîte, la notice d'emploi d'un produit ménager... Elle était capable de garder les yeux braqués sur ces objets pendant des heures, comme si elle ne les avait pas vus des milliers de fois auparavant. Elle avait un besoin obsessionnel de détails. Et si jamais, demain matin, l'un de ces objets manquait à l'appel ? Et si jamais elle ne devait plus revoir ces objets que dans sa mémoire ? Elle savait que maintenant, à tout moment, elle pouvait être mise à l'épreuve.

Elle avait passé la matinée à arracher les pages d'un petit carnet de notes et à les jeter à la poubelle. Le tas de pages blanches ressemblait à une mini-tempête de neige. Lorsque le sac-poubelle fut à demi rempli, elle le sortit pour le jeter à l'extérieur. Il avait commencé à neiger, c'était la première neige de la saison. Fascinée, Mélanie lâcha le sac-poubelle en ignorant le froid, et elle tendit la main. Un flocon de neige atterrit dans sa paume ; elle l'examina de près pour le regarder fondre.

La sonnerie désagréable du téléphone qui lui parvint depuis la porte ouverte la fit sursauter. Elle courut à l'intérieur et, le souffle court, tendit la main vers le récepteur.

— Allô ?

— Allô, dit une voix traînante, je voudrais parler à Emily Gold.

« Moi aussi », pensa Mélanie en raccrochant le téléphone sans un mot.

Chris se sentait très mal à l'aise dans l'antichambre du Dr Emmanuel Feinstein. Il fit semblant de s'intéresser aux photos de ponts couverts qui décoraient les murs et regarda subrepticement la secrétaire dont les doigts volaient sur les touches de son ordinateur. Soudain, l'interphone vrombit. La secrétaire sourit au jeune homme :

— Vous pouvez entrer.

Chris hocha la tête et franchit la porte communicante en se demandant pourquoi il avait dû poireauter pendant une demi-heure alors qu'il n'y avait personne avant lui.

Le psychiatre se leva et fit le tour de son bureau.

— Entrez, Chris. Je suis le Dr Feinstein. Je suis heureux de faire votre connaissance.

Il lui indiqua un fauteuil dans lequel Chris se laissa tomber, tout en notant qu'il n'y avait pas de divan. Contrairement à ses craintes, le médecin n'était pas un vieux schnoque grisonnant, mais un type du genre costaud qui aurait très bien pu travailler comme bûcheron, ou sur une plate-forme pétrolière. Il avait d'épais cheveux blonds qui lui descendaient jusqu'aux épaules, et il faisait bien quinze centimètres de plus que lui. Son bureau était décoré un peu comme celui de son père, avec du bois sombre et des plaids écossais, et des livres reliés de cuir.

— Eh bien, commença le psychiatre en s'installant dans le fauteuil qui faisait face au sien, comment vous sentez-vous ?

Le jeune homme haussa les épaules et le médecin se pencha pour attraper le magnétophone placé sur la table de salon qui les séparait. Il revint en arrière, entendit sa propre question, puis indiqua l'appareil.

— Ce qu'il y a de drôle avec ces trucs-là, dit-il, c'est qu'ils n'enregistrent pas les réponses non formulées verbalement... Il n'y a qu'une règle ici, Chris. Vos réponses doivent obligatoirement émettre un son.

Chris s'éclaircit la voix. Toute la sympathie involontaire qu'il avait commencé à éprouver pour ce réducteur de têtes disparut.

— Bien, grogna-t-il.

— Bien quoi ?

— Je me sens bien, grommela Chris.

— Est-ce que vous dormez bien ? Vous mangez ?

Le jeune homme hocha la tête, puis regarda le magnétophone.

— Oui, prononça-t-il. Je mange bien. Mais parfois je n'arrive pas à dormir.

— Est-ce que vous aviez déjà des problèmes pour dormir, avant ?

Avant, avec un A majuscule... Chris secoua la tête, puis ses yeux se remplirent de larmes. C'était une manifestation d'émotion dont il commençait à avoir l'habitude : elle surgissait dès qu'il pensait à Emily.

— Comment ça se passe chez vous ?

— C'est un peu bizarre, reconnut le jeune homme. Mon père fait comme si rien n'avait changé, et ma mère me parle comme si j'avais six ans.

— Pourquoi pensez-vous que vos parents vous traitent de cette façon ?

— Je suppose que c'est parce qu'ils ont peur, répondit Chris. Moi, j'aurais peur, à leur place.

Qu'éprouve-t-on lorsqu'on découvre, en l'espace de quelques secondes, que son enfant, à qui on aurait donné le bon Dieu sans confession, n'est pas celui que l'on croyait ?

Soudain, une pensée lui traversa l'esprit :

— Est-ce que vous raconterez à mes parents ce que je dis ici ?

Le Dr Feinstein secoua la tête.

— Je suis ici pour vous. Je suis de votre côté. Ce que vous dites ne sortira pas de ce cabinet.

Chris lui jeta un coup d'œil méfiant. Il croyait peut-être que ses bonnes paroles suffiraient à le tranquilliser ! Ce Feinstein, il ne le connaissait ni d'Ève ni d'Adam.

— Avez-vous toujours des idées de suicide? poursuivit le psychiatre.

— Ça m'arrive, répondit son patient d'un ton embarrassé.

— Vous avez un plan?

— Non.

— Est-ce que vous pensez que la nuit de vendredi dernier vous a fait changer d'avis?

Chris le dévisagea.

— Je ne comprends pas ce que vous voulez dire.

— Bon. Parlez-moi de ce que vous avez ressenti en voyant votre amie se suicider.

— Ce n'était pas mon amie, rectifia Chris, c'était la fille que j'aimais.

— C'était d'autant plus difficile pour vous.

— C'est vrai.

Il revit la scène, la tête d'Emily projetée sur la gauche comme si une main invisible l'avait frappée, le sang qui coulait entre ses doigts. Que voulait-il lui faire dire, ce psy?

Après un silence prolongé, le Dr Feinstein reprit:

— Vous devez être complètement bouleversé.

— Oui, je pleure pour un oui ou pour un non.

— C'est tout à fait normal, le consola le psychiatre.

— Oh, bien sûr! grogna Chris. C'est tout à fait normal. Dans la nuit de vendredi à samedi, on m'a fait soixante-dix points de suture. La fille que j'aimais est morte. J'ai été enfermé en service psychiatrique pendant trois jours et maintenant, je suis là en face de vous, et quelqu'un que je ne connais pas me demande de lui dire tout ce qui se passe dans ma tête. Oui, je suis un garçon de dix-sept ans tout à fait normal.

— Vous savez, fit remarquer le Dr Feinstein sans s'émouvoir, ce qui se passe dans notre tête est étonnant. Ce n'est pas parce qu'on ne voit pas la blessure qui est à l'intérieur qu'elle ne fait pas mal. Pendant ce temps, elle cicatrise, et elle finit par guérir... Si vous n'avez pas envie d'être ici, reprit-il, où aimeriez-vous être?

— Avec Emily, répondit son patient sans hésiter.

— Mort?

— Non. Oui.

Chris évita son regard. Il remarqua alors la présence d'une seconde porte qu'il n'avait pas vue jusqu'alors, une porte qui ne s'ouvrait pas sur la salle d'attente... C'était certainement la porte par laquelle il sortirait. Personne ne saurait donc qu'il s'était trouvé là.

Il regarda le Dr Feinstein en face et décida que quelqu'un qui protégeait votre vie privée de la sorte ne pouvait pas être vraiment mauvais.

— Ce que j'aimerais, précisa-t-il d'un ton radouci, c'est retourner plusieurs mois en arrière.

Dès que les portes de l'ascenseur s'ouvrirent, Gus fondit sur son fils, le prit sous son aile protectrice et l'entraîna hors de l'immeuble en babillant.

— Alors, dit-elle lorsqu'ils furent installés dans la voiture, comment ça s'est passé ?

Elle n'obtint aucune réponse. Chris tournait la tête de l'autre côté.

— Et d'abord, reprit-elle, est-ce qu'il t'a plu ?

— Vous l'avez choisi au hasard ?

Gus essaya de ne pas se formaliser.

— Est-ce que c'est un bon psychiatre ? insista-t-elle.

Chris continua obstinément à regarder par la vitre.

— Par rapport à quoi ? demanda-t-il.

— Eh bien... tu te sens mieux ?

Se tournant lentement vers elle, il la transperça du regard.

— Par rapport à quoi ? répéta-t-il.

James avait été éduqué dans la bonne société de Boston, par des parents qui avaient élevé le stoïcisme au rang d'une forme d'art. Au cours des dix-huit années qu'il avait passées chez eux, il ne les avait vus s'embrasser qu'une seule fois, et de façon si fugitive qu'il en vint à penser qu'il se l'était imaginé. Manifester sa douleur, son chagrin ou sa joie était un acte répréhensible. La seule fois où James, adolescent, avait pleuré la mort d'un chien, ses parents s'étaient comportés comme s'il s'était fait hara-kiri au milieu du salon... Leur stratégie pour affronter les choses déplaisantes ou susceptibles de provoquer une émotion était de les ignorer et d'agir comme si rien ne s'était passé.

À l'époque où il avait rencontré Gus, il maîtrisait parfaitement cette technique... tout en la rejetant en même temps. Mais ce soir-là, seul au sous-sol, il essaya désespérément de retrouver cet aveuglement délibéré et bénéfique.

Il se trouvait devant le râtelier d'armes. La clé était toujours dans la serrure. Il avait cru à tort que ses enfants étaient en âge de le dispenser des extrêmes précautions qu'il prenait autrefois. Il tourna la clé et la porte s'ouvrit sur la rangée de fusils et de pistolets alignés en rangs d'oignons. Le Colt, toujours détenu par la police, manquait néanmoins à l'appel.

James toucha le barillet du 22, la première arme qu'il avait confiée à Chris.

Est-ce que c'était sa faute ?...

S'il n'avait pas été chasseur, si les armes n'avaient pas été accessibles, est-ce que ce serait arrivé ? Est-ce qu'il y aurait eu un empoisonnement avec des médicaments ou du monoxyde de carbone, est-ce que le résultat aurait été moins catastrophique ?

Il secoua ces sombres pensées qui ne le mèneraient nulle part. Il fallait qu'il aille de l'avant, qu'il agisse, qu'il pense à l'avenir.

Comme s'il venait de découvrir subitement le secret de l'univers, James gravit les escaliers quatre à quatre. Au rez-de-chaussée, il trouva Gus et Chris assis dans le salon. Tous deux levèrent la tête avec ensemble en le voyant surgir en face d'eux.

— Je pense que Chris devrait retourner au collège lundi, annonça-t-il, le souffle court.

— Quoi ? s'exclama Gus en se levant d'un bond. Tu es fou ?

— Non, répondit-il. Et Chris ne l'est pas non plus.

Ce dernier le dévisagea.

— Tu crois que ça me fera du bien de retourner au collège ? Ils vont me regarder comme si j'étais fou !

— C'est grotesque, intervint Gus. J'appelle le Dr Feinstein. C'est bien trop tôt.

— Qu'est-ce qu'il en sait, Feinstein ? Il n'a vu Chris qu'une fois. Nous, nous le connaissons depuis toujours, Gus.

James alla se planter devant son fils :

— Tu verras. Quand tu seras dans ton environnement habituel, tu te rétabliras en un rien de temps.

Chris se contenta de pousser un grognement et se détourna.

— Il n'ira pas au collège, s'entêta Gus.

— Tu te comportes comme une égoïste !

— Une égoïste ? s'exclama Gus avec un rire de dérision. James, il ne ferme pas l'œil de la nuit ! Et il...

— J'y retourne, l'interrompit Chris.

James eut un sourire ravi et gratifia son fils d'une tape sur l'épaule.

— Excellent, fit-il d'un ton triomphant. Tu recommenceras à nager, et à repenser à l'université. Quand on est occupé, on voit les choses tout autrement. (Il se tourna vers sa femme.) Ce qu'il lui faut, c'est sortir d'ici, Gus. Tu es là à le pouponner, et il n'a rien d'autre à faire que broyer du noir.

James paraissait enchanté, certain d'avoir allégé l'atmosphère de sa maison avec cette petite mise au point. Écœurée, Gus pivota sur elle-même et quitta la pièce.

Il se renfrogna aussitôt.

— Chris va très bien ! lui cria-t-il, aggravant son cas. Il n'a rien du tout !

Il mit quelque temps à sentir sur lui le regard lourd de son fils. Ce dernier l'examinait, la tête penchée sur le côté. Il ne semblait pas en colère, mais sincèrement déconcerté.

— Tu le crois vraiment ? murmura-t-il avant de sortir lui aussi, le laissant seul.

Mélanie fut réveillée en sursaut par la sonnerie du téléphone. Désorientée, elle s'assit dans son lit. Lorsqu'elle s'était allongée pour faire une sieste, le soleil brillait, et maintenant, il faisait si sombre qu'elle ne distinguait pas sa main.

Elle tâtonna à la recherche de l'appareil.

— Allô ?

— Est-ce qu'Emily est là ?

— Assez ! murmura Mélanie en reposant le récepteur, avant de retourner s'enfouir sous les couvertures.

Mélanie avait l'habitude d'aller faire ses courses tous les dimanches matin à huit heures et demie, pendant que tous les gens étaient encore douillettement blottis dans leur lit avec leur tasse de café et leur journal. Le dimanche précédent, naturellement, elle avait failli à cette habitude. Par conséquent, à l'exception des restes de la réception qui avait suivi l'enterrement, il n'y avait plus rien à manger à la maison.

Elle mit son manteau et se battit avec la fermeture éclair, sous le regard de Michael.

— Tu sais, proposa-t-il, plein d'attention, je peux le faire.

— Faire quoi ? demanda-t-elle en mettant ses gants.

— Faire les courses... Ce que tu veux...

À la vue de l'expression pincée de sa femme, il eut l'impression qu'il ne savait pas porter le deuil. À l'intérieur, son cœur saignait, mais à l'extérieur il n'en paraissait rien, et son chagrin semblait moins grand que celui de Mélanie.

Il s'éclaircit la voix et se força à la regarder.

— Je peux y aller si tu n'en as pas le courage.

Mélanie rit. Mais son rire parut faux à ses propres oreilles, aussi discordant qu'un air de flûte joué par un piano de bar.

— Bien sûr que si, j'ai le courage ! Qu'est-ce que j'ai d'autre à faire aujourd'hui ?

— Alors, dit Michael, obéissant à une impulsion, pourquoi n'irions-nous pas ensemble ?

Un court instant, Mélanie réfléchit. Puis elle haussa les épaules.

— Habille-toi, répondit-elle en sortant.

Michael attrapa son manteau et courut rejoindre sa femme qui l'attendait dans la voiture. Le moteur était déjà en route et le pot d'échappement exhalait un nuage qui entourait le véhicule.

— Où allons-nous ? demanda-t-il.

— Au Market Basket. Il nous faut du lait.

— On va faire tout ce chemin pour du lait ? On pourrait très bien l'acheter chez...

— Bon, tu as l'intention d'être un compagnon agréable ou est-ce que tu as décidé de faire le fatigant ? l'interrompit Mélanie avec une petite moue désapprobatrice.

Michael rit.

Mélanie sortit de l'allée et s'engagea dans Wood Hollow Road, où elle accéléra. En dépit de ses efforts, Michael jeta un regard instinctif en direction de la maison des Harte. Quelqu'un marchait dans l'allée et se dirigeait vers la route avec la poubelle. Lorsqu'ils se rapprochèrent, Michael distingua le visage de Chris.

Il portait un bonnet et des gants, mais pas de manteau. Il leva la tête au bruit du moteur, et, de même que l'avait fait Michael, il regarda instinctivement vers les parents d'Emily. Et tout naturellement, il leva la main pour les saluer.

Michael sentit la voiture faire un écart sur la droite, vers Chris, comme si le jeune homme n'avait pas seulement attiré leurs pensées, mais également le véhicule. Il recula dans son siège, attendit que Mélanie contrebraque.

Au lieu de cela, la voiture continua sur sa lancée. Mélanie appuya sur la pédale en fonçant droit sur Chris, dont la bouche s'arrondit en O et les mains se crispèrent sur les poignées de la poubelle, tandis qu'il semblait enraciné dans le sol. Ce n'est qu'au moment où Michael, sortant de sa stupeur, allait tourner lui-même le volant que Mélanie le fit. En passant, elle renversa la poubelle dont le contenu se déversa sur la route. Chris n'eut que le temps de faire un bond en arrière.

Le cœur de Michael cognait si fort qu'il fut incapable de regarder sa femme avant un bon moment. Ce ne fut que lorsqu'elle s'arrêta au panneau Arrêt qu'il posa sa main sur son poignet.

— Qu'est-ce qu'il y a ? fit-elle d'un ton innocent.

Chris se souvenait que, tout petit, il faisait semblant de posséder le pouvoir de se rendre invisible. Em et lui mettaient quelque accessoire sur leur tête, par exemple une casquette de base-ball, et hop ! comme par magie, personne ne pouvait les voir chiper des bonbons dans le placard ou vider la mousse du bain dans les toilettes... C'était très pratique, cette foi en un pouvoir surnaturel. Mais malheureusement très éphémère. Car Chris avait beau imaginer, aujourd'hui, que personne ne le voyait avancer le long des étroits couloirs du collège, ça ne marchait plus.

Le regard fixé droit devant lui, il slaloma entre les flots d'élèves qui rejoignaient leurs classes. Pendant les cours, il pourrait garder la tête baissée et s'évader comme il en avait l'habitude. Mais dans les couloirs, c'était dur. Il avait l'impression que l'établissement entier avait les yeux braqués sur lui. On ne lui adressait pas la parole, mais on ne se privait pas de chuchoter derrière son dos ! Un ou deux types qu'il connaissait lui dirent qu'ils étaient contents qu'il soit revenu, mais ils évitèrent soigneusement de trop l'approcher au cas où le malheur aurait été contagieux...

C'est dans l'adversité qu'on reconnaît ses amis. Pour lui, une chose était claire, désormais : la seule amie qu'il avait jamais eue était Emily.

En cinquième heure, il avait français avec Mme Bertrand. Il aimait cette matière. Il avait toujours été bon.

Mme Bertrand essayait de le persuader de se spécialiser en français à l'université.

Lorsque la sonnerie retentit, il ne l'entendit pas tout de suite. Le voyant toujours affalé sur sa chaise, Mme Bertrand s'approcha de lui et lui toucha le bras.

— Chris, dit-elle doucement, ça va ?

Le jeune homme leva les yeux :

— Oui, dit-il en se raclant la gorge, oui.

Sur ce, il rassembla ostensiblement ses livres et les mit dans son sac à dos.

— Je voulais simplement vous dire que si vous avez besoin de parler à quelqu'un, je suis là, reprit Mme Bertrand en s'asseyant sur le bureau qui faisait face au sien. Peut-être avez-vous envie d'écrire ce que vous ressentez ?... C'est parfois plus facile que de l'exprimer à haute voix.

Chris hocha la tête. Il n'avait qu'une idée en tête, s'enfuir loin de Mme Bertrand.

— Bien, dit-elle en tapant dans ses mains, je suis contente de voir que vous allez bien.

Elle se leva pour retourner à son bureau.

— Les enseignants organisent un rassemblement à la mémoire d'Emily, ajouta-t-elle en le regardant bien en face, dans l'attente d'une réponse.

— Ça lui aurait fait plaisir, murmura-t-il avant de s'échapper.

C'était reculer pour mieux sauter. Il allait devoir affronter maintenant une centaine de paires d'yeux curieux qui le dévisageaient à distance prudente.

Ironie du sort, Chris se sentit soulagé en pénétrant dans le cabinet du Dr Feinstein. Avant, c'était le dernier endroit au monde où il avait envie de se retrouver. Mais maintenant, la palme revenait au collège de Bainbridge.

Ce fut le Dr Feinstein lui-même qui ouvrit la porte de la salle d'attente.

— Chris, dit-il, je suis content de vous revoir.

Le jeune homme se mit à arpenter nerveusement la pièce sans répondre.

— Vous semblez un peu fatigué aujourd'hui, reprit le médecin.

— Je suis retourné en classe. Dur, dur.

— Pourquoi ?

— Parce que pour eux, je suis un monstre. Ils m'ont tous tourné le dos, et surtout, ils ont évité de me toucher... (Il souffla d'un air dégoûté.) Comme si j'avais le sida. Non, même pas... Sans doute qu'ils auraient été plus accueillants.

— Pourquoi vous évitent-ils, à votre avis ?

— Je ne sais pas. Je ne sais pas dans quelle mesure ils savent ce qui s'est passé. Et je n'ai pas pu les approcher d'assez près pour entendre ce qu'ils disaient... Tout le monde sait qu'Em est morte. Tout le monde sait que j'étais avec elle. Ils remplissent les cases vides... La moitié d'entre eux s'attend sûrement à ce que je m'ouvre les veines à la cafétéria.

— Et l'autre moitié ? Qu'est-ce qu'elle pense ?

Chris se retourna lentement. Il savait parfaitement ce que pensait l'autre moitié... Ceux-là s'attendaient à une belle révélation sensationnelle.

— Je ne sais pas, dit-il de la manière la plus indifférente possible. Ils pensent sans doute que je l'ai tuée.

— Et pourquoi penseraient-ils ça ?

— Parce que j'étais avec elle ! cracha-t-il. Parce que je suis toujours vivant ! Merde, je ne sais pas, moi ! Demandez aux flics, c'est ce qu'ils pensent depuis le début !

Chris ne s'était pas rendu compte jusqu'alors à quel point cette accusation, même voilée, l'emplissait d'amertume.

— Est-ce que cela vous tracasse ?

— Bien sûr que oui ! Et vous, ça ne vous tracasserait pas ?

Le Dr Feinstein haussa les épaules.

— Je ne sais pas... Je pense que me sachant sincère envers moi-même, j'en viendrais à la conclusion que, tôt ou tard, les autres partageraient mon point de vue.

Chris grogna :

— Je pense que les sorcières de Salem pensaient la même chose, quand elles ont senti l'odeur de la fumée.

— Qu'est-ce qui vous pèse le plus ?

Chris ne répondit pas. Ce n'était pas de ne pas être cru sur parole. Si la situation avait été inversée, il aurait probablement eu des doutes, lui aussi. Ce n'était même pas le fait qu'au collège les gens le traitaient comme une bête curieuse. C'était parce qu'ils avaient vu à quel point il était lié à Emily, et que cela ne les empêchait pas de s'imaginer qu'il avait pu vouloir lui faire du mal.

— Je l'aimais, dit-il d'une voix brisée. C'est une chose que je ne peux pas oublier. Alors, je ne vois pas pourquoi les autres peuvent l'oublier.

Le Dr Feinstein lui indiqua le fauteuil. Chris s'y laissa tomber et fixa des yeux le magnétophone où tournait la bande magnétique.

— Est-ce que vous avez envie de me parler d'Emily? demanda le psychiatre.

Chris ferma les yeux. Comment confier à quelqu'un qui ne l'avait jamais vue que, pour lui, son odeur était celle d'une pluie rafraîchissante... que, chaque fois qu'il la voyait dénouer ses cheveux, il sentait son estomac se contracter? Comment lui décrire ce qu'il ressentait lorsqu'elle finissait ses phrases... ou qu'il la voyait tourner la tasse qu'ils partageaient de manière à poser ses lèvres à l'endroit où il avait mis les siennes? Comment expliquer qu'en sa compagnie il aurait pu se sentir chez lui dans le monde entier, sous l'eau ou dans la forêt de pins du Maine, ou ailleurs, cela n'avait pas d'importance?

— Elle m'appartenait, dit-il simplement.

Le Dr Feinstein haussa les sourcils.

— Qu'est-ce que vous voulez dire par là?

— En fait, elle était tout ce que je n'étais pas. Et moi, j'étais tout ce qu'elle n'était pas. Elle savait peindre n'importe quoi, et moi, je ne sais même pas tracer une ligne droite. Elle n'a jamais été bonne en sport, moi, si. (Chris tendit sa main ouverte et replia les doigts.) Sa main, elle s'ajustait à la mienne.

— Continuez, l'encouragea le Dr Feinstein.

— Enfin, je veux dire, on n'est pas toujours sortis ensemble, ça ne faisait que deux ans, à peu près. Mais je la connaissais depuis toujours. C'est mon nom qu'elle a prononcé avant tous les autres. Elle m'appelait « Kiss ».

— Quel âge aviez-vous quand vous avez connu Emily?

— Six mois, je crois. Je l'ai connue le jour de sa naissance... On jouait ensemble tous les après-midi. Elle habitait juste à côté de chez moi, et nos mères étaient toujours ensemble, donc c'était naturel.

— Quand avez-vous commencé à sortir ensemble ?

Chris réfléchit.

— Je ne sais pas quel jour exactement. Em pourrait vous répondre... Ça a évolué dans ce sens, simplement. Tout le monde s'attendait à ce que ça se fasse, donc ça n'a pas été une surprise. Un beau jour, je l'ai regardée, et je n'ai plus vu uniquement Em, la fille que je connaissais depuis toujours, j'ai vu aussi une fille très jolie. Et... bon... enfin...

— Étiez-vous intimes ?

Chris sentit une chaleur monter dans son cou. Il n'avait pas envie d'entrer dans ce genre de détails.

— Est-ce qu'il faut que je vous parle de ça si je n'en ai pas envie ? demanda-t-il.

— Absolument pas.

— Alors, je ne veux pas en parler.

— Mais vous l'aimiez.

— Oui, répondit Chris.

— Et c'était votre première petite amie.

— Oh oui !

— Donc, comment en êtes-vous sûr ? Comment êtes-vous sûr que c'était de l'amour ?

Chris comprit que le psychiatre n'avait pas posé sa question par esprit de controverse. Il lui semblait simplement que la question se posait. Rien à voir avec les manières directes de cette garce d'inspecteur.

— Il y avait une attirance physique, répondit-il, mais c'était plus que ça... On a rompu pendant quelque temps, à un moment donné. Je suis sorti avec une fille qui avait vraiment le feu aux fesses, c'était une *cheerleader* qui s'appelait Donna. Cette fille, elle me branchait terriblement, même avant. Toujours est-il qu'on a commencé à sortir ensemble, mais quand j'étais avec elle, je me rendais compte que je ne la connaissais pas. Je m'étais fait une idée d'elle, je ne la voyais pas du tout telle qu'elle était. (Chris respira profondément.) Quand Em et moi, on s'est remis ensemble, poursuivit-il, j'ai bien vu qu'elle était vraiment telle que je la voyais... Non, elle était encore mieux que dans mon souvenir… Et pour moi, c'est ça, l'amour. C'est quand vous vous apercevez avec le recul que vous ne voudriez pas changer les choses d'un iota.

Lorsqu'il se fut tu, le psychiatre leva les yeux.

— Chris, quel est votre premier souvenir ?

Surpris, le jeune homme éclata de rire.

— Mon premier souvenir ? Je ne sais pas. Oh… attendez… c'est un jouet, un petit train avec un bouton, il sifflait quand on appuyait dessus… Je me souviens que je l'ai tendu vers Emily, et qu'elle a voulu me le prendre.

— Autre chose ?

Chris réfléchit.

— Noël, dit-il. On est descendus et j'ai vu un train électrique qui tournait autour du sapin.

— « On » ?

— Oui… Emily était juive, alors elle venait fêter Noël avec nous. Quand on était très petits, elle dormait chez nous le soir de Noël.

Le Dr Feinstein hocha la tête pensivement.

— Dites-moi, fit-il, avez-vous un seul souvenir d'enfance sans Emily ?

Chris tenta alors de dérouler le fil de sa vie comme on déroule une pellicule de film. Il se revit dans une baignoire avec Emily, en train de faire pipi dans l'eau. Elle gloussait, enchantée, pendant que sa mère, horrifiée, hurlait comme une folle. Il se vit en train de tourner comme une toupie dans la neige en écartant les bras et les jambes, se cognant dans Emily à chaque tour, Emily qui faisait la même chose de son côté. Il revit fugitivement le visage de ses parents. Mais Emily était là aussi.

Il hocha la tête.

— Non, aucun, répondit-il.

Ce soir-là, pendant que Chris était sous la douche, Gus s'aventura dans sa chambre pour faire un peu de rangement. À sa surprise, elle trouva un désordre restreint… Le plus gros était constitué d'une pile d'assiettes encore pleines de nourriture qu'il n'avait pas touchées. Elle arrangea les couvertures, puis se mit machinalement à genoux, à la recherche de quelque chaussette oubliée sous le lit.

Son pouce creva le bord d'une boîte à chaussures. Elle mit la main à l'intérieur et ses doigts effleurèrent des feuillets portant des codes secrets, des lunettes 3-D, des messages écrits à l'encre invisible qui avaient été décodés au-dessus d'une ampoule électrique nue... Mon Dieu, quel âge pouvaient-ils avoir, à l'époque ? Neuf ou dix ans...

Gus prit le message placé au sommet de la pile. Écrit de l'écriture appliquée d'Emily, il décrétait catégoriquement : « M. Polaski est un abruti. » Elle passa le doigt sur les lettres *i* surmontées d'un gros cercle, comme si c'étaient des ballons susceptibles de s'élever au-dessus de la page à tout moment... Elle plongea ensuite la main sous les feuillets et y trouva une lampe de poche aux piles mortes et un miroir. Le cœur gros, un sourire nostalgique aux lèvres, Gus s'assit sur le lit et fit tourner le miroir dans sa main. Elle vit son reflet voltiger sur les arbres.

À la fenêtre de la chambre d'Emily, il y eut un éclair de lumière.

Avec un cri étouffé, elle se leva et s'avança. Elle aperçut la silhouette de Michael Gold à la fenêtre de la chambre de sa fille. Il tenait à la main un petit carré argenté, un miroir.

— Michael ! chuchota-t-elle en levant la main pour le saluer, mais, au même moment, il baissa le store.

Le mercredi, le collège de Bainbridge organisa une cérémonie à la mémoire d'Emily Gold.

Ses œuvres avaient été disposées à travers l'auditorium. Sa photo de classe de l'automne précédent, agrandie dans des proportions presque excessives, avait été suspendue au rideau de scène. Un jeu de lumière donnait l'illusion que son regard suivait les participants. Le directeur et son adjoint, le conseiller d'éducation et un certain Dr Pinneo, spécialiste des dépressions chez les adolescents, étaient assis sous la photo.

Chris était installé au premier rang avec un groupe de professeurs. On l'avait placé là, car il était implicitement entendu que cette place lui revenait. En un sens, c'était très bien. Il pouvait regarder la photo d'Em sans voir les autres se livrer à leurs activités habituelles pendant les rassemblements, c'est-à-dire chuchoter, finir un devoir ou se peloter mutuellement dans l'obscurité.

Mme Kenly était assise à côté de lui. Elle se leva lorsque le directeur la présenta. C'était le professeur d'arts plastiques, et elle connaissait certainement Emily mieux que les autres professeurs. Elle parla pendant un moment de la créativité qu'Emily avait en elle, etc., et dit encore d'autres choses du même ordre, des conneries sympathiques, pensa Chris, qui auraient plu à Em.

Ensuite, ce fut au tour du médecin de se lever et d'entonner le couplet bien connu sur le suicide des jeunes. Il les avertit tous des risques, comme si chacun, dans l'assistance, avait autant de chances de se suicider que d'attraper la grippe. Chris baissa le nez pendant son discours, certain de sentir son regard insistant posé sur lui.

Tout à coup, les trois cent soixante-trois élèves de dernière année se levèrent et allèrent se placer dans le fond de la salle. Les professeurs les firent se ranger en une file qui s'avança en serpentant vers la scène. Chaque élève reçut un œillet qu'il alla déposer aux pieds du portrait.

En théorie, c'était une bonne idée. Mais Chris, qui était resté en arrière, non pas parce qu'il était associé à Emily, mais parce que personne ne s'était aperçu qu'il restait un élève avec les professeurs, la trouva ridicule. Les fleurs étaient placées dans une petite piscine habituellement utilisée pendant la fête de printemps pour le jeu de la pêche ; on voyait apparaître le décor formé de petits canards jaunes à travers le rose des fleurs. « Un goût de chiotte », aurait dit Emily.

Lorsque Chris s'approcha de la piscine, il était seul sur la scène. Il jeta son œillet au sommet de la pile qui s'était accumulée et regarda le monstrueux visage d'Emily. C'était elle, mais ce n'était pas elle. Ses dents avaient été passées au blanc style top-model. Ses narines avaient la taille d'une tête entière.

Il s'apprêtait à descendre de la scène lorsqu'il vit le directeur lui faire signe d'approcher.

— Chris Harte était son meilleur ami, dit le directeur. Peut-être a-t-il quelques mots à prononcer.

Le principal lui posa la main sur l'épaule et le conduisit jusqu'à un podium où un micro qui ressemblait à une tête de serpent à sonnette semblait prêt à l'attaquer… Les mains de Chris se mirent à trembler.

Il vit en face de lui une mer mouvante de visages. Il s'éclaircit la voix. Le micro siffla.

— Oh, fit-il en reculant. Excusez-moi. C'est… euh… c'est vraiment bien, ce que vous avez fait pour Emily. Je suis sûr qu'elle est quelque part et qu'elle nous regarde. (Il se détourna un peu, aveuglé par les projecteurs.) Et ce qu'elle voudrait sûrement dire…

Il regarda l'amoncellement de fleurs, l'autel qu'ils avaient élevé. Il voyait très bien Em en train de râler à côté de lui en regardant sa montre, n'ayant qu'une hâte, celle d'entendre la sonnerie libératrice.

— Et ce qu'elle voudrait sûrement dire… répéta-t-il.

Il ne sut jamais quelle mouche l'avait piqué. Mais, soudain, le trop-plein d'émotion qu'il contenait depuis qu'il était retourné au collège sur la demande de son père rompit les digues… L'odeur des fleurs qui pourrissaient déjà sous les projecteurs, la photo géante, les centaines de visages qui attendaient que lui, entre tous, leur réponde… tout cela eut raison de son sang-froid. Chris se mit à rire.

Ce fut d'abord un rire discret, puis il enfla peu à peu pour se transformer en un fou rire aussi malvenu qu'un bruit inconvenant. Chris riait sans pouvoir s'arrêter, d'un rire tonitruant qui résonnait dans le silence absolu de la salle. Il riait si fort qu'il se mit à pleurer.

Il quitta précipitamment la scène, le nez ruisselant et la vue brouillée. Il courut tout le long de l'allée jusqu'à la sortie, franchit la double porte comme un boulet de canon et s'engouffra dans les vestiaires des salles de sport.

Ils étaient vides : tout le monde était là-bas. Il mit son maillot de bain et fonça droit sur la piscine en laissant ses vêtements en tas sur le sol. La surface bleue de l'eau était lisse comme du verre, et il se vit en pensée plonger et rompre ce miroir, et couler au fond, le corps tailladé.

La plaie de son crâne lui fit mal, car les fils avaient été ôtés la veille seulement. Mais l'eau lui était aussi familière qu'une maîtresse. Blotti dans son sein, il n'entendit plus rien, hormis les battements de son propre cœur.

Il se laissa flotter, totalement abandonné. Puis, prudemment, délibérément, il exhala sa réserve d'oxygène et se sentit couler centimètre par centimètre.

— Écoutez, fit la voix d'un ton nettement plus hostile. Est-ce qu'Emily habite ici, oui ou non ?

Mélanie enserra le récepteur si fort que ses jointures blanchirent.

— Non, répondit-elle, elle n'habite pas ici.

— Je suis bien au 656-4309 ?

— Oui.

— Vous en êtes sûre ?

Mélanie posa sa tête contre la porte du placard.

— Ne rappelez pas. Laissez-moi tranquille.

— Écoutez, dit la voix, j'ai quelque chose pour Emily. Est-ce que vous pouvez simplement lui dire ça, quand vous la reverrez ?

Mélanie leva la tête.

— Qu'est-ce que c'est ?

— Dites-lui simplement ça, dit la voix.

On raccrocha.

Le Dr Feinstein ouvrit la porte de communication, le visage mécontent.

— Chris, protesta-t-il, vous ne pouvez pas venir ici n'importe quand, vous savez. Si vous avez un problème, appelez-moi. Si je suis libre maintenant, c'est uniquement parce qu'un autre patient est malade.

Chris ne l'écoutait pas. Il s'engouffra dans le cabinet en marmonnant :

— Je n'allais pas le faire.

— Pardon ?

— Je n'allais pas le faire, répéta-t-il, le visage défiguré par la douleur.

Le Dr Feinstein ferma la porte de son bureau. Il s'assit en face de son patient.

— Vous êtes bouleversé. Détendez-vous pendant quelques instants.

Chris respira plusieurs fois à fond, puis s'assit dans son fauteuil. Satisfait, le psychiatre l'encouragea :

— Dites-moi ce qui s'est passé.

— Ils ont organisé une cérémonie à la mémoire d'Emily aujourd'hui.

Le jeune homme frotta ses yeux rougis par l'effet combiné du chagrin et des résidus de chlore.

— C'était complètement con, avec des fleurs et... tout le reste.

— C'est cela qui vous a bouleversé ?

— Non. Ils m'ont demandé de monter sur scène et de... parler. Et ils me regardaient tous comme si j'étais le mieux placé pour dire ce qu'il fallait. Parce que j'étais vivant, et que j'avais voulu faire la même chose qu'elle, donc, j'étais censé leur expliquer pourquoi on avait eu envie de se suicider. Une connerie du genre : « Salut, mon nom est Chris, et j'ai voulu me suicider », comme chez les Alcooliques anonymes.

— Peut-être que c'était leur façon de vous faire comprendre que vous comptez pour eux.

— Ah bon ? persifla Chris. Je n'ai pas remarqué. Ils passaient presque tout leur temps à lancer des boulettes de papier.

— Qu'est-ce qui s'est passé d'autre ?

Le jeune homme baissa la tête.

— Ils voulaient que je parle d'Emily, que je fasse une sorte d'éloge. Et moi, j'ai ouvert la bouche et... (Il leva les yeux et eut un geste d'impuissance.) J'ai craqué.

— Craqué ?

— Je me suis mis à rire. J'ai ri comme un fou.

— Chris, vous étiez sous une pression insupportable. Je suis sûr que les gens...

— Vous ne comprenez pas? explosa Chris. J'ai rigolé! Ils ont fait un petit simulacre d'enterrement, et moi, ça m'a fait rigoler!

Le Dr Feinstein se pencha vers lui.

— Parfois, les émotions très fortes s'entrecroisent. Vous étiez...

— Déprimé. Désespéré. Sous l'effet du chagrin. Choisissez. (Chris se leva et se mit à marcher de long en large.) Est-ce que je suis désespéré par la mort d'Emily? Oui, merde! Ça ne me quitte pas une seconde! Mais tout le monde pense que je suis à deux doigts de m'ouvrir les veines. Tout le monde pense que j'attends la bonne occasion pour recommencer à me suicider. Tout le collège le pense – sans doute qu'ils s'attendaient à me voir m'effondrer sur le podium – et ma mère le pense, et vous aussi. Je me trompe?

Il regarda intensément le médecin et fit un pas en avant:

— Je ne vais pas me suicider. Je n'ai pas de tendances suicidaires. Je n'en ai jamais eu.

— Même pas ce soir-là?

— Non, même pas ce soir-là.

Le Dr Feinstein hocha lentement la tête.

— Dans ce cas, pourquoi avez-vous dit que vous vous apprêtiez à vous suicider, à l'hôpital?

Chris pâlit.

— Parce que je me suis évanoui, et quand je suis revenu à moi, j'ai vu les flics penchés sur moi, avec le revolver à la main. (Il ferma les yeux.) J'ai pris peur, et j'ai dit la première chose qui me venait à l'esprit.

— Si vous ne vouliez pas vous suicider, pourquoi aviez-vous un revolver?

Le jeune homme se laissa tomber par terre, à bout de forces.

— Je l'ai pris pour Emily. Parce que, elle, elle voulait se suicider. Et j'ai pensé... J'ai pensé que je pourrais l'arrêter. Je m'imaginais que j'arriverais à la dissuader bien avant qu'on en arrive là.

Il leva un regard mouillé de larmes vers le médecin :

— J'en ai marre de jouer la comédie. Je n'étais pas là pour me suicider. J'étais là pour la sauver.

Les larmes roulèrent le long de ses joues et vinrent mouiller sa chemise.

— Sauf que je ne l'ai pas sauvée, ajouta-t-il en sanglotant.

Le grand jury qui siégeait à la Cour du comté de Grafton passa une journée à écouter l'adjointe au procureur général, S. Barrett Delaney. Cette dernière lui exposa les charges pesant sur Christopher Harte, soupçonné de meurtre sur la personne d'Emily Gold. Le grand jury nota les déclarations du médecin légiste concernant l'heure et la cause de la mort de la victime, le parcours de la balle à travers le cerveau. Un officier de police du département de Bainbridge lui décrivit le lieu du crime tel qu'il l'avait trouvé. L'inspecteur Anne-Marie Marrone lui expliqua les conclusions balistiques. L'adjointe au procureur général demanda à l'inspecteur quel était le pourcentage de meurtres perpétrés par des criminels qui connaissaient leur victime. Le jury entendit la réponse de l'inspecteur, soit quatre-vingt-dix pour cent.

Comme dans la plupart des audiences tenues par un grand jury, le suspect non seulement était absent, mais encore ignorait totalement qu'une cour se réunissait à son propos.

À quinze heures quarante-six, on remettait à S. Barrett Delaney une enveloppe scellée contenant un papier stipulant que Christopher Harte était inculpé de meurtre au premier degré.

— Allô ? Puis-je parler à Emily ?

Mélanie se raidit.

— Qui est à l'appareil ?

Il y eut une hésitation.

— Une amie.

— Elle n'est pas là.

Mélanie crispa la main sur le récepteur et déglutit convulsivement, puis ajouta :

— Elle est morte.

— Oh ! (La voix à l'autre bout du fil sembla stupéfaite.) Oh !

— Qui est à l'appareil ?

— Donna. Je travaille à la *Ruée vers l'Or*, la bijouterie qui est à l'angle de Mainstreet et de Carterstreet. Emily a acheté quelque chose chez nous. C'est prêt.

Mélanie attrapa les clés de sa voiture.

— J'arrive, dit-elle.

Il lui fallut moins de dix minutes pour être sur place. Elle trouva à se garer juste devant le magasin et entra. Les diamants brillaient de tous leurs feux, les colliers d'or reposaient sur du velours bleu.

Une femme, installée à la caisse, l'accueillit avec un sourire éblouissant, qui disparut instantanément à la vue des cheveux ébouriffés et de la tenue d'intérieur que portait la cliente.

— Je suis la mère d'Emily, expliqua cette dernière.

Bien sûr.

Donna dévisagea Mélanie pendant quelques secondes avant de reprendre ses esprits.

— Je suis désolée, ajouta-t-elle.

À la caisse, elle prit une longue boîte étroite.

— Votre fille a fait cette commande il y a quelque temps. Il y a une gravure aussi, précisa-t-elle en ouvrant la boîte qui révéla une montre d'homme.

Pour Chris, lut Mélanie. *Mon amour pour toujours. Em.*

Elle reposa la montre sur son coussin de satin et s'empara de la facture. Imprimée en bas de la feuille, une note à l'attention du personnel de la bijouterie spécifiait : « Ce cadeau est un secret. Quand vous appellerez, demandez simplement à parler à Emily. Ne laissez aucun renseignement. » Voilà qui expliquait le mystère qui entourait les appels téléphoniques. Mais pourquoi avoir voulu garder ce cadeau secret ?

C'est alors que Mélanie vit le prix.

— Cinq cents dollars ! s'exclama-t-elle.

— C'est de l'or à quatorze carats, se hâta de faire remarquer la femme.

— Elle n'avait que dix-sept ans ! reprit Mélanie. Je comprends maintenant qu'elle voulait garder le secret. Si son père ou moi avions découvert qu'elle avait dépensé tant d'argent, nous l'aurions forcée à la rendre !

Visiblement mal à l'aise, Donna précisa :

— Tout a été payé en totalité. Peut-être voudrez-vous quand même l'offrir à la personne pour laquelle votre fille l'avait achetée ?

Tout à coup, Mélanie comprit. C'était un cadeau d'anniversaire pour Chris, un cadeau spécial destiné à fêter ses dix-huit ans. Pour Emily, l'occasion justifiait qu'on dépense tout son salaire de l'été.

Mélanie prit la boîte et la posa sur le siège du passager, dans sa voiture. Elle avait encore devant les yeux ce message incroyablement ironique : *pour toujours*.

Et elle se demanda pourquoi Emily avait commandé une montre pour l'anniversaire de Chris si, comme il l'avait dit, ils avaient l'intention de se suicider ensemble avant cette date.

Mélanie posait la main sur la poignée de la porte lorsque le téléphone se mit à sonner. Elle se précipita à l'intérieur, espérant confusément que c'était Donna, la bijoutière, qui la rappelait pour lui annoncer qu'il s'agissait d'une erreur, qu'il existait un autre Chris et une autre Emily et que...

— Allô ?

— Madame Gold ? Je suis Barrett Delaney, du bureau du procureur général. Nous nous sommes parlé la semaine dernière.

— Oui, répondit Mélanie en posant la montre sur l'étagère, je me souviens.

— Je voulais vous tenir au courant et vous dire qu'aujourd'hui un grand jury a inculpé Christopher Harte de meurtre au premier degré.

Mélanie, sentant ses genoux la lâcher, se laissa glisser par terre.

— Je vois, dit-elle. Est-ce qu'il... est-ce qu'il y aura une audience ?

— Oui, demain, répondit Barrett Delaney. Au palais de justice de Grafton.

Mélanie griffonna le nom sur le bloc qu'elle utilisait pour faire sa liste de courses. Le procureur dit encore autre chose, mais elle fut incapable de comprendre. Lentement, elle reposa le récepteur.

Son regard tomba sur la boîte destinée à Chris. Avec précaution, elle souleva la montre et passa son pouce dessus. L'anniversaire de Chris tombait ce soir-là. Elle connaissait la date aussi bien que celle de l'anniversaire d'Emily.

Elle imaginait très bien Gus et James, et même Kate, assis autour de la large table en merisier, s'efforçant vainement d'échanger des propos anodins. Elle vit Chris se lever et se pencher au-dessus du gâteau, les traits adoucis par le reflet des flammes. Dans d'autres circonstances, elle-même, Michael et Emily auraient participé à la fête.

Mélanie serra la montre si fort qu'elle l'enfonça dans la paume de sa main. Elle sentit la rage monter en elle, incontrôlable, une rage qui traversa son cœur, s'introduisit sous sa peau, grandit comme un membre supplémentaire sur lequel elle s'appuya prudemment, mais avec détermination, pour tester sa force.

Il fallait que tout soit parfait.

Gus recula pour juger de l'effet produit par la table, puis se rapprocha pour déplacer une serviette. Les verres en cristal se dressaient comme au garde-à-vous, le jambon découpé en spirale formait une rosace sur le plat de service. La porcelaine décorée, qui hibernait dans le buffet depuis le dernier Noël, avait été sortie. Le grand jeu.

En quittant la salle à manger pour battre le rappel, Gus essaya de se convaincre qu'ils n'étaient pas en train de fêter l'année supplémentaire de quelqu'un qui, justement, avait souhaité éviter cela...

— Ça y est, cria-t-elle, le dîner est prêt !

Son mari et ses enfants sortirent du salon, où ils regardaient les informations à la télé. Kate commentait à grands renforts de gestes le lancement d'un ballon gonflé à l'hélium, qui transportait un message. Ce lancement faisait partie d'un projet scientifique élaboré par son école.

— Peut-être bien qu'il va aller jusqu'en Chine, s'enthousiasma-t-elle, ou jusqu'en Australie !

— Il n'ira pas plus loin que le bout de la rue ! marmonna Chris.

— Si ! hurla Kate, avant de refermer la bouche et de baisser la tête.

Chris regarda alternativement sa sœur et ses parents, puis se jeta sur sa chaise d'un geste plus vif que nécessaire.

— Alors, demanda Gus, ce n'est pas beau, ça ?

— Mmm !... Et ce gâteau, se réjouit James, il est à la noix de coco glacée ?

Gus hocha la tête.

— Oui, et aux fraises.

— Ah oui ? s'enquit Chris, séduit malgré lui. Tu as fait ça pour moi ?

— Bien sûr ! confirma sa mère. Ce n'est pas tous les jours qu'on a dix-huit ans.

Elle jeta un coup d'œil au jambon et aux carottes, à la tarte aux patates douces.

— En fait, ajouta-t-elle, je pense que nous devrions commencer par le gâteau, en l'honneur de l'événement...

Les yeux de Chris brillèrent.

— Tu as raison, maman, approuva-t-il.

Gus prit les allumettes posées à côté du gâteau et alluma les dix-huit bougies et une de plus comme porte-bonheur.

— Joyeux anniversaire ! chanta-t-elle.

Personne ne se joignant à elle, elle mit les mains sur ses hanches et bougonna :

— Si vous voulez en manger, il faut chanter !

À ces mots, son mari et sa fille se joignirent à elle.

Chris saisit sa fourchette, déjà prêt à attaquer.

— Est-ce que tu te sens différent, maintenant que tu as dix-huit ans ? demanda Kate.

— Oh, oui ! plaisanta son frère. Je sens que je commence à avoir de l'arthrite.

— Très drôle. Ce que je voulais dire, c'est : est-ce que tu te sens plus intelligent ? Plus mûr ?

Chris haussa les épaules.

— Maintenant, je pourrais être soldat. C'est la seule différence.

Gus ouvrit la bouche pour dire que, grâce à Dieu, il n'y avait pas de guerre en ce moment, mais elle se ravisa. La guerre, on pouvait avoir à la faire tout seul. Ce n'était pas parce que les troupes américaines n'étaient envoyées nulle part que son fils ne se battait pas.

— En tout cas, moi, dit James en tendant son assiette pour avoir une deuxième part de gâteau, je pense que Chris devrait avoir dix-huit ans tous les jours.

— Tiens, voilà, dit Gus, et Chris baissa la tête en souriant.

On sonna à la porte.

— J'y vais, dit-elle en jetant sa serviette sur la table.

Elle n'avait pas eu le temps d'ouvrir que déjà la sonnette retentissait de nouveau. Gus ouvrit la porte et se trouva face à face avec deux policiers en uniforme.

— Bonsoir, dit le plus grand des deux. Est-ce que Christopher Harte est là ?

— Oui, répondit Gus, mais nous étions en train...

Le policier lui tendit une feuille de papier.

— Nous avons un mandat d'arrêt.

Le souffle coupé, Gus poussa un cri étouffé.

— James ! réussit-elle à articuler, et son époux apparut.

Il prit le mandat d'arrêt et le parcourut.

— Pour quel motif ? demanda-t-il d'un ton coupant.

— Il est accusé de meurtre au premier degré, monsieur.

Le policier passa le seuil et se dirigea vers la salle à manger éclairée.

— James, supplia Gus, fais quelque chose !

Son mari la prit par les épaules.

— Appelle McAfee, dit-il.

Se ruant dans la salle à manger, il hurla :

— Chris ! Ne dis rien. Ne dis pas un mot !

Gus hocha la tête, mais ne prit pas le téléphone. Elle suivit James dans la salle à manger.

Kate était assise, en pleurs. Les policiers avaient fait lever son frère. L'un d'eux était en train de lui passer les menottes derrière le dos, pendant que l'autre lui lisait ses droits. Les yeux de Chris étaient écarquillés, son visage d'une pâleur de cire. Un peu de glace à la noix de coco tremblait sur sa lèvre inférieure.

Les deux policiers l'encadrèrent, le tenant chacun par un coude, et l'emmenèrent. Trébuchant entre eux deux comme un aveugle, hébété, incapable de reconnaître le décor familier qui l'entourait, il les suivit. Sur le seuil de la salle à manger où se tenait Gus, les policiers hésitèrent un instant, attendant qu'elle s'efface.

Chris la regarda dans les yeux.

— Maman ! murmura-t-il avant d'être entraîné sans ménagement.

Elle essaya de le toucher, mais ils étaient passés trop vite. La main qu'elle avait tendue se referma, formant un poing qu'elle pressa contre sa bouche. Elle entendait James courir vers le téléphone pour appeler McAfee lui-même. Elle entendait Kate hoqueter dans l'autre pièce. Mais, avant tout, elle entendait son fils de dix-huit ans l'implorer comme il ne l'avait plus fait depuis dix ans.

DEUXIÈME PARTIE

LA FILLE D'À CÔTÉ

Et, après tout, qu'est-ce qu'un mensonge ?
Ce n'est autre que la vérité masquée.

LORD BYRON
Don Juan

L'unique refuge contre la confession est le suicide ;
et le suicide est une confession.

DANIEL WEBSTER

AUJOURD'HUI

Fin novembre 1997

Assis à l'arrière de la voiture de police, Chris frissonna. Pourtant, le chauffage était à fond. Il devait s'asseoir de biais, pour éviter que les menottes ne lui cisaillent le dos. Et il avait beau essayer de garder sa dignité, rien n'y faisait. Il tremblait comme une feuille.

— Ça va, là derrière ? lui demanda le policier qui ne conduisait pas.

Il répondit que oui, d'une voix étranglée.

Non, ça n'allait pas. Pas du tout, même. En réalité, il était terrorisé, comme jamais encore.

La voiture avait des relents d'odeur de café. La radio bavardait dans un langage qu'il ne comprenait pas, et, finalement, ce n'était pas étonnant : tout son univers s'écroulait, il était donc bien normal qu'il ne soit plus capable de parler sa propre langue. Il se tortilla un peu sur le siège, faisant un effort terrible pour ne pas souiller son pantalon. Tout ceci était une erreur. Son père et l'avocat le rejoindraient à l'endroit où on l'emmenait, et Jordan McAfee sortirait son beau langage, et tout le monde comprendrait qu'il s'agissait d'une erreur. Demain, il se réveillerait et il rirait de tout ça.

Soudain, la voiture fit un écart sur la gauche et il aperçut une lumière à travers la vitre. Perdu comme il l'était, son sens de l'orientation l'avait abandonné, mais il supposa qu'ils étaient arrivés devant les locaux de la police de Bainbridge.

— On y va ! annonça le plus grand des policiers en ouvrant la portière arrière.

Chris se glissa sur le bord du siège et essaya de garder l'équilibre malgré les menottes. Il posa un pied sur le bord recouvert de neige, se souleva pour sortir de la voiture… et s'étala de tout son long, la tête la première.

Le policier le ramassa en le tirant par ses menottes et le poussa sans plus de cérémonie vers le poste. Ils entrèrent par une porte donnant sur l'arrière. Le fonctionnaire enferma son arme dans une boîte et parla dans un interphone, puis une porte communicante s'ouvrit en bourdonnant. Chris se retrouva devant un bureau derrière lequel était affalé un sergent qui avait l'air d'avoir sommeil.

Il fut autorisé à s'asseoir pendant qu'ils lui demandaient son nom, son âge et son adresse. Il répondit le plus poliment possible, au cas où cela lui donnerait droit à des bons points pour bonnes manières… on ne savait jamais.

Puis le policier qui l'avait amené le poussa contre un mur et lui donna une carte. Exactement comme dans les films à la télé, avec un numéro et la date… Chris se tourna docilement à droite et à gauche pendant qu'un appareil prenait des photos.

On lui demanda ensuite de vider ses poches et on lui prit ses empreintes, vingt et une prises en tout : un jeu pour la police locale, un pour la police d'État et un pour le FBI. Puis l'officier lui nettoya les mains avec un chiffon, prit ses chaussures, son manteau, sa ceinture, et appela par l'interphone pour qu'on ouvre la cellule trois.

— Le shérif est en route, annonça-t-il à son prisonnier.

— Le shérif ? s'étonna Chris, se remettant à trembler. Pour quoi faire ?

— Vous ne pouvez pas rester ici pendant la nuit, expliqua le policier. Il va vous transporter jusqu'à la prison du comté de Grafton.

— À la prison ? murmura Chris.

On le mettait en prison ? Comme ça, tout simplement ?

Il s'arrêta net, faisant stopper par la même occasion le policier qui avançait à ses côtés.

— Je ne peux pas partir, déclara-t-il, mon avocat doit venir me rejoindre ici.

Le fonctionnaire rit et fit « Ah bon ? » en le poussant pour le faire avancer.

La cellule faisait environ deux mètres sur un mètre cinquante. Elle était située au sous-sol des locaux de la police. Elle disposait d'un lavabo en inox combiné avec des toilettes, et d'une couchette. Sa porte était constituée de barreaux, et une caméra vidéo surveillait l'intérieur. Le policier regarda sous le matelas, sans doute pour vérifier s'il n'y avait pas de punaises... à moins que ce ne soient des armes... puis il ouvrit les menottes et poussa Chris à l'intérieur.

— Vous avez faim ? s'enquit-il. Ou soif ?

Chris fut surpris que le policier se soucie de son confort matériel. Non, il n'avait pas faim, mais il avait quand même mal à l'estomac. Il secoua la tête et essaya de ne pas entendre le son que fit la porte de la cellule en se refermant. Il attendit que le fonctionnaire se soit éloigné pour aller uriner.

Il mourait d'envie de crier à ces policiers qu'il n'avait pas assassiné Emily Gold. Mais son père lui avait recommandé de se taire, et cette mise en garde s'était frayé un chemin jusqu'à son cerveau, en dépit de la terreur qui s'était emparée de lui.

Il revit le gâteau d'anniversaire que sa mère lui avait confectionné, les bougies qui se consumaient dans la crème glacée. La part qu'il n'avait pas touchée était toujours dans son assiette, et le coulis de fraises brillait comme une traînée de sang.

Il passa le doigt sur le béton rugueux du mur de sa cellule et attendit.

Jordan McAfee ne connaissait pas de sensation plus excitante que la découverte d'un corps de femme.

Il disparut sous les couvertures et tâta le terrain avec ses mains et ses lèvres comme s'il s'agissait d'en faire la cartographie.

— Oh oui ! murmura-t-elle en empoignant ses épais cheveux noirs. Oh, mon Dieu !

Sa voix enfla, de façon gênante.

Il passa sa main sur son ventre.

— Doucement, murmura-t-il contre sa cuisse. Tu te souviens ?

— Comment... veux-tu... que... j'oublie ?

Elle attrapa sa tête et la tint contre elle, mais, au même moment, il se recula et lui mit la main devant la bouche. Croyant à un jeu, elle le mordit.

— Merde ! fit-il en se dégageant.

Il avait l'esprit embrumé par l'alcool. Mécontent, il jeta un regard en coin à la femme et secoua la tête. Toute son excitation s'était envolée. D'habitude, il avait meilleur jugement. Il frotta ses mains l'une contre l'autre et se promit de ne plus jamais sortir avec une copine de son assistante, ou au moins, de ne plus trop boire au cours du dîner, pour éviter d'inviter n'importe qui chez lui après.

— Écoute, dit-il en essayant de sourire aimablement. Je t'ai dit pourquoi...

La fille – Sandra, c'était ça ! – se mit sur lui et appliqua sa bouche sur la sienne. Puis elle se recula et se passa un doigt sur la lèvre inférieure.

— J'aime les types qui ont le même goût que moi, murmura-t-elle.

Jordan sentit son érection revenir. Peut-être que, finalement, la soirée n'était pas terminée.

Le téléphone sonna, et Sandra le jeta par terre. Voyant Jordan se précipiter pour saisir le récepteur, elle lui attrapa le poignet :

— Laisse, chuchota-t-elle.

— Je ne peux pas, répondit-il en se dégageant pour partir à la recherche de l'appareil.

Il décrocha et écouta, aussitôt en alerte. Il réussit à attraper un stylo et un bloc sur la table de nuit et nota ce que lui disait son interlocuteur.

— Ne vous inquiétez pas, répondit-il calmement. Nous allons nous en occuper. Je vous rejoins là-bas.

Après avoir raccroché, il se leva avec une grâce féline et se glissa dans le pantalon qu'il avait jeté près de la porte de la salle de bains.

— Je suis vraiment désolé, dit-il tout en remontant la fermeture, mais il faut que je parte.

La bouche de Sandra s'arrondit.

— Comme ça ?

Jordan haussa les épaules.

— C'est mon boulot, et il faut bien que je le fasse.

S'avisant qu'elle restait toujours allongée dans son lit :

— Tu... euh... tu n'es pas obligée de m'attendre, précisa-t-il.

— Et si j'ai envie ? répliqua Sandra.

— Ça pourrait être très long, répondit-il en lui tournant le dos.

Il mit les mains dans ses poches et lui jeta un dernier regard.

— Je t'appelle, promit-il.

— Oh non, tu ne m'appelleras pas ! lança-t-elle avec conviction.

Sortant du lit d'un mouvement décidé, elle alla cacher sa nudité dans la salle de bains et ferma la porte.

Jordan secoua la tête et se rendit à la cuisine. Il farfouilla à la recherche d'un papier pour écrire un mot. Soudain, la lumière s'alluma et il se retrouva face à son fils de treize ans.

— Qu'est-ce que tu fais debout ?

Thomas haussa les épaules.

— J'écoute aux portes.

— Tu devrais être couché. Demain, tu as classe !

— Il n'est pas tard ! protesta Thomas.

Son père haussa les sourcils. Pas possible ! Il avait tant bu que ça, à ce dîner ?

— Alors, poursuivit le jeune garçon, un large sourire aux lèvres, tu t'es levé pour prendre un peu l'air ?

Jordan eut un sourire en coin :

— C'était mieux quand tu étais petit.

— Quand j'étais petit, j'avais du mal à viser et je pissais sur le mur des toilettes. Moi, je trouve que c'est trois fois mieux maintenant.

Son père n'en était pas aussi sûr.

Il élevait Thomas seul depuis ses quatre ans, car Deborah avait décidé que la maternité et le mariage contrariaient ses ambitions d'avocate. Un beau jour, elle avait fait irruption dans son bureau avec leur fils, les papiers du divorce et un billet sans retour pour Naples. Aux dernières nouvelles, elle vivait sur la Rive gauche à Paris, avec un peintre deux fois plus âgé qu'elle.

Thomas regarda son père qui buvait directement à la cafetière du café froid qui datait d'une journée.

— C'est dégueulasse, commenta-t-il, mais moins dégueulasse que de ramener une...

— Ça va, l'interrompit son père. Je n'aurais pas dû. OK? Tu as raison, et moi j'ai tort.

Thomas arbora un sourire ravi :

— Ah? Est-ce qu'on peut filmer ce moment historique?

Jordan replaça la cafetière sur le socle de la machine et resserra son nœud de cravate.

— J'ai eu un client au téléphone. Il faut que je parte.

Il plongea dans sa veste toujours accrochée à une chaise et revint à son fils :

— N'appelle pas sur le portable si tu as besoin de moi. Apparemment, on est sur le pied de guerre. Appelle le bureau, je consulterai ma boîte vocale.

— Je n'aurai pas besoin de toi, affirma Thomas, avant d'ajouter, avec un geste en direction de la chambre : Peut-être que je devrais aller lui dire un petit bonjour...

— Peut-être que tu devrais aller t'occuper de tes fesses dans ta chambre! lança Jordan en souriant.

Puis il sortit, sentant le regard admiratif de son fils posé sur ses épaules.

Gus se pencha à l'arrière de la voiture et boutonna la veste de Kate jusqu'au menton.

— Tu as assez chaud? s'assura-t-elle.

La fillette hocha la tête, encore trop secouée par l'arrestation de son frère pour avoir recouvré tous ses esprits. Elle attendrait dans la voiture pendant que ses parents et l'avocat régleraient cette histoire. Ce n'était pas la meilleure solution, mais il n'y en avait pas d'autre. À douze ans, Kate était trop jeune pour passer la nuit toute seule, et Gus n'avait personne pour l'aider. Ses propres parents vivaient en Floride, et ceux de James feraient une crise cardiaque s'ils avaient vent de ce scandale ; quant à Mélanie, la seule amie proche que Gus aurait pu appeler au secours à la dernière minute, elle était persuadée que Chris avait tué son enfant.

Alors que Gus aurait tout donné pour tenir sa fille éloignée de cette épreuve, une voix intérieure lui ordonnait de garder Kate tout près d'elle : « Il ne te reste plus qu'une enfant, disait cette voix. Ne la perds pas de vue. »

Gus tendit la main et caressa les cheveux de sa fille.

— Nous serons de retour dans un petit moment. Verrouille les portes quand je serai partie.

— Oui, répondit la fillette.

— Et sois sage.

« Sois plus sage que Chris ! » Cette pensée, cette vilaine pensée, les traversa toutes les deux au même moment. Elles se séparèrent vite, avant que l'une d'elles la formule à voix haute, ou reconnaisse qu'elle avait pu germer dans sa tête.

Il vit que Gus et James Harte l'attendaient dans le petit cône de lumière formé par l'éclairage extérieur du bâtiment de la police, comme si le fait d'en franchir le seuil sans être protégé par le bouclier de la loi eût été impensable, et très risqué. En traversant la rue, Jordan leva une main pour les saluer et se souvint du vieil adage qui disait que les gens qui vivaient ensemble depuis longtemps finissaient par se ressembler. Les traits des deux époux n'étaient pas similaires, mais la singulière détermination qui enflammait leurs regards était la même.

— James, Gus, dit Jordan en leur serrant la main, vous étiez déjà à l'intérieur ?

— Non, répondit Gus, nous vous attendions.

Jordan songea à les faire entrer dans la salle d'attente, puis changea d'avis. La conversation qu'ils allaient avoir était privée et, ayant été autrefois procureur, il savait que chez les flics les murs ont des oreilles.

Il serra son manteau autour de lui et demanda à ses clients de lui relater les événements.

Gus lui raconta l'arrestation au cours du dîner d'anniversaire. Pendant son récit, James eut une attitude étrange. Il se tint légèrement en retrait, comme non concerné par cette histoire. Jordan écouta Gus tout en observant pensivement son mari.

— Donc, dit Gus pour terminer, vous pouvez parler à quelqu'un et le sortir de là, n'est-ce pas ?

— Non, je ne peux pas. Il faut que Chris reste en garde à vue cette nuit jusqu'à sa mise en accusation, qui aura sans doute lieu demain matin au palais de justice du comté de Grafton.

— Il va passer la nuit ici, dans une cellule ?

— Non, répondit Jordan. Les locaux de la police de Bainbridge ne sont pas équipés pour le garder en cellule. Il va être transféré à la prison du comté de Grafton.

James se détourna.

— Qu'est-ce que nous pouvons faire ? chuchota Gus.

— Pas grand-chose, reconnut Jordan. Je vais y aller et demander à parler à Chris. Demain matin, à la première heure, je serai là pour son inculpation.

— Qu'est-ce qui se passera ?

— Normalement, le procureur engagera une poursuite. Nous plaiderons non coupable. Je vais essayer de le faire libérer sous caution, mais ça risque d'être difficile, compte tenu de la gravité de l'accusation qui pèse sur lui.

— Vous voulez dire, répliqua Gus d'une voix tremblante de rage, que mon fils, qui n'a rien fait de mal, devra passer la nuit en prison, et peut-être même plus que ça, et que vous ne pouvez rien faire pour l'en empêcher ?

— Votre fils n'a peut-être rien fait de mal, répondit Jordan calmement, mais la police ne croit pas à son histoire de pacte de suicide.

James prit enfin la parole, après s'être éclairci la voix.

— Et vous ? demanda-t-il.

Jordan dévisagea les parents du jeune inculpé. Sa mère était sur le point de piquer une crise de nerfs et son père était visiblement très mal à l'aise. Il décida de leur dire la vérité.

— Cela ne semble pas... impossible, dit-il.

Comme il s'y attendait, James détourna les yeux et Gus explosa :

— Très bien. Si vous n'êtes pas convaincu de son innocence, nous trouverons quelqu'un d'autre.

— Mon boulot n'est pas de croire votre fils, répondit l'avocat. Mon boulot, c'est de le sortir de là. (Il regarda Gus droit dans les yeux.) Je peux y arriver.

Elle le regarda longuement, comme pour sonder son cerveau et séparer le bon grain de l'ivraie.

— Je veux voir Chris maintenant, annonça-t-elle.

— Ce n'est pas possible. Ce n'est possible que pendant les transferts, donc, pas avant quelques heures. Je lui transmettrai tout ce que vous voudrez.

Jordan tint la porte ouverte pour elle, et il sentit le parfum de son indignation flotter dans son sillage. Il s'apprêtait à entrer lorsque James Harte l'arrêta.

— Puis-je vous demander quelque chose ? En confidence ?

Jordan hocha la tête.

— Le problème, dit James prudemment, c'est que c'était mon revolver... Je ne suis pas en train de vous dire ce qui s'est passé ou pas. Je dis simplement que la police sait que le Colt provient de mon râtelier.

Jordan fronça les sourcils.

— Donc, poursuivit James, est-ce que cela fait de moi un complice ?

— Du meurtre ? Non. Vous n'avez pas délibérément placé ce revolver à cet endroit dans l'intention de le mettre à la disposition de Chris pour qu'il tue quelqu'un.

James souffla lentement.

— Je ne dis pas que Chris l'a utilisé pour tuer quelqu'un.

— Oui, je sais, répondit Jordan.

Ils entrèrent ensemble dans les locaux de la police de Bainbridge.

Entendant des bruits de pas, Chris se leva et appuya son visage contre la petite fenêtre de plastique de sa cellule.

— L'avocat est là, annonça le policier.

Effectivement, Jordan McAfee apparut de l'autre côté des barreaux.

S'asseyant sur la chaise que lui apporta le policier, l'avocat sortit un bloc de sa serviette.

— Est-ce que vous avez dit quelque chose ? demanda-t-il sans ambages.

— À propos de quoi ? répondit Chris.

— De n'importe quoi. Aux policiers, à l'inspecteur...

Chris secoua la tête.

— J'ai simplement dit que vous alliez venir.

Jordan parut visiblement soulagé.

— Parfait. C'est bien.

Il leva les yeux vers la caméra vidéo installée dans la cellule.

— Ils ne vont pas nous enregistrer, dit-il. Ils ne vont pas nous écouter. Ce sont les droits de base du prisonnier.

— Prisonnier, répéta Chris en s'efforçant de ne rien laisser paraître de son désespoir, mais sa voix tremblait. Est-ce que je vais pouvoir rentrer chez moi, maintenant ?

— Non. Pour commencer, vous ne dites rien à personne. Dans un petit moment, le shérif va vous emmener à la prison du comté de Grafton. Là-bas, vous ferez ce qu'ils vous diront. Ça ne durera que quelques heures. Demain matin, quand vous vous lèverez, j'y serai déjà, et nous irons ensemble au palais de justice pour votre comparution.

— Je ne veux pas aller en prison, prononça Chris en pâlissant.

— Vous n'avez pas le choix. Vous devez être maintenu en détention jusqu'à la mise en accusation, et le procureur a organisé les choses de telle façon que vous devrez attendre jusqu'à demain matin. Ce qui implique de passer la nuit en prison. (Il regarda Chris bien en face.) Elle a fait ça pour vous foutre la trouille. Elle veut vous voir trembler devant elle demain au palais de justice.

Chris hocha la tête et déglutit péniblement.

— Vous êtes accusé de meurtre au premier degré, poursuivit Jordan.

— Je n'ai pas tué Emily ! l'interrompit le jeune homme.

— Je ne veux pas savoir si vous l'avez tuée ou non, répliqua l'avocat. Dans un cas comme dans l'autre, je continuerai à vous défendre.

— Je ne l'ai pas tuée, répéta Chris.

— Parfait, répondit Jordan d'un ton indifférent. Demain, le procureur demandera à ce que vous soyez maintenu en détention sans caution, ce qu'il obtiendra sans doute, compte tenu de la gravité de l'accusation.

— Vous voulez dire... en prison ?

L'avocat hocha la tête.

— Pour combien de temps ?

Quelque chose dans la voix du jeune homme toucha chez lui une corde sensible. Jordan le considéra du coin de l'œil et, soudain, sous les traits de son client, déformés par la peur, il revit ceux de son fils, quelques années plus tôt, en train de lui demander quand il reverrait sa mère. C'était le timbre de voix commun aux jeunes garçons qui s'apercevaient qu'ils n'étaient pas invulnérables, qui comprenaient tout à coup ce que pouvait être la lenteur du temps...

— Le temps qu'il faudra, répondit-il.

Au milieu de la nuit, James s'éveilla en sursaut. Il resta désorienté quelques instants, puis s'assit brusquement pour guetter les bruits : était-ce Kate qui gémissait parce qu'elle avait mal aux oreilles, ou Chris qui venait se réfugier dans la chambre de ses parents pour échapper à un cauchemar ?... Mais non, tout était silencieux. Ses yeux scrutèrent l'obscurité. La place de Gus était vide.

Il se réveilla complètement, se leva et longea le couloir. Kate ronflait tranquillement, et Chris... Le lit de Chris n'était pas défait. La dure réalité atteignit James en pleine poitrine, lui causant une douleur physique qui le fit trébucher. Il descendit les escaliers, guidé par un bruit de bourdonnement. Une légère lueur rosâtre sortait de la buanderie.

James traversa la cuisine et s'arrêta à quelques centimètres de la porte.

Gus était assise à même le carrelage, le dos appuyé contre l'essoreuse qu'elle avait mise en route pour étouffer le bruit de ses sanglots. Son visage était rouge et gonflé, son nez coulait, ses épaules étaient aussi voûtées que celles d'une vieille femme.

Elle n'était pas belle à voir quand elle pleurait. Elle sanglotait comme elle faisait tout le reste, avec passion et excès. D'ailleurs, il était étonnant qu'elle ait réussi à se maîtriser jusque-là.

Il eut envie d'aller s'agenouiller devant elle, de passer ses bras autour de ses épaules et de l'emmener dans leur chambre. Il réfléchit à ce qu'il pourrait lui dire pour l'apaiser. Mais comment pourrait-il lui donner des conseils, alors qu'il n'était pas capable de les mettre en pratique lui-même ?

Il remonta se coucher et mit un oreiller sur sa tête. Et quelques heures plus tard, lorsque Gus se glissa entre les draps, il fit semblant de ne pas sentir le poids du chagrin qui s'était posé entre eux, si dense qu'il formait une barrière infranchissable.

La prison était ceinte de trois hauts murs de métal surmontés de fil de fer barbelé. Chris ferma les yeux et se demanda avec un entêtement puéril s'il n'y avait pas moyen d'ignorer toute cette épreuve, en faisant semblant de ne se rendre compte de rien.

Le shérif l'aida à sortir de la voiture et le conduisit jusqu'à l'entrée du bâtiment. Un gardien déverrouilla la lourde porte d'acier pour les faire entrer.

— Alors, t'en as encore attrapé un, Joe ?

— Ouais, ça grouille comme la vermine ! rigola le shérif.

Les deux hommes rirent pendant un bon moment de leur petite plaisanterie, puis le shérif tendit un sac de plastique à l'intérieur duquel Chris reconnut ses affaires : son portefeuille, ses clés de voiture, sa petite monnaie. Un second gardien les prit.

— Tu fais la paperasse ? Nous, on s'occupe de lui.

Le shérif sortit sans même regarder Chris.

Seul avec les deux hommes qui restaient, le jeune homme se remit à trembler.

— Les mains sur le côté, lui ordonna l'un des gardiens, avant de se placer devant lui et de palper sa nuque, son torse, puis ses jambes, l'une après l'autre.

Le deuxième gardien commença à faire l'inventaire de ses affaires personnelles.

— Viens ! fit le premier gardien.

Il prit Chris par le coude et le conduisit dans la salle d'incarcération. Il lui tendit un petit panneau et le plaça contre un mur.

— Souris ! grogna-t-il, et un flash s'alluma.

Il fit asseoir Chris à une table et lui retrempa les doigts dans l'encre. Puis il lui tendit un chiffon pour qu'il s'essuie les doigts et lui envoya une feuille de papier à travers la table.

— Remplis-moi ça !

La toute première question déconcerta Chris : « Avez-vous des idées de suicide ? » Son psychiatre savait que non. Son avocat pensait que oui. En hésitant, il écrivit « Oui », puis il effaça sa réponse et inscrivit « Non ».

« Avez-vous le sida ? »

« Avez-vous des problèmes médicaux en ce moment ? »

« Souhaitez-vous voir un médecin pendant votre détention ? »

Chris mâchouilla le bout de son crayon. « Oui », écrivit-il.

Dans la marge, il ajouta : « Le Dr Feinstein. »

Il finit de remplir le questionnaire et vérifia ses réponses aussi scrupuleusement que lorsqu'il avait passé son test d'aptitude d'entrée au collège. Que se passait-il quand on mentait ? Lorsque quelqu'un avait vraiment des idées de suicide ou était en train de mourir du sida et répondait « Non » ?

Est-ce qu'on prenait la peine de vérifier ?

Le gardien le conduisit dans une salle remplie de petits écrans de télé. Il échangea quelques informations avec le gardien de service, puis l'emmena dans une autre salle. Lorsque la porte se referma derrière lui, Chris frissonna.

— T'as froid ? demanda le gardien. T'as de la chance, tu vas avoir des vêtements à l'œil... Tiens, mets ça, ajouta-t-il en lui tendant une combinaison bleue.

— Ici ? hésita Chris. Maintenant ?

— Non, à la Saint-Valentin ! répliqua le gardien en croisant les bras.

« C'est rien du tout », se persuada Chris. Il s'était baladé à poil des milliers de fois dans les vestiaires devant des tas de gars... Devant un gardien de prison, et en caleçon encore, ce n'était rien du tout ! Pourtant, lorsqu'il remonta la fermeture éclair de la combinaison, ses mains tremblaient si fort qu'il les cacha ensuite derrière son dos.

— Bon, fit le gardien, on y va.

Il escorta son prisonnier le long d'un couloir qui menait au quartier de haute sécurité. Chris éprouvait de plus en plus de mal à respirer. Était-ce son imagination, ou l'air dans une prison était-il plus rare qu'ailleurs ?

Le gardien ouvrit une lourde porte et conduisit Chris jusqu'à une étroite coursive grise desservant des cellules individuelles accolées deux par deux, dont les portes à barreaux étaient cependant ouvertes. À l'extrémité de l'unité, il y avait une télévision qui diffusait les informations du soir.

Soudain, un ordre retentit, qui se répercuta en cascade à travers les barreaux et les armatures métalliques. « Verrouillage ! » cria la voix, et Chris entendit un bruit de pas : les détenus regagnaient leurs cellules.

— Toi, tu vas là ! dit le gardien en le conduisant dans une cellule inoccupée. Couchette du bas.

Un petit homme pourvu de minuscules yeux sombres profondément enchâssés et d'une barbiche entra dans la cellule voisine de celle de Chris et s'assit sur le lit. Au bout de la coursive, l'écran de télévision était noir.

Le gardien ferma la porte de la cellule du jeune homme. Les lumières baissèrent, mais ne s'éteignirent pas. Graduellement, la prison entière se tut. Seule subsista la respiration collective des détenus.

Chris se coucha sur la couchette du bas. Lorsque ses yeux se furent habitués à l'obscurité, il distingua la silhouette d'un gardien qui passait de l'autre côté des barreaux.

Le jeune homme se roula en boule et ne vit plus que le mur de béton qui l'enfermait. Il mit un bout du tissu de sa combinaison dans sa bouche pour étouffer le son de ses sanglots et donna libre cours à ses larmes.

En entrant dans la cuisine, le matin suivant, Michael n'en crut pas ses yeux.

Mélanie était devant la cuisinière, une spatule dans une main et le manche d'une poêle dans une autre. Elle fit sauter une crêpe et, d'un geste familier, plaça une mèche de cheveux derrière son oreille. Michael, ravi, retrouvait la femme qu'il avait épousée.

Il prit soin de faire un peu de bruit pour lui faire croire qu'il venait d'arriver. Mélanie se retourna, un sourire radieux aux lèvres :

— C'est bien, j'allais justement te chercher !

— Pour manger, j'espère ?

Mélanie éclata de rire. Ce son leur était devenu si étranger qu'ils se figèrent tous deux l'espace d'un instant. Puis Mélanie se retourna brusquement et saisit un plat de crêpes. Elle attendit que son époux se soit installé à sa place habituelle pour le poser devant lui.

— Blé noir, dit-elle en plongeant son regard dans le sien.

— Non, répondit-il, mon nom, c'est Michael.

Elle lui sourit, et, d'un geste impulsif, il passa un bras autour de ses cuisses et l'attira à lui en appuyant sa tête sur son ventre. Il sentit sa main caresser ses cheveux.

— Tu m'as manqué, murmura-t-il.

— Je sais, répondit-elle.

Elle laissa sa main reposer un moment, puis se dégagea.

— Je t'apporte du sirop.

Le sirop d'érable frémissait sur la cuisinière. Elle en versa sur les crêpes.

— J'ai pensé qu'on pourrait aller faire un tour ce matin, dit-elle.

Tout en dégustant sa première bouchée, Michael réfléchit. Il lui fallait administrer du vermifuge à une portée de chiots, examiner un cheval atteint de colique et faire une visite à un lama en mauvais état. Mais il y avait si longtemps qu'il n'avait pas vu Mélanie si... en si bonne forme...

— D'accord, dit-il. Il suffit que je passe quelques coups de fil pour déplacer des rendez-vous.

Mélanie s'assit en face de lui. Il tendit la main et elle la prit entre les siennes.

— Ce serait bien, répondit-elle.

Il finit de déjeuner et alla téléphoner dans son bureau. Lorsqu'il revint, Mélanie se mettait du rouge à lèvres. Elle aperçut son mari dans le miroir.

— Tu es prêt ? s'enquit-elle.

— Oui. On va où ?

Elle passa un bras sous le sien.

— Si je te le dis, ce ne sera plus une surprise !

Pendant qu'ils roulaient, Michael essaya de deviner où elle l'emmenait. Pas sur la tombe d'Emily, elle n'aurait pas cet entrain-là. Pas faire des courses, c'était trop tôt. Pas à la bibliothèque, elle roulait dans la direction opposée.

Mélanie sortit de la ville. Traversant la campagne enneigée, ils arrivèrent à la hauteur d'un petit panneau vert qui annonçait la ville de Woodsville à dix kilomètres.

Qu'est-ce qui pouvait bien se passer à Woodsville ?

Il n'y était allé qu'une seule fois, pour y emmener un cheval qui s'était cassé la jambe. Il n'avait aucun souvenir de cet endroit.

Sa femme passa devant un bâtiment de briques derrière lequel pointait un fouillis de barbelés. C'est alors qu'il se rappela que la prison du comté était située à Woodsville, dans la même rue que le palais de justice, ce qui était fort pratique.

Mélanie s'engagea sur le stationnement dudit palais de justice.

— Il y a là quelqu'un que tu devrais voir, à mon avis.

Chris était déjà réveillé quand la porte de sa cellule s'ouvrit en grinçant, à six heures moins le quart. Il se frotta les yeux pour se débarrasser de la sensation désagréable d'avoir du sable sous les paupières, mais elle persista. De plus, la fermeture de sa combinaison lui entrait dans la peau, et il mourait de faim.

— La bouffe ! lança un gardien en passant un plateau dans sa cellule.

Chris détourna les yeux de la pitance inappétissante qu'on lui avait servie. Dans l'autre cellule, l'homme aux yeux noirs le regardait. Puis il sortit et disparut derrière un rideau de douche.

Chris mangea, se brossa les dents avec la brosse à dents qu'on lui avait distribuée la veille et prit le rasoir jetable qu'un gardien avait posé dans sa cellule. D'un pas mal assuré, il sortit sur la coursive pour se rendre à la douche.

Il se rasa en attendant que l'autre homme ait fini de se doucher, en se regardant dans une glace aussi réfléchissante qu'une feuille d'étain.

Lorsque la place fut libre, Chris entra dans la douche et ferma le rideau. Mais, par l'interstice, il voyait l'homme aux yeux noirs savonner son visage devant le lavabo, une serviette passée autour des épaules. Il se déshabilla et posa ses vêtements sur la tringle à rideau. Puis il fit couler l'eau et se passa du savon sur le corps en fermant les yeux, et en s'efforçant d'imaginer qu'il venait de faire un super quatre cents mètres papillon et qu'il rentrait chez lui après la performance.

— Pourquoi t'es là ?

Chris cligna des yeux, aveuglé par l'eau.

— Pardon ?

À travers la fente, il vit l'homme adossé contre le lavabo.

— Pourquoi ils t'ont mis là ?

— Je ne devrais pas être là, c'est une erreur, répondit Chris.

L'homme éclata de rire.

— Comme tout le monde ! C'est dingue le nombre de gars qui sont dans c'te taule et qui devraient pas y être !

Chris se détourna et continua sa toilette.

— C'est pas parce que tu me vois pas que je suis parti ! persifla l'autre.

Le jeune homme arrêta la douche et secoua vigoureusement la tête pour essorer ses cheveux.

— Et toi, qu'est-ce que tu as fait ?

— Moi, j'ai raccourci ma bonne femme, je lui ai coupé la tête, répondit l'homme sans s'émouvoir.

Chris sentit ses genoux le lâcher et s'appuya contre la paroi. Non, il n'était pas en prison, en train de parler avec un criminel. Non, il n'allait pas être inculpé de meurtre.

À l'aveuglette, il mit sa serviette autour de ses épaules, attrapa ses vêtements et retourna d'une démarche incertaine dans sa cellule, où il s'assit sur le lit et mit sa tête entre ses genoux. Comme ça, il ne vomirait pas.

Il voulait rentrer chez lui.

Un gardien entra pour reprendre le rasoir qu'il lui avait donné.

— Ton avocat est là, annonça-t-il. Il t'a apporté des vêtements. Habille-toi et on t'emmène là-haut, te changer.

Chris hocha la tête et le gardien disparut. Les portes des cellules étaient ouvertes. L'homme qui avait décapité sa femme regardait la télévision à l'autre bout de la coursive.

— Je... euh... je suis prêt, dit Chris à un autre gardien, qui l'escorta jusqu'à la porte qui donnait sur l'extérieur.

— Bonne chance ! lui lança l'homme aux yeux noirs, les yeux toujours rivés sur l'écran.

Chris s'arrêta un instant et tourna la tête vers lui.

— Merci, répondit-il doucement.

Ses vêtements l'attendaient dans la salle d'incarcération. Chris reconnut le veston Brooks Brothers qu'il avait acheté avec sa mère à Boston. Ils s'y étaient rendus spécialement pour lui acheter une tenue à mettre pour ses entretiens à l'université.

Et voilà qu'il allait la porter pour comparaître en justice.

Il mit la chemise blanche et le pantalon de flanelle grise et chaussa les élégants mocassins. Il passa la cravate autour de son col et essaya de faire le nœud, mais ce n'était pas facile sans miroir.

Puis il enfila son veston et se dirigea vers le gardien qui remplissait des papiers en l'attendant. Ils marchèrent tous deux en silence vers une salle où l'attendait Jordan McAfee.

— Merci, dit ce dernier au gardien, tout en faisant signe au jeune homme de prendre place en face de lui.

Il attendit que l'homme ait refermé la porte derrière lui et poursuivit :

— Bonjour, vous avez passé une bonne nuit ?

Il savait très bien que non. Vu les cernes que son client avait sous les yeux, il ne fallait pas être devin pour en déduire qu'il n'avait pas fermé l'œil. Mais Jordan voulait entendre sa réponse, cela lui donnerait une idée de sa force de caractère et de la façon dont il affronterait la rude épreuve qui l'attendait.

— Très bonne, merci, répondit Chris sans sourciller.

Jordan sourit.

— Vous vous rappelez ce que je vous ai dit sur ce qui va se passer aujourd'hui ?

Le jeune homme hocha la tête.

— Où sont mes parents ?

— Ils vous attendent au palais de justice.

— C'est ma mère qui vous a apporté ces vêtements ?

— Oui. Ils sont bien. Très classe. Ils vont donner une bonne image de vous au juge.

— Parce que j'ai une image ?

Jordan eut un geste de la main.

— Eh oui ! Blanc, fils de cadre supérieur, étudiant, athlète, bien sous tous rapports. Par opposition à la racaille ordinaire, précisa-t-il en regardant le jeune homme droit dans les yeux.

Il tapota son bloc du bout de son crayon. Le problème, dans les séances de mise en accusation, c'était que l'avocat de la défense était pris à froid, exactement comme un chat qu'on lançait en l'air et qui devait se préparer à atterrir sur ses pattes, quelle que fût sa position de départ. Il connaissait le chef d'accusation, mais il n'avait aucune idée de ce que le procureur avait derrière la tête.

— Vous suivrez toutes mes indications. Si j'ai besoin que vous fassiez quelque chose, je vous l'écrirai sur le bloc. Mais ça se déroulera de façon très simple.

— OK, répondit Chris.

Il se leva et secoua ses jambes comme s'il se préparait à monter sur le plot de départ pour une compétition.

— On y va, ajouta-t-il.

Jordan lui lança un regard surpris.

— Vous ne pouvez pas venir au palais de justice avec moi, expliqua-t-il. C'est le shérif qui va vous emmener.

— Oh ! fit Chris en se rasseyant sur sa chaise.

— J'y serai, je vous attendrai, se hâta de préciser l'avocat. Vos parents aussi.

— Très bien.

Jordan glissa le bloc dans sa serviette. Il examina son client d'un œil scrutateur et fronça les sourcils à la vue de sa cravate.

— Venez par ici, dit-il.

Il arrangea le nœud correctement.

— Il n'y avait pas de glace, expliqua Chris.

L'avocat lui donna une tape sur l'épaule sans répondre et eut un signe de tête approbateur devant sa mise. Puis il sortit de la pièce, suivi des yeux par le jeune homme qui garda le regard fixé sur la porte ouverte. Elle donnait sur un couloir menant à l'extérieur, mais un gardien s'interposait entre les deux.

C'était le jour où l'on jugeait les criminels au palais de justice du comté de Grafton.

Dans un État aussi rural que celui du New Hampshire, les crimes graves étaient peu fréquents, de telle sorte que l'on regroupait les séances de mise en accusation. Elles étaient suivies par les journalistes locaux, les piliers de tribunaux et les étudiants en droit, car elles étaient plus intéressantes que celles qui concernaient les petites infractions.

Les Harte étaient assis dans la première rangée, derrière la table de la défense. Ils étaient arrivés au palais de justice peu après six heures du matin, « au cas où », avait dit Gus.

La jeune femme gardait les mains si étroitement crispées sur ses genoux qu'elle se demandait si elle réussirait jamais à les dénouer. James, assis à côté d'elle, gardait les yeux braqués sur le juge. C'était une femme d'âge mûr, mal coiffée, qui ressemblait à une grand-mère... Gus se dit qu'une personne comme elle, à la vue d'un enfant tel que Chris, ne manquerait pas d'arrêter ce processus catastrophique.

Elle se pencha vers Jordan McAfee qui arrangeait des documents sur ses genoux.

— Quand est-ce qu'on va l'amener ? lui demanda-t-elle.

— D'une minute à l'autre.

James se tourna vers l'homme assis à côté de lui.

— C'est le *Times* que vous avez ? lui demanda-t-il.

L'homme lui tendit le journal déplié, et James le remercia en souriant.

Gus dévisagea son mari, stupéfaite.

— Tu arrives à lire ? À un moment pareil ?

James plia méticuleusement le journal et passa l'ongle de son pouce sur le pli.

— Oui, ça m'empêche de devenir fou, expliqua-t-il sans s'émouvoir.

Et il se mit à lire la première page.

Il y avait d'autres femmes comme elle, Gus le savait. Des femmes qui ne portaient pas un ensemble de marque ou des diamants aux oreilles, mais dont le fils serait amené à cette table comme Chris, et accusé de choses trop horribles à imaginer. Quelques-uns parmi ces enfants avaient effectivement commis les crimes dont on les accusait. Elle, elle avait de la chance dans son malheur.

Quelle devait être la souffrance de ces mères dont les fils avaient réellement mis le feu à des maisons, ou poignardé des rivaux, ou violé des jeunes femmes ! Que pouvait-on ressentir lorsqu'on s'apercevait qu'on avait porté dans son ventre un être capable de telles atrocités ? Lorsqu'on se disait que si l'on n'avait pas donné la vie, ces malheurs ne seraient pas arrivés ?

Un claquement de talons résonna dans la salle, et Gus tourna la tête. C'étaient Mélanie et Michael Gold qui s'avançaient vers les sièges du public. Mélanie jeta un regard indifférent à Gus, dont le cœur se serra. Elle s'était attendue à du dédain. Elle ne savait pas que l'indifférence pouvait blesser plus profondément encore.

Un huissier ouvrit une porte sur la droite et introduisit Chris. Ses mains étaient menottées devant lui et attachées à une chaîne passée autour de sa taille. Il s'avança en gardant les yeux baissés. Jordan se leva aussitôt pour aider Chris à s'asseoir sur la chaise voisine de la sienne.

L'adjointe au procureur général était une jeune femme aux cheveux noirs coupés court, à la démarche nerveuse. Sa voix, basse et grave, était irritante. Râpeuse.

Le juge Hawkins remonta ses lunettes sur son nez :

— Qu'est ce qu'il y a ensuite ? s'enquit-elle.

Le greffier lut :

— « L'État du New Hampshire contre Christopher Harte. En date du 17 novembre 1997, il a été prononcé, par le grand jury 5327, une inculpation de meurtre au premier degré. Christopher Harte est accusé d'avoir, de plein gré, en pleine connaissance de cause et délibérément, tiré une balle dans la tête d'Emily Gold et d'avoir intentionnellement causé sa mort. »

Chris chancela. En entendant prononcer à haute voix son nom, accolé à ces mots absurdes, il ressentit un horrible besoin de rire, comme au jour du service funèbre donné pour Em. Il songea au Dr Feinstein qui lui avait expliqué que certaines émotions fortes étaient voisines, et il se demanda quel pouvait être le pendant de la panique.

Quelqu'un dans l'assistance eut un rire sec. Chris crut un instant que c'était lui qui avait ri, qui avait laissé passer ce rire entre ses dents serrées. Mais en tournant la tête, du même geste que le reste de l'assistance, il vit que c'était la mère d'Emily, et qu'elle ricanait toujours.

Le juge regarda Chris.

— Monsieur Harte, comment plaidez-vous ?

Le jeune homme consulta Jordan des yeux. Son avocat hocha la tête.

— Non coupable, répondit Chris d'une voix faible.

Derrière lui, Mélanie Gold gronda :

— Non coupable de quoi ?

Le juge regarda Mélanie en fronçant les sourcils.

— Madame, dit-elle, je vous prierai de vous taire.

Gus n'avait même pas regardé Mélanie. Pendant la lecture de l'acte d'accusation, elle avait baissé la tête au fur et à mesure que les paroles tombaient comme des couperets. Un meurtre au premier degré, c'était ce qu'on trouvait dans les romans policiers, les téléfilms. Cela n'arrivait pas dans la vraie vie. Cela n'arrivait pas dans sa vie à elle.

— Le ministère public accepte-t-il une libération sous caution ?

L'adjointe au procureur général se leva.

— Votre Honneur, répondit Barrett Delaney, compte tenu de la gravité des charges, nous demandons que l'inculpé soit maintenu en détention sans caution.

Jordan McAfee n'attendit pas qu'elle eût terminé pour protester :

— Votre Honneur, c'est grotesque. Mon client est un bon étudiant, un athlète estimé. Sa famille jouit d'une excellente réputation dans la communauté. Il n'a pas de ressources propres. Il ne présente aucun risque de fuite.

— Et pourquoi serait-il libéré ? Ma fille ne peut pas être libérée, elle ! cria Mélanie.

Le juge frappa plusieurs coups de marteau contre son bureau.

— Huissier, faites sortir cette femme.

Gus écouta claquer les talons de Mélanie jusqu'à ce qu'elle eût franchi les portes de la salle.

— Votre Honneur, reprit le procureur, comme si l'interruption n'avait jamais eu lieu, compte tenu de la sentence qui accompagne une condamnation pour meurtre au premier degré, il y a un risque de fuite certain.

— Votre Honneur, riposta Jordan, l'accusation pense à tort qu'il y aura une condamnation.

— Très bien, très bien, dit le juge d'un air las. Maître, gardez vos efforts pour le procès. Il s'agit d'un meurtre au premier degré ; l'accusé sera maintenu en détention sans caution.

Gus prit une inspiration, mais l'air lui manqua. Elle sentit la main de James attraper la sienne et la broyer.

Un huissier se dirigea vers Chris pour le faire sortir de la salle.

— Attendez, dit le jeune homme en regardant sa mère, puis son avocat. Où est-ce qu'on m'emmène, maintenant ?

Il tremblait de tous ses membres. Les menottes entraient dans sa chair et la chaîne qu'il portait autour de la taille tintait à chaque pas.

Il se retrouva dans la cellule installée dans le bureau du shérif, à l'intérieur du palais de justice, et un shérif adjoint referma la porte sur lui.

— Excusez-moi, dit Chris en rassemblant toutes ses forces pour rappeler l'homme qui s'éloignait déjà. Où est-ce que je vais, maintenant ?

— Tu y retournes, répondit l'adjoint.

— Au tribunal ?

L'homme secoua la tête.

— En prison.

Ils s'étaient retrouvés tous les trois dans une petite cafétéria du palais de justice. Gus attaqua violemment Jordan McAfee :

— Vous n'avez absolument rien dit ! l'accusa-t-elle, véhémente. Vous n'avez même pas essayé de lui éviter la prison !

Jordan leva les mains dans un geste d'apaisement :

— C'était une comparution standard pour une charge de cette nature ; je ne pouvais pas faire grand-chose. En cas de condamnation pour meurtre au premier degré, la peine est l'emprisonnement à perpétuité. Le procureur général pense que c'est une raison suffisante pour inciter Chris à quitter la ville. Ou pour vous inciter à l'aider à s'enfuir. (Il hésita une seconde.) Votre fils n'est pas en cause. C'est tout simplement que les juges n'accordent pas de libération sous caution aux gens qui sont accusés de meurtre.

Gus, toute pâle, ne répondit pas. James, penché en avant, gardait les mains jointes.

— Il y a sûrement quelqu'un à qui nous pouvons faire appel, dit-il. Quelques portes où sonner. C'est une injustice... Être innocent et être maintenu en prison jusqu'au procès...

— Premièrement, expliqua Jordan, c'est ainsi que fonctionne le système judiciaire. Deuxièmement, c'est dans l'intérêt propre de Chris d'avoir quelques mois devant lui avant son procès.

— Des mois ? chuchota Gus.

— Oui, des mois, répéta l'avocat sans s'émouvoir. Je ne ferai rien pour avancer la date du procès... le temps pendant lequel il attendra correspond au temps qu'il me faudra pour préparer sa défense.

— Vous voulez dire que mon fils va vivre pendant des mois avec des criminels ?

— Il sera mêlé à la population ordinaire de la prison, et je suis sûr que sa bonne conduite lui permettra d'être mis en moyenne sécurité. Il n'est pas mélangé avec des condamnés qui purgent leur peine, il est avec des gens qui attendent leur procès tout comme lui.

— Oh, s'étrangla Gus, vous voulez dire avec l'homme qui a violé la petite fille de douze ans ou avec celui qui a assassiné le pompiste pour le voler, ou n'importe lequel des bons citoyens qui ont été mis en accusation ce matin !

— Gus, rétorqua calmement l'avocat, n'importe lequel de ces hommes peut très bien avoir été accusé à tort comme vous croyez que l'est votre fils...

— Arrêtez ! s'exclama Gus en se levant si brusquement qu'elle se cogna contre sa chaise. Vous les avez vus ! Vous osez les comparer à Chris ?

Jordan avait défendu suffisamment de clients bien sous tous rapports à l'extérieur et parfaitement coupables à l'intérieur pour ne pas se fier aux apparences. Il songea à son assassin BCBG, aux frères Menendez, à John Du Pont... tous riches, tous charmants... Mais il se contenta de répondre :

— Le temps passera beaucoup plus vite que vous ne l'imaginez.

— Pour vous ! riposta Gus. Pas pour Chris. Comment va-t-il se sortir de ça ? Il y a une semaine, il a voulu se suicider...

— Nous pouvons obtenir que son psy vienne le voir à Grafton, proposa Jordan.

— Et ses études ?

— On pourra se débrouiller pour organiser quelque chose.

Il regarda James qui observait sa femme de loin, caché derrière ses propres angoisses. Jordan connaissait cette expression. Loin d'être du désintérêt, elle trahissait l'appréhension de se laisser aller à donner des signes d'émotion qui risqueraient de faire craquer son masque et de l'anéantir.

— Excusez-moi, dit James d'une voix enrouée.

Sur ce, il sortit de la cafétéria.

Gus, maintenant assise au fond de sa chaise en tailleur, serra ses genoux dans ses bras.

— Il faut que je le voie. Il faut que j'aille le voir, fit-elle.

— Oui, vous pouvez le faire, il y a des heures de visite hebdomadaires... Écoutez, Gus, je vais étudier toutes les possibilités de tirer Chris de là. Je veux que vous me croyiez.

Gus hocha la tête.

— OK.

— OK, répéta Jordan. Et maintenant, je vous emmène ?

Gus secoua la tête.

— Non, je vais rester encore un peu, répondit-elle en se balançant sur sa chaise.

— Bon. Très bien, dit l'avocat en se levant. Je vous appelle dès que j'ai des informations.

Gus hocha la tête d'un air absent, les yeux rivés sur la table. Sa voix, lorsqu'elle parvint jusqu'à Jordan, était si faible qu'il crut d'abord avoir rêvé. Il se retourna et vit qu'elle le regardait fixement :

— Est-ce que Chris sait ? demanda-t-elle.

Il comprit qu'elle lui demandait si son fils avait appris qu'il resterait en prison pendant plusieurs mois. Mais Jordan comprit aussi la question au premier degré.

Est-ce que Chris sait ?

Il se dit que, peut-être, Chris était la seule personne à savoir.

L'huissier avait emmené Mélanie dans le couloir, à quelque distance de la salle du tribunal. Il lui était bien égal d'avoir été expulsée pour s'être donnée en spectacle. Ce n'était pas délibéré de sa part, mais les mots lui avaient échappé. Ils étaient sortis d'elle, tout simplement. La première fois qu'elle avait parlé, elle avait senti quelque chose céder dans sa poitrine, comme cède le ressort d'une vieille montre trop remontée. La deuxième fois, elle avait été mue par le sentiment de toute-puissance que procure la certitude de détenir la vérité... Comme durant ces quelques minutes qui avaient suivi son accouchement, pendant lesquelles elle s'était sentie à la fois épuisée et capable de soulever des montagnes. La vue de Chris, dans la salle du tribunal, ne lui avait pas fait mal. Au contraire, elle avait vu ses menottes, vu les taches rouges provoquées par le frottement contre sa peau nue, et elle avait pensé : « C'est très bien. »

Appuyée contre le mur de briques, elle attendait la fin de l'audience pour que Michael lui raconte ce qui s'était passé. Elle renversa la tête et ferma les yeux. Un jeune homme portant une veste de peau s'approcha et s'arrêta à quelques centimètres d'elle. Il sortit un paquet de Camel de sa poche intérieure et le lui tendit.

Mélanie n'avait pas fumé depuis 1973. Elle prit une cigarette.

— Merci, dit-elle en souriant.

— Vous aviez l'air d'avoir besoin d'un remontant.

Un remontant. C'était bien vrai. Ou, plutôt, d'une réparation complète.

— Je vous ai vue à l'intérieur, dit l'homme en lui tendant la main. Lou Ballard, ajouta-t-il.

— Mélanie Gold.

— Gold, répéta Lou à voix basse. Vous êtes sans doute la mère de la victime.

Mélanie hocha la tête.

— C'est ce qui explique pourquoi je suis venue ici.

— Je suis reporter indépendant pour le *Grafton County Gazette*.

Mélanie haussa les sourcils et inspira une bouffée de sa cigarette.

— Vous faites la chronique judiciaire ?

— Exact. (Il rit.) Je suis sûr que vous avez vu ma prose cachée en page 18, juste après la météo.

Mélanie écrasa sa cigarette sous son talon.

— Est-ce que le juge a statué ? demanda-t-elle.

— La caution a été refusée.

Elle souffla.

— Ouf ! fit-elle doucement, se sentant soudain si légère qu'elle avait l'impression de planer au-dessus du sol. Je crois que j'ai besoin d'une autre cigarette.

Lou farfouilla dans sa veste.

— Si on passait un marché ? Moi, je vous donne mes cigarettes, et vous, vous me donnez une histoire qui fera la une.

Chris retourna dans la salle d'incarcération de la prison, où on lui fit remettre une combinaison. Un gardien le ramena dans l'unité où il avait passé la nuit. La télévision était toujours allumée, et deux nouveaux étaient arrivés entre-temps. L'un d'eux, qui avait l'air complètement ivre, était en train de vomir dans les toilettes de la cellule de Chris.

Dégoûté par le bruit et par l'odeur, le jeune homme alla se réfugier sur le matelas où il avait dormi la nuit précédente.

Il passa quelques minutes roulé en boule, puis dit :

— Je veux rentrer chez moi.

Le type bourré le regarda avec des yeux bouffis.

— Je veux rentrer chez moi ! répéta Chris.

Il se leva, sortit et marcha jusqu'à l'extrémité de l'unité, où le gardien se tenait derrière une porte de métal fermée à clé. Comme la porte d'une cage ! Alors, il n'était plus qu'un animal, maintenant ? Il se cramponna aux barreaux et se mit à les secouer.

Le gardien le regarda. Les autres détenus l'ignorèrent. Quelques-uns ricanèrent. Chris se remit à secouer les barreaux, de plus en plus fort, à en avoir mal aux mains. Puis il tomba à genoux et resta ainsi un long moment.

Il se leva. Les yeux secs, il passa devant sa cellule et alla s'installer devant la télévision, juste derrière l'homme aux yeux noirs. Personne ne lui adressa la parole. Personne ne sembla même avoir remarqué le cirque qu'il venait de faire. Ils passaient une série, *Sally, Jessy et Raphaël*. Chris ouvrit grand les yeux et les garda fixés sur l'écran jusqu'au moment où il ne vit plus rien du tout.

HIER

Avril 1996

« Nageurs, à vos marques. »

Emily, qui était assise sur le bord de son siège parmi les spectateurs, se pencha pour ne pas perdre une miette de la compétition. Elle vit Chris faire claquer deux fois l'élastique de ses lunettes, pour attirer la chance, et secouer ses bras et ses jambes. Puis il accrocha ses orteils au bord du plot de départ. Quand il se pencha en avant, il tourna la tête et découvrit aussitôt le visage d'Emily dans un océan d'autres visages. Il lui fit signe.

Il y eut un bourdonnement, et il entra dans l'eau comme un boulet, disparut sous la surface et émergea ensuite au milieu de la piscine. Ses larges épaules et ses bras puissants brassèrent l'eau comme les ailes d'un moulin, il atteignit la marque des cinquante mètres avant tous les autres.

Il se retourna, la plante de ses pieds lançant un bref reflet argenté, et s'élança dans l'autre sens.

Le gymnase tremblait sous les cris des élèves. Emily se prit à sourire. Chris atteignit le mur dans un tonnerre d'applaudissements. L'élève qui commentait la rencontre annonça son temps.

— Il a amélioré sa performance, hurla-t-il, et c'est un nouveau record pour l'école en cent mètres papillon !

Chris se hissa hors de l'eau, le souffle court. Un large sourire lui barrait le visage. Emily se leva et se fraya un chemin parmi les spectateurs pour aller rejoindre son amoureux, qui l'enlaça et enfouit son visage dans son cou.

Elle sentit les battements de son cœur et sa respiration haletante. Elle sentit aussi les regards des autres posés sur eux. Elle était très fière que tout le monde sache qu'elle était sa petite amie. C'était l'un des côtés agréables de la chose.

Malheureusement, il y avait d'autres côtés qu'elle détestait.

Carlos Creighton, qui était presque aussi célèbre en brasse que Chris en papillon, occupait le vestiaire voisin du sien.

— Jolie performance, dit-il pour le féliciter, au moment où Chris émergeait d'une serviette, les cheveux dressés sur la tête.

— Merci. Toi aussi.

Carlos haussa les épaules.

— J'aurais sûrement été meilleur si j'avais eu une petite amie comme la tienne pour m'attendre à la fin!

Chris eut un sourire contraint. Tout le monde savait qu'il sortait avec Emily depuis trois ans déjà, mais le problème, c'était que cela conduisait les gens à s'imaginer des choses. Pour eux, il était clair qu'Emily couchait, car autrement Chris ne serait pas resté avec elle tout ce temps-là.

Mais s'il remettait Carlos à sa place, il passerait pour un con.

— À mon avis, tu vas bien t'amuser ce soir, dit Carlos.

Chris passa sa chemise.

— Qui sait? dit-il, d'un ton assez détaché pour paraître modeste.

— Bon, quand elle t'aura assez vu, tu me donneras son numéro de téléphone!

Chris finit de se rhabiller et mit son sac à dos sur ses épaules.

— J'espère que tu n'es pas trop pressé, répondit-il.

Emily savait que ses liens avec Chris étaient très différents des relations qu'entretenaient entre eux la plupart des adolescents du collège. Pour commencer, ce n'était pas un feu de paille : elle le connaissait depuis toujours. Ensuite, c'était de l'amour véritable, et pas une simple amourette : Chris était pratiquement un membre de sa famille.

Voilà pourquoi Emily ne comprenait pas ce qui se passait en elle.

Lorsqu'ils avaient commencé à sortir ensemble, deux ans auparavant, l'expérience lui avait semblé exceptionnelle. Pouvait-on rêver mieux que de découvrir l'amour avec son meilleur ami ? Malheureusement, à partir de ce moment, quelque chose avait changé en elle. Lorsque Chris promenait ses mains sur son corps, elle les enlevait. Au début, c'était par peur ; la peur avait été remplacée ensuite par la curiosité. Le problème, c'était que la curiosité avait fait place à autre chose encore.

Em ne connaissait pas l'amour, mais elle savait bien qu'au contact de Chris sa peau n'aurait pas dû se contracter, son estomac se serrer, sa tête lui dire que ce n'était pas bien. Chaque fois que son corps la trahissait ainsi, elle était embarrassée. Une chose était sûre, c'était que Chris l'aimait ; et bien sûr, il avait envie de faire l'amour avec elle. Et c'était sûrement une bonne chose... N'avait-elle pas entendu son nom associé à celui de Chris avant même d'avoir prononcé sa première phrase ? L'idée même de se livrer de manière aussi intime à quelqu'un d'autre que Chris ne lui était jamais venue à l'esprit. Malheureusement, elle n'arrivait pas à se livrer de manière aussi intime à Chris non plus.

Il se fâchait quand elle le repoussait. Un jour, il l'avait traitée d'allumeuse. Mais elle ne répondait pas, de peur qu'il lui demande la raison de son attitude. Et elle ne voulait pas le blesser en lui disant la vérité.

Après un dernier coup de brosse brutal dans ses cheveux, elle tourna le dos au miroir de sa chambre. Le dîner avait été calme : son père était parti en visite et sa mère avait été absorbée par les informations. Elle jeta sa brosse sur son lit et ramassa ses livres de maths.

— Où est-ce que tu vas comme ça, alors que tu vas en classe demain ? lui demanda sa mère en la voyant apparaître dans la cuisine, revêtue de son manteau.

— Chez Chris, pour travailler.

— Ah ! bon, d'accord, fit Mélanie en appuyant sur quelques boutons du lave-vaisselle, qui se mit à bourdonner. Appelle quand tu voudras rentrer. Je n'aime pas que tu traverses le bois toute seule la nuit.

Emily hocha la tête et remonta sa fermeture éclair. Sa mère posa une main sur son épaule :

— Tout va bien ?

— Ben oui !

Elle regarda sa mère droit dans les yeux, en quête d'explications qu'elle ne parvenait pas à trouver elle-même.

— Si c'était quelqu'un d'autre que Chris, est-ce que tu me laisserais partir ?

Mélanie caressa les cheveux de sa fille.

— Sans doute que non, répondit-elle en souriant. Mais pourquoi parler de choses qui n'arriveront pas ?

Pendant quelques instants, ils restèrent sur le seuil de sa chambre, en proie tous deux à une légère appréhension.

Chris avala sa salive. Il n'avait jamais remarqué que cette chambre contenait si peu de meubles. La commode, le petit bureau, et ce lit...

— On peut peut-être s'asseoir par terre ? proposa-t-il.

Soulagée, Emily s'exécuta et se mit aussitôt à éparpiller ses notes.

— À mon avis, McCarthy veut nous mettre à l'épreuve. Donc, je crois qu'on pourrait arriver à bout de...

Elle s'arrêta, car Chris s'était penché sur elle et l'embrassait.

— Tu sais qu'on est là pour travailler ? chuchota-t-elle.

— Je sais. Mais il fallait que je le fasse.

Emily fit la moue.

— Ah bon, il fallait !

— Oui, tu ne peux pas savoir à quel point j'en avais envie.

Il se mit derrière elle et épousa les lignes de son corps, tout en posant une main protectrice sur sa taille.

Ça, elle aimait ! Être contre Chris, qu'il la tienne bien serrée, qu'ils soient unis. C'était le reste qui la mettait dans tous ses états.

Elle se pencha sur une page de graphiques en se tortillant parce qu'elle sentait les dents de Chris mordiller sa nuque. Cela lui rappela la courbe du sinus de son devoir : une moitié inclinée vers l'avant, l'autre moitié partant vers l'arrière.

Se mettre par terre. Cela lui avait paru une bonne idée. L'ascèse monacale. Mais Emily s'était couchée sur le côté, ce qui rendait les courbes de son corps plus apparentes. C'était étonnant, tout de même : comment pouvait-elle lui être à la fois si proche et si mystérieuse ?

Il n'avait pas oublié ce que lui avait dit Carlos. Tout le monde sur cette planète était convaincu qu'ils couchaient ensemble... Il était pratiquement établi qu'ils se marieraient un jour, alors, qu'est-ce que ça pouvait faire ? Mais s'il avait envie d'être avec elle, ce n'était pas uniquement pour cette raison, elle le savait bien, tout de même !

Elle le laissait l'embrasser. Parfois, elle lui laissait glisser une main sous sa chemise. Il n'avait jamais fait aucune tentative sous sa taille. Et elle, de son côté, non plus.

Chris se colla un peu plus contre Emily et l'embrassa dans le cou. Elle se tortilla de plus belle :

— On ne va pas travailler beaucoup comme ça !

Il secoua la tête.

— J'ai travaillé hier soir, avoua-t-il.

— Eh bien, c'est parfait ! marmonna-t-elle en se retournant pour lui faire face. Et moi, qu'est-ce que je vais faire ?

« Tu travailleras demain », voulut-il répondre. Mais avant même de comprendre ce qu'il faisait, il saisit le poignet de la jeune fille et l'appuya entre ses jambes.

— Tu vas me toucher, dit-il.

La main d'Emily s'arrondit sur lui pendant quelques instants. Chris ferma les yeux et se laissa emporter. Mais la jeune fille se releva brusquement en tremblant.

— Je… je… ne peux pas, chuchota-t-elle en détournant la tête.

Stupéfait, Chris se mit à genoux. Est-ce qu'elle pleurait ?

— Em, dit-il doucement, excuse-moi.

N'osant plus la toucher, il tendit les bras. Elle le regarda avec des yeux agrandis et humides. Elle hésita, puis vint se blottir contre lui.

— C'est l'époque de l'année que je préfère, décréta Gus.

Elle était assise sur la véranda, chez Mélanie, et elle buvait de la limonade. La tiédeur de l'air inhabituelle, pour la saison, avait chassé les dernières neiges de l'hiver.

— Pas de mouches, pas de moustiques, pas de neige, précisa-t-elle.

— Mais de la boue, répliqua Mélanie, les yeux au loin. Des tas de boue.

— J'aime assez la boue. Tu te souviens de l'époque où on laissait Em et Chris se rouler dedans comme des petits cochons ?

Mélanie rit :

— Je me souviens surtout du temps que je passais à nettoyer la baignoire !

Les deux femmes laissèrent leur regard errer sur l'allée.

— C'était le bon vieux temps, soupira Mélanie.

— Oh, je ne sais pas… Ils jouent toujours ensemble, mais plus aux mêmes jeux.

Gus prit une gorgée de limonade et ajouta :

— Je les ai surpris dans la chambre de Chris, l'autre soir.

— Qu'est-ce qu'ils faisaient ?

— Je crois qu'en fait, ils ne faisaient rien.

— Comment le sais-tu ?

— Je le sais, c'est tout. Tu ne crois pas, toi ?

— Je n'en suis pas aussi sûre que toi.

— Bon. Et s'ils font quelque chose, quelle importance ? De toute façon, ils finiront bien par faire l'amour un jour.

— D'accord, répondit Mélanie, mais ils ne sont pas obligés de le faire à quinze ans.

— Seize.

— Non, quinze. Chris a seize ans, mais Em en a quinze.

— Quinze ans de maturité.

— Quinze ans de féminité.

Gus reposa son verre.

— Qu'est-ce que ça change ?

— Tout. Attends que ce soit au tour de Kate.

— Eh bien, je partirai du principe, comme pour Chris actuellement, que Kate sera assez grande et assez intelligente pour prendre les bonnes décisions.

— Oh non ! Tu voudras qu'elle reste ta petite fille le plus longtemps possible.

Gus éclata de rire.

— Emily restera toujours ta petite fille.

Mélanie se déplaça sur sa chaise :

Tu te souviens comment ça s'est passé pour toi, après la première fois ? En ce moment, Emily est à moi, mais après, elle sera à Chris.

Gus ne dit rien pendant quelques instants, puis répondit doucement :

— Tu te trompes. Même maintenant, Emily est déjà à Chris.

Au printemps précédent, Chris avait commencé à travailler aux Ombrages, une petite aire de jeu qui n'était pas ombragée du tout... Les installations étaient composées d'une pieuvre en plastique sur laquelle grimpaient les enfants, d'un bac à sable et d'un vieux manège qui coûtait vingt-cinq cents le tour.

Chris s'occupait du manège. C'était un travail simple et répétitif, qui consistait à ramasser les pièces, installer les enfants sur les chevaux, vérifier les ceintures de sécurité, pousser le bouton pour mettre le moteur en route, puis attendre la fin de l'air qui annonçait la fin du tour. Il aimait l'odeur de bonbon dégagée par les bambins qu'il attachait sur les selles, il aimait s'occuper d'eux et les aider à détacher leur ceinture et se glisser en bas de leur monture. À la fin de la journée, il aimait passer un chiffon sur les chevaux qui le regardaient de leurs yeux ronds et figés.

Cette année, le propriétaire lui avait remis une clé.

On était vendredi et il faisait exceptionnellement chaud pour un soir d'avril. Ils étaient allés voir un film ensemble, mais il était encore tôt et Chris n'avait pas envie de rentrer. Après avoir roulé quelque temps sans but, il était venu se garer sur le stationnement de l'aire de jeu.

Le visage d'Emily s'éclaira :

— Super, je vais faire un tour de balançoire !

Elle sortit de la voiture et courut à travers la boue. Chris eut à peine le temps de la rejoindre que, déjà, elle se balançait dans les airs, le visage renversé vers le ciel. Elle l'appela, mais il se dirigea vers l'autre côté et, bientôt, les chevaux se mirent à tourner à la lueur de la lune.

Ravie, Emily descendit de sa balançoire et courut vers lui.

— Quand est-ce qu'ils t'ont donné la clé ?

— Le week-end dernier.

— Oh, c'est chouette ! Je peux y aller ?

Il l'attrapa par la taille et la hissa près de son cheval blanc préféré.

— Je t'en prie ! dit-il.

La jeune fille grimpa sur le cheval de bois. Après le premier tour de manège, elle tendit la main vers son compagnon.

— Viens avec moi !

Il choisit le cheval voisin du sien, mais, à peine installé, il comprit son erreur : quand Emily était en haut, il était en bas et vice versa. Il se pencha vers elle et, lorsque les chevaux furent au même niveau, il embrassa sa joue. La jeune fille rit, puis l'embrassa à son tour, renversée en arrière.

Il se glissa à bas de son cheval et lui tendit les bras. Ils se retrouvèrent couchés sur les épaisses planches peintes de couleurs vives. Emily avait fermé les yeux, la tête pleine de musique. Chris passa ses mains sous sa chemise.

Que c'était bon ! Ferme et doux à la fois. Et elle sentait la pêche. Chris mit sa tête contre la courbe de sa nuque et la lécha, sûr de retrouver le goût du fruit. Il entendit Emily émettre un bruit de gorge et il crut qu'elle éprouvait autant de plaisir que lui.

Il glissa sa main dans son jean et ses doigts rencontrèrent sa fourrure soyeuse. Retenant son souffle, il descendit encore.

— Arrête ! gémit-elle. Chris, arrête !

Mais il n'arrêta pas. Au désespoir, elle lui administra un bon coup de poing sur l'oreille.

Chris, sonné, retomba en arrière. Elle le regarda un instant en secouant la tête, puis elle se leva et descendit du manège, laissant le jeune homme stupéfait.

Au cinéma, dans ce genre de situation, l'héroïne parvenait toujours à rentrer chez elle d'une façon ou d'une autre... Emily se dit que, dans la vie réelle, la pire des humiliations était de repousser son copain, puis de faire appel à lui pour qu'il vous ramène à la maison.

Elle sentit Chris grimper sur le siège à côté d'elle ; elle garda la tête tournée de l'autre côté jusqu'à ce que le plafonnier s'éteigne. Mais elle n'avait pas besoin de le regarder pour savoir que ses mâchoires étaient crispées.

Un instant, elle pensa se blottir contre lui, dans l'espoir de le voir se radoucir. Puis elle murmura :

— Peut-être qu'il vaudrait mieux ne pas se voir pendant quelque temps.

Chris mit le moteur en route et acquiesça d'un mouvement de tête.

La réputation de Donna DeFelice n'était plus à faire. Tout en elle était extraordinaire : ses cheveux d'or, ses seins gros comme des pamplemousses, ses qualités de *cheerleader*.

Cela faisait deux ans qu'elle faisait comprendre à Chris que s'il avait envie, elle était d'accord. Finalement, poussé à bout par Emily, il s'était décidé à répondre à ses avances.

On n'y voyait rien dans la voiture, et la buée recouvrait les vitres. Ils étaient sur le siège arrière. Donna se tortillait sous lui.

Il n'avait même pas eu à l'emmener dîner. Sur le trajet du restaurant, elle avait posé la main sur sa jambe et lui avait demandé de quoi il avait faim au juste.

Et à présent, elle était entièrement, remarquablement nue, et sa main l'enveloppait. Elle était loin de se douter que c'était pour lui la première fois.

À la faible lueur du tableau de bord, le buste de Donna se teintait d'un vert lumineux et magique. Ses yeux rétrécis ne formaient plus que deux fentes et sa bouche s'arrondissait en prononçant le nom de Chris... Le seul problème, c'était qu'elle n'était pas Emily.

— Oh, gémit-elle, donne-le-moi maintenant.

Elle le fit entrer en elle.

« Un mouvement, et ça y est ! » se dit-il. Mais, à sa grande surprise, il n'était pas aussi prêt qu'il l'avait supposé... Il eut l'impression d'être tapi dans un angle de la voiture et de s'observer lui-même, il vit Donna se cabrer sous lui comme un animal.

Quand ce fut fini, elle le repoussa et remit ses sous-vêtements. Puis elle se blottit sous son bras. Elle n'était pas du tout à sa place...

— C'était quelque chose, souffla-t-elle, non ?

— Oui, c'était quelque chose, confirma Chris.

Les yeux fixés sur le pare-brise, il se demanda comment il avait pu être assez stupide pour penser pendant tout ce temps que c'était de sexe qu'il avait envie, alors que c'était d'Emily qu'il avait envie.

Pendant toute la journée, Emily s'était cachée dans les couloirs du collège, et réfugiée dans les toilettes pour dissimuler ses larmes. Mais partout où elle allait, elle entendait les gens parler de la façon dont Chris Harte se promenait en serrant amoureusement Donna DeFelice contre lui. En sixième heure, alors qu'elle se rendait au cours de trigonométrie, elle surprit Chris penché au-dessus de Donna sur un banc devant la porte de la classe. C'en fut trop pour elle. Elle demanda à Mme McCarthy la permission de se rendre à l'infirmerie, où elle n'eut aucune difficulté à faire constater qu'elle ne se sentait pas bien. Elle ne souffrait pas de la gorge, elle n'avait pas de fièvre, mais la douleur n'était pas moins forte quand on avait le cœur brisé.

Lorsque sa mère vint la chercher en voiture, elle s'avachit sur le siège du passager et tourna la tête. Elle monta ensuite dans sa chambre et se pelotonna sous ses couvertures. Elle resta ainsi jusqu'à la nuit.

La Jeep de Chris partit à six heures et quart. Emily suivit des yeux la lumière des phares jusqu'à ce qu'elle ait disparu. Elle voyait très bien où Chris pouvait emmener Donna DeFelice un vendredi soir. Pas la peine de se creuser la cervelle pour imaginer à quelle activité ils se livreraient.

Dégoûtée d'elle-même, elle s'assit à son bureau et essaya de se concentrer sur le devoir d'anglais qu'elle avait à remettre pour le lundi. Mais en vain. Les yeux fixés sur les mots qu'elle ne lisait même pas, elle se contenta de jouer avec le trombone qui attachait ses feuilles et le tordit tant et si bien qu'il se cassa.

À onze heures, Chris n'était toujours pas revenu.

Mélanie frappa à sa porte et entra.

— Comment te sens-tu, ma chérie ? lui demanda-t-elle en s'asseyant sur son lit.

Emily tourna la tête vers le mur.

— Pas bien, dit-elle d'une voix enrouée.

— On peut aller voir le médecin demain matin, proposa sa mère.

— Non... ce n'est pas ça. Je ne suis pas malade. Je... j'ai juste envie de rester ici pendant un certain temps.

— Est-ce que ça a un rapport avec Chris ?

Surprise, Emily se retourna brusquement vers sa mère.

— Qui te l'a dit ?

Mélanie éclata de rire.

— Pas la peine d'avoir fait de longues études pour remarquer que vous ne vous êtes pas vus de toute la semaine.

Emily passa sa main dans ses cheveux.

— On s'est disputés, avoua-t-elle.

— Et ?

Et quoi ? Elle n'allait certainement pas lui raconter pourquoi ils s'étaient disputés.

— Et je crois que je l'ai fâché assez pour qu'il ne veuille plus me voir. (Elle poussa un gros soupir.) Maman, qu'est-ce que je peux faire pour qu'il revienne ?

Mélanie parut stupéfaite.

— Mais tu n'as rien à faire ! Il va revenir.

— Comment le sais-tu ?

— Parce que vous êtes les deux moitiés d'un tout, déclara Mélanie en embrassant sa fille sur le front, avant de quitter la pièce.

Emily se rendit compte tout à coup qu'elle tenait toujours le trombone cassé dans sa main. Obéissant à une curieuse impulsion, elle l'enfonça dans sa peau. Le trait rouge se fit plus brillant lorsqu'elle le passa une deuxième fois, puis une troisième. Elle creusa encore et encore, jusqu'à ce que le sang jaillisse, jusqu'à ce que les initiales de Chris soient assez profondément gravées dans son bras pour y laisser une cicatrice.

Chris rentra peu après une heure du matin. Emily l'observa depuis la fenêtre de sa chambre ; il alluma les lumières les unes après les autres. Au moment où il pénétra dans sa chambre pour se coucher, Emily avait déjà passé un chandail sur sa chemise de nuit et chaussé de souliers de sport.

La terre était humide et meuble, et les aiguilles de pin qui avaient séjourné sous la neige faisaient *floc-floc* sous ses pieds. La fenêtre de Chris était au-dessus de celle de la cuisine. Emily ramassa un petit branchage et l'envoya dans la vitre, chose qu'elle n'avait pas faite depuis des années. La petite branche atterrit avec un léger bruit et retomba vers elle. Elle la ramassa et la renvoya.

Cette fois-ci, une lampe de chevet s'alluma et le visage de Chris apparut à la fenêtre. À la vue d'Emily, il ouvrit et passa la tête.

— Qu'est-ce que tu fais ? Attends, j'arrive !

Quelques secondes plus tard, il ouvrait la porte de la cuisine.

— Qu'est-ce qui se passe ? fit-il.

Elle avait imaginé ces retrouvailles sous plusieurs formes, mais elle n'avait jamais envisagé qu'il pourrait être en colère. Plein de remords, peut-être, content... Mais pas avec ce regard furieux.

— Je suis venue te demander si ta soirée s'est bien passée, dit-elle d'une voix tremblante.

Chris poussa un juron et se passa la main sur la figure.

— Je n'ai pas besoin de ça. C'est pas le moment.

Sur ce, il tourna les talons et s'apprêta à rentrer.

— Attends ! cria la jeune fille.

Elle avait la gorge nouée, mais elle releva le menton et croisa fermement les bras sur sa poitrine pour éviter de trembler.

— J'ai... euh... j'ai un problème. J'ai rompu avec mon petit ami, tu sais. Et ça me fait beaucoup de peine, alors, j'avais envie d'en parler avec mon meilleur ami. L'ennui, c'est que tu es les deux.

— Emily ! murmura Chris en l'attirant contre lui.

Elle essaya de ne pas sentir l'odeur inconnue qui émanait de lui, un parfum mélangé à une odeur de graisse et de fruit trop mûr... Elle préféra savourer le bonheur de se retrouver de nouveau près de lui. Deux moitiés d'un tout.

Il l'embrassa sur le front, sur les paupières. Elle enfouit son visage dans sa chemise.

— Je ne peux pas le supporter, dit-elle, sans savoir exactement de quoi elle parlait.

Soudain, Chris attrapa son poignet :

— Mais tu saignes ! s'exclama-t-il.

— Je sais. Je me suis coupée.

— Avec quoi ?

Elle secoua la tête.

— Ce n'est rien.

Mais elle laissa Chris la conduire dans la cuisine et la faire asseoir pendant qu'il cherchait un pansement. S'il remarqua que c'étaient ses initiales qui se trouvaient sur son bras, il fut assez avisé pour ne rien dire. Elle ferma les yeux pendant qu'il la touchait avec la plus grande douceur, et alors commença à guérir.

AUJOURD'HUI

Décembre 1997

Chris disposait de dix mètres carrés pour lui.

Le gris bizarre des murs absorbait toute la lumière. La couchette du bas était équipée d'un oreiller et d'un matelas de plastique, et d'une couverture. À côté, un WC et un lavabo. Sa cellule, prise en sandwich entre deux autres, formait avec elles un ensemble pareil à une rangée de dents étroitement serrées. Lorsque les portes à barreaux étaient ouvertes – la plupart du temps dans la journée, excepté pendant les heures de repas –, Chris pouvait sortir sur l'étroite promenade qui courait le long de l'unité. À l'une des extrémités se trouvaient une douche et un téléphone d'où il pouvait appeler à frais virés. À l'autre bout trônait la télévision.

Chris apprit beaucoup de choses durant cette première journée, sans même avoir à poser de questions. Il découvrit que dès l'instant où vous étiez mis en prison, on faisait table rase de votre personnalité antérieure. L'endroit où vous atterrissiez – du quartier de sécurité jusqu'à la position de votre couchette – n'était pas fonction du délit dont vous étiez accusé, mais de votre comportement une fois à l'intérieur de la prison. Par bonheur, une nouvelle répartition avait lieu tous les mardis, et on pouvait faire une demande de changement. Mais, malheureusement, aujourd'hui on était jeudi.

Chris décida de passer les jours à venir sans parler à qui que ce soit. Ainsi, le mardi suivant, il serait sûrement transféré du quartier de haute sécurité à celui de moyenne sécurité.

Il avait entendu dire que, là-haut, les murs étaient jaunes. Il venait de finir un repas servi sur un plateau de plastique lorsque deux détenus se présentèrent à sa porte.

— Dis donc, dit l'un d'eux (l'homme à qui il avait parlé la veille), c'est quoi ton nom ?

— Chris, répondit-il. Et toi ?

— Hector. Et lui, il s'appelle Damon.

L'autre, un homme aux longs cheveux graisseux, hocha la tête.

— Tu m'as pas dit pourquoi t'es là, poursuivit Hector.

— Ils pensent que j'ai tué ma petite amie, grommela Chris.

Les deux hommes échangèrent un regard :

— C'est pas la drogue ? fit Damon. Je t'avais pris pour un dealer.

L'homme aux petits yeux noirs se gratta le dos contre les barreaux. Il portait un caleçon court et un T-shirt, ainsi que des tongs.

— Avec quoi tu l'as fait ? demanda-t-il.

Devant le regard ahuri de Chris, il précisa :

— Un couteau ? un pétard ?

— Je n'ai pas envie de parler de ça, répondit Chris en donnant un coup d'épaule à Damon pour passer.

Mais l'homme posa sur lui une large main et, au même moment, Hector lui appuya un couteau de fortune, fabriqué avec une lame de rasoir, contre les côtes.

— Peut-être que moi, si ! précisa-t-il.

Chris avala sa salive et recula. Hector remit le couteau dans son T-shirt.

— Écoutez, proposa prudemment le jeune homme, on va essayer d'agir rationnellement...

— *Rationnellement* ! répéta Damon. Dis donc, tu causes bien !

L'homme aux yeux noirs grogna :

— T'as l'air d'un petit merdeux d'étudiant. T'es un étudiant ?

— Je suis au collège.

Cette nouvelle parut réjouir Hector.

— En tout cas, maintenant, l'étudiant, t'es en-dedans!

Il se mit à taper contre les barreaux en criant :

— Hé, les mecs! On a un génie avec nous!... Dis donc, l'étudiant, si t'es si malin, comment ça se fait que tu t'es fait prendre?

Chris fut dispensé de répondre grâce à un gardien qui vint annoncer :

— Y a des amateurs pour la salle de gym?

Il se leva. Les deux autres, eux aussi, se dirigèrent vers la porte à l'autre bout de l'unité. Damon se retourna et chuchota :

— Crois pas que tu t'en sortiras comme ça, *man*.

Ils longèrent un couloir muni de caméras. Quelques hommes s'interpellèrent; c'était le seul moment de la journée où ils avaient un contact. Lorsqu'ils tournèrent à l'angle du couloir, Chris vit Damon planter son coude dans le dos d'un autre détenu. C'était l'espace aveugle entre deux caméras.

Juste avant la salle de gym, il y avait deux cellules d'isolement. On pouvait être envoyé en isolement pour deux raisons : de force, par mesure de rétorsion, ou sur demande, parce qu'on avait peur des autres détenus. Une seule de ces cellules était occupée. Les prisonniers passèrent devant en tapant dans la porte à grands renforts de hurlements. L'un d'eux se pencha pour cracher par l'ouverture.

La salle de gym était petite et peu équipée. Mais, comme pour tout le reste en prison, les équipements étaient attribués d'avance. Il n'y eut ni attente ni dispute lorsque deux grands Noirs grimpèrent sur les bicyclettes d'appartement, lorsque Hector et Damon prirent les raquettes de ping-pong, lorsqu'un grand gars avec une croix gammée tatouée sur la joue s'installa sur le *bench press*.

Il existait un ordre hiérarchique que Chris ne connaissait pas. Mais comment l'aurait-il connu? Ce n'était pas son milieu!

Il sortit dans la cour, un terrain boueux entouré de barbelés. Des hommes bavardaient par petits groupes en faisant des gestes avec leurs mains. D'autres tournaient en rond sans but. Chris s'approcha d'un homme appuyé contre la clôture et lui demanda sans préambule :

— Ce gars dans la cellule d'isolement, qu'est-ce qu'il a fait ?

L'homme haussa les épaules.

— Il a tué son bébé. Un salaud.

Chris regarda les barbelés, songeant au code de l'honneur dans la pègre.

Il appela chez lui à frais virés.

— Chris ?

— Maman, dit-il.

Il répéta ce mot, rien que ce mot, à plusieurs reprises, la tête appuyée contre l'appareil.

— Oh, mon chéri ! J'ai essayé de venir te voir, ils ne te l'ont pas dit ?

Chris ferma les yeux.

— Non.

— J'ai essayé... Mais ils m'ont dit qu'il n'y avait pas de visites avant samedi. J'y serai à la première heure. (Gus inspira profondément.) C'est une terrible erreur, tu sais. Jordan a eu le dossier d'instruction. Il va trouver une solution pour te sortir de là le plus tôt possible.

— Quand est-ce qu'il va venir me voir ?

— Je vais l'appeler pour lui demander. Est-ce que tu manges comme il faut ? Tu veux que je t'apporte quelque chose ?

Il réfléchit, ne sachant pas exactement ce qui était autorisé.

— De l'argent, répondit-il.

— Ne quitte pas, Chris, ton père veut te parler.

— Je... non. Il faut que j'y aille. Il y a quelqu'un qui attend le téléphone, mentit-il.

— Oh... très bien. Tu appelles quand tu veux, tu m'entends ? Peu importe combien ça coûte.

— OK, maman.

Soudain, une voix enregistrée annonça : « Cet appel est fait depuis la maison d'arrêt du comté. » Ils gardèrent le silence pendant quelques instants. Puis Gus prononça doucement :

— Je t'aime, mon chéri.

Chris avala sa salive, puis reposa le récepteur. Il resta là, la tête toujours appuyée contre l'appareil, jusqu'au moment où il sentit la dure pression d'un corps derrière le sien.

Damon se grattait le dos en lui soufflant dans la nuque.

— Alors, ta petite maman te manque, professeur ?

Il donna un coup de reins et vint coller son entrejambes contre Chris.

N'était-ce pas cela qu'il attendait depuis le début ?

N'était-ce pas cela qu'il redoutait ?

Chris pivota sur lui-même, prenant l'autre par surprise.

— Fous le camp ! proféra-t-il, ses yeux lançant des éclairs, avant de rentrer dans sa cellule.

Malgré les couvertures qu'il avait remontées sur sa tête, il entendit le rire de Damon.

Chris remercia Dieu de ne pas avoir de compagnon de cellule. Il vivait dans la terreur de voir surgir Damon, car, même si les gardiens contrôlaient à peu près la situation pendant la journée, qui pouvait savoir ce qu'ils avaient envie d'entendre la nuit ?

Il suivit les histoires de l'émission *Jours de notre vie*, et alla assister à une réunion des Alcooliques anonymes dans le seul but de sortir de l'unité.

Il remplit une fiche de commande qui lui rappela le service du petit déjeuner dans la chambre, à l'hôtel où ils étaient descendus au Canada, l'été précédent. Un pot de café coûtait cinq dollars vingt-cinq ; une barre chocolatée, soixante cents ; la paire de tongs, deux dollars.

Sa commande lui fut livrée dans l'après-midi par un gardien, pour un montant déductible de son compte.

Il dormait beaucoup et simulait le sommeil lorsqu'il n'était pas fatigué, de manière à rester tranquille. Et, alors que les autres s'agglutinaient ensemble dans la cour, il restait toujours seul.

Il y avait longtemps que Jordan avait cessé de croire en la vérité.

La vérité n'existait pas, du moins dans sa profession. Il existait uniquement des versions des faits. Et de toute façon, un procès ne reposait pas sur la vérité, mais sur les éléments que possédait la police et sur la façon dont on pouvait y répondre. Un bon avocat de la défense ne pensait pas à la vérité, il concentrait son argumentation sur ce que le jury serait appelé à entendre.

Il y avait des années que Jordan avait cessé de demander à ses clients de lui raconter la véritable histoire... Maintenant, il conservait un visage impénétrable et demandait simplement : « Que s'est-il passé ? »

Il se trouvait au poste de contrôle du QHS et attendait que le gardien ouvre le guichet, de façon qu'il puisse signer le registre des visites. Pour son premier entretien avec Chris après la séance de mise en accusation, il avait amené avec lui Selena Damascus, une superbe Noire d'un mètre quatre-vingt-un, détective privée de son état. Elle semblait plus faite pour les podiums des défilés de mode que pour exécuter les enquêtes de Jordan, mais cela ne l'avait pas empêchée de faire un sacré bon boulot depuis plusieurs années.

— Où est-ce qu'ils l'ont mis ? s'enquit Selena.

— Au QHS. Il n'y est que depuis deux jours.

Une lourde porte à barreaux se ferma à l'étage, et un gardien en uniforme descendit.

— Hé, Bill, le héla le gardien du poste de contrôle, dis à Harte que son avocat est là !

Une autre porte s'ouvrit avec un bruit caractéristique auquel Jordan ne parvenait pas à s'habituer malgré sa longue pratique, car il ressemblait à un coup de feu, et il entra dans la salle de réunion prévue pour les visites aux clients. Selena lui emboîta le pas comme une ombre et s'installa à ses côtés derrière la table. Elle se cala dans son siège et considéra le plafond.

— Elle est vraiment affreuse, cette prison ! jeta-t-elle. C'est ce que je me dis à chaque fois que je viens ici.

— C'est vrai, acquiesça Jordan. Ce n'est sûrement pas à cause du décor qu'elle est si fréquentée !

La porte s'ouvrit, Chris entra dans la pièce. Ses yeux allèrent de l'un à l'autre.

— Chris, dit Jordan en se levant, je vous présente Selena Damascus. C'est une détective privée qui va nous aider dans notre affaire.

— Écoutez, dit le jeune homme sans préambule. Il faut que je sorte d'ici.

L'avocat sortit un paquet de feuillets de sa serviette.

— Dans le plus optimiste des scénarios, c'est exactement ce qui va se passer, fit-il.

— Non, vous ne comprenez pas. Il faut que je sorte d'ici *maintenant.*

Étonné par le ton de Chris, Jordan le dévisagea. Il ne vit plus le garçon qui tremblait de peur, prêt à pleurer, dans les locaux de la police de Bainbridge. Celui-ci était remplacé par un être plus dur, plus fort, capable de cacher ses angoisses.

— Quel est exactement le problème ?

À ces mots, Chris explosa :

— Le problème ? Le problème ? Le problème, c'est que je passe mes journées assis sur mon cul, dans une cellule, en prison ! Normalement, je dois passer mon diplôme cette année. Normalement, je dois aller à l'université. Mais au lieu de ça, je suis bouclé dans une cage avec des... des criminels !

Jordan ne sourcilla pas.

— Le juge ne vous a pas accordé la liberté sous caution, ce n'est pas de chance. Et vous avez raison, ça signifie que vous êtes bouclé en prison jusqu'au procès, c'est-à-dire pendant six ou neuf mois. Mais ce n'est pas du temps perdu. Chaque minute que vous passez en cellule me permet de mieux préparer votre dossier pour vous libérer.

Il se pencha vers Chris et durcit le ton :

— Je vais mettre les choses au point. Ce n'est pas moi, l'ennemi. Ce n'est pas à cause de moi que vous avez atterri en prison. Moi, je suis l'avocat, et vous, vous êtes le client.

Et vous avez été inculpé de meurtre au premier degré, crime puni d'emprisonnement à perpétuité. Ça signifie, Chris, que votre vie est littéralement entre mes mains. Votre vie, vous la passerez en prison ou à Harvard, suivant que je réussirai ou non à vous sortir de là. Et ma réussite dépendra de votre collaboration. Ce que vous me direz à moi ou à Selena ne sortira pas de cette pièce. C'est moi qui vous dirai ce qu'il faut dire, et à qui. Et il faudra que je sache ce que j'ai besoin de savoir, et au moment où j'aurai besoin de le savoir. Compris ?

— Compris, répondit Chris sans détourner son regard.

— Très bien. Je vais vous expliquer où nous en sommes. Je vais prendre beaucoup de décisions, après consultation avec vous... mais il y a trois choses que vous êtes seul à pouvoir décider. La première, c'est d'accepter un arrangement ou d'aller au procès. La deuxième, si vous allez au procès, c'est de dire si vous souhaitez que ce procès ait lieu devant un juge seul, ou également devant un jury. Enfin, s'il y a procès, c'est d'aller à la barre ou non. Je vous donnerai le plus d'informations possible pour que vous puissiez prendre vos décisions en connaissance de cause, mais vous devrez faire vos choix pendant la préparation. Vous me suivez ?

Chris hocha la tête.

— OK, reprit Jordan. Le bureau du procureur général me donnera communication des pièces du dossier très bientôt. Quand je les aurai, je reviendrai vous voir et nous les étudierons en détail.

— Ça se passera quand ?

— Dans quinze jours environ, précisa l'avocat. Ensuite, dans cinq semaines environ, il y aura une séance préliminaire au procès. Avant de commencer, avez-vous d'autres questions ?

— Oui. Est-ce que je peux voir le Dr Feinstein ?

Jordan fronça légèrement les sourcils.

— Je ne crois pas que ce soit une bonne idée.

— Mais c'est un psychiatre !

— Il peut donc être appelé à comparaître. La relation confidentielle médecin-patient n'est pas toujours inviolable, spécialement quand on est soupçonné de meurtre. Si vous parlez à quelqu'un du crime, nous courons le risque que cela se retourne contre vous. Au fait... ne dites rien à personne en prison.

Chris grogna :

— Comme si je m'étais fait des tas de copains ici !

Jordan fit semblant de ne pas avoir entendu.

— Il y a des types ici qui sont là pour des affaires de drogue, qui en ont pour sept ans... Mais s'ils peuvent obtenir des informations sur vous et les utiliser, ils le feront. Les flics peuvent très bien vous mettre un dealer avec vous uniquement dans ce but.

— Et si le Dr Feinstein et moi, nous ne parlons pas de... ce qui s'est passé ?

— Et de quoi parlerez-vous, alors ?

— De trucs et d'autres...

L'avocat se pencha vers Chris :

— Si vous avez besoin de parler à quelqu'un, cette personne, ce sera moi. D'autres questions ?

— Oui. Est-ce que vous avez des enfants ?

Jordan n'en crut pas ses oreilles.

— Quoi ?

— Vous m'avez entendu.

— Je ne vois pas le rapport avec notre affaire.

— Il n'y en a pas, reconnut le jeune homme. C'est juste parce que si vous devez tout savoir de moi jusqu'à ce que tout soit terminé, j'ai pensé que ça serait pas mal pour moi de savoir quelque chose sur vous.

Jordan entendit Selena pouffer.

— J'ai un fils, dit-il. Il a treize ans. Bon, maintenant que les présentations sont terminées, je voudrais qu'on se mette au boulot. Aujourd'hui, je voudrais recueillir le plus de renseignements possible. Nous avons d'ailleurs besoin d'un accord signé de votre part pour que nous puissions avoir votre dossier médical. Est-ce que vous avez été hospitalisé ? Est-ce que vous avez des handicaps physiques ou mentaux qui vous rendraient incapable physiquement d'appuyer sur la gâchette ?

— La seule fois où j'ai été hospitalisé, c'était après ce soir-là... pour ma tête... et je me suis blessé en tombant dans les pommes. (Chris se mordit la lèvre.) D'autre part, je chasse depuis l'âge de huit ans.

— Où vous êtes-vous procuré le revolver, ce soir-là? demanda Selena.

— C'était celui de mon père. Il était dans le râtelier avec tous les fusils de chasse et les autres armes.

— Donc, vous êtes habitué aux armes à feu.

— Oui, oui...

— Qui a chargé le revolver?

— C'est moi.

— Avant de quitter la maison?

— Non, dit Chris en contemplant ses mains.

Jordan passa sa main dans ses cheveux.

— Pouvez-vous me donner le nom de personnes qui pourraient décrire votre mode de relation avec Emily?

— Mes parents. Ses parents. Tout le monde au collège, je pense.

Selena, qui prenait des notes, leva la tête :

— Et ces gens, qu'est-ce qu'ils nous diront, d'après vous?

Chris haussa les épaules.

— Qu'Emily et moi, on était... ensemble.

— Est-ce que ces personnes pourraient aussi avoir remarqué qu'Emily avait des tendances suicidaires? demanda la détective.

— Je ne sais pas. Elle le cachait bien.

— Nous allons donc devoir démontrer à un jury que vous aviez prévu de vous suicider ce soir-là. Aviez-vous consulté quelqu'un? Vu des conseillers psychologiques?

— Je voulais vous en parler... expliqua Chris en passant sa langue sur ses lèvres desséchées. Personne ne vous dira que j'envisageais de me suicider.

— Peut-être l'aviez-vous mentionné dans un journal? suggéra Selena. Dans une note que vous aviez écrite à Emily?

Chris secoua la tête.

— Le problème, c'est que je n'en avais pas envie. (Il s'éclaircit la voix.) De me suicider, précisa-t-il.

Jordan repoussa brutalement cet aveu.

— Nous parlerons de ça plus tard, dit-il.

Pour lui, mieux valait éviter de trop en savoir sur le crime d'un client. De cette façon, on pouvait assurer sa défense sans violer l'éthique.

Perplexe, Chris regarda alternativement l'avocat et la détective.

— Attendez, dit-il. Vous ne voulez pas savoir ce qui s'est réellement passé ?

Jordan tourna une page de son bloc.

— Non, pas vraiment, répondit-il.

Cet après-midi-là, on donna à Chris un compagnon de cellule. Peu de temps avant le dîner, il gisait sur son lit, roulé en boule et enveloppé de ses pensées, lorsqu'un gardien fit entrer un homme. Ce dernier portait une combinaison et des chaussures de sport, comme tout le monde, mais il émanait de lui quelque chose de différent. Quelque chose de lointain et de distant.

Il salua Chris de la tête et grimpa sur la couchette du dessus.

Hector s'approcha de la porte de la cellule :

— T'as eu envie de voir d'autres gueules que la tienne, *man* ?

— Fous le camp, Hector ! soupira l'homme sans se retourner.

— Ne me parle pas comme ça, sale...

— La bouffe ! hurla un gardien.

Hector retourna se faire enfermer dans sa cellule et l'homme descendit de sa couchette pour prendre son plateau. Chris, assis sur la couchette du dessous, se rendit compte qu'il n'avait pas d'autre endroit pour s'asseoir.

— Euh... tu peux t'asseoir là, dit-il en désignant l'autre bout de sa couchette.

— Merci.

L'homme découvrit son plateau. Un magma informe et tricolore était posé au milieu.

— Mon nom, c'est Steve Vernon.

— Chris Harte.

Steve hocha la tête et se mit à manger. Chris remarqua qu'il n'était pas beaucoup plus âgé que lui. Et tout aussi peu disposé à se mêler aux autres.

— Hé, Harte ! cria Hector depuis sa cellule. J'te conseille de dormir les yeux ouverts cette nuit. Les gosses sont pas en sécurité avec lui.

Chris jeta un regard à Steve, qui continuait à manger méthodiquement. C'était le type qui avait tué son bébé ?

Il se força à reporter son attention sur son assiette en essayant de se rappeler qu'un homme était innocent avant d'avoir été déclaré coupable. Il en était la preuve vivante.

Mais il ne put s'empêcher de se répéter ce qu'Hector lui avait confié en passant devant la cellule d'isolement : « Il a complètement pété les plombs. Au beau milieu de la nuit, il a attrapé son môme et il l'a secoué si fort pour qu'il arrête de pleurer qu'il lui a cassé la nuque. » Comment savoir ce qui pouvait déclencher une fureur pareille chez quelqu'un ?

Chris sentit son ventre se tordre. Il posa son assiette et voulut sortir afin de se rendre aux toilettes à l'autre bout du couloir. Mais la porte était fermée pour une demi-heure au moins, et, pour la première fois depuis son arrivée, il n'était pas seul dans sa cellule. La cuvette des WC était à quelques centimètres des genoux de Steve Vernon... Rouge de honte, il s'assit dessus en essayant de penser à autre chose.

Son compagnon retourna s'installer sur la couchette du haut, le visage tourné de l'autre côté, vers les barreaux, pour lui offrir le plus de dignité possible.

Le téléphone sonna au moment où Michael s'apprêtait à sortir en visite.

— Allô ? fit-il d'une voix impatiente.

Il commençait déjà à transpirer sous le poids de sa veste d'hiver.

— Oh, Mikey, lui dit sa cousine Phoebe, de Californie, la seule personne qui l'eût jamais appelé Mikey. Je voulais simplement te dire que j'ai beaucoup, beaucoup de peine pour toi.

Il n'avait jamais aimé Phoebe. C'était la fille de sa tante. Elle avait dû être prévenue par sa mère après l'enterrement, car lui n'avait averti aucun membre de sa famille de la mort d'Emily. C'était une femme qui portait des nattes et qui avait fait carrière en fabriquant des pots intentionnellement asymétriques... Chaque fois qu'il la revoyait à l'occasion de rares rencontres familiales, il se rappelait un épisode de leur enfance : âgé de quatre ans, il avait mouillé sa culotte et elle s'était moquée de lui.

— Phoebe, dit-il, merci de m'appeler.

— C'est ta mère qui m'a dit... expliqua-t-elle.

Michael se demanda comment sa mère pouvait diffuser des informations que lui-même n'avait pas encore réussi à accepter.

— J'ai pensé que tu aimerais parler.

À toi ? faillit demander Michael à voix haute, avant de se reprendre. Puis il se souvint que le mari de Phoebe s'était pendu deux années auparavant.

— Je sais ce que c'est, poursuivit son interlocutrice. On découvre tout à coup des choses qu'on aurait dû voir depuis longtemps. Ils ont préféré partir pour un monde meilleur, tu sais, c'est à ça qu'ils aspiraient. Mais toi et moi, ils nous laissent en plan avec toutes les questions auxquelles ils ne pouvaient pas répondre.

Michael ne dit rien. Ainsi, elle n'avait toujours pas surmonté son chagrin, au bout de deux ans ? Est-ce qu'elle entendait par là qu'il était possible qu'ils aient quelque chose en commun ? Il ferma les yeux et fut pris d'un frisson, en dépit de son épaisse veste. Ce n'était pas vrai. Non, c'était tout simplement impossible. Il n'avait pas connu le mari de Phoebe, mais elle ne pouvait pas avoir été aussi proche de lui que lui l'avait été d'Emily.

Si proche d'elle que tout cela l'avait pris par surprise ?... Il ressentit une douleur dans la poitrine et se rendit compte que la culpabilité l'assaillait de tous les côtés : la culpabilité de ne pas avoir su voir la détresse de sa fille ; la culpabilité d'être si égoïste que, maintenant encore, il se polarisait sur le fait que le suicide de sa fille révélait son incapacité en tant que parent, au lieu de penser à Emily elle-même.

— Qu'est-ce que je vais faire ? murmura-t-il sans se rendre compte qu'il parlait à voix haute.

— Tu vas survivre, répondit Phoebe. Tu vas faire ce qu'ils n'ont pas pu faire.

À l'autre bout de la ligne, sa cousine soupira :

— Tu sais, Michael, reprit-elle, j'ai passé un temps fou à réfléchir à tout ça, comme si je pouvais trouver une réponse en creusant la question à fond. Et un jour, j'ai compris que s'il y avait eu une réponse, Dave serait toujours ici. Et je me suis demandé si ce... ce sentiment d'impuissance à comprendre... était le sentiment qu'avait ressenti Dave, lui aussi. (Elle se racla la gorge.) Je n'ai toujours pas trouvé pourquoi il a fait ça, et je ne l'approuve pas de l'avoir fait, mais, au moins, je comprends un peu mieux ce qui se passait dans sa tête.

Michael imagina sa fille, l'estomac noué comme l'était le sien à présent, en proie à l'angoisse, et, pour la millionième fois, il se reprocha de n'avoir pas été assez vigilant pour lui épargner une telle souffrance.

Il remercia sa cousine une dernière fois et raccrocha. Puis il monta péniblement l'escalier qui menait à la chambre d'Emily et s'étendit sur le lit, regardant tour à tour le miroir, les livres de classe, les vêtements épars, essayant de voir le monde à travers les yeux de sa fille.

Francis Cassavetes avait été condamné à six mois d'incarcération, mais il purgeait sa peine pendant les week-ends. C'était assez habituel pour ceux qui avaient du travail et contribuaient à la vie de la société. Ils arrivaient à la prison le vendredi, la quittaient le dimanche et étaient autorisés à travailler pendant la semaine. Les prisonniers du week-end étaient des visiteurs de marque qui passaient la plus grande partie de leur temps à faire du trafic sur le dos des condamnés moins chanceux. Ils leur faisaient passer des cigarettes, des aiguilles, des produits divers, contre rémunération.

En entrant dans l'unité, Francis prit la tête d'Hector entre ses mains :

— Est-ce que je suis ton copain ? demanda-t-il avant de le lâcher et de se diriger vers les toilettes.

Lorsqu'il revint, il tenait quelque chose dans son poing serré.

— Tu me dois le double pour ça, Hector. Ces saloperies me font saigner.

La main de l'homme aux yeux noirs caressa celle de Francis et un petit tube blanc passa de l'une à l'autre. Hector retourna dans sa cellule.

Steve baissa un coin du magazine qu'il était en train de lire.

— Francis lui a rapporté des cigarettes ?

— Je pense que oui, fit Chris.

Steve secoua la tête.

— Il ferait mieux de demander un timbre de nicotine, grommela-t-il. Ce serait plus facile à passer pour Francis.

— Comment il les fait passer ? s'enquit Chris, curieux.

— D'habitude, il les planquait dans sa bouche, d'après ce que je sais. Mais on l'a pris, alors maintenant il les fout ailleurs.

Chris le regarda sans comprendre. Steve secoua la tête.

— T'as combien de trous ?

Le jeune homme rougit violemment. Steve rouvrit son magazine.

— Putain, c'est pas vrai ! marmonna-t-il. On se demande bien comment t'as fait pour te retrouver ici...

Dès que Chris pénétra dans la pièce meublée de longues tables pleines de marques et remplie de monde, il aperçut sa mère.

Elle le prit dans ses bras.

— Chris, soupira-t-elle en caressant ses cheveux comme elle le faisait quand il était petit, tu vas bien ?

Le gardien lui tapota doucement l'épaule :

— Madame, dit-il, il faut le lâcher maintenant.

Saisie, elle s'exécuta et s'assit. Chris s'installa en face d'elle. Il n'y avait pas de vitre de sécurité entre eux, mais cela ne signifiait pas qu'il n'y avait pas de barrière.

Il aurait pu lui dire que dans le règlement édicté par le superintendant, un livre gros comme un dictionnaire, il était stipulé qu'une visite pouvait commencer par une brève étreinte ou un baiser (bouche fermée), et se terminer de la même façon. Dans ce même volume, il était écrit qu'il était interdit de posséder des cigarettes, de blasphémer, de bousculer un codétenu. Ces infractions, légères à l'extérieur, constituaient un délit en prison. Elles étaient sanctionnées par une prolongation de peine.

Gus tendit la main et saisit celle de son fils. Pour la première fois, Chris nota la présence de son père. James était assis à quelque distance de la table, comme s'il avait peur de son contact. Si bien qu'il touchait presque un détenu qui arborait un tatouage représentant une toile d'araignée sur sa joue gauche.

— Je suis si contente de te voir ! dit Gus.

Chris acquiesça, puis baissa la tête. S'il disait ce qu'il avait envie de dire, c'est-à-dire qu'il avait besoin de rentrer, qu'il n'avait jamais rien vu de plus beau que le visage de sa mère, il éclaterait en sanglots. Mais il ne pouvait pas se le permettre. Dieu seul savait qui écoutait, et si ce ne serait pas retenu contre lui.

— Nous t'avons apporté un peu d'argent, dit Gus en lui tendant une enveloppe remplie de billets. Si tu as besoin de plus, fais-le-nous savoir.

Chris fit immédiatement signe à un gardien et lui demanda de mettre l'enveloppe sur son compte.

— Bien, dit sa mère.

— Bien, répéta-t-il.

Elle baissa la tête et elle lui fit presque pitié. Il n'y avait rien à dire, en fait. Il avait passé toute la semaine dans un quartier de haute sécurité à la prison du comté, et ses parents ne profiteraient pas de cette conversation autorisée.

— Tu as une chance de passer en moyenne sécurité la semaine prochaine, non ?

La voix de son père le saisit.

— Oui, répondit-il. Il faut que j'en fasse la demande.

Un silence tomba.

— L'équipe de natation a remporté la rencontre contre Littleton hier, annonça Gus.

— Oh ? fit le jeune homme en essayant de paraître intéressé. Qui a fait ma course ?

— Je ne sais pas comment il s'appelle exactement. Robert Ric... Rich... quelque chose...

— Richardson.

Chris se força à ajouter :

— Il a dû faire un chrono pourri.

Il écouta sa mère lui parler d'un cours d'histoire pour lequel Kate allait s'habiller en femme de l'époque coloniale. Il l'écouta lui parler des films qu'on jouait au cinéma local et de ses efforts pour trouver la route la plus rapide entre Bainbridge et Grafton. Et il se rendit compte que ce serait ainsi que se dérouleraient les visites de ses parents pendant les neuf mois à venir. Ils n'évoqueraient pas les horreurs qu'il ne voulait pas décrire à ses parents, mais il devrait écouter sa mère lui dépeindre le monde du dehors.

Elle s'éclaircit la voix et lui demanda :

— Alors, tu as rencontré des gens ?

À ces mots, Chris ne put s'empêcher de réagir :

— On ne fait pas de mondanités, ici, ce n'est pas le genre !

Il reconnut aussitôt son erreur en voyant sa mère rougir et baisser la tête. Il fut surpris de constater à quel point il était seul, en réalité : incapable de communiquer avec les autres détenus à cause de ce qu'il avait été et incapable de communiquer avec ses parents à cause de ce qu'il était devenu.

James lança un regard furieux à son fils.

— Excuse-toi, dit-il d'un ton sec. Tout ça est très difficile pour ta mère !

— Et si je ne m'excuse pas, répliqua Chris, qu'est-ce que vous allez me faire ? Me foutre en prison ?

— Christopher ! le reprit James.

Mais Gus l'arrêta en posant sa main sur son bras.

— Laisse, dit-elle d'un ton rassurant. Il ne va pas bien.

Elle prit la main de son fils à travers la table.

Cela rappela à Chris la manière dont, pendant sa petite enfance, elle lui prenait la main en lui expliquant qu'il fallait faire attention, parce qu'ils étaient dans un stationnement ou dans une rue animée. Il se remémora l'odeur d'asphalte, et les engins qui passaient en faisant trembler le sol, et le sentiment de sécurité qu'il éprouvait dès l'instant qu'il sentait la main de sa mère recouvrir la sienne.

— Maman, dit-il d'une voix qui se brisait. Ne me fais pas ça.

Il préféra appeler un gardien, de crainte de se mettre à pleurer.

— Attends ! s'exclama Gus. Il nous reste vingt minutes !

— Pour quoi faire ? demanda-t-il doucement. Rester ici en souhaitant être ailleurs ?

Il se pencha à travers la table et la prit dans ses bras.

— Tu nous appelles, Chris, murmura-t-elle, et je te revois mardi soir.

C'était le prochain jour de visite pour le QHS.

— À mardi, confirma-t-il. (Puis il se tourna vers son père :) Mais toi... je ne veux pas que tu viennes.

Cet après-midi-là, la température descendit à zéro. La cour destinée à la promenade était vide, tout le monde avait préféré rester au chaud. Mais Chris sortit. Son haleine formait une buée blanche devant lui. Il fit le tour de la cour et remarqua Steve appuyé contre le mur de briques.

— Il y a deux gars qui sont passés par-dessus l'année dernière, lui dit son compagnon de cellule en désignant un angle où le barbelé rejoignait le bâtiment de briques. Le gardien s'était un petit peu trop rapproché de la salle de gym, et, hop, ils ont sauté.

— Ils ont réussi ?

Steve secoua la tête.

— Ils les ont rattrapés deux heures plus tard, sur la Route 10.

Chris sourit. Quand on était assez bêtes pour rester sur la route principale après s'être fait la belle, on méritait d'être repris.

— Tu as déjà pensé à ça ? demanda-t-il. À faire le mur ?

Steve souffla et un nuage blanc sortit de son nez.

— Non.

— Non ?

— Y a rien qui m'attire dehors.

— Pourquoi ils t'ont mis dans la cellule d'isolement ?

— Je voulais pas être avec les autres mecs.

— C'est vrai que tu es là parce que tu as tué ton gosse en le secouant trop fort ?

Steve fronça légèrement les sourcils, mais il soutint le regard de Chris.

— C'est vrai que t'es là parce que t'as tué ta petite amie ?

Aussitôt, l'avertissement de Jordan McAfee lui revint en mémoire : la prison était pleine de mouchards. Détournant les yeux, il tapa ses pieds contre le sol et souffla dans ses mains pour les réchauffer.

— Il fait froid, fit-il remarquer.

— Tu veux retourner à l'intérieur ?

Chris s'appuya contre le mur de briques et sentit la chaleur du corps de l'homme à côté du sien.

— J'ai pas encore envie, dit-il.

Juste après le repas du soir, il y eut une fouille.

Les fouilles se faisaient une fois par mois, sur ordre du super intendant. Les gardiens passaient les cellules au peigne fin, soulevant matelas et oreillers, introduisant leurs mains dans les vêtements et chaussures épars, dans l'espoir de trouver un objet défendu. Chris et Steve, debout à l'extérieur de leur cellule, les regardaient violer leur minuscule domaine privé.

Le gardien, un gros homme, se leva soudain en serrant quelque chose dans sa main. Désignant les souliers posés par terre – Chris dormait pieds nus lorsqu'ils étaient entrés –, il demanda :

— À qui c'est ?

— À moi, répondit Chris, pourquoi ?

L'homme déroula un à un ses doigts en forme de saucisses. Au milieu de sa paume s'étalait une belle cigarette blanche.

— Ce n'est pas à moi ! s'écria le jeune homme, visiblement stupéfait.

Le gardien regarda alternativement les deux compagnons de cellule.

— Tu diras ça à la commission de discipline, fit-il.

Lorsque l'homme eut tourné les talons, Chris retourna sur sa couchette.

— Hé ! dis donc, protesta Steve en lui secouant l'épaule, c'est pas moi qui l'ai foutue là !

— Fous le camp !

— Mais puisque je te l'dis !

Chris enfouit sa tête sous son oreiller, non sans avoir eu le temps d'apercevoir l'éclat du sourire d'Hector qui passait devant les barreaux de sa cellule.

Durant les dix-huit heures qui s'écoulèrent entre la découverte de la cigarette et son passage devant la commission de discipline, il put rassembler toutes les pièces du puzzle. Hector s'était séparé de l'une de ses précieuses acquisitions clandestines parce qu'il pouvait ainsi faire d'une pierre deux coups : vérifier si le nouveau venu était un gars correct, et emmerder l'assassin d'enfants. Si Chris dénonçait Hector, il le regretterait pendant quelque temps. S'il rejetait la faute sur Steve qui, puisqu'il était son compagnon de cellule, était celui qui pouvait le plus facilement mettre une cigarette dans sa chaussure, il rejoindrait la bande d'Hector.

Un gardien conduisit Chris dans la petite pièce où travaillait l'assistant du superintendant. Celui-ci, un homme costaud qui semblait plus taillé pour entraîner une équipe de footballeurs que pour administrer une prison, le reçut en compagnie du gardien qui avait fouillé la cellule.

Chris se tint droit comme un I en écoutant la lecture du délit qui lui était reproché, suivie de celle de ses droits.

— Bien, monsieur Harte, conclut l'homme, avez-vous quelque chose à dire pour votre défense ?

— Oui. Demandez-moi de la fumer.

L'assistant du superintendant leva les sourcils.

— Je pense bien que cela vous ferait plaisir !

— Je ne fume pas, répliqua le jeune homme. Vous en aurez la preuve.

— J'aurai la preuve qu'on peut simuler une toux, rétorqua l'homme. Reprenons : avez-vous quelque chose à dire pour votre défense ?

Chris pensa à Hector et à son stylo à lame de rasoir. Il pensa à Steve, avec qui il avait conclu une trêve provisoire. Et il se souvint de ce qu'on lui avait dit à propos des délits mineurs en prison : cette cigarette pouvait ajouter trois à sept ans à sa peine, s'il était condamné.

Mais seulement s'il était condamné !

Non, répondit-il calmement.

— Non ?

Il regarda l'homme droit dans les yeux.

— Non, répéta-t-il.

Les gardiens échangèrent un regard et haussèrent les épaules.

— Vous savez que, si vous pensez qu'il nous manque un épisode de l'histoire, vous pouvez nous suggérer d'avoir un entretien avec un autre détenu ? dit l'assistant du superintendant.

— Je sais, répondit le jeune homme, mais ce n'est pas la peine.

L'homme eut une moue désapprobatrice.

— Très bien, monsieur Harte. Compte tenu du fait que vous avez été trouvé en possession d'une substance illégale dans votre cellule, vous êtes condamné à cinq jours d'isolement. Vous resterez dans une cellule vingt-trois heures par jour, avec une heure de sortie pour la douche.

Le superintendant fit un signe de tête aux gardiens qui escortèrent Chris jusqu'au QHS, où il ramassa ses affaires sans proférer un mot. Ce ne fut que lorsqu'il eut été amené dans sa nouvelle cellule qu'il se rendit compte qu'il devrait rester là jusqu'au jeudi, deux jours après le jour de visite de sa mère ; deux jours après la date à laquelle il aurait pu être transféré en moyenne sécurité.

Pendant tous ces jours-là, Chris dormit. Il rêva souvent. D'Emily, de sa peau, de son goût, de ses baisers. Il rêva qu'elle lui mettait quelque chose dans la bouche, une chose petite et dure comme un bonbon à la menthe. Mais, en la recrachant dans sa main, il se retrouvait en face de ce que c'était : la vérité.

Il faisait des mouvements de gymnastique, assis-debout, les seuls mouvements qu'il parvenait à exécuter dans cet espace réduit. Il passait toute l'heure de sortie sous la douche, à se frotter indéfiniment. Il revivait ses compétitions de natation, ses soirées avec Em, ses cours au collège... Il remplit sa cellule de souvenirs, jusqu'au malaise. Il comprit alors pourquoi les détenus préféraient ne pas songer à leur vie d'avant.

Il ne put appeler sa mère, et, lorsqu'arriva le mardi, il se demanda si elle avait fait toute la route jusqu'à Woodsville pour apprendre que son fils était bouclé par mesure disciplinaire. Il se demanda aussi qui avait été déplacé en moyenne sécurité. Steve avait sûrement fait sa demande ce jour-là.

Le jeudi matin, il tapa aux barreaux dès qu'il eut fini son petit déjeuner et demanda à être transféré.

— On le fera dès qu'on aura l'occasion, répondit le gardien.

Ils ne l'eurent pas avant quatre heures de l'après-midi, heure à laquelle un gardien ouvrit la porte de la cellule et précéda Chris jusqu'au quartier de haute sécurité où il avait passé la semaine précédente.

— Te revoilà chez toi, Harte, dit-il.

Chris posa ses quelques affaires sur la couchette du bas. À sa grande surprise, une silhouette se pencha au-dessus de lui.

— Salut ! fit Steve.

— Qu'est-ce que tu fais là ?

Steve rit :

— Oh, j'ai bien pensé aller boire un coup dans un bar, mais j'ai paumé mes clés d'auto!

— Non, ce que je voulais dire, c'est que je te croyais parti à l'étage du dessus.

Ils levèrent tous les deux les yeux au plafond comme s'ils pouvaient entrevoir le quartier de moyenne sécurité, avec ses murs jaunes, son foyer en fer à cheval, ses douches spacieuses. Steve haussa les épaules sans dire ce qui lui trottait dans la tête, mais Chris s'en doutait bien : depuis la découverte de la cigarette, tout le monde l'avait accusé, sauf Chris.

— J'ai changé d'avis, dit-il. C'est vrai qu'y a plus de place là-haut, mais y a trois types de plus par cellule.

— Trois de plus ?

Steve acquiesça.

— J'ai préféré attendre de connaître quelqu'un d'autre là-haut.

Chris s'allongea sur sa couchette et ferma les yeux. Après tous ces jours de solitude, il était content d'entendre le son d'une voix, celle d'une personne qui lui exprimait ses pensées.

— On n'a plus à attendre très longtemps, dit-il, mardi, c'est pas très loin.

Il entendit Steve pousser un soupir.

— T'as raison, répondit celui-ci. Peut-être qu'on pourra y aller.

Le plus drôle de l'histoire fut que Chris passa pour un héros aux yeux de tous. En ne dénonçant pas Hector, alors qu'il eût parfaitement été en droit de le faire, il avait été élevé au statut de « mec réglo », de quelqu'un qui acceptait de prendre les coups à la place d'un autre. Même si l'autre ne le méritait pas, cela n'avait pas d'importance.

Maintenant, Hector l'appelait « mon pote ». C'était Chris qui avait le droit de décider du programme de télé de quatre à cinq heures de l'après-midi. Dans la salle de gym, il avait droit au *bench press*.

Un jour, en revenant de la salle de gym, Hector le coinça à l'endroit aveugle de l'escalier, celui que les caméras ne pouvaient pas surveiller.

— À la douche, dit-il entre ses dents, à dix heures et quart.

Qu'est-ce que ça pouvait bien signifier? Chris passa le reste de la journée à se demander s'il lui avait fixé rendez-vous pour lui casser la gueule ou s'il avait un autre motif de le convoquer en privé. Il attendit jusqu'à dix heures, puis prit sa serviette et se rendit à l'extrémité de l'unité.

Il n'y avait personne. Chris se déshabilla et fit couler l'eau. Il entra dans la cabine et commençait à se savonner lorsque Hector fit son apparition.

— Qu'est-ce qui te prend, t'es con ou quoi?

Chris cligna des yeux pour en chasser l'eau.

— C'est toi qui m'as dit de venir ici, répondit-il.

— Mais je t'ai pas dit de prendre une douche!

En réalité, si, mais Chris n'avait pas envie d'argumenter. Il arrêta l'eau. Hector passa un bras à l'intérieur de la douche et la remit en route.

— Laisse-la couler, expliqua-t-il, ça cache la fumée.

Puis il sortit de sa combinaison un stylo Bic qui avait été fondu et creusé à une extrémité pour former une sorte de pipe. Ensuite, il déplia un petit carré de papier et versa quelque chose à l'intérieur de la pipe de fortune, puis alluma prestement un briquet, objet bien sûr interdit.

— Tiens! dit-il après avoir aspiré profondément.

Chris ne commit pas l'imprudence de refuser un cadeau d'Hector. Tournant la tête pour éviter le jet d'eau, il inhala et fut aussitôt pris d'un accès de toux. Une chose était sûre, c'était que ce n'était pas une cigarette. Mais ça n'avait pas non plus le goût douceâtre de l'herbe.

— Qu'est-ce que c'est que ça? s'enquit-il.

— Des peaux de banane, expliqua son nouveau « pote » en reprenant la pipe pour la bourrer. On les brûle, avec Damon. Je peux t'en faire contre un pot de café.

Chris sentit l'eau froide couler le long de son cou.

— On verra, dit-il en reprenant la pipe que lui tendait Hector.

— Tu sais, l'étudiant, j'me suis trompé sur toi...

Sans répondre, le jeune homme mit le tuyau de la pipe entre ses lèvres et inhala. Cette fois, son geste fut naturel, ce qui ne le surprit pas outre mesure.

Le samedi matin, Chris fut l'un des premiers détenus à être appelés pour la visite. Contrairement à la fois précédente, sa mère l'attendait seule, toute droite et douloureuse. Il émanait d'elle des ondes de colère et de crainte mêlées qu'il sentit déjà de loin. Elle le prit dans ses bras et, pendant un bref instant, il eut la sensation que les années s'étaient effacées, qu'il était redevenu plus petit et plus faible qu'elle.

— Qu'est-ce qui s'est passé ? J'arrive mardi et on me dit que je ne peux pas te voir parce que tu purges une sorte de peine disciplinaire. Et quand j'ai demandé où tu étais, ils m'ont dit que tu étais enfermé dans une sorte de... de cage pendant vingt-quatre heures d'affilée.

— Vingt-trois, rectifia Chris. On accorde une heure pour la douche.

Gus se rapprocha, les lèvres décolorées par l'angoisse.

— Qu'est-ce que tu as fait ? chuchota-t-elle.

— On m'a fait un sale coup, répondit Chris à voix basse. Un des détenus a cherché à me compromettre.

— Quoi... qu'est-ce qu'il a fait ? (Gus s'assit lourdement.) Et toi, tu... tu acceptes ça ?

Chris sentit deux taches de couleur monter à ses joues.

— Il a mis une cigarette dans mon soulier. Un gardien l'a trouvée pendant la fouille. Eh bien oui, j'ai accepté ça parce que rester tout seul au trou, ça vaut mieux que de me retrouver face à un mec qui me menace avec un couteau fabriqué avec des lames de rasoir.

Gus appuya ses poings contre sa bouche, et Chris se demanda quels étaient les mots qu'elle essayait de faire rentrer.

— Il y a sûrement quelqu'un à qui je peux parler de ça, finit-elle par dire. Je vais aller trouver le superintendant. Ce n'est pas comme ça qu'on doit diriger une prison et...

— Comment tu le sais ? l'interrompit son fils. Ne livre pas mes batailles à ma place.

— Tu n'es pas comme ces criminels, protesta Gus. Tu n'es qu'un enfant.

Chris releva brutalement la tête.

— Non, maman. Je ne suis pas un enfant. Je suis assez âgé pour être jugé comme un adulte, assez âgé pour être incarcéré dans une prison pour adultes.

Son regard se fixa au loin.

— Ne fais pas de moi ce que je ne suis pas, ajouta-t-il.

Il était temps de jouer franc-jeu.

Le samedi soir, il y eut une terrible tempête. Les épais murs de ciment de la prison eux-mêmes semblèrent craquer de façon menaçante. On fermait les cellules très tard en fin de semaine, à deux heures du matin, et les détenus faisaient plus de chahut que d'habitude. Chris n'avait pas encore développé l'art de dormir comme une souche au milieu du bruit... Allongé sur sa couchette avec un oreiller sur la tête, il écoutait le crépitement de la pluie, se demandant si elle pouvait s'introduire dans les briques et infiltrer le plafond.

Il y avait eu une dispute un peu plus tôt. Il s'agissait de savoir s'il fallait regarder *Samedi soir en direct* ou *La Télé en folie*. Le pugilat s'était terminé par le bouclage de deux cellules pendant une heure, mais cela n'avait pas empêché les détenus de s'invectiver mutuellement à travers les barreaux.

Steve regarda la télé pendant un moment, puis il rentra dans sa cellule et se réfugia dans sa couchette. Chris fit semblant de dormir, en écoutant Steve ouvrir la barre de chocolat qu'il avait achetée au magasin.

Il avait pris quelques provisions pour Chris aussi. Des M&M's, du café, des barres chocolatées. À cause de la mesure disciplinaire qui l'avait frappé, Chris n'avait pas pu passer commande. Sans doute était-ce la manière de Steve de le remercier de ne pas être un mouchard.

Au bout de quelque temps, le bruit de froissement cessa au-dessus de sa tête. Steve devait s'être endormi. Bientôt, les gardiens verrouillèrent les portes. Chris écouta les bruits divers : le frottement des tongs de caoutchouc sur le sol, le bruit de chute d'eau fait par un homme qui urinait...

Les sons s'effacèrent graduellement. Les lumières s'éteignirent.

En réalité, les lumières n'étaient jamais éteintes. Elles diminuaient considérablement, mais, de toute façon, l'univers était si grisâtre au QHS que la pénombre de la nuit n'était guère différente de la lumière crépusculaire qui régnait pendant le jour. Chris écouta le vent et imagina qu'il était dehors, au milieu d'un champ si grand qu'il ne voyait pas ses limites. La pluie tombait sur lui, et il levait son visage vers elle, ne voyant plus que le ciel.

Il y eut un gémissement, suivi d'un autre.

Du plat de la main, Chris tapa contre la couchette supérieure, comme d'habitude lorsque Steve menaçait de se mettre à ronfler. Mais au lieu de se tourner sur le côté comme toujours, Steve poussa un grand cri plaintif.

Chris se leva et vit que le corps de son compagnon de cellule était secoué de sanglots. Un instant pétrifié de stupeur, il se reprit et l'observa. Les yeux de Steve étaient clos et son souffle laborieux. Il pleurait, tout en continuant à dormir.

Il poussa un nouveau cri. Chris le prit par l'épaule et le secoua. À la faible lueur des veilleuses, il vit les yeux du dormeur s'ouvrir en fente.

Steve repoussa sa main et le jeune homme rougit d'embarras. La règle d'or des prisonniers était de ne toucher personne sans y être expressément invité.

— Excuse-moi, marmonna-t-il, mais tu as fait un cauchemar.

Steve cligna des yeux.

— Quoi ?

— Tu as fait un cauchemar, tu n'arrêtais pas de crier, répondit Chris en hésitant. Je suppose que tu n'avais pas envie de réveiller toute la baraque.

Son compagnon descendit de sa couchette et s'installa sur le siège des toilettes.

— Merde ! fit-il en enfouissant sa tête dans ses mains.

Chris s'assit sur sa couchette. Dehors, le vent sifflait de plus belle.

— Tu devrais retourner te coucher.

Steve leva les yeux :

— Tu sais que, des fois, toi aussi tu gueules pendant la nuit ?

— Non, c'est pas vrai, nia Chris machinalement.

— Si ! Je t'entends !

Le jeune homme haussa les épaules.

— Oui, et alors ?

— Tu la vois ?... Em ?

— Ben, dis donc, comment tu sais qu'elle s'appelle Em ?

— C'est ce nom-là que tu dis, la nuit.

Steve se leva et alla se placer dos contre les barreaux.

— Je m'demande si tu la vois, comme moi j'le vois... lui.

Chris repensa à la mise en garde de McAfee sur les moutons que les flics mettaient dans les cellules pour recueillir les confessions... S'il posait des questions, Steve lui en poserait aussi, et il n'avait pas très envie de créer ce genre de liens. Mais en dépit de cela, il s'entendit murmurer :

— Qu'est-ce qui s'est passé ?

— J'étais tout seul à la maison avec lui, chuchota son compagnon. Moi et Liza, on s'est engueulés et elle est partie bosser sans me parler, sauf pour me dire qu'il fallait que je garde le gosse. Ça m'a foutu en rogne, ce qui fait que je m'suis mis à boire tout ce qu'y avait dans le frigo. Et puis alors il s'est réveillé et il s'est mis à gueuler si fort que ça m'a foutu mal au crâne. (Steve se retourna, il appuya son front contre les barreaux.) J'ai essayé d'lui donner son biberon et je l'ai changé, mais il a continué à brailler. Alors, je l'ai pris dans mes bras et il gueulait comme un âne dans mes oreilles, ça m'cassait la tête. Je m'suis pas rendu compte de ce que je faisais, j'me suis mis à le secouer comme un prunier pour le faire arrêter. (Il prit une profonde inspiration.) Et après, j'me suis mis à le secouer pour le faire crier.

Steve se tourna vers Chris, les yeux embués.

— Tu sais comment on se sent quand on tient un p'tit môme comme ça… dans ses bras… après… et qu'on sait qu'on était là pour le protéger ?

Chris, la gorge serrée, avala difficilement sa salive.

— Comment il s'appelait ? demanda-t-il.

— Benjamin, répondit Steve. Benjamin Tyler Vernon.

— Em, fit doucement Chris. Emily Gold.

C'était une réponse parfaitement appropriée.

HIER

Mai 1996

Il respire si près de moi que je peux sentir son haleine. Il pose ses mains sur ma taille, et ensuite, il monte et il m'attrape, il me serre. J'ai envie de lui dire qu'il me fait mal, mais je ne peux pas parler. J'ai envie de lui dire que je n'aime pas ça, que je ne veux plus.

Il me met sur le dos et alors sa main descend là *et je me mets à crier.*

Au bruit strident du réveil, Emily se dressa dans son lit. Les draps étaient enroulés autour de ses pieds ; sa chemise de nuit était trempée de sueur. Elle s'étira de tout son long et se leva pour se rendre à la salle de bains.

Elle fit couler l'eau de la douche et attendit qu'un nuage de vapeur se forme autour de sa tête pour entrer. En passant devant la glace, elle détourna le regard. Elle n'avait pas envie de se voir nue.

Elle renversa la tête en arrière et laissa l'eau ruisseler sur ses cheveux. Puis elle attrapa le savon et se frotta, presque jusqu'au sang par endroits. Mais elle ne se sentait toujours pas propre.

Pour une fois, le cours d'histoire était intéressant. Ils avaient passé la semaine sur la vie quotidienne en Amérique coloniale et connaissaient maintenant une foule de détails tels que les prix en usage pour une pièce de calicot, une récolte de coton, un esclave en bonne santé. Aujourd'hui, ils étudiaient les Indiens, les Américains d'origine.

Le but de cette digression par rapport au programme standard était de donner aux élèves un aperçu de la vie des colons, qui subissaient l'interférence de la Couronne anglaise, mais s'illustraient, de leur côté, par leur mépris des indigènes.

Tous les élèves, y compris les pires cancres, avaient les yeux rivés sur l'écran de la salle de classe, où se déroulait une scène étonnante : après avoir ouvert la poitrine d'un jésuite canadien, un guerrier iroquois était en train de manger son cœur.

Il y eut un bruit sourd au fond de la salle : Adrienne Whalley, une *cheerleader*, venait de se trouver mal.

— Oh, merde ! prononça le professeur entre ses dents.

Il arrêta le film, ralluma la lumière et envoya un élève chercher l'infirmière. Se penchant sur la jeune fille inanimée, il entreprit de lui frotter les mains. Em se demanda si, finalement, ce n'était pas le but recherché par Adrienne. Car M. Waterstone, un beau jeune homme aux longs cheveux de jais et aux superbes yeux verts, était le plus séduisant des professeurs masculins du collège.

La sonnerie retentit au moment où l'infirmière entrait dans la salle de sa démarche dandinante, en tenant un flacon d'ammoniaque dont Adrienne, qui avait repris ses sens, n'avait plus besoin.

Emily rassembla ses affaires et se dirigea vers la porte où Chris l'attendait déjà. Elle mit sa main dans la sienne et il demanda :

— Il est bien, le cours de Waterstone ?

— Oh, tu vas adorer ! répondit Emily.

Elle aimait ses baisers.

S'ils avaient pu retourner à la période où ils s'en tenaient là, elle en aurait été très contente. Elle aimait ouvrir sa bouche contre celle de Chris et sentir sa langue absorber ses secrets. Elle aimait qu'il gémisse dans sa propre bouche. Et elle aimait particulièrement la façon dont ses grandes mains tenaient délicatement sa tête comme s'il pouvait ainsi rassembler ses idées, même lorsqu'elles se mettaient à partir dans des directions qu'elle préférait ne pas explorer.

Mais depuis quelque temps, il lui semblait qu'ils passaient moins de temps à s'embrasser qu'à se battre à propos de l'endroit où les mains de Chris devaient ou non se trouver.

Ils étaient de nouveau à l'arrière de la Jeep. Combien de fois Emily s'était-elle demandé s'il n'avait pas choisi cette voiture parce que les sièges faisaient couchette ?... Les vitres étaient complètement embuées. Sur l'une d'elles, Emily avait dessiné un cœur avec leurs initiales. Chris les effaça avec son dos.

— J'ai terriblement envie de toi, Em, murmura-t-il contre sa nuque.

Elle hocha la tête. Elle aussi avait envie de lui. Mais pas tout à fait de la même façon.

Abstraitement, l'idée de faire l'amour avec Chris était fascinante. D'ailleurs, pourquoi n'accepterait-elle pas, puisqu'elle l'aimait plus que tout au monde ? Le problème, c'était que lorsqu'il la touchait, elle avait la nausée. Et si, le jour où elle franchirait le pas, elle se mettait à vomir ?

Lorsqu'elle abaissait le regard sur les mains de Chris posées sur ses seins, elle revoyait ces mêmes mains, plus petites, chiper une demi-douzaine de biscuits tout frais sur un plat avant que sa mère ne s'en aperçoive... Ou elle imaginait ses longs doigts entourer les pièces d'un jeu alors qu'ils étaient assis côte à côte sur la banquette arrière d'une voiture, en route vers les vacances.

Parfois, elle était heureuse d'être dans les bras d'un beau gars hyper-sexy, et parfois, elle avait l'impression de se battre contre son propre frère. En dépit de tous ses efforts, elle ne parvenait pas à dissocier les deux sensations.

Elle le repoussa doucement pour essayer de le faire se redresser. Il releva la tête en fronçant les sourcils. Ses lèvres étaient toujours brillantes et humides. Elle mêla ses doigts aux siens.

— Est-ce que tu te sens proche de moi... tu vois ce que je veux dire ?

Le regard de Chris se fit brûlant.

— Oh, bon Dieu, oui!

— Je... enfin, pas comme ça... bafouilla-t-elle. Je veux dire... tu me connais mieux que mon propre frère.

— Tu n'as pas de frère.

— Je sais, répondit-elle. Mais si j'en avais un, ce serait toi.

Chris sourit malicieusement.

— Eh bien, remercions Dieu que je ne le sois pas, lança-t-il en se baissant de nouveau.

Elle tapota ses cheveux et lui demanda timidement :

— Est-ce que parfois tu penses à moi comme ça? Comme à une sœur?

— Pas en ce moment, répondit-il d'une voix étranglée en posant ses lèvres sur les siennes. Je te promets que jamais (il l'embrassa encore), jamais (encore un baiser) je n'ai eu envie de faire ça avec Kate.

Il se mit sur le côté et dit en haussant les épaules :

— Ça y est, tu m'as complètement perturbé.

Emily posa la main sur sa poitrine. Elle aimait sa poitrine, avec sa légère couche de poils et ses muscles allongés.

— Excuse-moi. Je ne l'ai pas fait exprès.

Elle se blottit dans ses bras et il les referma sur elle.

— On ne dit plus rien, proposa-t-elle en enfouissant son visage dans la chaleur de sa peau.

Il me souffle dans la bouche et m'empêche de respirer. Ses mains commencent par mes chevilles et remontent sur mes jambes, il m'écartèle et je sais ce qui m'attend quand il enfonce ses doigts en moi.

Il ne me laisse pas refermer les jambes, il ne me laisse pas me dégager. Il y a du sang sur sa main. Il me maintient par les épaules et il peint un trait rouge au milieu de ma poitrine. Il la déchire et je le sens introduire sa main à l'intérieur. Il en sort une espèce de gelée et, en levant les yeux, je vois Chris planter ses dents dans mon cœur.

— Non!

Emily tira sur le col de chemise de Chris.

— Non ! répéta-t-elle.

Il insista et la maintint plus fermement. Elle lui pinça la nuque.

— Non ! hurla-t-elle en le repoussant de toutes ses forces. J'ai dit non !

Chris avala sa salive, tout étourdi.

— Je ne pensais pas que tu étais sérieuse !

— Oh, zut, Chris...

Elle frotta ses bras qui avaient la chair de poule et se détourna. Malheureusement, dans une Jeep, il n'y avait pas beaucoup d'endroits où se réfugier.

Elle s'attendit à ce qu'il pose ses mains sur ses épaules, comme il le faisait toujours lorsqu'ils en arrivaient à ce stade. C'était une sorte de pièce au dénouement immuable, qu'ils jouaient soir après soir. Le rideau se baissait, et on rejouerait la même pièce le lendemain.

Elle l'entendit remonter sa fermeture éclair, et le siège craqua lorsqu'il se releva.

— Bouge-toi de là ! lui ordonna-t-il d'un ton sec.

Elle s'exécuta et il rabattit le siège.

Ce ne fut que lorsqu'elle le vit ouvrir la portière et regagner son siège qu'elle comprit qu'ils repartaient.

Il conduisit vite et imprudemment, contrairement à ses habitudes. Le voyant prendre un virage sur deux roues, elle lui posa la main sur le bras.

— Qu'est-ce qui te prend ?

Il la regarda, livide, le visage si défait qu'elle ne le reconnut pas.

— Qu'est-ce qui me prend ? répéta-t-il comme un perroquet. Qu'est-ce qui me prend ?

Sans prévenir, il s'engagea à tombeau ouvert dans une impasse et s'arrêta brutalement.

— Tu veux savoir ce qui me prend, Em ?

Il attrapa sa main et la pressa durement contre son entrejambes.

— Voilà ce qui me prend, dit-il avant de relâcher son poignet. Je ne pense plus qu'à ça. Et toi, tu dis non, toujours non, et tu t'attends à ce que je me débrouille tout seul avec ça. Mais moi, je n'y arrive pas. Je n'y arrive plus.

Emily rougit et baissa les yeux. Au bout d'un moment, Chris poussa un soupir et passa la main dans ses cheveux.

— Est-ce que tu te rends compte à quel point j'ai envie de toi ? demanda-t-il d'une voix radoucie. Est-ce que tu peux t'en rendre compte ?

Elle se mordit les lèvres.

— Le désir, ce n'est pas l'amour...

Il éclata d'un rire stupéfait.

— Tu plaisantes, j'espère ? Je t'aime depuis... merde, depuis toute ma vie ! C'est le fait que je te désire qui est nouveau pour moi.

Il lui caressa la tempe du bout du pouce.

— Le désir, ce n'est pas l'amour, d'accord. Mais pour moi, si.

— Pourquoi ? parvint-elle à prononcer.

Chris eut un sourire désarmant.

— Parce que je t'aime encore plus depuis que j'ai envie de toi, Em.

Tout était encore plus net. Elle sentait sa mauvaise haleine et sa peau, ses cheveux rêches sur le dos de sa main, elle voyait son propre visage la regarder dans la glace. Elle portait un vêtement avec un élastique à la taille. L'élastique vint se serrer autour de ses hanches. Elle sentit ses ongles la griffer, ses mains remonter vers ses seins... puis il y eut la brûlure entre ses jambes.

Mais cette fois-ci, d'autres détails vinrent s'ajouter. Un bourdonnement... de quoi ? d'abeilles ? Un parfum de désinfectant. Et une odeur caractéristique de cuisine, de graisse.

Emily se réveilla brutalement. Mais elle fut incapable de se souvenir du cauchemar qui la laissait bouleversée et tendue à ce point. Sans doute avait-elle rêvé de ce qui l'attendait le soir suivant. Le soir qu'elle et Chris avaient réservé pour son premier rapport sexuel.

« Pour faire l'amour », rectifia-t-elle, comme si cet euphémisme pouvait rendre la chose plus facile à accepter.

Elle tâtonna dans l'obscurité à la recherche de ses souliers. Elle les repêcha sous son bureau, passa un chandail appartenant à Chris sur sa chemise de nuit et sortit de la maison sur la pointe des pieds.

Il faisait bon pour un mois de mai, et la lune haute et pleine traçait un sentier argenté entre la maison des Harte et celle des Gold. Emily se mit à courir, lançant ses bras blancs dont l'éclat rappelait celui des branches des bouleaux environnants.

À sa grande surprise, elle constata que la chambre de Chris était encore éclairée. À trois heures du matin ! Un jeudi soir !

Elle prit un petit caillou et le lança contre sa fenêtre. Son visage apparut presque instantanément. La lumière s'éteignit et Chris fut soudain là, à quelques mètres d'elle.

— Je n'arrivais pas à dormir, lui expliqua-t-elle.

— Moi non plus, avoua Chris avec un sourire. Je n'arrêtais pas de penser à demain et je combinais mon plan.

Emily ne dit rien. Mieux valait qu'il pense que c'était la même impatience qui l'avait tenue éveillée, elle aussi.

Il s'avança, pieds nus, sans tenir compte des graviers ni des brindilles qui lui écorchaient la plante des pieds.

— Viens, lui proposa-t-il. Autant passer nos insomnies ensemble.

Il l'attira le long du gazon et la conduisit à l'endroit où commençait le bois. La terre était moins dure, adoucie par les aiguilles de pin encore humides de l'hiver et par la mousse qui poussait en franges vertes et enchevêtrées. D'un pied plus sûr, Chris entraîna Emily vers une plaque de granit massif.

C'était là qu'ils venaient autrefois pour jouer. Chris grimpa au sommet du rocher plat et aida sa compagne à monter. Passant son bras autour de ses épaules, il lui demanda :

— Tu te souviens de la fois où tu m'as poussé en bas et où on a dû me recoudre ?

La main d'Emily tâtonna à la recherche de la trace qui subsistait sur sa mâchoire.

— Tu as dix-sept ans, et tu ne m'as toujours pas pardonné.

— Oh, si, je t'ai pardonné, la rassura Chris, mais je n'ai toujours pas oublié.

— OK, dit-elle en écartant les bras. Pousse-moi, comme ça, on sera quittes.

Le jeune homme eut un brusque mouvement vers l'avant et la fit rouler sur le dos. En riant, elle se défendit et ils s'amusèrent exactement comme autrefois, semblables à des chiots qui jouent à s'attraper mutuellement la queue.

Et soudain, les mains de Chris se posèrent sur les seins d'Emily et sa bouche fut au-dessus de la sienne, séparée seulement par un souffle.

— Dis « euh »... chuchota-t-il en se baissant doucement.

— Euh... fit Emily.

Et la bouche de Chris se posa contre la sienne, et ses mains descendirent jusqu'à ses hanches. Ce n'était plus le même jeu. Elle ferma les yeux et écouta le souffle de son amoureux, accompagné du cri guttural d'une chouette.

Aussi vite que Chris avait commencé, il se releva. Aidant sa compagne à s'asseoir, il passa un bras chaste autour d'elle.

— Je pense que ça suffit pour cette nuit, fit-il.

Emily se tourna vers lui, estomaquée.

— Alors comme ça, tout à coup, tu es capable d'attendre ?

Ses dents brillèrent dans le noir.

— Maintenant qu'il y a une lueur au bout du tunnel, dit-il, je peux attendre.

Il passa son bras autour de la taille d'Emily. Elle frissonna et tenta de se convaincre que c'était à cause du froid.

Ils étaient allongés sur le plancher de bois du manège et regardaient tourner les étoiles entre les sabots des chevaux de bois. Ils se touchaient aux épaules, aux coudes, aux hanches, et ce contact leur semblait brûlant. Chris recouvrit sa main de la sienne, et elle sursauta.

Il se releva sur un coude :

— Qu'est-ce qu'il y a ?

Elle secoua la tête, la gorge nouée.

— Je ne peux pas rester comme ça à attendre que ça arrive, expliqua-t-elle. Je veux qu'on en finisse.

Les yeux de Chris s'agrandirent.

— Ce n'est pas une exécution, tu sais !

— C'est toi qui le dis, marmonna la jeune fille.

Chris rit et se releva.

— Bon, dit-il, et si on se contentait de bavarder un peu pour voir ce qui va se passer ?

— Parler... grogna Emily, comme s'il était impossible que le fait de parler conduise tout droit à l'acte d'amour. Et de quoi on va parler ?

— Je ne sais pas, moi. De l'époque où on regardait les chiens pendant qu'ils le faisaient ?

Emily gloussa.

— J'avais oublié ça. Le caniche de Mme Morton et l'épagneul de Fieldcrest Layne...

Elle sentit les doigts de son compagnon se glisser entre les siens et, soudain, se détendit un peu.

— Je n'aurais jamais cru qu'il serait capable de monter sur elle !

Chris sourit.

— C'était rigolo, non ?

Puis il éclata de rire.

— Qu'est-ce qui te fait rire ?

— J'étais en train de me dire qu'en toute justice, il faudrait qu'on les retrouve, ces chiens, et qu'on les laisse nous regarder !

Elle songea à l'accouplement maladroit du petit caniche et de la grande femelle épagneul... Ce qu'ils s'apprêtaient à faire tous les deux n'était pas plus commode.

Chris passa son bras autour de ses épaules.

— Alors, ça va mieux ?

— Oui, reconnut-elle en enfouissant son visage dans le creux de son aisselle.

Il sentait le déodorant, la sueur et l'excitation.

Il releva son visage :

— Et si je me contentais juste de t'embrasser ?

— Juste de m'embrasser...

— Pour l'instant. Ne pense pas au reste.

Emily sourit contre sa bouche.

— D'accord.

Les lèvres de Chris épousèrent les contours des siennes.

— Mets-moi l'eau à la bouche, fit-elle.

Il passa sa langue sur le dessin de ses lèvres, puis descendit dans son cou. Elle sentit ses mains trembler lorsqu'elles se glissèrent sous sa chemise. Cette constatation la rassura un peu : Chris, lui aussi, était nerveux.

Puis, comme toujours à l'âge de l'adolescence, le temps passa trop vite et trop lentement à la fois. Emily eut à peine le temps de se rendre compte qu'elle n'avait plus de vêtements et qu'elle avait la chair de poule. Elle vit Chris dérouler un préservatif sur son sexe et fut surprise de le trouver beau. Elle le laissa coucher sur la sienne sa poitrine brûlante et s'installer entre ses jambes. Prise de panique, elle lui demanda :

— Est-ce que tu crois que ça fait mal ?

Il s'arrêta dans son élan.

— Je ne sais pas, répondit-il. Peut-être un peu.

Il roula sur le côté et caressa sa hanche, préoccupé.

— Qu'est-ce qui se passe ? s'enquit-elle.

— Rien, dit-il en rencontrant son regard. Simplement, j'avais oublié cet aspect.

— Oh, je suis sûre que ce n'est pas trop grave, le rassura-t-elle. Je ne crois pas que quelqu'un en soit mort…

« Mais qu'est-ce que je fais ? se demanda-t-elle. Pourquoi est-ce que je l'incite à continuer ? »

Chris sourit et repoussa les cheveux qui retombaient sur le front d'Emily.

— Si je pouvais éviter de te faire mal, je le ferais. Je préférerais avoir mal moi-même.

Elle lui toucha le bras.

— C'est très mignon de ta part.

— Ce n'est pas mignon, c'est égoïste, répliqua-t-il. Je sais que moi, je peux supporter une petite douleur, mais je ne sais pas si je serais capable de te voir souffrir, toi.

Emily prit son sexe entre ses mains. Avec un soupir, il se coucha sur elle et s'appuya sur ses coudes :

— Si je te fais mal, tu n'as qu'à me pincer, comme ça, on souffrira ensemble.

Elle sentit qu'il la touchait, sentit une humidité dont elle s'aperçut qu'elle venait d'elle-même.

— Em, dit-il soudain, est-ce que tu veux vraiment?

Elle comprit qu'il s'arrêterait si elle lui faisait signe que non. Mais elle considérait que ses désirs et ceux de Chris étaient inextricablement liés, et elle savait qu'il souhaitait cela plus que tout au monde.

Elle hocha légèrement la tête et Chris entra doucement en elle.

Cela lui fit mal un moment, et elle enfonça ses ongles dans son dos. Mais ensuite, ce fut supportable.

Lorsqu'il cria, elle avait les yeux fixés sur le ventre d'un cheval de bois et se faisait la réflexion qu'il n'était pas peint.

Chris se dégagea, le souffle court.

— Oh, bon Dieu, dit-il, étalé sur le dos, je suis mort!

Puis il la prit contre lui.

— Je t'aime, murmura-t-il en caressant sa tempe du bout du doigt. Mais je t'ai fait pleurer.

Elle nia de la tête, car elle ne s'était pas aperçue que des larmes roulaient le long de ses joues.

— Tu m'as fait...

Sa voix s'éteignit et elle laissa sa phrase en suspens.

« C'est juste un défi », s'était-elle dit ce jour-là, et elle avait poussé la porte des toilettes pour hommes de chez McDonald's. Elle fut surprise de constater qu'elles se présentaient exactement comme celles des femmes, à l'exception des deux urinoirs placés contre le mur et de l'odeur plus forte. Il y avait quelqu'un dans les toilettes, Emily apercevait ses jambes. Paralysée par la gêne – et si jamais il voyait que ses chaussures étaient des chaussures de petite fille? –, elle resta plantée devant le lavabo. Il y eut un bruit, puis la porte des toilettes occupées s'ouvrit sur Quasimodo. Ses vêtements sentaient la graisse et le désinfectant.

— Bien, fit-il, regardons ça d'un peu plus près!

Emily sentit ses jambes trembler.

— Je... je crois que je me suis trompée, balbutia-t-elle.

Elle pivota sur elle-même et se dirigea vers la porte, mais il lui attrapa le poignet.

— Ah oui ? dit-il d'une voix enveloppante, tout en l'attirant contre lui. Comment tu sais que tu t'es trompée ?

Il la poussa contre la porte, barrant l'entrée. Il lui maintint les mains au-dessus de la tête et glissa une main sous son T-shirt.

— Pas de nichons, dit-il. T'es peut-être un garçon.

Puis il passa sa main sous l'élastique de son short et frotta ses doigts entre ses jambes serrées.

— Mais y a pas non plus de bitte, constata-t-il.

Il se pencha en avant, si près qu'elle sentait son haleine.

— On va voir ça de plus près, dit-il en introduisant son doigt à l'intérieur de son corps.

La panique s'empara d'elle, la figea sur place et emplit sa bouche, si bien que, lorsqu'elle voulut crier, aucun son ne sortit de sa gorge.

L'homme la lâcha aussi rapidement qu'il l'avait attrapée.

Lorsqu'il sortit, Emily tomba sur le carrelage, sentant toujours à l'intérieur de son corps la brûlure du désinfectant qu'il avait sur la main. Elle eut une nausée et vomit. Puis elle se leva et se rinça la bouche.

Rajustant ses vêtements, elle retourna à la table où l'attendait Chris.

— Chut... dit Chris en la serrant contre sa poitrine. Tu as crié.

Elle était encore nue, et lui aussi. Elle sentit qu'il était de nouveau ému à son contact.

Elle s'éloigna de lui et se roula en boule.

— Je me suis endormie, expliqua-t-elle d'une voix incertaine.

— Oh, répondit Chris dans un sourire, je suis désolé d'avoir été aussi ennuyeux !

— Non, non, ce n'est pas ça.

— Je sais. Allez, viens t'asseoir près de moi.

Il lui tendit une main inoffensive, et Emily se blottit contre lui en tentant de se persuader qu'elle ne risquait rien en faisant cela, même s'ils ne portaient pas de vêtements ni l'un ni l'autre.

Chris posa ses mains sur elle et la coucha de nouveau sur le plancher froid. Elle essaya de se dégager, mais il la maintint et elle gémit.

— Je sais que tu as un peu mal, dit-il. Je veux juste te regarder. Tout à l'heure, j'étais trop pressé.

Il toucha ses seins des yeux, puis du bout des doigts. Peu à peu, ses mains se frayèrent un chemin jusqu'à son ventre, ses hanches, puis sur son sexe. En tremblant, elle essaya de le repousser, mais il la maintint par les chevilles.

— Non, dit-il, je veux juste te regarder.

Sa bouche laissa une trace humide sur son nombril, puis descendit lentement.

— Tu es parfaite, prononça-t-il. (Entendant cela, elle blêmit, car elle savait maintenant que rien ne pouvait être plus éloigné de la vérité.) Ne bouge pas, ajouta Chris.

Ces derniers mots vibrèrent entre ses jambes, et elle éclata en sanglots.

Aussitôt, il se redressa, inquiet :

— Qu'est-ce qui se passe ? Je t'ai fait mal ?

Elle fit « non » de la tête au milieu d'une pluie de larmes.

— Je ne veux pas rester sans bouger ! Je ne veux pas rester sans bouger ! s'écria-t-elle.

Elle enveloppa Chris de ses bras, de ses jambes et, sans le vouloir, il entra encore en elle en s'ajustant merveilleusement.

— Je t'aime, articula-t-il d'une voix à peine audible, car, déjà, il perdait la tête.

Emily détourna son visage.

— Non. Ne m'aime pas, répondit-elle.

AUJOURD'HUI

Décembre 1997

Gus se demanda si Chris souffrait de ne plus pouvoir prendre la moindre décision par lui-même.

Les yeux rivés sur l'éclatante palette de fruits rangés côte à côte comme des soldats multicolores, elle ne put s'empêcher de comparer les tons éclatants du supermarché aux couleurs grises et roussâtres qui régnaient partout à la maison d'arrêt du comté de Grafton. La diversité des produits était prodigieuse. Prendrait-elle les tangerines, les pommes vertes Granny Smith, les tomates aux joues lisses ? Elle avait l'embarras du choix... contrairement à son fils à qui on ordonnait de manger telle chose, de marcher à tel endroit, de prendre sa douche à tel moment.

Elle se décida pour des clémentines. C'étaient les fruits favoris de Chris, et elle aurait bien aimé lui en apporter le mardi suivant... mais était-ce seulement permis ? Elle imagina les costauds en uniforme bleu en train de découper les fruits en quartiers pour vérifier qu'ils ne contenaient pas de lames de rasoir, comme elle-même lorsqu'elle cherchait les épingles éventuelles dans ses bonbons d'Halloween, lorsqu'il était enfant. Sauf qu'elle le faisait par amour, et eux, par devoir.

Gus ouvrit son sac et remit les clémentines sur l'étalage.

— Vous vous rendez compte ? entendit-elle. Chez des gens comme eux ?...

Elle se retourna. Elle ne vit que deux vieilles bonnes femmes qui faisaient leurs courses de la semaine.

— Oh oui, ça ne m'étonne pas, reprit l'une d'elles. J'ai vu ce garçon une fois, et il était...

— Vous savez que son père est médecin, et qu'il a même eu une espèce de décoration ?

Gus crispa ses mains sur les poignées du chariot. S'armant de courage, elle fonça vers les commères qui s'affairaient en reniflant des melons.

— Excusez-moi, dit-elle avec un grand sourire, vous avez peut-être envie de me dire certaines choses directement ?

— Oh non ! répondit l'une des femmes en secouant la tête.

— Moi, si, déclara sa compagne. Moi, je pense que quand un enfant aussi jeune commet un crime aussi horrible, c'est la faute de ses parents. Après tout, il a bien pris ce comportement quelque part.

— Sauf si c'est de la mauvaise graine, murmura l'autre femme.

Gus les regarda, bouche bée.

— Est-ce que vous pouvez me dire en quoi ça vous regarde ? demanda-t-elle.

— Ça se passe chez nous, dans notre ville, alors ça nous regarde. Allez, viens, Anne ! dit la seconde femme en entraînant son amie vers une autre allée.

Les joues brûlantes, Gus délaissa son chariot partiellement rempli et se dirigea vers la sortie. C'est uniquement parce qu'elle dut se faire toute petite pour laisser passer une femme accompagnée de jumeaux que son regard tomba sur les journaux exposés. Bien en évidence, le *Grafton County Gazette* annonçait à la une : MEURTRE DANS UNE PETITE VILLE, 2e PARTIE. Et au-dessous, en bien plus petit : « Les preuves s'accumulent contre le collégien, champion de natation, emprisonné pour avoir tué sa petite amie. »

C'était la 2e partie, d'après le titre. Que contenait donc la 1re partie ?

Les Harte recevaient le *Grafton County Gazette*, comme la plupart des gens de la région. Même s'il donnait plutôt dans la rubrique « chiens écrasés » et dans le sensationnalisme, c'était tout de même le seul journal qui couvrait la ville de

Bainbridge. Un bon nombre de foyers recevaient également le *Boston Globe*, mais uniquement pour comparer les statistiques des crimes et les prises de positions politiques et, surtout, pour se féliciter de vivre dans un État aussi idyllique que le New Hampshire. Le soir, les gens étaient trop occupés pour ouvrir le *Globe*, aussi se concentraient-ils sur la *Gazette*, qui ne comportait que trente-deux pages.

Pendant toute la dernière période, Gus n'avait pas lu le journal. Trop mal en point pour s'intéresser à son propre environnement, elle délaissait complètement le monde extérieur.

Elle s'arma de courage et lut l'article... Puis elle vérifia la liste des collaborateurs, trouva ce qu'elle cherchait et mit le journal plié sous son bras. Qu'est-ce que ça changeait s'ils avaient la preuve que Chris avait été sur le manège ? Sa présence sur le lieu du crime était un fait établi.

Elle ne s'aperçut pas avant d'avoir rejoint sa voiture qu'elle avait emporté le journal sans le payer. Son premier mouvement fut d'aller réparer son erreur, puis elle se reprit : « Et puis merde, se dit-elle. Tant mieux s'ils pensent que nous sommes une famille de malfaiteurs. »

Les bureaux du *Grafton County Gazette* étaient presque aussi sombres que la prison, une constatation qui revigora Gus et lui donna l'élan nécessaire pour marcher droit vers la réceptionniste et demander à voir Simon Favre, le rédacteur en chef. Comme c'était prévisible, la réceptionniste chercha à l'éconduire :

— Je suis désolée, M. Favre a des...

— ... problèmes, finit Gus à sa place en poussant la porte à double battant qui conduisait aux bureaux de la rédaction.

Il régnait dans la salle une activité de ruche. Des téléphones sonnaient, des imprimantes bourdonnaient, des ordinateurs faisaient défiler des textes sur leurs écrans.

— Excusez-moi, dit Gus, s'adressant à une femme penchée sur un ruban de négatifs, une loupe à la main. Pouvez-vous me dire où est M. Favre ?

— Par là, répondit la femme en désignant une porte à l'autre extrémité de la pièce.

Gus remercia d'un signe de tête et traversa la salle, frappa un coup à la porte qu'elle ouvrit ensuite sans attendre la réponse, pour se retrouver en face d'un petit bonhomme occupé au téléphone.

— Ça m'est égal, disait-il. Je te l'ai déjà dit. OK. Au revoir.

Il leva des yeux surpris sur Gus.

— Que puis-je pour vous ?

— Pas grand-chose, j'en ai peur, répondit-elle d'un ton brusque.

Jetant son exemplaire de la *Gazette* sur son bureau, elle ouvrit les hostilités :

— Je voudrais savoir depuis quand les journaux se lancent dans la fiction.

Favre émit un son de gorge et tourna le journal de façon à pouvoir le déchiffrer dans le bon sens.

— Et vous êtes ?...

— Gus Harte, répondit-elle. La mère du garçon qui est accusé d'un prétendu meurtre.

Favre plaça son doigt sous un mot de l'article.

— Nous disons ici que le crime n'est pas prouvé. Je ne comprends pas...

— Non, vous ne pouvez pas comprendre, l'interrompit-elle. Vous ne pouvez pas, parce que votre fils n'est pas obligé de croupir en prison pendant neuf mois en attendant d'avoir l'occasion de prouver son innocence. Vous ne pouvez pas comprendre, puisque vous demandez à un reporter de recueillir des informations partielles auprès de la police, uniquement pour faire vendre du papier. Jamais mon fils n'a caché le fait qu'il était auprès d'Emily Gold quand elle est morte, alors pourquoi monter ça en épingle comme si ça représentait un tournant de l'affaire ?

— Parce que ça attire le client, madame Harte. Et nous n'avons pas beaucoup d'affaires de cet ordre, dans le patelin, pour attirer le client.

— C'est de l'exploitation, répliqua-t-elle. Je pourrais vous poursuivre.

— Vous pourriez, répondit tranquillement le rédacteur en chef. Mais je crois que vous dépensez déjà suffisamment d'argent en frais de justice en ce moment. Naturellement, nous sommes prêts à écouter votre version des faits. Comme vous l'avez sans doute compris, la mère de la fille a donné l'exclusivité à Lou. Il sera très content de vous interviewer vous aussi.

— Il n'en est pas question. Pourquoi devrais-je justifier mon fils, alors qu'il n'a rien fait de mal ?

Favre cligna des yeux :

— C'est à vous de me le dire.

— Écoutez, prononça Gus, mon fils est innocent. Il aimait cette fille. J'aimais cette fille. Voilà la vérité !

Elle abattit sa main sur le journal.

— Je veux un démenti.

Favre éclata de rire.

— Des faits ?

— Du ton. Quelque chose qui dise plus clairement que cette merde que vous avez publiée que Christopher Harte n'est pas coupable tant qu'il n'a pas été condamné par un tribunal.

— Très bien, dit Favre.

Il avait accepté un peu trop facilement.

— Très bien ?

— Oui, très bien, répéta-t-il. Mais ça ne changera rien.

Gus croisa les bras sur sa poitrine.

— Pourquoi ?

— Parce que le public a déjà eu connaissance de tout ça, répondit le rédacteur en chef en roulant le journal en boule avant de le jeter à la poubelle. Je pourrais dire que votre garçon est un ange, qu'il a déplié ses ailes et qu'il s'est envolé au ciel, madame Harte, que ça ne changerait rien... Car maintenant que les gens ont planté leurs dents dans leur proie, ils ne sont pas près de la lâcher.

Selena entra chez Jordan, enleva son manteau et s'étendit sur le canapé. Thomas, qui avait entendu la porte, sortit en courant de sa chambre.

— Oh, eh! s'exclama-t-il. Qu'est-ce qui se passe?

— Dis donc, mon petit, répondit Selena en bâillant, tu deviens de plus en plus mignon!

— Ah! ça y est, tu vas accepter de sortir avec moi, maintenant?

Selena rit.

— Je te l'ai déjà dit. Quand tu entreras en dernière année ou quand tu feras un mètre quatre-vingt-six. L'un ou l'autre.

Elle attrapa une bouteille de Pepsi à moitié vidée, renifla l'intérieur et but en parcourant des yeux le désordre de papiers posés à même le sol.

— Où est ton père?

— Ici, annonça Jordan en sortant de sa chambre en pantalon de jogging avachi et en T-shirt. Tu peux me dire qui t'a donné les clés?

— C'est moi, répondit Selena sans se troubler. J'en ai fait faire un double il y a quelques mois.

— Surtout, ne me demande pas la permission avant!

— Éclaire-moi, dit Selena en s'adressant à Thomas. Qu'est-ce qu'il a?

— Le bureau du procureur général lui a communiqué les pièces, expliqua Thomas en secouant la tête d'un air triste. Il a besoin d'une épaule compatissante pour y cacher ses larmes.

— Mes épaules ne sont pas compatissantes, et je n'ai pas l'habitude de les prêter aux gens qui me paient, répondit la jeune femme.

— Mais moi, je ne te paie pas, fit remarquer Thomas.

— Au revoir, Thomas! s'écrièrent les deux adultes en chœur.

Le jeune garçon rentra en riant dans sa chambre et ferma la porte.

Selena s'assit sur le canapé et Jordan se laissa tomber au milieu des papiers qui encombraient le sol.

— C'est si mauvais que ça? demanda-t-elle.

Jordan prit un air dubitatif.

— Non, ce n'est pas si mauvais que ça. Simplement, ce n'est pas absolument bon. Il y a beaucoup d'éléments de preuves qui peuvent aller dans les deux sens, tout dépend du point de vue où on se place.

— Tu l'empêcheras d'aller à la barre.

C'était une affirmation, car la jeune femme connaissait le point de vue de l'avocat.

— Oui. Je pense que notre dossier sera meilleur de cette façon.

Si Chris allait à la barre, c'était à lui de donner sa version des faits. C'était ce que l'éthique commandait à Jordan de lui conseiller. Or, il lui avait fait savoir qu'il n'avait pas eu l'intention de mettre fin à ses jours. S'il ne permettait pas à Chris d'aller à la barre, Jordan était libre de dire tout ce qui lui chantait pour faire libérer son client. Aussi longtemps que Chris ne commettait pas de parjure, Jordan pouvait utiliser tous les arguments de défense qu'il voudrait.

— Supposons que tu sois l'un des jurés... dit-il. Laquelle de ces deux versions préférerais-tu croire ? Celle-ci : Chris, qui fait vingt-cinq kilos de plus qu'Emily, l'accompagnait ce soir-là pour la dissuader de se suicider, mais il n'a pas réussi à lui arracher le revolver. Ou celle-là : ils avaient décidé de se suicider ensemble pour être fidèles à leur beau pacte d'amour... sauf qu'Emily s'est fait sauter la cervelle et que Chris en avait partout sur sa chemise et que c'était beaucoup moins beau à voir tout à coup, et qu'il s'est évanoui avant d'avoir pu tourner l'arme contre lui.

— Je vois, fit Selena.

Puis, avec un geste en direction des piles de documents :

— Par où je commence ?

Jordan se frotta les joues :

— Je ne sais pas. J'en ai pour des jours entiers à étudier tout ça... Tu devrais commencer par aller voir ses parents, je pense. Nous avons besoin d'un ou deux témoignages irréfutables sur sa moralité.

Selena attrapa un bout de papier, en prit connaissance – c'était une note de nettoyage – et se mit à faire une liste. Pendant que Jordan se plongeait dans un rapport médico-légal, elle s'empara du premier dossier. Il s'agissait de l'interrogatoire de police des parents de la fille, après le décès. Rien de surprenant de la part de la mère : beaucoup d'hystérie, une bonne dose de chagrin, un refus obstiné de reconnaître que son enfant chérie s'était suicidée.

— Oh, ça ? fit Jordan après avoir vérifié ce qu'elle lisait. J'y ai jeté un œil cet après-midi. Tu n'arriveras pas à tirer quoi que ce soit de cette bonne femme. Elle a donné l'exclusivité à la *Gazette*. Rien de mieux qu'un petit article complètement impartial pour aider à accélérer le cours de la justice !

Selena ne répondit pas, car elle avait tourné la page et s'était plongée dans le second interrogatoire. Elle releva la tête en souriant :

— Mélanie Gold est une cause perdue, concéda-t-elle, mais Michael Gold peut être notre planche de salut !

Le fait d'être une mère vous donne une curieuse faculté, celle de voir votre enfant à travers un prisme qui vous permet de le regarder sous différentes facettes à la fois. C'est ce qui explique pourquoi vous pouvez le voir fracasser un objet de valeur tout en continuant à le considérer comme un petit ange... Ou le tenir contre vous pendant qu'il pleure, et l'imaginer tout souriant. Ou le regarder s'avancer vers vous, grand et fort comme un homme, et voir ses fossettes d'enfant.

Gus toussota, même s'il était exclu que Chris l'entende à cette distance, au milieu du vacarme. Elle croisa les bras d'un air décidé en se persuadant que la vue de son fils aîné en uniforme de détenu ne l'affectait pas. Lorsqu'il s'approcha, elle arbora un large sourire, au prix d'un effort qui menaça de la briser en deux.

— Salut ! fit-elle joyeusement en le prenant dans ses bras dès que le gardien se fut éloigné. Comment ça va ?

Chris haussa les épaules.

— Très bien, répondit-il, compte tenu des circonstances.

Il se mit à tirer sur sa chemise délavée. Il ne portait plus de combinaison. Sa chemise à manches courtes – en plein mois de décembre – et son pantalon assorti faisaient comme une tenue de chirurgien.

— Tu n'as pas froid ? s'enquit Gus.

— Non, pas vraiment. Ils maintiennent la température à 25°. La plupart du temps, j'ai trop chaud.

— Tu devrais demander aux gardiens de la baisser, conseilla-t-elle.

— Bon Dieu, c'est vrai, comment n'y ai-je pas pensé moi-même ? s'écria-t-il en levant les yeux au ciel.

Un silence épais s'installa entre eux.

— J'ai vu Jordan McAfee, finit par dire Chris. Et une dame qui l'aide dans ses enquêtes.

— Selena, précisa sa mère. Je l'ai vue. Elle est superbe, non ?

Chris acquiesça d'un signe de tête.

— Nous n'avons pas parlé tant que ça, tous les deux... Il m'a dit de ne parler à personne de ce qui s'était passé.

— De ton affaire, tu veux dire... Ce n'est pas surprenant.

— Non, non... Mais je me demandais si « personne », c'était toi y compris ?

Voilà, on y était. Toute la normalité qu'elle se donnait tant de mal à créer – avec le sourire, le baiser, la conversation banale – s'évapora, car, quels que fussent ses efforts, la relation entre une mère et son fils était irrémédiablement altérée lorsque l'un des deux se trouvait en prison.

— Je ne sais pas, répondit-elle. Je pense que ça dépend de ce que tu vas me dire.

Elle se pencha en avant et chuchota :

— Le professeur Violet, dans la bibliothèque, avec la clé anglaise ?...

Surpris, Chris éclata de rire, et ce fut la plus grande joie de Gus depuis le début de son cauchemar.

— Non, on ne joue pas au Clue, je n'allais pas être aussi explicite, dit-il avec un sourire persistant dans les yeux. Mais je pense que ça peut te faire mal quand même.

La peau de Gus fut parcourue d'un frisson qu'elle tenta d'ignorer.

— Tu peux y aller, dit-elle, on est costauds, dans ma famille.

— Je pense que oui, parce que je me demande de qui je tiendrais, autrement ?

Ils songèrent alors tous deux à James et à ses origines « aristocratiques » qui remontaient au *Mayflower*, et un léger malaise s'installa pendant quelques instants.

— Ce qui se passe, poursuivit Chris, c'est que j'ai dit à Jordan une chose que j'ai déjà dite au Dr Feinstein. Une chose que je ne t'ai pas dite à toi.

Gus se recula sur sa chaise et essaya de ne pas penser au pire. Elle lui sourit pour l'encourager.

— Je n'avais pas l'intention de me suicider, murmura son fils. Ni ce soir-là ni maintenant.

Le simple fait qu'il n'eût pas prononcé les mots « Je suis coupable » amena un sourire béat sur les lèvres de Gus.

— Mais c'est magnifique ! dit-elle avant d'avoir pu comprendre la portée de cette révélation.

Chris attendit patiemment que l'information parvienne jusqu'à son cerveau... Lorsqu'il vit ses yeux s'élargir et sa main recouvrir sa bouche, il hocha la tête.

— J'étais affolé, avoua-t-il. Voilà pourquoi j'ai raconté ça. Mais Em, oui, elle, elle a voulu se suicider. J'ai passé tout mon temps à essayer de la dissuader.

Cette révélation mit Gus dans tous ses états. Cela voulait certes dire que son fils n'avait pas été près de se suicider. C'était une nouvelle digne d'être fêtée. Et cela signifiait que si son mari et elle n'avaient pas remarqué chez lui de tendances suicidaires, ce n'était pas dû à leur négligence, mais au fait tout simplement qu'il n'en avait pas.

Mais cela signifiait également que Chris risquait d'être condamné pour avoir avoué cette vérité. Et que, s'il s'était adressé à quelqu'un d'autre pour l'aider à sauver Emily, le drame n'aurait peut-être pas eu lieu.

Soudain consciente des oreilles qui les entouraient, Gus secoua imperceptiblement la tête.

— Peut-être que tu devrais écrire tout cela et me l'envoyer, suggéra-t-elle en désignant de la tête le détenu assis à côté de Chris.

Il comprit et rougit.

— Tu as raison.

— Je suis contente que tu me l'aies dit, ajouta-t-elle hâtivement. Je comprends très bien pourquoi tu as déclaré ce que tu as déclaré aux... autorités. Mais tu n'avais pas à nous mentir.

Chris attendit un peu avant de répondre :

— Je ne voyais pas ça comme un mensonge. C'était plutôt ne pas dire toute la vérité.

— Bien, dit Gus en s'essuyant les yeux, tout en s'en voulant de son émotion. Ton père va être enchanté. Il ne comprenait pas comment quelqu'un ayant tout pour lui pouvait avoir envie de se suicider.

Chris lui décocha un regard aigu.

— Ça peut arriver, affirma-t-il.

— Peut-être que tu voudrais le lui dire toi-même, poursuivit Gus d'un ton doux. Il est dans la voiture. Il a voulu m'accompagner...

— Non, l'interrompit son fils. Je ne veux pas le voir. Tu peux lui dire, si tu veux. Moi, que ce soit d'une manière ou d'une autre, je m'en fiche.

— Non, tu ne t'en fiches pas, c'est ton père.

Chris haussa les épaules, et Gus sentit croître sa colère.

— Il t'a donné la vie au même titre que moi, argumenta-t-elle. Pourquoi ne veux-tu pas le voir, alors que moi, je peux venir ?

Du bout du doigt, Chris dessina un cercle sur la table.

— Parce que toi, répondit-il tranquillement, tu ne m'as jamais demandé d'être parfait.

Le vendredi après-midi, un gardien s'arrêta devant la cellule de Chris et de Steve.

— Ramassez vos affaires, dit-il. On va vous donner une chambre avec vue.

Steve, qui était en train de lire, installé sur sa couchette, se pencha vers son compagnon. D'un bond souple, il descendit pour rassembler ses maigres biens.

— Est-ce qu'on sera ensemble, là-haut ? demanda-t-il.

— À mon avis, c'est ce qui est prévu, répondit le gardien.

Ils avaient tous deux demandé à être transférés en moyenne sécurité, malgré leur peu de chances d'aboutir après l'épisode avec Hector. Et même s'ils devaient être séparés, ni l'un ni l'autre n'allait faire la fine bouche.

Chris bondit en bas de sa couchette et prit sa brosse à dents, sa combinaison, un short et ses réserves de nourriture. Désignant l'oreiller et la couverture, il se tourna vers le gardien :

— Est-ce qu'il faut que je les prenne ?

Le fonctionnaire fit signe que non. Il précéda les deux hommes. Ils longèrent la coursive, passèrent devant les autres cellules du quartier de haute sécurité. Quelques détenus sifflèrent sur leur passage ou posèrent des questions. Lorsqu'ils eurent atteint les escaliers, le silence se rétablit.

— Vous avez les couchettes du dessus, leur expliqua le gardien quand ils furent arrivés à l'étage supérieur.

Ce n'était pas surprenant. Les moins anciens bénéficiaient du moins de confort... et les couchettes du dessus étaient considérées comme moins attrayantes que celles du dessous. Cela signifiait également qu'il y avait déjà deux autres personnes dans la cellule, avec l'incertitude qu'impliquait le mélange.

À cet étage, les murs étaient en béton, mais peints d'un jaune pâle rayonnant. Les coursives étaient deux fois plus larges et les côtés des cellules faisaient un mètre de plus. Il y avait quatre couchettes par cellule, mais il y avait également une large pièce commune qui reliait les deux unités, avec des tables et des chaises et tant d'espace que Chris se sentit se redresser. C'est alors seulement qu'il se rendit compte que, jusque-là, il s'était recroquevillé sur lui-même.

— Qu'est-ce que je t'avais dit ? s'exclama Steve en jetant ses affaires sur la couchette de gauche. C'est le nirvana !

Son compagnon acquiesça. Les autres occupants n'étaient pas là, mais leurs affaires étaient proprement rangées dans des boîtes placées sur les deux couchettes du bas, pour faire savoir sans ambiguïté aux nouveaux venus où était leur place.

Une cinquantaine d'hommes occupaient la salle commune ; certains regardaient la télévision accrochée au mur, d'autres étaient occupés à faire des puzzles. Des boîtes de jeux étaient posées au sommet des vestiaires.

Chris se laissa tomber sur une chaise en plastique… Il y avait de la place à volonté ici, ce n'était pas comme sur l'étroite coursive du QHS !

Steve s'assit en face de lui et mit les pieds sur la table.

— Alors, qu'est-ce que t'en penses ?

Chris sourit.

— Je vendrais ma propre grand-mère pour éviter d'être renvoyé au QHS !

Son compagnon rit.

— Ouais !… Tout est relatif !

Tendant la main, il attrapa deux boîtes de jeux. Il les examina et gémit :

— C'est tout ce qu'ils ont ! Quelqu'un a mis le feu au Monopoly le mois dernier !…

Chris éclata de rire. Dans une salle remplie de criminels, les seuls jeux disponibles étaient le « Ne te fâche pas » et « Risk ».

— Qu'est-ce qu'il y a de drôle ? s'étonna Steve.

Chris tendit la main vers la boîte qu'il tenait dans sa main gauche. C'était le « Ne te fâche pas ».

— Rien, dit-il, rien du tout.

James se leva et se dirigea vers le podium sous un tonnerre d'applaudissements. Sa silhouette se détachait contre le mur bordeaux, et Gus le trouva vraiment très beau.

— C'est un immense honneur, dit-il en brandissant sa récompense.

Le Bainbridge Memorial Hospital fêtait l'un des siens chaque année, conjointement avec l'équipe des professeurs qui enseignaient à la faculté de médecine toute proche. Ce dîner était sans doute destiné à permettre aux jeunes gens et jeunes filles qui faisaient leur entrée dans le domaine médical de faire connaissance avec les demi-dieux dont ils allaient bientôt rejoindre les rangs.

Cette année, c'était le Dr James Harte qui était récompensé. Officiellement, c'était pour le remercier de sa collaboration sans faille au sein de l'équipe du Bainbridge Memorial Hospital, mais toutes les personnes présentes savaient qu'en réalité il était fêté pour avoir eu l'honneur de figurer sur la liste des « Meilleurs médecins ». Malheureusement pour le comité chargé de la nomination, l'événement avait déjà été planifié lorsque le petit ennui avec son fils s'était produit...

— Je suis très heureux d'avoir reçu ce prix, déclara James, et également d'avoir disposé d'un peu de temps pour trouver les mots que je suis censé vous dire à tous... On m'a recommandé de dire quelque chose qui puisse inspirer nos futurs confrères. Donc, avant de commencer, je devrais peut-être m'excuser auprès de vous d'avoir choisi le métier de chirurgien et non pas celui de ministre...

Il attendit l'extinction des rires polis avant de poursuivre.

— Lorsque j'étais beaucoup plus jeune, je croyais que travailler dur et passer toute une série d'examens suffiraient à faire de moi un médecin. Mais la différence est grande entre un praticien et un médecin ayant de la pratique. Je pensais que les études d'ophtalmologie consistaient à acquérir une technique pour arriver ensuite jusqu'au mal... Je regardais les gens droit dans les yeux, au sens propre, mais je ne les voyais pas nécessairement. Rétrospectivement, je vois maintenant, sans jeu de mots, tout ce qui m'échappait. Je recommande vivement à ceux d'entre vous qui entrent dans la carrière de se rappeler que leur métier n'est pas de traiter des affections, mais des patients.

Il eut un geste en direction de ses confrères.

— Naturellement, poursuivit-il, je n'aurais jamais pu acquérir une telle sagesse sans être entouré de brillants confrères, et si je n'avais pas exercé dans un fabuleux établissement comme Bainbridge. Et je me dois de remercier mes parents, qui m'ont offert une panoplie de médecin à l'âge de deux ans ; mon mentor, le Dr Ari Gregaran, à qui je dois tant ; et, bien sûr, Augusta et Kate, qui m'ont appris que, s'il y a des patients à l'hôpital, il faut avoir de la patience à la maison.

Il souleva une nouvelle fois sa médaille sous un tonnerre d'applaudissements.

Gus frappa mécaniquement dans ses mains. Son sourire s'était figé sur son visage. Il avait oublié de mentionner Chris. L'avait-il fait intentionnellement ?

Le cœur battant à tout rompre, elle se leva et se dirigea vers les toilettes sans accorder aucune attention à ce qui se passait autour d'elle. Elle s'appuya contre le lavabo et fit couler de l'eau froide sur ses poignets. Les mots de James ne cessaient de tourner en rond dans sa tête : *Je regardais les gens droit dans les yeux, mais je ne les voyais pas nécessairement.*

Elle ramassa son sac et lissa sa robe. Elle allait demander au concierge de lui appeler un taxi et filerait à l'anglaise. Lorsque James rentrerait, peut-être aurait-elle donné assez libre cours à sa colère pour être capable de lui parler.

Elle sortit des toilettes en ouvrant la porte avec violence... et faillit s'écrouler sur James.

— Qu'est-ce qui se passe ? lui demanda-t-il. Tu ne te sens pas bien ?

Gus inclina la tête.

— Tu as raison, je ne me sens pas bien... Est-ce que tu t'es rendu compte que tu n'as pas mentionné Chris dans ton discours ?

Son époux eut le bon goût de rougir.

— Oui. Je m'en suis rendu compte au moment où je descendais du podium, quand je t'ai vue quitter la pièce. J'ai toujours dit que j'ai vraiment bien fait de ne pas devenir acteur, parce qu'à tous les coups j'aurais oublié quelqu'un d'important en allant chercher mon Oscar...

— Ce n'est pas drôle, James, le reprit-elle sèchement. Tu étais là, à prêcher l'amour du prochain à tous ces... lèche-bottes d'étudiants, et tu n'es même pas capable d'appliquer ce que tu dis à ta propre famille. Tu as fait exprès de ne pas citer le nom de Chris. Tu n'avais pas envie que l'évocation de ce petit scandale vienne troubler ton soir de triomphe.

— Non, Gus, je ne l'ai pas fait intentionnellement. Je l'ai peut-être fait inconsciemment, mais ça, c'est une autre histoire. Oui, si tu veux la vérité, je n'avais pas envie de gâcher cette soirée. Je préfère que les gens me regardent en disant : « Voilà le meilleur chirurgien ophtalmologiste de la côte Nord-Est », plutôt que : « Son fils va être jugé pour meurtre. »

Gus sentit une chaleur envahir son visage.

— Fous-moi le camp, dit-elle en essayant de se frayer un passage. Pas étonnant que tu te sentes si bien ici, ces gens sont tous comme toi. Personne n'a prononcé le nom de Chris devant moi. Personne ne m'a demandé s'il allait bien, si on savait quand le procès aurait lieu, non, rien.

— Ce n'est pas ma faute, objecta son époux. Cette histoire les touche de trop près. Ça se voit, non ? Je leur ressemble trop ! Si ce genre de chose a pu me tomber dessus, il peut tout aussi bien leur tomber dessus à eux aussi.

— Eh bien, ça t'est tombé dessus, James ! lança Gus. Et ça se passe en ce moment. Et peu importe ce que tu dis ou ce que tu ne dis pas, tu ne peux pas effacer la réalité d'un coup de gomme.

Sur ce, elle le laissa là, mais elle eut le temps de l'entendre murmurer, si bas que la douleur contenue dans sa voix était à peine perceptible :

— Non. Mais tu ne peux pas m'empêcher d'essayer.

L'un des enseignements qu'avait tirés Selena Damascus de son expérience de dix années d'investigations était que les accidents n'arrivaient pas tout seuls. Parfois, ils étaient soigneusement préparés, calculés, arrangés pour vous être favorables... tout cela, bien sûr, sous le couvert du hasard.

Si quelqu'un lui avait posé la question, elle aurait répondu que le métier de détective ne relevait pas de la magie ; il fallait simplement posséder du bon sens et savoir faire parler les gens. Et elle avait mis au point toute une série de stratégies pour recueillir le plus d'informations possible dans un minimum de temps. Elle n'hésitait pas à jouer de son physique ou de son intelligence pour forcer une porte close ; et une fois qu'elle était entrée, c'était bien le diable si elle sortait sans avoir obtenu quelque chose d'intéressant à se mettre sous la dent.

Ce jour-là, elle avait prévu de rencontrer Michael Gold. Elle se réveilla dès quatre heures du matin. Puis, installée dans sa voiture sur une route secondaire qui partait de Wood Hollow Road, elle attendit. Le 4×4 de Michael Gold déboucha d'une allée peu après cinq heures. Naturellement, elle savait déjà qu'il possédait un cabinet vétérinaire et qu'il soignait principalement le bétail. Elle savait également qu'il conduisait une Toyota 4×4. Elle savait aussi que, lorsqu'il s'arrêtait pour prendre un café en route, il ajoutait du lait mais pas de sucre.

Selena suivit discrètement la tout-terrain de Michael, ce qui était tout de même assez difficile compte tenu du peu de circulation, à cette heure matinale. Lorsqu'il s'engagea dans une longue allée débouchant sur une ferme annoncée au bord de la route, elle poursuivit sur sa lancée sans regarder en arrière. Au bout de quelque huit cents mètres, elle gara la voiture et rebroussa chemin à pied en suivant l'odeur douceâtre du foin et des chevaux.

Pour avoir étudié Michael depuis quelques jours, Selena savait qu'il commençait par l'écurie en allant voir tous les animaux, quel que soit l'objet de sa visite. Ce matin, le maréchal-ferrant était là, ce qui tombait à pic, puisqu'il penserait qu'elle était l'assistante du vétérinaire, tandis que ce dernier la prendrait pour celle du maréchal-ferrant...

Elle sourit à tous les gens qu'elle rencontra – il y en avait, du monde, à cette heure matinale ! – et trouva Michael penché sur la patte d'une jument alezane dans l'un des box.

En l'entendant approcher, il reposa la patte du cheval.

— Henry, fit-il en se tournant à demi... Oh ! ajouta-t-il aussitôt.

Il se releva, s'essuya les mains et s'appuya contre l'animal.

— Excusez-moi, je vous avais prise pour quelqu'un d'autre.

Selena secoua la tête.

— Pas de problème ! Est-ce que je peux vous aider ?

— Non, merci, je m'en sors. Vous n'avez pas vu Henry ?

— Non, répondit-elle. Si je le vois, je vous l'envoie.

Elle s'éclipsa avant qu'il ait eu le temps de se poser des questions.

Elle évita soigneusement Michael en se tenant en retrait pendant une heure. Puis elle le vit prendre congé d'un homme et se diriger vers l'allée où était garée sa voiture. Elle alla se placer à côté, le long de la clôture.

— Vous êtes le Dr Gold? lui demanda-t-elle en souriant.

— Oui, répondit le vétérinaire, mais seulement sur ma carte de visite. Mes clients m'appellent Michael.

— À mon avis, vos clients ne vous appellent pas souvent! plaisanta-t-elle.

Michael rit :

— OK. Disons leurs propriétaires!

— Est-ce que vous auriez une minute à m'accorder? demanda Selena.

— Bien sûr. C'est à propos d'un des chevaux?

— Non. Je ne vais pas tourner autour du pot, c'est à propos de Christopher Harte.

Michael accusa le coup. Puis il se reprit et lui demanda :

— Vous êtes journaliste?

— Je suis détective privée, avoua-t-elle. Je travaille pour la défense du procès.

Michael eut un petit rire :

— Et vous avez vraiment cru que j'aurais envie de vous parler? dit-il en s'éloignant pour aller s'installer dans sa voiture.

— Je n'ai pas pensé que vous en auriez envie, lui cria-t-elle, j'ai pensé que vous en auriez besoin!

Il descendit la vitre de la portière qu'il avait déjà refermée :

— Qu'est-ce que vous voulez dire par là?

Selena haussa les épaules.

— Je vous ai vu travailler. Et je me suis dit que quelqu'un qui se donnait tant de mal pour sauver la vie des animaux ne pouvait pas laisser détruire intentionnellement celle d'un être humain.

Elle s'arrêta et vit que ses paroles avaient fait mouche.

— Parce que c'est ce qui se passerait, vous savez, ajouta-t-elle d'une voix douce.

Michael Gold la regarda, visiblement ému. Selena posa une main sur son bras.

— Ce qui est arrivé à votre fille est atroce, une tragédie. Nous compatissons tous à votre douleur, de notre côté.

— Je ne crois pas que je sois un interlocuteur pour vous, finit par dire Michael.

— Vous vous trompez. Vous êtes exactement l'interlocuteur qu'il me faut. Je voudrais vous poser une question, à vous, le père d'Emily : est-ce qu'elle aurait souhaité que Chris soit pris dans ce piège ? Est-ce qu'elle aurait pu le croire capable de vouloir la tuer ?

Michael réfléchit un instant, puis se décida :

— Madame...

— Damascus. Selena Damascus.

— Selena, alors. Est-ce que vous avez envie d'une tasse de café ?

Le café, ou plutôt le relais de camionneurs où l'emmena Michael, était peuplé de costauds vêtus de flanelle rouge et de casquettes de base-ball crasseuses.

— Ce n'est pas ici que vous mangerez de la bonne cuisine, dit-il sur un ton d'excuse en la guidant vers un endroit discret au fond de la salle.

Il joua nerveusement avec les flacons de sel et de poivre en attendant que la serveuse apporte deux tasses de café fumant.

— Attention, lui dit-il alors qu'elle portait sa tasse à ses lèvres, ils le servent souvent très chaud, ici.

Selena en prit une gorgée prudente et fit la grimace.

— Et en plus, c'est de l'acide ! ajouta-t-elle.

Elle reposa sa tasse et plaça sur la table un petit carnet et un stylo.

— Bien, dit-elle pour signifier qu'elle était prête.

Michael soupira.

— Je voudrais m'assurer que vous n'enregistrez pas notre conversation.

— Je vous l'ai déjà dit, docteur Gold, je ne suis pas une journaliste. Je n'enregistre rien.

Sa réponse sembla le surprendre.

— Dans ce cas, pourquoi voulez-vous me voir ?

— Parce qu'il y aura un procès, expliqua Selena d'une voix douce. Il est très important pour nous de savoir ce que vous serez amené à dire.

— Oh !

Il était visible qu'il n'avait pas encore véritablement compris qu'il serait amené à parler à la barre pour revivre son deuil en face d'un jury.

— Est-ce que quelqu'un saura que nous nous sommes vus, vous et moi ?

Selena hocha la tête.

— Oui, l'avocat de la défense le saura. Chris le saura aussi.

— Bon, ça, ce n'est pas grave. Simplement... comment vous expliquer ? Je ne veux pas qu'on croie que je suis passé de l'autre côté.

— Je ne vois pas comment ce serait possible, puisque je voudrais juste vous poser quelques questions sur votre fille et sa relation avec Chris. Vous n'avez pas à répondre si cela vous pose un problème.

— OK, dit Michael après quelques secondes de silence. Allez-y.

— Saviez-vous que votre fille avait des tendances suicidaires ?

Il poussa un soupir.

— Eh bien, vous n'y allez pas par quatre chemins ! (Il secoua la tête.) C'est la question à un million de dollars... Si je vous dis qu'elle envisageait de se suicider, j'admets quelque chose que je ne souhaite pas vraiment admettre. Le problème, c'est que je ne sais pas si je n'arrive pas à y croire à cause de ce que c'est, c'est-à-dire le suicide avec un grand S, ou parce que je refuse toujours de reconnaître la vérité... Mais si je vous dis qu'elle n'envisageait pas de se suicider, comment expliquer le fait qu'elle soit morte, alors ?

Selena attendit patiemment la suite. Il n'avait pas répondu à sa question... et il n'avait pas rejeté la faute sur Chris.

Michael poussa un nouveau soupir.

— Je ne savais pas qu'elle envisageait de se suicider, finit-il par prononcer. Mais je ne sais pas si c'est parce que j'ignorais ce que j'étais censé savoir ou parce que, réellement, elle n'envisageait pas de se suicider.

— Venait-elle vous voir de son plein gré pour discuter des problèmes qu'elle éprouvait ?

— Elle aurait pu le faire, répondit Michael.

Selena en déduisit qu'elle ne le faisait pas.

— À qui d'autre aurait-elle pu s'adresser pour trouver un soutien ?

— À Mélanie, je suppose, plus qu'à moi, avoua-t-il en souriant d'un sourire plein de remords. C'est normal, pour une fille, j'imagine. Parfois, quand elle était en colère, elle s'enfermait dans une pièce et peignait trois ou quatre toiles jusqu'à ce qu'elle ait sorti toute sa hargne.

Il hésita, puis secoua la tête.

— Qu'est-ce qu'il y a ? le pressa la jeune femme.

— J'allais dire : et, bien sûr, elle aurait pu parler à Chris. Mais je me suis repris.

— Ce n'est pas un secret que Chris et votre fille étaient proches, fit remarquer Selena.

— Proches, répéta lentement Michael. On peut le dire comme ça.

— Et vous, comment diriez-vous ?

Il sourit.

— Ils étaient le côté pile et le côté face de la même pièce de monnaie. Quand ils étaient petits, il y avait même des moments où j'oubliais que Chris n'était pas mon fils.

— J'ai l'impression qu'ils passaient beaucoup de temps ensemble ?

— Ils étaient inséparables, vous pouvez le dire.

— C'était vraiment intense, pour des amours adolescentes.

— Ce n'étaient pas des amours adolescentes, rectifia Michael. En tout cas, personne ne le voyait comme ça. Personne n'aurait été surpris de les voir se marier après l'université.

— Vous pensez que c'était ce que souhaitait Emily ?

— Oui. Et Chris aussi. Et à vrai dire, nous quatre aussi, les parents.

Selena nota : *Ensemble par amour ? Ou pour répondre aux attentes de leurs parents ?*

— Vous aideriez grandement la défense si vous me permettiez d'aller voir la chambre d'Emily.

Elle avait formulé cette demande à tout hasard, mais il était vrai qu'elle trouverait de cette manière une multitude d'indices qui pourraient les aider... des photos coincées dans un miroir, des mots d'amour dans une boîte à bijoux, un bloc-notes portant la trace du nom de Chris...

— Je ne pourrais pas, répondit le père d'Emily. Même si je... ma femme ne comprendrait pas... Vous savez, Mélanie vit dans l'attente de ce... procès. Parfois, je la regarde en me disant que j'aimerais bien que tout soit aussi simple pour moi que pour elle. J'aimerais pouvoir oublier tout ça... quand je pense qu'il y a six mois nous nous amusions à imaginer ce que nous porterions au mariage ! J'ai essayé, vous savez, à cause d'Emily, mais je n'arrive pas à faire table rase du passé.

La jeune femme ne fit aucun commentaire, l'incitant par son silence à poursuivre.

— Vous voyez, reprit-il, j'ai identifié le corps de ma fille à l'hôpital. Mais le matin même, après son petit déjeuner, je l'avais vue se précipiter vers la voiture de Chris qui klaxonnait pour l'emmener au collège. Je l'avais vu, lui, l'embrasser quand elle était montée. Et je n'arrive pas à rapprocher les deux images dans ma tête.

Selena scruta son visage.

— Est-ce que vous pensez que Chris Harte a tué votre fille ?

— Je ne peux pas répondre à cette question, répondit Michael, les yeux fixés sur la table. Si j'y répondais, ce ne serait pas dans l'intérêt de ma fille. Et personne n'aimait Emily plus que moi. Sauf, peut-être, Chris.

Selena inclina la tête.

— Est-ce que vous accepteriez de m'accorder un autre entretien, docteur Gold?

Michael sourit, soulagé d'un poids.

— J'aimerais beaucoup, reconnut-il.

Mélanie resta un moment sur le seuil de la chambre de sa fille, les yeux fixés sur la porte. Malgré le nombre respectable de couches de peinture dont elle avait été recouverte, l'avertissement gravé dans le bois, NE PAS ENTRER, était encore visible.

Emily avait peut-être neuf ans quand elle avait gravé cette inscription au couteau. Cet acte lui avait valu d'être consignée dans sa chambre, d'une part pour avoir détérioré la porte et, d'autre part, pour avoir subtilisé un outil dangereux sur l'établi de son père. Et la petite fille avait été obligée de repeindre la porte elle-même. Mais, même si les mots avaient été effacés, le message avait été reçu et, à dater de ce jour, ses parents avaient pris l'habitude de frapper avant d'entrer.

Mélanie ne faillit pas à la tradition et frappa deux fois avant de tourner le bouton.

Les photos de Chris étaient toujours coincées tout autour du cadre de la glace, et les manches du chandail de son équipe de natation entouraient toujours l'oreiller posé sur le lit. Emily disait qu'il avait son odeur... Le livre qu'elle lisait pour son cours d'anglais était toujours ouvert, retourné, sur sa table de chevet. Une pile de vêtements lavés qui auraient dû être rangés était toujours posée sur le bord de son bureau.

En soupirant, Mélanie prit les vêtements du dessus et entreprit de les ranger dans leurs tiroirs respectifs. Puis elle tourna sur elle-même en se demandant par quoi elle allait continuer.

Elle n'était pas encore prête à supprimer les traces qu'Emily avait laissées en vivant ici, en dormant ici, en respirant ici, encore à peine quelques semaines auparavant.

Mais il y avait certains objets dans cette chambre qu'elle ne voulait plus voir.

Elle commença par enlever les photos de Chris. Elle les jeta en tas sur le lit, puis enleva le chandail de l'oreiller et le roula en boule. Ce fut ensuite au tour d'une caricature des deux jeunes gens, collée à la porte du placard, de rejoindre le tas sur le lit. Satisfaite, Mélanie chercha alors un endroit où placer tout cela.

Elle se mit par terre à quatre pattes pour attraper une boîte à chaussures au fond de l'armoire... Soudain, elle sentit ses mains passer à travers le mur. Il y avait un trou dans le plâtre.

Après s'être livrée à une prudente exploration – elle pouvait tomber sur un rat ou une bestiole quelconque –, elle fut soulagée de constater que l'unique objet que contenait la cachette était solide et inerte. C'était un cahier relié de tissu qui révéla l'écriture familière et régulière d'Emily.

— Je ne savais pas qu'elle tenait un journal, murmura-t-elle.

Elle parcourut la dernière page, puis la première, et constata que ce journal était récent. Il remontait à presque un an et demi. Et la dernière page avait été écrite le jour de la mort de sa fille.

En proie à un malaise certain, Mélanie lut quelques passages. Il y avait beaucoup de notes anodines, mais certaines phrases lui sautèrent aux yeux :

Parfois, j'ai l'impression d'embrasser mon frère, mais comment lui dire ça à lui ?

Il faut que je regarde l'expression de Chris pour imaginer ce que je devrais ressentir, et je passe le reste de la soirée à me demander pourquoi je ne le ressens pas.

J'ai encore fait ce rêve, celui qui me fait me sentir sale.

Quel rêve ? Mélanie revint quelques pages en arrière, mais ne trouva rien. En revanche, elle eut sous les yeux le récit de la soirée au cours de laquelle sa fille avait perdu sa virginité.

Emily avait fait l'amour pour la première fois à l'endroit même où elle avait été assassinée.

Mélanie lut le journal en entier. Lorsqu'elle eut fini, ses mains lâchèrent le cahier, qui s'ouvrit à la dernière page, sur la note qu'avait écrite Emily le jour de sa mort :

Si je lui dis, il m'épousera. C'est aussi simple que cela.

Elle parlait du bébé. C'était clair, cela se lisait entre les lignes. De même, il était clair que le jour où elle avait écrit ces mots, le 7 novembre, Emily n'avait pas dit à Chris qu'elle était enceinte. Pas plus qu'elle ne l'avait dit à ses parents.

Toute l'accusation de Barrett Delaney était basée sur cet enfant, sur l'hypothèse que Chris avait prémédité de tuer Emily pour s'en débarrasser. Mais comment aurait-il pu vouloir se débarrasser d'un enfant dont il ignorait l'existence ?

Mélanie referma le cahier, très mal à l'aise, mais le cœur toujours empli d'un désir de vengeance si fort qu'elle ne remarqua pas que, dans son journal, Emily n'avait pas fait ses adieux.

Elle rassembla les photos de Chris qu'elle avait ôtées de la glace et les enfouit dans la poche du chandail. Puis elle descendit les escaliers, le journal coincé sous son bras, les mains crispées sur le chandail et les photos, et se rendit dans le salon de réception – une pièce où l'on ne vivait pas réellement, mais où se trouvait la cheminée.

Ils l'avaient peut-être utilisée trois ou quatre fois depuis qu'ils habitaient la maison. Avec le poêle à bois de la cuisine, elle semblait superflue, surtout dans une pièce remplie d'inconfortables meubles anciens hérités de quelque parent oublié.

Mélanie s'agenouilla devant la cheminée et dispersa les photos à travers la grille de fer avant de placer le chandail par-dessus. Elle y mit le feu et vit les flammes lécher les photos de Chris avant de s'attaquer au tissu et de former une grande langue bleue. Puis elle jeta le journal dans le foyer et resta immobile, les bras croisés, pendant que la reliure commençait à se ratatiner et que les pages se réduisaient en cendres.

— Mélanie ?

Les pas de Michael firent le tour de la maison pour, finalement, s'arrêter dans le salon. Ses yeux se posèrent alternativement sur la cheminée où se consumait le feu et sur son épouse.

— Qu'est-ce que tu fais ?

Mélanie haussa les épaules.

— J'avais froid, répondit-elle.

HIER

Septembre 1997

Dans sa main droite, M. Krull tenait une banane. Dans la gauche, un préservatif.

— Mesdemoiselles et messieurs, dit-il d'un ton neutre, à vos marques.

Les élèves, groupés par deux, ouvrirent le préservatif dans un bruit de papier déchiré. Emily, qui ne parvenait pas à ses fins, utilisa ses dents, sous le regard d'un garçon qui l'observait un peu plus loin.

— Aïe ! gémit-il.

Sa copine, Heather Burns, avec qui elle faisait équipe dans ce cours d'éducation sexuelle ridicule, gloussa.

— Il a raison, chuchota-t-elle, il ne faut pas le faire avec les dents !

Emily rougit violemment en remerciant Dieu pour la millionième fois de ne pas avoir Chris pour partenaire. C'était déjà suffisamment embarrassant, mais avec lui, ç'aurait été encore pire.

Les cours d'éducation sexuelle étaient au programme de dernière année, moment un peu tardif, compte tenu du fait que la plupart des élèves avaient déjà eu l'occasion de se familiariser avec le maniement des préservatifs depuis plusieurs années. Ces cours étaient assurés par les entraîneurs sportifs – M. Krull entraînait l'équipe de natation –, ce qui ne risquait pas de donner de mauvaises idées à leurs élèves. En effet, ils étaient tous gros, de sexe masculin, approchaient de la cinquantaine et n'avaient rien de joyeux lurons... Par bonheur, il y eut tout de même un peu d'animation dans la classe lorsque M. Krull buta sur le mot *menstruation*.

Au coup de sifflet de l'entraîneur, la classe, dans un bel ensemble, entreprit de dérouler trente préservatifs autour de trente bananes. Emily fit un effort de concentration pour ne pas penser à Chris et descendit le préservatif sur la peau de banane en le lissant bien pour éviter les plis.

— Hé ! Ma banane s'est cassée ! cria un garçon.

Quelqu'un lui lança :

— Ça t'arrive souvent, McMurray ?

Emily fit claquer le préservatif à la base de la banane.

— Ça y est ! soupira-t-elle.

Heather se leva d'un bond.

— On a gagné ! brailla-t-elle.

Tout le monde se retourna vers les deux jeunes filles. M. Krull s'avança et s'arrêta devant leur bureau.

— Voyons voir... Il y a un joli petit espace en haut, comme on a dit. Et le préservatif n'est pas relevé sur le côté... et il est parfaitement ajusté en bas. Félicitations, mesdemoiselles.

— Ça... commenta McMurray la bouche pleine (il avait pris le parti de manger sa banane), maintenant, on comprend pourquoi elle s'appelle Heather *Burns** !

Toute la classe éclata de rire.

— Peut-être, mais toi, tu peux toujours attendre, Joey ! riposta Heather.

M. Krull les récompensa de leur victoire en leur offrant des barres de confiserie. Emily se demanda si c'était une plaisanterie.

— Dans la vie réelle, expliqua l'entraîneur, on ne fait pas la course pour mettre un préservatif. Même si on a plutôt tendance à se dépêcher... S'il est utilisé correctement – je dis bien correctement –, nous savons que c'est le meilleur moyen en dehors de l'abstinence pour prévenir les MTS ou le sida. Mais, avec soixante-quinze pour cent d'efficacité, ce n'est pas une bonne méthode de contraception. En tout cas, pas pour les vingt-cinq pour cent de femmes qui se retrouvent enceintes...

* *To burn* : brûler en anglais (*N.d.É.*).

Donc, si c'est ce que vous avez choisi comme méthode, je vous conseille de trouver un moyen plus sûr.

Pendant que l'entraîneur parlait, Heather défit l'emballage de sa barre de confiserie et mordit dedans... Emily échangea un regard avec elle et eut un petit sourire : « Aïe ! »

Le cœur battant, Emily ferma la porte de la salle de bains et sortit la boîte qu'elle dissimulait sous sa chemise pour la poser sur le lavabo.

Sortez le test de son emballage. Lisez attentivement toutes les instructions avant de faire le test.

Les mains tremblantes, elle sortit le test qui se révéla être un morceau de plastique long et étroit, carré au bout, avec deux petits témoins placés un peu plus haut.

Tenez le bout de la baguette dans le jet d'urine pendant dix secondes.

Fallait déjà avoir bien envie pour faire pipi pendant dix secondes !

Placez la baguette dans son support et attendez trois minutes. Vous saurez que le test fonctionne en voyant apparaître un trait bleu dans la première fenêtre témoin. Si vous voyez apparaître un trait bleu, même très pâle, dans la deuxième fenêtre, vous êtes enceinte. S'il n'y a pas de trait bleu dans la deuxième fenêtre, vous n'êtes pas enceinte.

Emily s'exécuta, mais la source tarit très vite et elle ne put compter que jusqu'à quatre.

Et trois minutes, c'était très long.

Elle guetta l'apparition du trait de contrôle dans le premier témoin en se disant que ce n'était pas possible, puisqu'ils avaient toujours fait attention.

Puis elle entendit la voix de M. Krull : « Avec soixante-quinze pour cent d'efficacité, ce n'est pas une bonne méthode de contraception. En tout cas, pas pour les vingt-cinq pour cent de femmes qui se retrouvent enceintes. »

Le deuxième trait apparut, fin comme une fêlure, et aussi douloureux. Emily se plia en deux et posa inconsciemment la main sur son ventre, en regardant fixement le seul test qu'elle avait eu envie jusqu'ici de rater.

Les muscles du dos de Chris brillaient sous l'effort et ses épaules lui bouchaient la vue. Emily se souleva un peu dans l'espoir de le faire sortir d'elle, mais lui crut que son geste était dicté par la passion, et il entra encore plus profondément. Elle tourna la tête sur le côté pendant qu'il s'activait. Elle sentit sa main entre ses jambes – comme d'habitude, il voulait à tout prix la faire jouir elle aussi – et elle se contracta. Il était si loin en elle à présent qu'elle ressentit une pression insupportable, comme si l'être qu'elle portait poussait Chris hors de son espace.

Soudain, Chris se convulsa et elle l'enserra étroitement, comme elle le faisait toujours. Il se laissa retomber sur elle, lourd comme une pierre, et lui coupa la respiration, près de lui arracher son secret.

Le Centre de santé des femmes était situé sur une ligne de bus très pratique qui reliait Bainbridge à plusieurs villes voisines situées au sud et à l'est. Dans la salle d'attente, on trouvait tout un mélange d'ethnies. Quelques femmes étaient seules, d'autres étaient accompagnées de leur partenaire. Certaines étaient précédées d'un gros ventre, d'autres non, mais quelques-unes pleuraient, la tête enfouie dans leurs mains... Aucune ne ressemblait à Emily : une fille de famille aisée venue d'un quartier chic où ce genre de chose n'arrive pas.

— Emily ?

La conseillère, une infirmière nommée Stéphanie Newell, la rappelait à l'intérieur.

La jeune fille ramassa son manteau et la suivit dans une petite pièce accueillante.

— Bien, lui confirma Stéphanie en prenant place en face d'elle. Vous êtes enceinte. De six semaines environ, d'après ce qu'on peut juger.

Elle fit une pause et étudia le visage de sa patiente.

— J'imagine que ce n'est pas une bonne nouvelle.

— Pas vraiment, murmura Emily.

Jusqu'à présent, toute cette histoire lui avait paru irréelle. Le test de grossesse n'était pas fiable à cent pour cent... tout cela n'était peut-être qu'un mauvais rêve... Mais ça, une étrangère qui vous annonçait que c'était vrai, c'était une preuve indéniable.

— Est-ce que vous l'avez dit au père ?

Emily nota vaguement que ni l'une ni l'autre ne prononçait le mot « bébé ». « Enceinte », oui. « Père », oui. Sans doute juste au cas où il ne serait pas nécessaire de mettre un visage sur quelque chose que vous ne garderiez pas...

— Non, répondit-elle sèchement.

— C'est vous qui décidez, fit remarquer doucement Stéphanie, mais il est plus facile d'affronter ce genre de problème, quelle que soit la solution choisie, avec quelqu'un à ses côtés.

— Je ne veux pas lui dire, prononça Emily d'une voix ferme, il ne figure pas dans le tableau.

— Il ne figure pas dans le tableau, insista l'infirmière, ou c'est vous qui ne voulez pas l'y mettre ?

— Je ne peux pas avoir ce bébé, expliqua la jeune fille, j'entre à l'université l'année prochaine.

Stéphanie se contenta de hocher la tête.

— L'une des solutions que nous proposons est l'avortement, dit-elle. Le prix est de trois cent vingt-cinq dollars et il faut payer d'avance.

Emily pâlit. Elle pensait bien qu'il y avait un prix à payer, mais la somme qu'on lui annonçait était astronomique. Elle devrait demander à ses parents... ou à Chris... et ça, c'était impossible.

Elle réfléchit en triturant nerveusement le bord de sa chemise. Elle avait passé toute sa vie à faire ce qu'on attendait d'elle. Elle était la fille parfaite, l'artiste prometteuse, la meilleure amie, le premier amour. Elle avait été si occupée à répondre aux attentes des autres qu'elle avait mis des années à se rendre compte que tout cela n'était qu'une grosse blague. Elle n'était pas parfaite, loin de là, et ce qu'elle montrait à l'extérieur n'était pas ce qu'elle était en vérité. Au fond d'elle-même, elle était mauvaise, et voilà ce qui arrivait aux filles comme elle.

— Trois cent vingt-cinq dollars, répéta-t-elle. Très bien.

Finalement, ce fut facile. Elle avait pensé tout d'abord demander à Chris de l'aider à réunir la somme, mais il aurait demandé pourquoi, et même si elle lui avait répondu qu'elle ne pouvait pas en parler, il aurait compris, car il ne fallait pas être devin pour comprendre pourquoi une fille de dix-sept ans avait besoin de tant d'argent, et si rapidement.

Donc, elle se leva au milieu de la nuit. Elle descendit de l'étage à pas de loup et alla fouiller dans le sac de sa mère pour prendre son chéquier. Elle détacha le chèque n° 688, le rédigea pour le montant total et imita sans difficulté la signature de Mélanie. Sa mère n'utilisait son chéquier que pour payer les factures, une fois par mois.

Lorsque arriverait le moment où elle s'évertuerait à retrouver ce qu'elle avait payé avec le chèque n° 688, toute cette histoire serait certainement terminée.

Le lendemain, après la classe, Emily demanda à Chris de la conduire à la banque sous le prétexte de devoir encaisser un chèque pour sa mère. Le caissier la connaissait : à Bainbridge, tout le monde connaissait tout le monde. Et elle rentra chez elle plus riche de trois cent vingt-cinq dollars.

Le soir précédant la date prévue pour l'avortement, elle se rendit au bord du lac avec Chris. Il faisait bon pour un mois de septembre. C'était l'été indien, la nuit prenait peu à peu possession du ciel en le recouvrant d'un voile sombre, léger comme de la gaze. Emily était extrêmement nerveuse. Sa peau lui paraissait trop fine pour son corps ; ses pensées, toujours les mêmes, tournaient en rond dans sa tête. Elle avait l'impression de sentir pousser la chose à l'intérieur de son ventre. Dans une tentative désespérée de se débarrasser de son obsession, elle se jeta sur Chris en l'embrassant avec tant d'ardeur qu'il finit par reculer et la regarda d'un air interrogateur.

— Qu'est-ce qu'il y a ? demanda-t-elle.

Mais il se contenta de secouer la tête.

— Rien, murmura-t-il. C'est simplement que tu ne te ressembles pas.

— À qui est-ce que je ressemble ?

Chris sourit.

— À mes rêves les plus fous, répondit-il en enfouissant ses mains dans les cheveux d'Emily.

Et, tout à coup, il l'attira sur lui.

— Assieds-toi ! lui demanda-t-il.

Elle s'exécuta en plaçant ses jambes de part et d'autre de ses hanches.

Elle le sentit alors s'introduire en elle ; mais c'était trop tôt. Elle appuya ses mains sur les épaules de Chris, s'arc-boutant pour se dégager.

— Oh, c'est bon ! murmura-t-il, la tête tournée sur le côté.

Emily s'arrêta, puis, encouragée par Chris qui avait posé ses mains sur ses hanches, elle se mit à bouger timidement.

— Tu as l'air d'un centaure, déclara-t-il.

Surprise, elle rit, mais son rire ne fit qu'introduire Chris un peu plus profondément et aggraver la situation. Ils plaisantaient exactement comme d'habitude. Ils auraient tout aussi bien pu s'amuser à se battre, comme quand ils étaient petits, comme un frère et une sœur... Mais ils ne jouaient pas à se battre, et ils n'étaient pas frère et sœur, donc, ils avaient le droit de faire l'amour, non ?

Emily ferma les yeux et essaya de chasser ses pensées. Elle avait un peu mal au cœur.

— Ce serait donc toi le cheval, répondit-elle.

Chris contracta les muscles de ses fesses.

— Yahou ! lança-t-il en faisant semblant de ruer sous elle.

La lune caressa ses épaules et vint éclairer sa poitrine.

Après, ils restèrent longtemps blottis l'un contre l'autre. C'était le moment qu'elle attendait, le moment qui valait qu'on souffre les affres de l'acte sexuel. Depuis qu'elle était née, elle s'était couchée contre lui un nombre incalculable de fois... Après, elle le retrouvait comme avant.

— Finalement, le sable, c'est très surfait ! chuchota-t-il soudain.

Elle esquissa un sourire.

— Ah oui ?

— J'ai le cul en feu, avoua-t-il.

Emily sourit franchement.

— Ça t'apprendra !

— Ça m'apprendra ? C'est moi qui ai été chevaleresque, je t'ai laissée être au-dessus ! riposta-t-il en lui frottant le ventre de sa main couverte de sable.

Emily se releva d'un bond, saisit le premier vêtement à sa portée – la chemise de Chris – et s'en recouvrit pour aller marcher le long de la berge.

Est-ce que Chris avait le droit de savoir ? Est-ce qu'elle commettrait un mensonge si elle ne lui disait rien ?

Si elle lui disait, ils se marieraient. Le problème était qu'elle n'était pas sûre d'en avoir envie.

Elle se dit que ce ne serait pas juste pour Chris, lui qui croyait être avec une fille qui n'avait jamais été touchée par un autre homme.

Mais une petite voix insistante, tout au fond d'elle, lui disait que ce ne serait pas juste pour elle non plus. Elle qui, parfois, en rentrant chez elle après avoir fait l'amour avec lui, vomissait pendant des heures ; qui, parfois, ne pouvait pas supporter le contact de ses mains dans son soutien-gorge et dans sa culotte parce qu'elle avait l'impression de commettre un inceste... Dans ces conditions, est-ce qu'elle pouvait envisager de passer toute sa vie avec lui ?

Emily lança un galet dans le lac, troublant la lisse uniformité de l'eau. Elle savait qu'elle serait toujours étroitement liée à Chris, comme elle l'avait toujours été depuis le jour de sa naissance, mais elle s'apercevait à présent qu'elle espérait secrètement se défaire de ce lien. Tout le monde espérait les voir ensemble pour toujours, mais « pour toujours » lui paraissait autrefois une échéance très lointaine...

Elle mit la main sur son ventre. « Pour toujours » était une échéance très proche, maintenant.

À supposer que la réponse soit oui. Qu'elle puisse épouser Chris.

L'alternative serait de lui expliquer qu'elle l'aimait comme une sœur, une amie, mais pas nécessairement comme une épouse. Et elle verrait alors son visage blêmir, elle sentirait son cœur se briser sous ses mains.

Elle n'aimait pas suffisamment Chris pour l'épouser, mais elle l'aimait trop pour lui annoncer cela.

Emily contempla le lac aux eaux profondes, bercée par le chant des criquets. Rien de plus facile que d'entrer dans ce lac et d'avancer lentement sur le fond vaseux jusqu'à ce que l'eau noire recouvre sa tête et vienne envahir ses poumons en la faisant couler comme une pierre.

Elle sentit la présence de Chris derrière elle.

— À quoi tu penses ? lui demanda-t-il en passant un bras tendre autour de ses épaules.

— À me noyer, répondit-elle à voix basse. À marcher dans l'eau jusqu'à ce qu'elle me recouvre la tête. Tout doucement.

— Tu parles ! s'écria Chris, visiblement stupéfait. Je ne crois pas que ce soit tout doucement ! Je crois que tu te débattrais et que tu essaierais de remonter à la surface...

— Toi, oui, l'interrompit la jeune fille, parce que tu es un nageur.

— Et toi ?

Elle se retourna dans ses bras et posa la tête sur sa poitrine.

— Moi, je me contenterais de me laisser aller, répondit-elle.

Tout aurait pu bien se passer, mais le médecin de garde, le jour de l'avortement d'Emily, était un homme.

Elle était couchée sur la table, les jambes écartées, offerte. Stéphanie se tenait à côté d'elle.

Elle vit le médecin entrer et se diriger vers le lavabo pour se laver les mains. Le savon glissait entre ses doigts, mousseux et blanc.

L'homme se retourna et lui sourit.

— Bien, dit-il, regardons ça d'un peu plus près !

Bien, regardons ça d'un peu plus près !

Puis il plongea la main sous le drap, exactement comme l'autre avait fait, après avoir prononcé les mêmes horribles paroles, et introduisit ses doigts en elle.

Emily s'agita brusquement dans les étriers. Le médecin recula avec prudence, mais un coup de pied l'atteignit à la tête.

— Ne me touchez pas ! hurla-t-elle en essayant de s'asseoir tout en plaçant ses mains entre ses jambes.

Stéphanie lui posa une main sur l'épaule, et elle enfouit son visage au creux du bras de l'infirmière.

— Ne le laissez pas me toucher, murmurait-elle encore après que le médecin eut tourné les talons.

Stéphanie la laissa pleurer tout son soûl et attendit que sa crise de larmes fût passée pour lui conseiller :

— Peut-être qu'il serait temps d'en parler au père.

Non, elle n'en parlerait pas à Chris, surtout pas maintenant. Parce que si elle le faisait, elle serait obligée de lui parler de cette terrible histoire d'avortement et du docteur, et elle devrait lui dire pourquoi elle n'avait pas pu supporter que cet homme la touche. Et pourquoi elle ne pouvait supporter que lui, Chris, la touche. Et pourquoi elle n'était pas la fille qu'il pensait. Si elle le lui disait, elle ferait son propre lit et elle serait obligée d'y coucher… avec lui.

Et il faudrait aussi qu'elle finisse par en parler à ses parents. Et ils recevraient un choc terrible… Elle, leur petite fille… C'était sa faute, parce qu'elle couchait avec Chris, alors qu'elle n'aurait pas dû. Sa faute, parce qu'elle avait attiré l'attention de l'autre, le dégoûtant, quand elle était encore si jeune.

De toute façon, sa vraie nature, on la découvrirait toujours assez tôt. Elle était bel et bien prise au piège, avec une seule issue, une issue étroite et sombre, si sombre et si bien enfouie que la plupart des gens ne songeaient même pas à passer par sa brèche.

Emily écouta Stéphanie lui parler pendant plus d'une heure en lui énumérant les solutions possibles. Mais pour elle, il n'y avait aucune solution.

— Tu peux me passer le beurre ? demanda Mélanie à Michael qui le lui tendit.

— C'est bon, ça, dit-il en désignant le plat d'un geste du menton. Em, mon chou, tu devrais goûter le poulet.

Emily porta les mains à ses tempes.

— Je n'ai pas très faim.

Ses parents échangèrent un regard.

— Tu n'as rien mangé de la journée ! fit remarquer Mélanie.

— Comment le sais-tu ? riposta sa fille. J'aurais pu manger comme un ogre au collège. Tu n'étais pas là pour voir... J'ai mal à la tête, ajouta-t-elle dans un murmure.

— Tu as vu le dossier d'inscription à Paris ? dit Mélanie. Il est arrivé au courrier d'aujourd'hui.

La fourchette d'Emily claqua contre son assiette.

— Je n'irai pas.

— Qu'est-ce qui t'empêche de faire ta demande ?

Mélanie souriait, se méprenant sur les raisons de cette opposition :

— Tu sais, Chris sera exactement à l'endroit où tu l'auras quitté, quand tu rentreras ! plaisanta-t-elle.

Emily secoua violemment la tête, faisant voler ses cheveux.

— Tu crois que c'est pour ça ? Que c'est parce que je ne peux pas vivre sans lui ?

Elle se leva d'un bond et jeta sa serviette sur son assiette.

— Laissez-moi tranquille ! s'écria-t-elle en se précipitant hors de la pièce.

Ses parents échangèrent un regard, médusés. Puis Michael se coupa un morceau de poulet et l'enfourna.

— Bon ! fit-il, tout en mâchant.

— C'est l'âge ! explicita son épouse en s'emparant de son couteau.

Sur le bord de la petite route qui passait derrière chez eux, il y avait une décharge où les gens venaient déposer de vieilles cuisinières et des réfrigérateurs hors d'usage, des sacs remplis de bouteilles de verre et des boîtes de conserve rouillées.

Chris alla installer une rangée de bouteilles de différentes tailles à trente mètres de la voiture, sous le regard intéressé d'Emily, qui s'était installée sur le capot. Puis il chargea le Colt en chassant les mouches qui bourdonnaient dans l'herbe haute tout autour des pneus de la Jeep. Pendant qu'il remettait le barillet en place, la jeune fille se baissa pour cueillir une tige verte qu'elle plaça entre ses dents. Il sortit un kleenex de sa poche et forma deux petites boules de papier qu'il mit dans ses oreilles, puis il tendit le reste du papier à Emily en l'encourageant à l'imiter :

— Fais pareil, lui conseilla-t-il.

Il leva l'arme qu'il serrait à deux mains, mais elle l'arrêta :

— Attends ! Tu ne peux pas tirer comme ça, il faut que tu me dises ce que tu vises.

Chris sourit :

— Oh, d'accord ! C'est pour pouvoir te moquer de moi si je rate ?

Il ferma un œil et leva de nouveau le Colt :

— La bouteille de jus de fruits à l'étiquette bleue.

Le premier coup de feu claqua si fort qu'en dépit des boules de mouchoir en papier, Emily dut porter les mains à ses oreilles. Elle ne vit pas exactement où Chris avait touché, mais les arbres frissonnèrent derrière les cibles. Le deuxième coup toucha la bouteille à l'étiquette bleue, et le verre explosa contre l'écorce rugueuse des arbres.

Emily sauta du capot de la voiture.

— Laisse-moi essayer, dit-elle.

Chris enleva le kleenex de son oreille :

— Quoi ?

— Je veux essayer.

— Tu veux quoi ? s'écria-t-il, abasourdi. Tu détestes les armes ! Tu n'arrêtes pas de me dire que tu ne veux pas que je chasse...

— Tu utilises un fusil, c'est trop gros. Mais ça, ce n'est pas pareil, fit-elle remarquer en examinant le revolver d'un œil attentif.

Elle s'approcha de Chris et effleura sa main.

— Je peux ?

Le jeune homme acquiesça et lui plaça les mains autour de l'arme. Elle pesait lourd ! Et, de plus, elle n'était pas du tout faite pour sa main.

— Comme ça, lui montra Chris en se plaçant derrière elle.

Elle transpirait, mais elle ne voulait pas qu'il le remarque. Ses mains glissèrent un peu sur le métal lorsqu'il les leva jusqu'au niveau requis pour tirer, toujours recouvertes des siennes.

— Attends ! s'écria-t-elle en se dégageant.

Elle se retourna et lui fit face avec le revolver.

— Dis-moi comment je...

Chris avait blêmi. Du bout d'un doigt, il poussa le canon sur le côté avec précaution.

— N'agite jamais comme ça un pistolet sous le nez de quelqu'un ! dit-il d'une voix étranglée. Le coup aurait pu partir !

Emily rougit.

— Mais je ne l'ai pas encore armé !

— Comment voulais-tu que je le sache ?

Il se laissa tomber par terre et enfouit la tête entre ses genoux.

— Merde ! souffla-t-il.

Mortifiée, Emily leva l'arme, se campa sur ses jambes, arma le revolver et tira.

Une boîte tinta et s'éleva dans les airs, où elle resta suspendue quelques secondes avant de retomber sur le sol.

Emily, qui avait fait un bond en arrière sous l'effet de la poussée, se serait écroulée si Chris ne l'avait pas retenue.

— Eh ben, toi alors ! fit-il, sincèrement impressionné. Je ne savais pas que j'étais amoureux de Calamity Jane !

— C'est la chance du débutant, expliqua Emily avec modestie, mais elle souriait et ses joues étaient rouges de plaisir.

Elle regarda ses doigts crispés autour du revolver. Comme par magie, il lui était devenu aussi familier que la main d'un vieux copain.

Une chaleur humide, quasi tropicale, régnait dans l'habitacle de la Jeep, dont les vitres étaient recouvertes de buée.

— Qu'est-ce que tu ferais si les choses ne tournaient pas comme tu avais prévu ? demanda Emily.

Elle le sentit perplexe.

— Tu veux dire, par exemple, si je ne pouvais pas entrer dans une bonne université ?

— Si tu n'entrais même pas à l'université. Si tes parents mouraient dans un accident de voiture et si tu devais t'occuper de Kate...

Chris souffla doucement en ébouriffant ses cheveux.

— Je ne sais pas. Je pense que j'essaierais de me débrouiller le mieux possible. Peut-être que j'irais à l'université plus tard. Pourquoi ?

— Tu crois que tu décevrais tes parents en ne devenant pas ce qu'ils espéraient te voir devenir ?

Il sourit.

— Mes parents seraient morts, lui rappela-t-il. Donc le choc ne pourrait pas les toucher trop violemment... Et d'ailleurs, je me fiche un peu de ce que pensent les autres. Sauf toi, bien sûr. Et toi, tu serais déçue ?

Elle prit son courage à deux mains :

— Et si je l'étais ? Et si je ne voulais plus... rester avec toi ?

— Eh bien, répondit-il d'un ton léger, je crois que je me suiciderais. (Il l'embrassa sur le front pour lisser un pli.) Et d'ailleurs, je me demande pourquoi on parle de ça.

Il se pencha et ouvrit la portière arrière de la Jeep sur la nuit saupoudrée d'étoiles.

L'été indien était fini, et l'air était vif et léger, rempli du parfum des pommiers sauvages et de l'annonce d'un gel précoce. Emily en remplit ses poumons et le maintint un moment à l'intérieur, avant de le relâcher sous forme d'un petit nuage blanc.

— Il fait froid, déclara-t-elle en se pelotonnant contre Chris.

— Mais c'est beau, murmura le jeune homme. Comme toi.

Il toucha son visage et l'embrassa avec ferveur, comme s'il avait voulu chasser sa peine.

— Je ne suis pas belle, contesta Emily.

— Pour moi, tu es belle.

Il la fit se retourner et l'installa entre ses jambes, le dos contre sa poitrine, et l'enveloppa. Le ciel semblait riche et lourd, et l'instant fut soudain rempli d'un millier de petites choses dont Emily savait qu'elle ne les oublierait plus jamais : le frôlement des cheveux de Chris contre sa nuque, le cal qu'il avait sur la face interne de son majeur, les feux de stationnement de la Jeep qui coloraient l'herbe d'une ombre bleu et rouge.

Chris frotta son nez contre son épaule.

— Tu as déjà lu le chapitre qu'on a à lire en sciences ?

Emily éclata de rire :

— Comme c'est romantique !

Le jeune homme sourit.

— D'une certaine façon, c'est romantique. Ça raconte qu'une étoile, c'est une explosion qui a eu lieu il y a des millions et des millions d'années. Et que la lumière ne nous atteint que maintenant.

Emily réfléchit, en levant le nez vers le ciel :

— Et moi qui croyais que c'était le moment de former un vœu !

— Je crois que c'est le moment, effectivement, sourit Chris.

— Toi d'abord, proposa-t-elle.

Il resserra son étreinte autour de ses épaules et elle ressentit une sensation familière, celle qui lui donnait l'impression de porter la peau de Chris comme un manteau bien chaud ou une barrière de protection, ou peut-être bien une seconde peau...

— Je voudrais que les choses restent comme elles sont... comme maintenant... pour toujours, dit-il d'une voix douce.

Emily se retourna dans ses bras ; ses mots tombèrent contre les lèvres de Chris :

— Peut-être que c'est possible, répondit-elle.

AUJOURD'HUI

Noël 1997

— Harte au contrôle.

Chris était plongé dans un livre. Il leva la tête et descendit de sa couchette en ignorant délibérément Bernard, l'un de ses compagnons de cellule, qui faisait craquer de la glace entre ses dents, assis sur sa propre couchette.

Les gardiens apportaient de la glace une fois par jour et l'entreposaient dans la pièce commune, dans un réfrigérateur où elle était censée rester au frais pour la nuit. Malheureusement, Bernard parvenait à en subtiliser la plus grande partie avant même que les autres détenus aient eu le temps de s'apercevoir qu'elle avait été livrée.

Chris longea la passerelle jusqu'à la porte fermant le quartier de moyenne sécurité et attendit que le gardien qui faisait les cent pas près du guichet de contrôle remarque son visage.

— T'as de la visite, lui dit le fonctionnaire en ouvrant la porte.

Sa mère lui avait annoncé, en pleurs, qu'elle ne pourrait venir samedi, le gala de danse de Kate tombant à la même date. Chris lui avait dit qu'il comprenait, bien sûr, même s'il était jaloux à en crever. Kate avait sa mère sept jours par semaine. Est-ce qu'elle ne pouvait pas se passer d'elle pour une heure ?

Un gardien l'attendait à la porte du sous-sol.

— Tu vas là, dit-il en indiquant la table la plus éloignée.

La stupéfaction cloua Chris sur place pendant quelques instants. La visite, ce n'était pas sa mère. Ce n'était pas non plus son père, dont la présence lui aurait déjà causé un choc.

C'était Michael Gold.

Chris avança d'un pas hésitant à la rencontre du père d'Emily. La pensée que les gardiens qui l'empêchaient de s'évader étaient là aussi pour le protéger lui donna un peu de courage.

— Chris ! prononça Michael en lui indiquant une chaise.

Le jeune homme savait qu'il avait le droit de refuser un visiteur. Mais avant de lui laisser le temps de parler, Michael soupira.

— Je ne t'en veux pas, dit-il. À ta place, j'aurais détalé comme un lapin et je serais retourné là-haut.

Chris s'assit.

— De deux maux, choisissons le moindre... dit-il.

Une ombre passa sur les traits de Michael.

— C'est si affreux que ça, ici ?

— Oh non, on s'éclate à mort ! lança Chris, amer. Tu t'attendais à quoi ?

Michael rougit.

— C'est que... vu l'autre solution... je...

Il baissa la tête un instant, puis leva les yeux :

— Si les choses s'étaient passées comme prévu, tu ne serais pas ici. Tu serais mort.

Chris arrêta de tambouriner sur la table. Il était assez sage pour reconnaître un rameau d'olivier quand il en voyait un, et, jusqu'à preuve du contraire, Michael Gold venait de reconnaître que, en dépit des ordures déversées par l'accusation, il croyait en son histoire.

Même si ce n'était pas la vérité.

— Comment se fait-il que tu sois venu me voir ?

Michael haussa les épaules.

— Je me suis posé la question moi-même... sur tout le trajet, en venant ici.

Il tourna son franc regard vers le jeune détenu :

— Je ne sais pas vraiment. Et toi, qu'est-ce que tu en penses ?

— Je crois que tu espionnes pour l'accusation, répondit Chris, non pas tellement parce qu'il le croyait, mais pour voir la réaction de son interlocuteur.

— Oh, mon Dieu, non ! s'écria Michael, abasourdi. Ils ont des espions ?

Chris hésita un instant avant de répondre.

— Je les en crois capables, finit-il par dire. Ce qui compte, c'est de m'enfermer, non ? De m'empêcher de tuer à la pelle les filles comme Emily, pas vrai ?

Michael nia d'un geste de la tête.

— Je ne le crois pas.

— Qu'est-ce que tu ne crois pas ? dit Chris, élevant le ton. Que le procureur général intrigue pour me boucler à perpétuité ? Ou que je l'ai tuée ?

— Tu ne l'as pas tuée, répondit le père d'Emily, les yeux pleins de larmes. Tu ne l'as pas tuée.

Chris ne put répondre. Sa gorge était trop nouée. Il se tortilla sur sa chaise en se demandant ce qui lui avait pris d'accepter, comment il avait pu s'imaginer qu'il avait des choses à dire au père d'Emily.

— Je suis venu... la raison pour laquelle je suis venu... dit Michael en baissant la tête, c'est parce que je voulais te demander quelque chose. C'est parce que nous, nous n'avons rien vu venir. Mélanie et moi, nous ne savions pas que quelque chose travaillait Emily. Mais toi, oui. Toi, tu devais le savoir. Et ce que je me demandais, c'est... comment est-ce que ça a pu m'échapper ? Qu'est-ce qu'elle a dit et que je n'ai pas écouté ?

C'était plus que Chris n'en pouvait supporter. Il jura entre ses dents et se leva pour s'enfuir, mais Michael le rattrapa par le bras.

Chris se tourna vers lui, les yeux brûlants.

— Quoi ? fit-il d'un ton brutal. Qu'est-ce que tu veux que je te dise ?

Michael avala sa salive.

— Que tu l'aimais, dit-il d'une voix nouée. Qu'elle te manque... Mélanie ne... ne va pas bien. Je ne peux pas parler d'Emily avec elle. Mais j'ai pensé... j'ai pensé... Je ne sais pas ce que j'ai pensé...

Chris posa ses coudes sur la table et enfouit sa tête dans ses mains. Il ne pouvait faire aucune promesse à Michael Gold.

Cependant, si ce dernier avait envie de parler d'Emily, il ne pouvait souhaiter d'auditoire plus sensible que lui.

— On finira par apprendre que tu es venu, Michael. Tu ne devrais pas être là, tu sais.

Son visiteur hésita.

— Non, finit-il par dire. Mais toi non plus.

Gus poussait son chariot à travers les allées du supermarché. Étrangement, une famille comme la sienne, qui n'était plus une famille ordinaire, continuait à avoir des besoins terre à terre comme le shampoing, le dentifrice et le papier toilette, au même titre que toutes les autres familles.

Si elle s'était contrainte à sortir, c'était pour vaincre son désespoir, mais elle était trop abîmée dans ses pensées pour agir efficacement. En passant devant les kleenex, elle négligea d'en prendre alors qu'ils figuraient sur sa liste, mais elle resta plantée pendant trois bonnes minutes devant la nourriture pour chats ; et pourtant, elle n'avait jamais eu de chat.

Au rayon sport, elle passa sans les voir devant les planches à roulettes, puis s'arrêta net devant le secteur chasse et pêche. Elle fut frappée par la quantité de matériel exposé, qui allait des tenues de camouflage aux accessoires tels que l'urine de renard ou les hormones de hase... Régulièrement, pour Noël ou pour Pâques, elle offrait à James ce genre de choses et il était rempli d'aise en découvrant ces articles dont elle avait du mal à concevoir qu'ils se vendent au grand public.

Une grande affiche représentait un chasseur en train de viser une proie. Avec un frisson, Gus se dit qu'elle ne voulait plus que son mari touche un fusil.

S'il n'avait pas acheté cette antiquité de Colt, est-ce que tout cela serait arrivé ?

Elle se laissa tomber sur l'étagère de métal qui bordait le bas du panneau et prit sa tête entre ses mains. C'est alors qu'un chariot heurta son pied.

— Oh ! fit-elle en se redressant brutalement.

Au même moment, une voix prononça :

— Excusez-moi.

La voix de Mélanie.

Gus nota ses traits durs, sa peau terne, son expression d'animosité et la façon dont elle se dressait sur ses ergots.

Mélanie détourna le chariot et dit :

— Finalement, je ne m'excuse pas.

Puis elle tourna les talons.

Gus lui courut après et lui toucha le bras.

Comme mordue par un serpent, son ex-amie pivota sur elle-même, les yeux remplis d'une froide colère.

— Va-t'en ! siffla-t-elle.

Gus pensa aux débuts de leur amitié. À l'époque, elles bavardaient, les mains posées sur leurs ventres respectifs, et partageaient l'expérience de la grossesse dans une précieuse complicité.

Elle avait envie de dire à Mélanie qu'elle n'était pas la seule à souffrir, qu'elle n'était pas la seule à avoir perdu quelqu'un qu'elle aimait. Car Mélanie pleurait une seule personne, alors qu'elle-même en pleurait deux. Elle avait perdu Emily, et elle avait perdu sa meilleure amie.

— S'il te plaît, parvint-elle à articuler, parle-moi.

Pour toute réponse, Mélanie abandonna son chariot et se dirigea vers la sortie.

Jordan se leva tout à coup et ouvrit brutalement la fenêtre à guillotine de la petite salle de réunion. Une brise rafraîchissante s'engouffra dans la pièce. Chris se pencha un peu pour profiter de ses effets et sourit :

— C'est pour m'aider à m'évader ?

— Non, c'est pour nous éviter de mourir étouffés, expliqua Jordan en passant sa manche sur son front. Je serais curieux de voir les factures de chauffage de cet établissement.

— On s'habitue, vous savez.

L'avocat jeta un regard bref à son client.

— J'imagine qu'il le faut bien, dit-il, avant de tendre la main vers une pile de papiers.

Ils venaient de passer trois heures sur les pièces communiquées par le bureau du procureur général. C'était la première fois que Chris passait autant de temps hors de sa cellule.

Jordan lui avait dit, à peine arrivé, que sa stratégie de défense serait basée sur un double suicide qui n'avait pas été mené à terme. Il l'avait également informé qu'il avait décidé qu'il ne devrait pas aller à la barre pour assurer sa propre défense. C'était la seule façon de gagner le procès, d'après lui.

— Pourtant, à la télé, l'accusé vient toujours à la barre, objecta Chris.

— Oh, mon Dieu, marmonna Jordan, faut-il vraiment que je le répète ? À la télé, le jury dit ce que le script lui dit de dire ! Dans la vie réelle, c'est beaucoup moins certain !

Chris pinça les lèvres.

— Je vous ai dit que je n'avais pas de tendances suicidaires.

— Exactement. C'est bien pour ça que vous n'irez pas à la barre. Moi, je peux raconter tout ce que j'ai envie de raconter au procès pour vous faire acquitter, mais pas vous. Si je vous mets à la barre, il faudra que vous déclariez au jury que vous n'avez jamais eu l'intention de mettre fin à vos jours, et ça, ça affaiblit votre défense.

— Mais c'est la vérité !

Jordan se pinça le haut du nez.

— Ce n'est pas la vérité, Chris. Il n'y a pas qu'une seule vérité. Il y a les faits et la façon dont on les a perçus. Je ne vous mets pas à la barre. Tout ce que je ferai, c'est donner mon idée sur la façon dont j'ai perçu le déroulement des événements. Je ne vous demande pas la vôtre.

— C'est un mensonge par omission.

Jordan fit un bond sur sa chaise :

— Depuis quand êtes-vous devenu un bon catholique ?

Puis, se reprenant, il poursuivit :

— Je ne vais pas tourner autour du pot. Vous voulez aller à la barre et agir comme bon vous semble ? Très bien. La première chose que fera le procureur, ce sera de sortir les interrogatoires de police pour montrer que vous avez déjà changé votre version des faits une fois. Ensuite, elle vous demandera pourquoi vous avez apporté une arme chargée au lieu d'un revolver vide pour faire semblant, si vous vouliez sauver Emily. Et pour finir, le jury prononcera un verdict de culpabilité et moi, je serai le premier à vous souhaiter bonne chance au pénitencier d'État.

Chris grommela quelque chose dans sa barbe et se leva en tournant le dos à Jordan.

— D'après le rapport balistique, poursuivit celui-ci sans s'émouvoir, la douille de la balle tirée était toujours dans le barillet du revolver, avec la deuxième balle. Vos empreintes étaient sur les deux, ce qui est une bonne pièce à conviction pour nous : pourquoi mettre deux balles dans le chargeur si vous n'en aviez pas prévu une pour vous ? Ce qui est bien aussi, c'est que les empreintes d'Emily sont sur le revolver, avec les vôtres.

— Oui. Mais ils n'ont trouvé que ses empreintes à elle sur le canon, objecta Chris, qui lisait par-dessus son épaule.

— Aucune importance. Tout ce que nous avons à faire, c'est faire naître un doute raisonnable. Les empreintes d'Emily sont quelque part sur cette arme. Donc, elle l'a tenue à un moment ou à un autre.

— Vous avez l'air confiant.

— Vous préféreriez que je ne le sois pas ?

Chris retourna s'asseoir sur sa chaise.

— Non. Simplement, il y a un tas de preuves à balayer.

— C'est vrai, reconnut Jordan d'un ton brusque. Et tout indique que vous étiez sur le lieu du crime... ce que vous n'avez jamais nié. Mais cela ne nous dit pourtant pas ce que vous y faisiez. (Il sourit.) Du calme. J'ai gagné des procès où j'avais beaucoup moins de choses à me mettre sous la dent !

L'avocat ouvrit alors le rapport médical comportant les détails de l'autopsie d'Emily. En proie à une sorte de fascination, Chris tendit la main et lut des descriptions de son corps qu'il eût pu faire lui-même, ainsi que des informations sur la taille de ses poumons, la couleur de son cerveau... Il n'avait pas besoin de lire le rapport pour connaître le poids du cœur d'Emily : il l'avait tenu contre lui pendant des années.

— Est-ce que vous êtes droitier ou gaucher ? s'enquit Jordan.

— Gaucher, pourquoi ?

L'avocat secoua la tête.

— À cause de la trajectoire de la balle. Et Emily ?

— Droitière.

— Ça vient appuyer les preuves, soupira Jordan.

Il continua à feuilleter les papiers.

— Vous avez eu des rapports sexuels avant qu'elle se suicide, fit-il observer.

Le jeune homme rougit.

— Hum... oui.

— Un seul ?

La chaleur de ses joues ne fit que croître.

— Oui.

— Un rapport classique ? Il n'y a pas eu de fellation ?

Chris baissa le nez.

— Il faut vraiment que vous sachiez tout ça ?

— Oui, répondit Jordan d'un ton neutre. Il le faut.

— Un rapport classique, murmura le jeune homme. Qu'est-ce qu'ils disent d'autre sur le rapport ? demanda-t-il.

Jordan soupira :

— Pas tout ce qu'il nous faudrait. Est-ce que vous connaîtriez l'existence d'une particularité physique qui pourrait expliquer la dépression d'Emily ?

— Comme quoi, par exemple ?

— Comme des troubles hormonaux... un cancer...

Le jeune homme secoua négativement la tête.

— Et pour sa grossesse ?

Chris s'arrêta de respirer :

— *Quoi ?*

— Sa grossesse, répéta l'avocat en le dévisageant attentivement. Onze semaines.

Le jeune homme ouvrit, puis referma la bouche.

— Elle était... oh, mon Dieu ! oh, mon Dieu ! Je ne savais pas.

Il la revit comme il l'avait vue pour la dernière fois : couchée sur le côté, le sang coulant sous ses cheveux, la main posée sur le ventre. Puis la pièce s'obscurcit, et il se sentit tomber juste à côté d'elle.

Une visite à l'infirmerie de la prison coûtait en principe trois dollars, mais, visiblement, tomber dans les pommes au beau milieu d'un entretien avec son avocat vous conférait un statut particulier et, par conséquent, vous donnait droit à un séjour gratuit dans la petite salle de soins.

Chris revint à lui, sentant des mains fraîches sur son front.

— Ça va? lui demanda une voix qui semblait passer à travers un tunnel.

Il voulut s'asseoir, mais il fut retenu par des mains qui étaient étonnamment fortes. Il lui fallut quelque temps pour accommoder sa vue. Ses yeux se fixèrent alors sur un visage d'ange.

Les infirmières de la maison de retraite voisine venaient effectuer des gardes à la prison. Chris connaissait certains détenus qui faisaient des demandes pour des visites médicales et dépensaient les trois dollars requis uniquement pour avoir affaire à Mme Carlisle, la plus prisée des trois.

— Vous vous êtes évanoui, lui expliqua celle-ci. Gardez vos pieds en l'air, comme ça, et vous irez très bien dans quelques minutes.

Il garda ses pieds en l'air, mais tout en gardant la tête tournée sur le côté, de façon à pouvoir observer les déplacements gracieux de l'infirmière à l'intérieur du placard qui passait pour une salle de soins.

Elle revint avec un verre d'eau rempli de glaçons.

— Buvez ceci, lentement, lui recommanda-t-elle.

Il s'exécuta en s'empressant de mettre les petits cubes de glace dans sa bouche quand elle eut le dos tourné.

— Est-ce qu'il vous est déjà arrivé de vous évanouir? demanda-t-elle sans se retourner, et il faillit répondre « Non », lorsqu'il se souvint de la nuit où Emily était morte.

— Une fois, répondit-il.

— Remarquez, j'ai eu l'occasion d'aller dans une de ces salles de réunion, lui confia Mme Carlisle, et je suis surprise qu'on ne s'évanouisse pas plus souvent, avec la chaleur qu'il fait là-dedans.

— C'est vrai, renchérit le jeune homme. C'est sûrement ça.

Maintenant qu'elle avait mentionné la salle de réunion, tout lui revenait. Les rapports qu'il avait parcourus avec Jordan. Les petites lettres noires du rapport d'autopsie. Le bébé.

Il retomba en arrière sur la table, et, aussitôt, l'infirmière fut près de lui.

— Ça ne va pas ? s'inquiéta-t-elle en lui relevant les pieds et en le recouvrant d'une couverture.

Pour toute réponse, Chris lui demanda d'une voix nouée :

— Est-ce que vous avez des enfants ?

— Non, répondit l'infirmière en riant. Pourquoi ? Est-ce que j'agis comme une mère ? (Elle borda la couverture sous ses flancs.) Et vous ?

— Non. Non, je n'en ai pas.

Les mains de Chris agrippèrent la couverture.

— Vous restez ici tant que vous voulez, lui dit Mme Carlisle. Ne vous inquiétez pas pour les gardiens, je leur dirai ce qui s'est passé.

Qu'est-ce qui s'était passé ? Le jeune homme n'était même pas certain de le savoir. Emily... enceinte ? Il n'avait aucun doute sur le fait que l'enfant était de lui. Il le savait aussi sûrement qu'il savait que le soleil se coucherait ce soir et qu'il se lèverait demain matin... Il ferma les yeux très fort et essaya de se souvenir. Est-ce que le ventre d'Emily était un peu moins plat ? Est-ce que ses traits lui avaient semblé un peu différents ? Est-ce qu'il aurait pu voir la vérité s'il s'en était donné la peine ? Mais tout ce dont il se souvenait, c'était qu'Emily lui échappait à chaque fois qu'il la touchait.

Peut-être que Jordan avait raison : la grossesse était ce qui avait déclenché sa dépression. Mais pourquoi ? Ils auraient pu se marier et avoir le bébé ; ou bien s'occuper ensemble de la faire avorter. Elle savait qu'ils auraient pu tout envisager ensemble.

À moins que ce ne soit justement ce qu'elle craignait.

Tout à coup, Chris se sentit envahi par une rage aveugle. Comment avait-elle osé dépendre de lui pour une chose, et pas pour l'autre ?

Avec une grande précision, il roula sur le côté et passa le poing à travers la fine cloison en plâtre.

Selena, assise sur un haut tabouret, attendait que Kim Kenly ait fini de se rincer les mains. Elle fit errer son regard sur la salle de classe, sur les larges tables noires et sur le mur d'étagères débordant de papier Canson de toutes les couleurs, de chevalets, de boîtes de peinture.

Le professeur d'arts plastiques essuya ses mains sur son tablier de toile et tourna vers Selena un visage souriant.

— Bon, dit-elle en tirant une chaise d'un geste ferme, que puis-je faire pour vous ?

Selena ouvrit son carnet.

— J'aimerais que vous me parliez d'Emily Gold, dit-elle. J'ai cru comprendre qu'elle était l'une de vos élèves.

Kim sourit, d'un sourire nostalgique.

— Oui. Une élève que j'aimais particulièrement.

— On m'a dit qu'elle était très douée.

— Oh oui ! C'est elle qui avait fait les décors du Thespian Club. Et elle avait gagné un concours organisé dans les collèges au niveau national, l'année dernière. Elle envisageait de faire des études d'art à l'université, ou peut-être même aux Beaux-Arts, à Paris. Nous en avions discuté ensemble.

Voilà qui était intéressant. La pression pouvait venir de plusieurs côtés, pas seulement des parents. Il y avait là de quoi étouffer un enfant.

— Est-ce que vous avez jamais eu le sentiment qu'Emily souffrait de devoir répondre aux attentes des uns et des autres ?

Le professeur fronça les sourcils.

— Je ne sais pas si on pouvait être plus dur envers Emily qu'elle ne l'était elle-même. Les personnalités artistiques ont souvent une forte propension au perfectionnisme... Le mieux serait peut-être de juger sur pièces.

Elle se leva et alla remuer quelques objets au fond de la salle, avant de revenir avec une toile de taille moyenne. C'était un portrait remarquablement ressemblant de Chris.

Emily Gold était mieux que bonne. C'était un peintre accompli.

— Oh, s'exclama Kim. C'est vrai, vous connaissez Chris.

— Et vous ?

Le professeur haussa les épaules.

— Un peu. J'assure quelques heures en dernière année. Ceux qui sont intéressés continuent, les autres prennent le chemin de la porte. (Elle eut un sourire triste.) Chris aurait été l'un des premiers à partir, s'il n'y avait pas eu Emily.

— Donc, il prenait lui aussi des cours de dessin ?

— Oh, mon Dieu, non ! Mais il venait assez souvent poser pour Emily. Cette toile est une parmi beaucoup d'autres.

— Vous étiez toujours présente ?

— La plupart du temps. J'étais impressionnée par la maturité de leur relation. Les jeunes de leur âge passent leur temps à glousser et à se bécoter dans les couloirs, mais eux, ils avaient une complicité rare.

— Vous pouvez m'en dire plus ?

Kim réfléchit un instant.

— Prenons Chris. C'est un athlète, il est toujours en mouvement. Et pourtant, il ne voyait aucune objection à rester assis sans bouger pendant des heures, uniquement parce qu'Emily lui demandait de le faire.

Elle prit la toile pour la remettre à sa place, puis elle se rappela soudain pourquoi elle l'avait apportée :

— Ah, oui... le perfectionnisme. Vous voyez, ici ? dit-elle en se rapprochant de la toile, imitée par Selena, qui ne vit rien de spécial. Emily a dû retravailler les mains six ou sept fois, poursuivit Kim, sur une période de plusieurs mois. Elle disait qu'elle n'arrivait pas à les reproduire exactement. Chris avait fini par en avoir assez de faire le modèle et il lui avait fait remarquer qu'il ne s'agissait pas de faire une photo. Mais pour Emily, si. Si elle n'arrivait pas à saisir un portrait comme elle le voyait dans sa tête, il n'était pas bon.

Kim reposa la toile.

— Voilà pourquoi il est ici. Emily n'a pas voulu le prendre chez elle. Et je l'ai vue détruire des œuvres qui ne correspondaient pas exactement à ce qu'elle voulait. Elle les lacérait ou elle repeignait par-dessus. Mais moi, je n'avais pas envie que ce portrait subisse le même sort, alors je l'ai caché...

Selena griffonna quelques notes dans son petit carnet et releva la tête.

— Emily avait des tendances suicidaires, dit-elle. J'aimerais bien savoir si elle vous a paru dépressive ces derniers mois, si vous avez remarqué un changement de comportement.

— Elle ne m'a jamais rien dit, reconnut le professeur. D'ailleurs, elle ne disait pas grand-chose. Elle entrait en classe et allait droit à son travail. Mais son style avait changé. Je pensais que c'était juste une expérience...

— Vous avez un exemple ?

L'œuvre la plus récente d'Emily était posée à côté d'un chevalet, près de la grande baie vitrée.

— Vous avez vu son portrait de Chris... rappela Kim.

Emily avait recouvert sa dernière toile d'un fond rouge et noir. Une tête de mort blanche et brillante exhibait toutes ses dents en laissant entrevoir un ciel bleu parsemé de nuages à travers ses orbites. Une langue rouge et très réaliste sortait d'entre ses dents jaunies.

Derrière, Emily avait signé de son nom. Le titre était : *Autoportrait.*

Un beau jour, la femme de ménage de Jordan, la septième, finit par en avoir assez de faire la poussière en zigzaguant autour de monceaux de papiers auxquels il ne fallait toucher à aucun prix, et rendit son tablier. En fait, elle avait rendu son tablier un mois auparavant, mais cela s'était passé au moment où le dossier de Chris lui était tombé sur les bras, et ce détail lui avait complètement échappé. Mais ce soir-là, en parcourant ses notes, allongé sur son lit, il fut frappé par une odeur plus que douteuse qui ne pouvait provenir que de ses draps.

En soupirant, il se leva et posa soigneusement ses notes sur la commode. Puis il enleva les draps, les roula en boule et se dirigea vers la machine à laver. Ce ne fut que lorsqu'il passa devant Thomas, qui faisait ses devoirs devant *La Roue de la Fortune*, qu'il se dit qu'il ne serait peut-être pas superflu de changer également les draps de son fils.

Peut-être bien que si Maria ne l'avait pas lâché, jamais il n'aurait mis la main sur le *Penthouse*... Lorsqu'il tomba dessus, au milieu du désordre des draps, il s'arrêta net, stupéfait.

Au bout d'un moment, il retrouva l'usage de ses membres et ramassa le magazine. Une femme dont les seins défiaient les lois de la pesanteur était étalée en première page, en préservant néanmoins son intimité au moyen d'une paire de jumelles qui pendaient, cachant astucieusement cette partie de son anatomie.

Jordan se frotta la mâchoire et poussa un soupir, en plein désarroi. Comment pourrait-il demander à son fils de se débarrasser d'un magazine porno alors que les filles défilaient chez lui ?

« Si tu veux lui parler de ça, se dit-il, autant que Thomas t'écoute ! »

Coinçant le magazine sous son bras, il marcha vers le salon.

— Salut ! lança-t-il en se laissant tomber sur le canapé.

Thomas était penché au-dessus de la table basse, un livre ouvert devant lui.

— Tu travailles sur quoi ? poursuivit Jordan.

— Sur des études sociales, répondit son fils.

« Un peu trop sociales ! » se dit Jordan *in petto.*

Il regarda Thomas écrire de la main gauche. Il tenait cela de Deborah. Ses épais cheveux noirs aussi, c'était d'elle qu'il les tenait, ainsi que la couleur de ses yeux. Mais la largeur naissante de ses épaules et sa ligne élancée, c'était lui tout craché.

Apparemment, il avait aussi transmis à son fils son appétit sexuel.

En soupirant, il sortit le magazine de sa cachette et le jeta sur les feuilles de classeur.

— Tu as envie de me parler de ça ? demanda-t-il.

Thomas jeta un coup d'œil sur la couverture.

— Pas vraiment.

— C'est à toi ?

Thomas se balança d'avant en arrière.

— Compte tenu du fait que nous sommes seuls à habiter ici, toi et moi, et qu'il n'est pas à toi, la réponse est évidente !

Jordan rit.

— Toi, ça fait trop longtemps que tu fréquentes des avocats !

Puis il retrouva son sérieux et accrocha le regard de Thomas :

— Comment ça se fait ? se contenta-t-il de demander.

Thomas haussa les épaules.

— Je voulais voir, c'est tout. Je voulais voir à quoi ça ressemblait.

Jordan regarda la fille aux jumelles exposée en couverture.

— Crois-moi, je peux te dire que ça ne ressemble pas tout à fait à ça. (Il se mordit la lèvre.) Tu sais, je peux répondre à toutes les questions que tu as envie de me poser.

Thomas rougit comme une pivoine.

— OK. Bon, alors, comment se fait-il que tu n'aies pas de petite amie ?

Son père en resta bouche bée.

— Quoi ?

— Tu sais bien ce que je veux dire, papa. Une petite amie fixe. Une femme qui couche avec toi et qui revient après.

— Il ne s'agit pas de moi ! répondit Jordan avec sévérité, tout en se demandant pourquoi il lui était beaucoup plus facile de se maîtriser en face d'étrangers, dans le cadre de sa profession. On parle de toi, et de ce qui t'a amené à avoir un *Penthouse* en ta possession.

— Peut-être que toi, tu parles de ça, répondit Thomas en haussant les épaules, mais pas moi. Tu m'as dit que je pouvais tout te demander, seulement, tu ne veux pas me répondre.

— Je ne pensais pas à ma vie privée.

— Et tu peux me dire pourquoi? s'insurgea le jeune garçon. Toi aussi, tu me poses des questions sur ma vie privée!

— Ce que je fais pendant mes loisirs ne regarde que moi. Si ça t'ennuie que j'amène des filles à la maison, tu peux exprimer ton opinion, et on en discutera. Mais pour le reste, je te demande de respecter mon intimité.

— Eh ben alors, c'est pareil, ce que je fais pendant mes heures de loisirs, ça ne regarde que moi! répliqua Thomas en enfouissant le magazine sous sa pile de livres de classe.

— Thomas, prononça son père d'une voix terriblement douce, rends-moi ça.

Le jeune garçon se leva.

— Viens le prendre!

Ils se mesurèrent du regard. À la télévision, le public applaudissait les candidats à tout rompre. Soudain, Thomas attrapa le magazine et mit le cap sur sa chambre.

— Reviens immédiatement! hurla Jordan en courant après lui pour le rattraper, mais son fils lui claqua la porte de sa chambre au nez et tira le verrou.

Jordan réfléchit pour savoir s'il allait enfoncer la porte pour le principe. C'est à ce moment qu'on sonna.

Selena. Sans doute passait-elle pour discuter du cas Harte. Tant mieux, c'était la meilleure solution pour les deux parties en présence, pour le moment.

L'avocat alla ouvrir et se retrouva devant un inconnu en uniforme.

— Télégramme, dit l'homme.

Jordan prit l'enveloppe et lut.

JE ME MARIE LE 26 DÉC STOP VOUDRAIS QUE THOMAS VIENNE STOP AI ENVOYÉ BILLET D'AVION POUR PARIS À TON BUREAU STOP MERCI JORDAN STOP DEBORAH.

Il regarda la porte de la chambre de Thomas et se dit, comme il se l'était déjà dit des milliers de fois, que le tout était de savoir choisir le bon moment.

— Laisse-moi deviner, dit Selena, qui, arrivée quelques minutes plus tard, trouva Jordan affalé sur le canapé, l'air piteux. Emily est revenue à la vie et a accusé ton client.

— Hein ?

Jordan se souleva sur un coude et fit une place à Selena pour qu'elle puisse s'asseoir.

— Non, non, fit-il, ce n'est pas ça.

Il passa le télégramme à la jeune femme et attendit qu'elle l'ait lu.

— Je ne savais même pas que ta femme était vivante, et encore moins qu'elle avait un copain.

— Mon ex-femme. Moi, je savais qu'elle était vivante. Ou, plutôt, mon comptable le savait. Il lui envoie sa pension alimentaire quelque part.

Il soupira et s'assit.

— L'emmerdant, c'est que Thomas et moi, on vient d'avoir une engueulade.

— Pourtant, vous ne vous engueulez jamais, tous les deux.

— Eh bien, il y a un début à tout, répliqua Jordan, maussade. Et maintenant, il va se tailler avec sa mère.

— À Paris, ajouta la jeune femme.

Elle jeta un regard circulaire autour de la pièce et ajouta :

— Il faut que je te le dise, Jordan : tu ne fais pas le poids à côté de la Rive gauche.

— Je te remercie, grogna-t-il.

Selena lui tapota le genou.

— Tout va bien se passer, prophétisa-t-elle.

— Qu'est-ce qui t'en rend si sûre ?

Elle le regarda, surprise.

— C'est tout simplement parce que tu sais y faire !

Déballant une série de petits carnets, elle les posa sur la table basse à côté des livres de classe de Thomas.

— Qu'est-ce qu'on fait, ce soir ? On broie du noir en parlant de tout ça ou on parle de notre dossier ? Moi, que ce soit l'un ou l'autre, ça m'est égal, s'empressa-t-elle de préciser.

— Non, non, le dossier, répondit Jordan. On oublie Thomas.

Il alla chercher une pile de documents dans la salle à manger.

— Qu'est-ce que tu fais pour Noël ?

— Je vais chez ma sœur, répondit Selena. Désolée.

Lorsqu'il l'eut rejointe sur le canapé, elle lui lança :

— OK. Je te montre les miens si tu me montres les tiens.

Jordan rit.

— Qu'est-ce que tu as obtenu de Michael Gold ?

Selena feuilleta son carnet.

— Je pense qu'il va nous aider. Un peu contre son gré. Tu peux l'utiliser pour prouver qu'Emily passait très peu de temps avec ses parents, ce qui est clair quand on voit à quel point il connaissait mal sa propre fille...

Jordan ne put s'empêcher de songer à Thomas cachant son *Penthouse*. Depuis combien de temps le magazine était-il là, alors que lui, occupé ailleurs, n'avait pas eu l'occasion de le trouver ?

Pendant ce temps, Selena continuait sur sa lancée :

— ... même s'il ne dit pas aux jurés que Chris n'est pas coupable, je pense que tu peux obtenir de lui qu'il reconnaisse que Chris aimait Emily.

— Oui, confirma Jordan, et nous pouvons aussi mentionner qu'il est allé lui rendre visite en prison.

— Ah oui ?

L'avocat sourit :

— Je crois que tu as déclenché quelque chose en lui.

— La seule chose tangible que j'aie obtenue, poursuivit Selena, vient du professeur de dessin d'Emily. Elle n'a pas reçu de confidence à propos de suicide, mais elle possède un tableau très convaincant.

Selena lui décrivit l'autoportrait de la jeune fille.

Jordan tempéra son enthousiasme :

— Il faut que j'y réfléchisse. Ça ne va pas être évident de trouver quelqu'un pour interpréter les changements dans son style. Ce n'est pas comme s'il s'agissait d'une véritable artiste.

— Tu serais surpris, le détrompa Selena en enlevant ses chaussures. Et toi, qu'est-ce que tu as obtenu ?

— Eh bien, Emily était enceinte de onze semaines.

— Quoi ?

— C'est exactement ce qu'a dit Chris avant de tomber dans les pommes, murmura Jordan. Tu sais, j'ai vu pas mal de menteurs dans ma vie. Je fréquente des menteurs depuis le début de ma carrière ! Mais soit ce garçon est le meilleur menteur que j'aie jamais rencontré, soit il n'était réellement pas au courant, pour la grossesse.

Le cerveau de Selena se mit à travailler à cent à l'heure.

— Voilà sur quoi est basée l'accusation ! déduisit-elle à voix haute. Chris savait et il a essayé d'éliminer le problème.

— Tu ferais une très bonne S. Barrett Delaney bis, plaisanta Jordan.

— Bon, alors, c'est simple. Il nous suffit d'opposer une défense sur deux fronts. Nous prouvons qu'Emily voulait mettre fin à ses jours, et nous prouvons que Chris ne savait pas qu'elle était enceinte.

— Plus facile à dire qu'à faire, objecta l'avocat. Ce n'est pas parce qu'il n'a rien dit à personne qu'il ne le savait pas.

— Je vais retourner voir Michael Gold. Et il y a aussi une chose que m'a apprise le professeur... elle m'a appris qu'Emily voulait aller étudier à l'étranger, ou du moins étudier les beaux-arts ici. Peut-être que c'était elle qui ne voulait pas le bébé.

— Le suicide, c'est quand même un peu radical comme méthode d'avortement...

— Non, c'est la pression, tu ne comprends pas ? Emily est une perfectionniste, et tout à coup il y a un os dans ses projets. Elle n'allait pas pouvoir répondre à l'attente des gens, donc elle s'est suicidée. Fin de l'histoire.

— Très joli. Dommage que tu ne sois pas la présidente du jury.

— Oh, ça va ! dit Selena en riant. Est-ce que son médecin habituel était au courant de sa grossesse ?

— Apparemment pas. Cela ne figure pas dans les dossiers médicaux que nous a remis l'accusation.

Selena se mit à écrire dans son carnet.

— Nous pouvons essayer la clinique Wellspring et le Centre de santé des femmes, proposa-t-elle. Les enregistrements devront peut-être être produits, mais ça ne fait rien, je vais voir si je peux trouver quelqu'un qui soit prêt à parler. Par ailleurs, ce que je voudrais faire, c'est essayer de semer le doute sur celui des deux qui a apporté l'arme. Il faudrait peut-être appeler James Harte à la barre et lui demander si Emily avait eu accès au râtelier d'armes, si elle savait où était la clé, etc., pour amener le jury sur une autre voie… Oh, et je vais aller voir le professeur de français de Chris. D'après ce qu'on m'a dit, elle le porte aux nues.

Elle se tut pour reprendre son souffle. Levant les yeux sur son interlocuteur, elle vit qu'il la regardait avec un petit sourire en coin.

— Qu'est-ce qu'il y a ? demanda-t-elle.

— Rien, répondit Jordan en détournant les yeux.

Il mit la main sur son cou, comme pour empêcher la rougeur qu'il sentait monter de l'envahir entièrement.

— Rien du tout, confirma-t-il.

Il était hautement improbable qu'un professionnel de la santé accepte de parler à la personne qui enquêtait pour la défense sans avoir été formellement cité à comparaître auparavant. Cependant, les règles en vigueur dans les cliniques de médecine prénatale étaient légèrement différentes. Car, dans ces endroits, même si les enregistrements étaient confidentiels, les murs avaient des oreilles. Les gens parlaient, et pleuraient, et on les entendait.

Selena fit tout d'abord une tentative à Wellspring, mais elle se heurta à un mur. La réceptionniste, une femme au visage taillé à la serpe, resta de marbre.

Elle alla donc reprendre des forces en buvant un café dans un bar voisin, puis, pleine d'optimisme, elle mit le cap sur le Centre de santé des femmes. Le centre était situé assez loin, mais sur une ligne de bus. Emily, qui ne possédait pas de voiture, avait pu facilement s'y rendre.

Le bureau était petit et peint en jaune citron. La réceptionniste, ici, avait des cheveux crêpés assortis à la couleur des murs… et ses sourcils étaient teints.

— Que puis-je faire pour vous ? s'enquit-elle.

Selena lui tendit sa carte :

— Pourrais-je parler à la directrice ?

— Je suis désolée, elle n'est pas là pour l'instant. Pourrais-je savoir de quoi il s'agit ?

— Je travaille pour la défense dans une affaire concernant le meurtre supposé d'Emily Gold. Il est possible qu'elle soit venue consulter ici peu avant sa mort. Je voudrais avoir un entretien avec une personne qui l'aurait examinée.

La réceptionniste examina la carte de Selena.

Je vais la remettre à la directrice, dit-elle. Mais je peux vous dire à l'avance qu'elle va vous demander de produire un mandat pour les enregistrements.

— Très bien, répondit Selena avec un sourire éclatant. Merci de votre aide.

Elle retourna dans la salle d'attente. Une infirmière qui tenait une feuille de température la regarda mettre son manteau. Lorsqu'elle sortit, l'infirmière aidait une femme à la grossesse très avancée à entrer dans la salle.

Selena s'installa dans sa voiture et tourna la clé de contact.

Merde ! jeta-t-elle en tapant la main contre le volant avec tant de force qu'il y eut un coup de klaxon intempestif.

Elle ne voulait à aucun prix produire les enregistrements, parce que cela impliquait que le ministère public serait présent également et Dieu seul savait ce que le Centre de santé des femmes aurait à dire. Peut-être bien qu'Emily Gold était venue ici en pleurant parce que le bébé était d'un autre et que Chris avait menacé de la tuer.

Elle sursauta en entendant quelqu'un frapper à sa vitre. Elle la baissa et se trouva face à face avec l'infirmière qu'elle avait aperçue dans la salle d'attente.

— Bonjour, dit cette dernière. Je vous ai entendue tout à l'heure… Est-ce que je pourrais entrer ? Il fait froid.

Selena nota qu'elle était toujours en tenue.

— Entrez, je vous en prie, proposa-t-elle en ouvrant la portière du passager.

— Mon nom est Stéphanie Newell, se présenta l'infirmière. C'est moi qui ai reçu Emily Gold lorsqu'elle est venue nous voir. Je me souviens de son nom parce que j'ai lu tous les articles publiés dans les journaux... Elle est venue ici plusieurs fois. Au début, elle a parlé d'avortement, mais après, elle a eu peur et a renoncé. Je suis conseillère... vous savez que les femmes doivent toujours avoir des entretiens avec des conseillères, avant ? Donc, c'est moi qui ai eu les entretiens avec Emily. Et lorsque je lui ai parlé du père de l'enfant, elle m'a répondu qu'il ne figurait pas dans le tableau.

— Qu'il ne figurait pas dans le tableau ? Ce sont les mots qu'elle a utilisés ?

Stéphanie acquiesça.

— J'ai essayé de la décider à m'en dire plus, poursuivit-elle, mais elle ne voulait pas. Je lui ai demandé s'il habitait ailleurs, ou s'il n'était pas au courant, mais elle se contentait de me répondre qu'elle ne lui avait encore rien dit. En tant que conseillères, nous sommes formées à aider les femmes à envisager toutes les solutions, mais non pas à les forcer à changer d'avis... Emily a beaucoup pleuré, et, la plupart du temps, je me suis bornée à l'écouter... Et... après, quand j'ai lu tout ce qu'on a raconté dans les journaux à propos de ce garçon, qui aurait soi-disant tué Emily à cause du bébé, je me suis dit qu'il y avait quelque chose qui ne collait pas, parce qu'il ne savait même pas qu'elle était enceinte.

— Peut-être aviez-vous réussi à persuader Emily de l'informer ? Peut-être après l'une de ses visites ?

— C'est possible, répondit Stéphanie. Mais chaque fois que j'ai vu Emily, elle m'a répété la même chose... qu'elle n'avait rien dit au père ; qu'elle ne voulait pas le faire. Et la dernière fois que je l'ai vue, c'était le jour de sa mort.

Au son que fit la lourde porte en se refermant, le Dr Feinstein fit un bond. Jordan en conclut qu'il ne devrait pas être trop difficile de le convaincre de ne plus revenir.

— Par ici, docteur, dit-il avec sollicitude en le guidant vers l'étroit escalier qui menait à la salle de réunion.

Le gardien qui ouvrit la porte eut un sourire grave, mit les mains dans son ceinturon et leur annonça que Harte était en route.

— C'est un personnage intéressant, commenta l'avocat en s'installant sur une chaise.

— Chris, vous voulez dire ?

— Non, le gardien. C'est lui qui a été pris en otage l'année dernière.

— Oh ! s'exclama le Dr Feinstein en regardant fixement la porte. C'est vrai, j'ai vu ça aux informations...

— Ouais. Ça a été un drôle de truc. Le type qui a conduit la mutinerie était un dangereux assassin en attente de son procès. Ils ont tailladé le gardien au visage avec une lame de rasoir et l'ont enfermé dans une cellule.

Il se cala confortablement au fond de sa chaise, les mains posées sur son ventre, et vit avec satisfaction son interlocuteur changer de couleur.

— Bon, fit Jordan. Vous vous souvenez des conditions de cet entretien ?

Le Dr Feinstein détourna les yeux de la porte avec effort.

— Les conditions ? Oh, oui. Mais je tiens à vous répéter que mon principal objectif est de guérir Chris, et il est très important de faire des investigations sur le moment où son psychisme a été endommagé dans un environnement sécurisant pour lui.

— Bon... Il va falloir que vous abordiez votre « guérison » d'une manière différente, dit Jordan sans ambages. Sans parler ni du crime ni de l'affaire.

Le Dr Feinstein insista :

— Tout ce que dira Chris sera protégé par le secret médical. Vous n'avez vraiment pas à être présent.

— Tout d'abord, ce ne serait pas la première fois que le secret médical serait violé dans des circonstances particulières, et le meurtre au premier degré est l'une de ces circonstances. Ensuite, l'importance de votre relation avec mon client n'arrive qu'en deuxième place, la première étant la relation qu'il a avec moi. Et s'il doit placer sa confiance en quelqu'un en ce moment, c'est en moi, docteur. Parce que vous, vous pouvez peut-être sauver son psychisme, mais moi, je suis celui qui peut lui sauver la vie.

Le psychiatre n'eut pas le temps de répondre, car Chris apparut sur le seuil de la porte. Un sourire se dessina sur ses traits à la vue du médecin.

— Bonjour, dit-il. J'ai... euh... j'ai changé d'adresse.

— C'est ce que je vois, gloussa le Dr Feinstein en se calant dans sa chaise avec tant d'assurance que Jordan eut du mal à croire qu'il s'agissait de l'homme qui, quelques minutes plus tôt, tremblait au guichet de contrôle. Votre avocat a eu l'amabilité de m'arranger un rendez-vous privé avec vous. À condition qu'il soit autorisé à nous chaperonner.

Chris lança un regard à Jordan et haussa les épaules. L'avocat prit ce geste pour un très bon signe. Il s'assit sur la dernière chaise vide et posa ses mains sur la table.

— Peut-être devrais-je commencer par vous demander comment vous allez, dit le Dr Feinstein.

Chris se tourna vers l'avocat :

— Eh bien... ça me fait un drôle d'effet que vous soyez là, répondit-il.

— On va faire comme si je n'y étais pas, proposa Jordan en fermant les yeux. On n'a qu'à dire que je fais une petite sieste.

Chris tourna sa chaise de côté, de façon à ne pas voir son visage.

— Au début, j'étais mort de peur, avoua-t-il au psychiatre. Mais après, je me suis dit que si je ne perdais pas les pédales, tout irait bien. Simplement, j'essaie de ne pas me mêler aux autres.

— Vous devez avoir beaucoup de choses à dire.

Le jeune homme haussa les épaules.

— Peut-être. Je parle un peu avec un autre détenu, Steve. Il est OK. Mais il y a des choses que je ne dis à personne.

« Bravo ! » le félicita mentalement Jordan.

— Est-ce que vous avez envie de parler de ces choses ?

— Non. Mais je crois qu'il le faudrait... Parfois, j'ai l'impression que ma tête va exploser... J'ai découvert qu'Emily était... que nous allions avoir un bébé.

Il se tut, comme s'il s'attendait à voir Jordan fondre sur lui comme un ange exterminateur pour lui dire que cela touchait l'affaire de trop près. Il serra les mains à s'en faire mal, de façon à être obligé de se concentrer sur la douleur.

— Quand est-ce que vous l'avez appris ? lui demanda le Dr Feinstein, qui avait pris soin de conserver une expression neutre.

— Il y a deux jours, répondit doucement Chris. Quand il était trop tard... Est-ce que vous voulez que je vous raconte mon rêve ? Les psychiatres aiment bien les rêves, non ?

Le Dr Feinstein rit.

— Les freudiens, oui. Je ne suis pas analyste, mais allez-y.

— Eh bien, je ne rêve pas beaucoup, ici... Vous comprenez, les portes claquent toute la nuit et, à tout bout de champ, il y a un gardien qui vous envoie sa lampe électrique dans la figure. Donc, je me demande comment j'ai fait pour dormir assez profondément pour rêver. Bon... J'ai rêvé qu'elle était assise à côté de moi – Emily, bien sûr – et qu'elle pleurait. Je l'ai prise dans mes bras et j'ai senti qu'elle rétrécissait, qu'elle n'avait plus que la peau et les os, donc je l'ai serrée un peu plus fort. Mais ça l'a fait pleurer encore plus, et elle s'est blottie encore plus contre moi. Tout à coup, je me suis rendu compte qu'elle ne pesait plus rien et je l'ai regardée. C'est alors que j'ai vu que je tenais le bébé.

Jordan bougea sur sa chaise, mal à l'aise. En se joignant à cet entretien privé, il n'avait eu qu'un objectif, celui de protéger Chris du point de vue légal. Mais à présent, il commençait à entrevoir que la relation entre un psychiatre et son patient était très différente de celle qui unissait un avocat et son client. Le devoir d'un avocat était d'obtenir la révélation des faits. La tâche d'un psychiatre était d'extraire les sentiments.

Et Jordan n'avait nulle envie d'entendre les sentiments de Chris, ni d'écouter ses rêves. Cela signifiait qu'il s'impliquait personnellement, ce qui n'était jamais bon quand on exerçait le métier de juriste.

— À quoi était dû ce rêve, à votre avis ? demanda le médecin.

— Oh... je n'ai pas fini. Il s'est passé encore autre chose... Donc, je tenais ce bébé, et il criait, comme s'il avait faim. Mais je ne savais pas quoi lui donner à manger. Il gigotait de plus en plus, et moi, je lui parlais, mais rien n'y faisait. Alors je l'ai embrassé sur le front, et après, je me suis levé et j'ai tapé sa tête par terre.

Jordan enfouit sa tête dans ses mains. « Ô mon Dieu, faites que Feinstein ne soit pas cité à comparaître ! » pensa-t-il.

— Bien, répondit le médecin en souriant. Un analyste dirait quelque chose du genre : « Vous essayez de retourner dans ce qu'on appelle l'enfance de votre relation originelle. » Mais moi, je dirais plutôt que vous deviez être énervé quand vous vous êtes couché.

— J'ai eu des cours de psycho au collège, poursuivit Chris comme s'il n'avait pas entendu. Je crois que je comprends pourquoi Emily s'est transformée en bébé dans ce rêve... Dans mon esprit, quelque part, le bébé et elle sont liés. Je comprends même pourquoi j'ai essayé de le tuer... Steve, le gars dont j'ai parlé, mon compagnon de cellule... il est ici parce qu'il a tué son bébé en le secouant. Donc, tout ça, ça tournait déjà dans ma tête quand je me suis couché.

Le Dr Feinstein s'éclaircit la voix :

— Comment vous sentiez-vous quand vous vous êtes réveillé ?

— Justement, le problème est là : je n'étais pas triste, j'étais absolument furieux.

— Et pourquoi étiez-vous en colère, à votre avis ?

Le jeune homme haussa les épaules.

— C'est bien vous qui m'avez dit que les émotions s'entrecroisaient.

Le médecin sourit.

— Donc, vous m'écoutiez quand même... Dans ce rêve, vous faites du mal au bébé. Peut-être que ce qui vous met en colère, c'est qu'Emily était enceinte ?

— Attendez ! objecta Jordan, de crainte que des révélations épineuses ne sortent de la bouche de Chris.

Mais ce dernier l'ignora.

— Je ne vois pas pourquoi je serais en colère, fit-il. Quand je l'ai appris, ça ne changeait plus grand-chose.

— Pourquoi ?

— Parce que, répondit Chris d'un ton maussade.

— « Parce que », ce n'est pas une réponse.

— Parce qu'elle est morte ! explosa le jeune homme.

Il se jeta sur sa chaise et passa sa main dans ses cheveux.

— Oh oui, reconnut-il, je suis furieux après elle.

Jordan était penché en avant, les mains jointes entre ses genoux. Il se souvint du jour où Deborah l'avait quitté. Il était allé travailler au bureau du procureur général puis était allé chercher Thomas au jardin d'enfants. Il avait agi comme si rien d'extraordinaire ne s'était passé. Une semaine plus tard, le petit garçon avait renversé sa tasse de lait, et il lui avait administré une fessée... lui qui n'avait jamais touché à un cheveu de son enfant ! Mais il avait compris ensuite qu'en réalité, la personne qu'il essayait de punir n'était pas Thomas.

— Pourquoi êtes-vous en colère contre elle ? demanda le psychiatre.

— Parce qu'elle a gardé le secret ! s'exclama Chris avec véhémence. Elle disait qu'elle m'aimait. Quand vous aimez quelqu'un, vous le laissez prendre soin de vous...

Le Dr Feinstein garda le silence pendant quelques instants pour permettre à son patient de se ressaisir.

— Si elle vous avait mis au courant, reprit-il ensuite, comment auriez-vous pris soin d'elle ?

— Je l'aurais épousée, répondit Chris sans hésiter. Un peu plus tôt ou un peu plus tard, ça ne changeait rien !

— Hmm... Est-ce que vous croyez qu'Emily savait que vous l'auriez épousée ?

— Oui, dit le jeune homme d'une voix ferme.

— Alors, qu'est-ce qui vous fait si peur ?

Chris resta muet un moment et garda les yeux fixés sur le psychiatre comme s'il se demandait s'il avait affaire à un voyant. Puis il détourna le regard et se frotta le nez du dos de la main.

— Elle était toute ma vie, dit-il d'une voix nouée. Et si moi, je n'avais pas été toute sa vie ?

Il baissa la tête à l'instant même où Jordan se levait d'un bond et sortait de la pièce, brisant ses propres règles, préférant ne plus entendre.

La maison des Harte était décorée principalement dans le style fonctionnel prisé par les cadres de race blanche de la Nouvelle-Angleterre. En faisaient partie les meubles Chippendale, les tapis anciens usés jusqu'à la corde et les portraits de personnages aux lèvres pincées auxquels aucun lien familial ne les rattachait... À l'inverse, en pénétrant dans leur cuisine où se trouvait en ce moment Jordan, on avait l'impression qu'un festival ethnique s'y déroulait : des carreaux en porcelaine de Delft décoraient l'évier ; des chaises de style colonial entouraient une table de salon de thé surmontée d'un plateau de marbre ; une cloison mobile japonaise fermait l'accès à la salle à manger. Des sets de table multicolores, décorés de motifs zapotèques, voisinaient avec un bock de bière bavarois qui contenait un assortiment mélangé d'argenterie et d'ustensiles en plastique... L'avocat se fit la réflexion que tous ces objets de style disparate allaient parfaitement bien avec la personnalité de Gus Harte. Quant à James, qui leur tournait le dos en regardant par la fenêtre, eh bien, lui passait probablement son temps dans les autres pièces de la maison.

— Voilà, dit Gus en approchant une deuxième chaise de la petite table ronde, qu'elle considéra avec un froncement de sourcils. Est-ce que vous voulez que nous nous installions ailleurs ? Il n'y a pas beaucoup de place, ici.

Effectivement, la place était réduite, et Jordan avait apporté des monceaux de documents. Mais il n'avait pas envie de se retrouver dans une pièce au décor strict et conservateur, alors qu'il s'agissait de discuter d'un dossier qui requérait une souplesse d'acrobate.

— Non, non, c'est très bien ! répondit-il.

Puis son regard se posa alternativement sur son hôte et sur son hôtesse :

— Je suis venu vous parler de vos témoignages, dit-il.

— Nos témoignages ?

C'était Gus qui avait posé la question.

— Oui. Nous avons besoin de votre témoignage en tant que témoin de moralité pour Chris. Et qui est mieux placé pour cela que sa propre mère ?

Gus hocha la tête. Son visage avait pâli.

— Que faudra-t-il que je dise ?

L'avocat lui adressa un sourire compréhensif. Les gens étaient très souvent intimidés à l'idée d'aller à la barre, et, effectivement, il y avait de quoi être impressionné.

— Ne vous inquiétez pas, Gus, nous allons préparer tout cela à l'avance, dit-il d'un ton rassurant. Nous passerons en revue toutes les questions que je vous poserai avant le témoignage proprement dit. D'une manière générale, nous décrirons la personnalité de Chris, ses centres d'intérêt, son mode de relation avec Emily. Et vous nous direz si, dans votre intime conviction, votre fils est capable de commettre un meurtre.

— Mais l'adjointe au procureur général... ne va-t-elle pas me poser des questions, elle aussi ?

— Si, mais nous pouvons sans doute imaginer leur teneur.

— Et si elle me demande si Chris avait des tendances suicidaires ? s'exclama Gus. Il faudra que je mente !

— Si elle le fait, j'opposerai une objection. En faisant valoir que vous n'êtes pas une spécialiste du suicide des adolescents. Elle reformulera alors sa question et demandera si Chris a parlé un jour de se suicider, et vous répondrez simplement non.

Jordan pivota sur sa chaise pour s'adresser à James, qui ne semblait toujours pas concerné par cette conversation.

— Vous, James, vous n'apparaîtrez pas comme témoin de moralité. Ce que je voudrais savoir de vous, c'est s'il est possible qu'Emily ait pris le revolver elle-même. Est-ce qu'Emily savait où vous rangiez vos fusils ?

— Oui, répondit James d'une voix sourde.

— Et est-ce qu'elle vous avait déjà vu en prendre un dans votre râtelier ? Ou Chris ?

— Oui, j'en suis sûr.

— Donc, est-il possible, puisque vous n'étiez pas là au moment des faits, que ce soit Emily et non Chris qui ait pris le Colt sur le râtelier ?

— C'est possible, répondit James.

Jordan sourit.

— Voilà, approuva-t-il. C'est tout ce que vous aurez à dire.

James annonça alors en secouant la tête :

— Malheureusement, je n'irai pas à la barre.

— Pardon ? s'écria l'avocat, estomaqué.

Il avait cru jusqu'alors que les parents du jeune homme feraient l'impossible et plus encore pour faire libérer leur fils.

— Vous n'irez pas à la barre ?

James secoua la tête.

— Je ne peux pas.

— Je vois, dit Jordan, bien qu'il ne vît rien du tout. Pourriez-vous me dire pourquoi ?

De façon incongrue, le coucou accroché au mur se mit à chanter sept fois d'affilée.

— Eh bien, non, répondit James.

Jordan retrouva l'usage de la parole avant Gus :

— Vous comprenez bien que le seul moyen dont dispose la défense pour innocenter Chris est d'introduire un doute raisonnable. Et que votre témoignage, en tant que propriétaire de cette arme, pourrait y parvenir presque à lui tout seul...

— Je comprends, répondit James. Et je refuse.

— Espèce de salaud ! lança Gus, bras croisés, debout devant le paravent japonais. Tu n'es qu'un seul égoïste, un salopard !

Elle s'avança vers son mari, si près que le souffle de sa colère fit bouger quelques mèches de ses cheveux.

— Dis-lui pourquoi tu ne veux pas témoigner !

James se détourna.

— Dis-lui ! répéta Gus.

Elle pivota alors sur elle-même pour faire face à l'avocat :

— Ça n'a rien à voir avec le trac, fit-elle sèchement. C'est simplement que si James va au procès, il ne pourra pas faire semblant de croire que tout ça n'était qu'un mauvais rêve. S'il témoigne au procès, il sera impliqué activement dans la défense de son fils... ce qui signifierait qu'il y a un problème.

Elle poussa un grognement de dégoût et James sortit de la pièce sans rien dire.

Durant un moment ni Gus ni Jordan ne soufflèrent mot. Puis elle reprit place sur sa chaise et se mit à jouer avec les pièces d'argenterie qui garnissaient le bock de bière bavarois en les faisant tinter contre la céramique.

— Je peux le mettre sur la liste des témoins, finit par dire l'avocat, au cas où il changerait d'avis...

— Il ne changera pas d'avis. Mais vous pouvez me poser à moi les questions que vous vouliez lui poser.

Surpris, Jordan leva les sourcils :

— Vous avez vu Emily avec Chris près du râtelier ?

— Non, répondit Gus. D'ailleurs, je ne sais même pas où James garde la clé. Mais je dirai tout ce que vous aurez besoin que je dise, pour Chris.

— Oui, murmura Jordan, je n'en doute pas.

En prison, il existait une règle tacite qui voulait que l'on rende la vie impossible aux assassins d'enfants. Quand ils prenaient leur douche, on jetait des objets dans la cabine. Quand ils étaient aux toilettes, on y entrait. Quand ils dormaient, on les réveillait.

Lorsque la population de l'unité de moyenne sécurité se réduisit – le flux principal était entré après les vacances de Noël –, les deux prisonniers qui partageaient la cellule de Chris et de Steve partirent. Le premier fut transféré en haute sécurité pour avoir craché sur un gardien, le second fut libéré.

Maintenant qu'il avait le champ libre, Hector recommença sa campagne de harcèlement.

Malheureusement pour Chris, qui partageait la cellule de Steve.

L'intimité était une illusion en prison, particulièrement pendant les heures où les détenus n'étaient pas enfermés. Cependant, même si la porte d'une cellule était ouverte, on n'y entrait pas sans y avoir été invité. Et si les occupants dormaient, on les laissait tranquilles.

Un lundi matin, Steve et Chris se réveillèrent au bruit fait par Hector, qui s'était mis à jouer du xylophone contre les barreaux de leur cellule avec les pieds d'une chaise.

— Oh, dit le trublion en souriant d'un air faussement contrit, vous étiez en train de roupiller ?

— Merde, jeta Chris, qu'est-ce qui t'a pris ?

— Non, professeur, répliqua Hector. Qu'est-ce qui t'a pris, toi ?

Il se pencha à travers les barreaux, l'haleine encore chargée des miasmes de la nuit :

— Maintenant, je comprends. Vous comparez vos notes ?

Chris se frotta les yeux.

— Tu peux me dire de quoi tu parles ?

Hector se pencha encore un peu plus :

— Tu croyais que t'allais pouvoir t'en sortir comme ça ? Alors comme ça, t'as tué la fille parce que tu lui avais fait un gosse ?

— Espèce d'enculé ! fit Chris en se jetant sur Hector.

Il mit ses mains autour de son cou et serra.

Steve le tira par les épaules, mais il se dégagea avec facilité. Toutes ses forces étaient concentrées sur l'espèce d'ordure qui avait osé proférer un mensonge pareil.

Il ne se demanda même pas comment cette information avait été diffusée.

La voix de Steve lui parvint de loin :

— Chris, lâche-le !

Et, tout à coup, Chris ne put supporter l'idée que tout le monde, au sein de cet enfer, l'associait à Steve. S'il était avec Steve, ce n'était pas par choix, c'était parce qu'il n'y avait personne d'autre.

Les yeux d'Hector étaient prêts à sortir de sa tête, ses joues étaient gonflées et cramoisies, et Chris se dit qu'il n'avait jamais vu plus beau spectacle.

Mais soudain, il reçut sur la nuque un coup qui le fit tomber à genoux, puis quelqu'un lui tordit les bras dans le dos et lui passa les menottes.

Hector, soutenu par un autre gardien, retrouva peu à peu sa couleur d'origine et ses esprits.

— Espèce de fumier! hurla-t-il pendant que Chris était entraîné à l'extérieur. Tu perds rien pour attendre!

Arrivé au guichet de contrôle, le jeune homme finit par demander où on l'emmenait, mais sans obtenir de réponse précise.

— Tu t'es comporté comme un animal, dit le gardien, on va te traiter comme un animal.

Il conduisit Chris en cellule d'isolement. Avant de lui enlever ses menottes, il regarda sous le matelas. Il n'y avait pas d'oreiller.

Sans un mot, le gardien libéra les mains de son prisonnier et sortit.

— Hé! s'insurgea Chris en se précipitant sur l'épaisse porte de métal.

Il passa les doigts à travers l'ouverture prévue pour passer les plateaux et hurla :

— Vous ne pouvez pas faire ça comme ça! Il faut que j'aie une sanction disciplinaire!

Un rire lui parvint du fond du couloir.

Il se laissa tomber par terre. Sa sanction disciplinaire, elle lui serait certainement signifiée plus tard, quand il aurait purgé ses jours de cachot. En attendant, il était bouclé là-dedans sans savoir pour combien de temps, et la petite cellule n'avait pas été nettoyée depuis le départ de son prédécesseur. Il y avait une flaque de vomi dans un coin et des matières fécales garnissaient l'un des murs.

Chris se mit sur la pointe des pieds afin de vérifier si on n'avait rien laissé au sommet de la cabine de douche. Puis il vérifia sous le matelas et sous la couchette, en vain.

Il reprit alors sa position, assis contre la porte, les genoux relevés, guetté par la nausée.

À midi et quart, son repas lui fut passé par l'ouverture.

À deux heures et demie, les détenus de haute sécurité passèrent devant le cachot pour se rendre à la salle de sport. L'un d'eux cracha à travers l'ouverture et souilla le dos de sa chemise.

À quatre heures moins le quart, lorsque ce fut au tour des détenus de moyenne sécurité de se rendre en salle de sport, le jeune homme enleva sa chemise et la glissa sous la porte, bien plate, dans l'espoir que quelqu'un lui mettrait quelque chose à l'intérieur. Lorsque le grondement de pas se fut éloigné, il reprit sa chemise avec précaution. Quelqu'un, Steve, sans doute, lui avait mis un stylo.

Il essaya de dessiner sur les murs, mais l'encre ne prenait pas sur le ciment. Ni sur le métal. Donc, pendant les trois heures qui le séparaient du repas du soir, Chris dessina sur ses vêtements de prisonnier, des dessins sans queue ni tête qui lui rappelèrent les gribouillages artistiques d'Emily.

Après le repas du soir, il se coucha sur le dos et revit en pensée tous les exercices pratiques que son entraîneur détaillait sur le tableau noir du vestiaire. Il croisa les bras sur sa poitrine et visualisa son sang qui passait de son cœur à ses artères et à ses veines.

Lorsqu'il entendit un crissement de chaussures à semelles de crêpe dans le couloir, il crut tout d'abord qu'il avait rêvé.

— Hé ! cria-t-il, Hé ! Y a quelqu'un ?

Il tenta de jeter un coup d'œil par l'ouverture, mais l'angle formé par le métal ne lui permettait pas de voir. Mobilisant tous ses sens, il parvint à distinguer un bruit de roulement et le glissement d'une serpillière. C'était l'équipe de nettoyage.

— Hé ! cria-t-il de nouveau. Aidez-moi !

Le bruit régulier s'arrêta. Il appuya de nouveau la tête contre l'ouverture, puis recula, car il avait senti quelque chose contre sa tempe. Était-ce de la nourriture ?

Hélas, c'était un épais ouvrage impossible à confondre avec un autre : une Bible.

Avec un soupir, Chris s'allongea sur sa couchette et se mit à lire.

Les vacances de Noël commençaient le jeudi, aussi Selena fut-elle extrêmement reconnaissante à Mme Bertrand d'accepter de la recevoir le mercredi après-midi.

Assise de façon très inconfortable sur une petite chaise de bois, elle se demanda dans quel crâne avait bien pu germer l'idée que ce genre de meuble était propice à l'étude... Chris Harte était au moins aussi grand qu'elle : comment avait-il pu coincer ses jambes sous une table comme celle-ci ? Pas étonnant que les adolescents d'aujourd'hui n'aient qu'une idée, s'échapper de l'école...

— Je suis très contente de vous voir, lui dit Mme Bertrand.

— Ah bon ? s'étonna Selena.

Depuis le début de sa carrière, elle pouvait compter sur les doigts d'une main les gens qui ne la regardaient pas d'un drôle d'air quand elle leur disait qu'elle faisait des enquêtes pour un avocat.

— Oui. Enfin... bien sûr, j'ai lu les journaux, et l'idée que quelqu'un comme Chris... bon, c'est ridicule, voilà pourquoi.

Mme Bertrand eut un large sourire, comme si cela suffisait pour l'acquitter.

— Donc, que puis-je faire pour vous aider ? reprit elle.

Selena sortit son inévitable carnet et son stylo de sa poche.

— Madame Bertrand... commença-t-elle.

— Joan, s'il vous plaît.

— Très bien, Joan. Ce que nous cherchons à recueillir, ce sont des informations qui pourront être présentées à un jury pour faire paraître l'accusation de meurtre... ridicule, comme vous l'avez dit. Depuis quand connaissez-vous Chris ?

— Oh, quatre ans, je pense. Je l'ai eu une première fois dans ma classe il y a quelques années et après, j'ai toujours su plus ou moins ce qu'il faisait, même quand il n'était pas dans ma classe... C'est le genre d'élève dont les professeurs parlent entre eux, en bien... et je l'ai eu encore une fois cette année.

— Donc, Chris est un bon élève.

— Un bon élève ! s'exclama Joan Bertrand. C'est un élève extraordinaire, vous voulez dire. Il est extrêmement doué, précis, il va au cœur des choses les plus embrouillées. Je ne serais pas surprise s'il devenait écrivain. Ou avocat. Quand je pense qu'un esprit tel que le sien... perd des mois en prison...

Elle secoua la tête, incapable de continuer.

— Vous n'êtes pas la première à éprouver ce sentiment, murmura la détective.

Son regard se posa sur un ficher étiqueté par ordre alphabétique.

Son interlocutrice lui expliqua :

— Ce sont les dossiers des élèves. Les chemises qui contiennent leurs textes. Je vais vous montrer ceux de Chris.

— Est-ce que vous avez eu également Emily Gold comme élève ?

— Oui, répondit le professeur. Encore une élève irréprochable. Mais plus réservée que Chris. Bien sûr, ils étaient toujours ensemble... je suppose que le directeur vous l'a déjà dit. Mais je la connaissais moins bien que Chris.

— Est-ce qu'elle avait l'air triste en classe ?

— Non. Très attentive à son travail, comme toujours.

— Pourrais-je également voir son dossier ?

Joan Bertrand rapporta deux chemises.

— Tenez, voici le dossier d'Emily... et celui de Chris.

Selena ouvrit d'abord celui de la jeune fille. Il contenait des poèmes – elle nota qu'aucun d'eux n'évoquait la mort – et un texte écrit dans le style d'Arthur Conan Doyle. Absolument rien qu'elle pût utiliser.

Refermant le dossier, elle leva la tête et demanda :

— Est-ce que Chris avait l'air déprimé ?

Elle se devait de poser la question, même si elle connaissait d'avance la réponse. Une étrangère pouvait difficilement remarquer des tendances suicidaires qui n'existaient pas.

— Oh, non, pas du tout ! répondit Mme Bertrand.

— Est-ce que Chris est venu vous trouver pour vous demander de l'aider ?

— Pas pour son travail ; il se débrouillait très bien tout seul. Il m'a demandé des renseignements sur les universités, quand il a commencé à faire ses demandes. Je lui ai fait également une lettre de recommandation.

— Je voulais parler de choses personnelles.

— Je l'ai encouragé à venir me trouver, après... après la mort d'Emily. Je savais qu'il avait besoin de quelqu'un. Mais il n'en a pas eu l'occasion, dit-elle avec délicatesse. Nous avons organisé une cérémonie à la mémoire d'Emily, ici. À la surprise générale, quand on a demandé à Chris de prononcer quelques mots, il a ri.

À ce dernier détail, Selena se dit qu'il était peut-être urgent de réfléchir avant de faire témoigner Mme Bertrand.

— Naturellement, connaissant Chris, j'ai mis cela sur le compte du stress, ajouta cette dernière.

Visiblement mal à l'aise à ce souvenir, elle tendit la main vers la chemise de Chris et l'ouvrit pour la détective.

— J'ai conseillé aux professeurs qui faisaient des commérages après le drame de lire ceci, dit-elle en lui tendant une dissertation. Quand on a un talent aussi prometteur, on ne peut pas être un assassin.

Selena n'était pas exactement de cet avis, car elle avait rencontré un grand nombre d'assassins intelligents, mais elle baissa poliment la tête pour regarder le texte écrit par Chris.

— Il s'agissait d'exposer un sujet à controverse en donnant deux points de vue contraires. C'est une chose que la plupart des diplômés d'université ne savent même pas faire. Mais Chris s'en est magnifiquement sorti.

Selena lut la conclusion :

« On ne s'approprie pas le *Droit de choisir*. Il n'est pas question de choix. La loi interdit d'interrompre la vie d'un être humain, point final. Dire qu'un fœtus n'est pas un être vivant est un argument spécieux, car tous les principaux systèmes de l'organisme sont déjà formés au moment où la plupart des avortements sont effectués. Dire que la femme a le droit de choisir n'est pas non plus un argument irréfutable, car il ne s'agit pas uniquement de son propre corps, mais également de celui de quelqu'un d'autre. Dans une société qui prône avant tout l'intérêt de l'enfant, cela semble étrange... »

Selena leva la tête, arborant un large sourire.

— Joyeux Noël, madame Bertrand, dit-elle.

Offrir une Bible comme réconfort dans un univers où une dose de crack aurait probablement été mieux accueillie avait quelque chose d'archaïque... Cependant, Chris fut captivé par cette lecture. Il n'avait jamais réellement lu le texte sacré. Pendant une brève période, il était allé à l'école du dimanche, mais uniquement parce que son père avait insisté pour appartenir à l'église épiscopale locale pour des raisons de statut social. Au bout d'un moment, ils avaient cessé de la fréquenter, sauf pendant les vacances, car on avait plus de chances d'être vu.

Les citations familières lui sautèrent aux yeux, comme autant de vieux amis.

« Demandez et vous recevrez, cherchez et vous trouverez, frappez et on vous ouvrira. » Il regarda la porte en se disant que ce n'était pas demain la veille !

Lorsque les lumières s'éteignirent, sans aucune annonce préalable, Chris descendit de sa couchette et se mit à genoux. Le froid du sol traversa le coton mince de son pantalon et, dans l'obscurité nouvelle, l'odeur d'excréments sembla gagner en intensité. Mais il parvint à en faire abstraction.

Il baissa la tête et joignit les mains.

— Mon Dieu, dit-il, au moment de me coucher, je prie pour...

Ce qui le ramena bien des années en arrière.

Il farfouilla dans sa mémoire pour tenter de retrouver la suite, mais en vain.

— Cela fait bien longtemps que je n'ai pas prié, dit-il. J'espère que Vous pouvez m'entendre. Je ne Vous en veux pas de m'avoir mis ici. Et sans doute que je ne mérite pas de faveurs...

Il laissa mourir sa voix et réfléchit à ce qu'il désirait le plus. S'il ne demandait qu'une seule chose, sans doute aurait-il de bonnes chances de l'obtenir.

— Je veux prier pour Hector. Je prie pour qu'il sorte d'ici très vite.

Il se demanda si Emily était au paradis, maintenant. Il ferma les yeux et revit les longs cheveux blonds qu'il avait tenus dans ses mains comme des rênes... la pointe de son menton... et le creux très doux de sa gorge, l'endroit où il pouvait sentir son pouls en la touchant des lèvres. Il se rappela une phrase qu'il venait de lire : « Je vous donnerai un cœur nouveau et je mettrai un nouvel esprit en vous. » Il espérait que, maintenant, Emily possédait cela.

Au moment où il s'assoupissait lentement, toujours à genoux comme un pénitent, Chris entendit la voix de Dieu. Le Seigneur arriva dans un bruit de pas, de clés qu'on tourne et de chuchotements... Et il murmura, en caressant les fins cheveux de sa nuque : « Pardonne, et il te sera pardonné. »

Gus fut réveillée par un objet lourd qui tomba sur sa poitrine. Elle sursauta et s'agita pour s'en débarrasser, jusqu'au moment où elle se rendit compte que c'était Kate qui la secouait.

— Lève-toi, maman ! disait-elle, avec les yeux brillants et un sourire si communicatif que Gus oublia momentanément que se réveiller, c'était devoir subir un autre jour.

— Qu'est-ce qu'il y a ? demanda-t-elle d'une voix endormie. Tu as raté le bus ?

— Il n'y a pas de bus aujourd'hui, répondit la fillette. Viens voir en bas ! (Elle farfouilla sous la couverture, ce qui fit grogner son père.) Toi aussi ! dit-elle.

Sur ce, elle sortit de la chambre en courant.

Dix minutes plus tard, Gus et James entraient dans la cuisine, les yeux bouffis de sommeil.

— Tu fais le café, ou c'est moi ? demanda Gus.

— Ce n'est pas le moment de faire le café ! dit Kate.

Elle les prit chacun par une main et les emmena vers le salon.

— Et voilà ! s'écria-t-elle d'un ton triomphant en faisant un pas de côté pour leur permettre d'admirer un eucalyptus en pot recouvert d'un enchevêtrement de guirlandes et de boules de verre.

— Joyeux Noël ! chanta-t-elle en jetant ses bras autour de la taille de sa mère.

Gus lança un regard à James par-dessus sa tête.

— Ma chérie, s'entendit-elle dire, c'est toi qui as fait ça ?

Kate acquiesça d'un air modeste.

— Je sais que ça fait un peu bête, un eucalyptus, mais j'ai pensé que vous ne seriez pas contents si je coupais un arbre dehors.

Gus eut une vision fugitive de sa fille écrasée sous le pin qu'elle venait d'abattre.

— Il est très mignon, ton arbre, dit-elle.

Les petites ampoules tremblotantes de la guirlande électrique s'allumaient et s'éteignaient alternativement. Elles lui rappelèrent l'ambulance garée devant l'hôpital lors de la nuit tragique.

Kate entra dans la pièce et s'installa joyeusement sous le petit arbre.

— Je me suis dit que vous, avec tout ce qui se passe en ce moment, vous n'auriez pas le temps de mettre des décorations.

Elle tendit un paquet à sa mère et un autre à son père.

— Tenez.

Gus attendit que son époux eût découvert son cadeau, un agenda relié en simili-alligator, pour ouvrir le sien. Une paire de boucles d'oreilles en jade. Elle regarda sa fille, se demandant à quel moment elle avait bien pu aller faire cette emplette. Elle se demanda aussi à quel moment sa fille avait décidé qu'il fallait à tout prix fêter Noël normalement.

— Merci, ma chérie, lui dit-elle en la serrant contre elle. (Puis elle ajouta en lui murmurant à l'oreille :) Pour tout.

Kate les regarda, les yeux pleins de joyeuse attente. Gus serra les poings dans la poche de sa robe de chambre et jeta un coup d'œil à James. Comment annoncer à une fillette de douze ans qu'on avait complètement oublié Noël, cette année ?

— Ton cadeau n'est pas encore prêt, improvisa-t-elle.

Le sourire s'effaça graduellement du visage de Kate.

— On... on est en train de l'ajuster à ta taille, poursuivit Gus.

Un mur s'érigea entre elles, solide et impitoyable, en dépit de sa transparence.

— Qu'est-ce que c'est ?

Incapable de continuer à mentir, Gus se tourna vers son mari, qui se contenta de hausser les épaules.

— Kate...

Mais déjà sa fille s'était levée et criait d'un ton accusateur :

— Vous ne m'avez rien acheté, c'est ça ? Tu me racontes des histoires !

Elle tendit la main vers l'eucalyptus.

— Si je n'avais pas fait ce pauvre machin, vous auriez passé la journée à broyer du noir comme tous les jours !

— Cette année, ce n'est pas comme d'habitude, Kate. Tu sais qu'avec ce qui est arrivé à Chris...

— Je sais qu'à cause de ce qui est arrivé à Chris, tu ne sais même plus que j'existe !

Elle arracha les boucles d'oreilles des mains de sa mère et les lança contre le mur.

— Qu'est-ce qu'il faut que je fasse pour que tu me voies ? Que je tue quelqu'un ?

Gus la gifla à toute volée.

Un lourd silence s'installa dans la pièce, interrompu uniquement par le faible grésillement des ampoules qui clignotaient. Kate, la main contre sa joue brûlante, sortit en trombe.

Toute tremblante, Gus berça sa main comme si elle ne lui appartenait pas, et se tourna vers James :

— Fais quelque chose, le supplia-t-elle.

Il la regarda fixement, puis hocha la tête. Et sortit de la maison.

Cette année-là, exceptionnellement, Noël et Chanukah tombaient à la même date. Les gens faisaient la fête, ce qui signifiait que Michael ne travaillait pas. Mais il avait un programme pour ce matin.

Depuis des mois, il dormait sur le canapé, il ne savait donc pas si Mélanie était déjà réveillée. Mais il prit sa douche dans la salle de bains du bas pour éviter de la déranger et se prépara un muffin à emporter en voiture. Puis il prit la direction du cimetière, pour aller rendre visite à Emily.

Il se gara à quelque distance de là, désireux de marcher un peu dans la solitude et la paix de l'endroit. La neige crissa sous ses bottes, le vent mordit la pointe de ses oreilles. Arrivé aux portes du cimetière, il s'arrêta pour admirer le bleu du ciel.

La tombe d'Emily se trouvait au-delà du sommet du coteau, cachée par sa crête. Michael avança dans sa direction en se demandant ce qu'il allait dire à sa fille. Il n'avait aucun scrupule à parler à une tombe. Toute la journée, il parlait à des êtres qui étaient considérés comme incapables de comprendre ses paroles : aux chevaux, aux vaches, aux chats.

Il escalada la pente en soufflant et atteignit l'endroit d'où il pouvait apercevoir la tombe. Il vit des fleurs dont les tiges s'étaient cassées depuis sa dernière visite. Et des rubans, et des morceaux de papier jonchant la neige.

Et Mélanie, assise sur la terre gelée, en train de défaire des cadeaux.

Lorsqu'il fut assez près pour l'entendre, il distingua ses paroles :

— Oh, regarde celui-là, disait-elle, il va te plaire, tu vas voir.

Et elle suspendit un pendentif en saphir autour des tiges mortes des roses qu'il avait apportées la dernière fois.

Les yeux de Michael passèrent du bijou scintillant aux autres cadeaux alignés comme des offrandes. Une cafetière pour une personne, un roman, plusieurs tubes de peinture à l'huile et les brosses préférées d'Emily.

— Mélanie, dit-il d'un ton coupant, qu'est-ce que tu fais ?

Elle se tourna vers lui lentement, rêveusement.

— Oh ! Bonjour.

Michael sentit ses mâchoires se contracter.

— C'est toi qui as apporté tout ça ?

— Évidemment, dit-elle comme si c'était lui qui avait perdu la tête. Qui veux-tu que ce soit ?

— Pour qui ?...

Elle le regarda en levant les sourcils.

— Ben... pour Emily.

Michael s'agenouilla à côté d'elle.

— Mel, dit-il d'un ton doux, Emily est morte.

Les yeux de son épouse se remplirent aussitôt de larmes.

— Je sais, dit-elle d'une voix nouée. Mais tu vois...

— Je ne vois pas.

— C'est simplement que c'est sa première Chanukah loin de chez elle, expliqua-t-elle. Et je voulais... je voulais...

Il la prit dans ses bras avant de voir couler les larmes le long de ses joues.

— Je sais ce que tu voulais, dit-il. Je le veux aussi.

Il enfouit son visage dans ses cheveux et ferma les yeux.

Tu rentres avec moi ?

Elle hocha la tête contre lui et il sentit son souffle chaud dans son cou.

Ils descendirent l'allée du cimetière en laissant sur la tombe les tubes de peinture et les brosses, la cafetière et le saphir, juste pour le cas où...

L'aéroport de Manchester était bourré à craquer le jour de Noël. Il grouillait de gens portant des boîtes de gâteaux aux fruits et des sacs remplis de cadeaux. Thomas, assis à côté de son père dans la salle d'attente, ne tenait pas en place. Jordan fronça les sourcils en le voyant une fois de plus laisser tomber la petite pochette contenant ses billets.

— Tu es sûr que tu te rappelles comment faire pour les correspondances ?

— Oui, répondit Thomas. Si l'hôtesse ne m'emmène pas, je demande à quelqu'un d'autre à la porte.

— Tu n'y vas pas seul, répéta Jordan.

— Pas à New York, dirent-ils simultanément.

La rangée de sièges résonnait sous les coups de pied du jeune garçon.

— Arrête, lui recommanda son père, tu gênes tout le monde.

— Papa, demanda Thomas, est-ce que tu crois qu'il y a de la neige à Paris ?

— Non, répondit Jordan, donc il vaut mieux que tu rentres à la maison si tu veux utiliser tes skis.

Dans une tentative de corruption, il avait acheté à son fils une paire de skis Rossignol qu'il lui avait offerte avant son départ pour l'Europe...

Il y avait eu quelques coups de fil de part et d'autre de l'Atlantique, un échange animé pour savoir si Thomas était en âge de voyager seul si loin, et une série de compromis. D'ailleurs, pendant quelques jours, Jordan avait refusé la demande de Deborah. Mais ensuite, il s'était réveillé au milieu de la nuit et s'était rendu dans la chambre de son fils pour le regarder dormir. Il avait alors repensé à la question posée à Chris Harte par le Dr Feinstein : « Qu'est-ce qui vous fait si peur ? » Et il s'était rendu compte que sa réponse était la même que celle de Chris. Jusqu'à ce jour, la vie de Thomas avait été centrée sur son père. Et si, ayant le choix, il se décidait pour l'autre parent ?

Jordan avait appelé Deborah le lendemain matin et avait donné sa bénédiction.

— Les passagers du vol 1246 pour New York-La Guardia sont invités à se présenter à la porte 3.

Thomas se leva d'un bond si rapide qu'il trébucha sur son sac de voyage.

— Hé, ho, attends ! fit son père en tendant une main pour le rattraper.

Jordan s'arrêta alors pour regarder son fils. Et il sut qu'il garderait toujours ce moment en mémoire : Thomas de profil, avec un léger duvet sur les joues, ses bras fins et osseux, la pochette orange accrochée à la ceinture de son jean.

Jordan se racla la gorge et souleva le sac de voyage.

— Oh, c'est lourd ! s'exclama-t-il. Qu'est-ce que tu as bien pu mettre là-dedans ?

Thomas sourit, les yeux pétillants :

— Oh, rien, juste une douzaine de *Penthouse*. Pourquoi ?

Le sujet était toujours brûlant. Ils n'en avaient plus reparlé, mais il était toujours présent à leur esprit et ne demandait qu'à remonter à la surface. Jordan sentit avec soulagement la tension de la semaine passée disparaître.

— Fous-moi le camp ! dit-il en serrant son fils dans ses bras.

Thomas lui rendit son étreinte, très fort.

— Embrasse maman pour moi, dit Jordan.

Le jeune garçon se retourna.

— Sur la joue ou sur les lèvres ?

— Sur la joue, répondit son père en le poussant doucement vers la porte d'embarquement.

Il respira profondément et s'achemina vers les parois vitrées parallèles au ventre de l'avion. Il attendrait ici, juste au cas où son fils changerait d'avis à la dernière minute.

Les mains dans les poches, Jordan monta la garde jusqu'au moment où l'appareil s'élança dans les airs, puis disparut de son champ de vision.

— Joyeux Noël ! dit le gardien en ouvrant la porte du cachot.

Chris, qui était roulé en boule par terre, se releva. La Bible était tombée sous la couchette ; il la glissa rapidement dans la ceinture de son pantalon.

— Ouais, marmonna-t-il.

Le gardien grogna :

— T'as l'intention d'attendre jusqu'au premier de l'an ?

Le jeune homme cligna des yeux.

— Vous voulez dire que ça y est ? Je sors ?

— Le superintendant est dans son jour de bonté, répondit le gardien en lui tenant la porte ouverte pour le laisser passer.

Ils descendirent le couloir d'un pas rapide et s'arrêtèrent dans la salle de contrôle.

— Je vais où, maintenant ? demanda Chris.

— « Allez directement en prison ! Ne passez pas par la case Départ ! » répondit le gardien en riant, enchanté de sa plaisanterie.

— Dans quelle unité, je veux dire ?

— Normalement, tu devrais retourner en haute sécurité, mais comme ton compagnon de cellule a dit que tu avais été provoqué, et comme tu n'es pas passé devant la commission de discipline avant d'aller au trou, on te remet en moyenne sécurité.

Il lui ouvrit la porte.

— Ah oui, ajouta-t-il. Ton copain Hector est retourné en bas.

— Au QHS ?

Le gardien hocha la tête, et Chris ferma brièvement les yeux.

Steve était en train de lire lorsqu'il rentra dans la cellule. Chris se glissa dans sa couchette et cacha sa tête sous son oreiller, qui sentait cette horrible odeur de prison. Mais c'était un oreiller, et il s'y abandonna avec délice.

Même enfoui sous toutes ces couches protectrices, il sentait, posé sur lui, le regard de Steve, qui se demandait sûrement s'il devait parler ou non.

Puisque, de toute façon, ça devait arriver tôt ou tard, Chris enleva l'oreiller.

— Salut, dit Steve. Joyeux Noël.

— À toi aussi, répondit Chris.

— Ça va ?

Le jeune homme haussa les épaules.

— Merci de leur avoir raconté, pour Hector.

Il était sincère, car Hector n'était pas homme à pardonner.

— C'est rien.

— Merci quand même.

Steve détourna le regard et tira sur un fil de sa manche usée.

— J'ai quelque chose pour toi, dit-il d'un ton détaché. Pour Noël.

Incroyable. On s'offrait des cadeaux, dans un endroit pareil ? Chris s'affola.

— Mais je n'ai rien pour toi ! dit-il.

— Tu vas voir que si... répondit Steve en passant la main sous sa couchette, extrayant un drôle d'objet fabriqué à partir d'un stylo Bic et terminé par une longue aiguille.

— Pour faire des tatouages, murmura-t-il.

Chris avait envie de lui demander où il s'était procuré l'aiguille, car il ne voyait pas un prisonnier du week-end passer ça dans son derrière... Mais il savait que s'il acceptait, il n'y avait pas de temps à perdre. Il était interdit de faire des tatouages en prison et, par conséquent, de posséder des instruments utilisés dans ce but. Porter un tatouage, ouvertement, vous valait le respect général parce que vous violiez ainsi les règles sous le nez des gardiens.

Ce que Steve offrait en réalité à Chris pour Noël, c'était un moyen de sauver la face.

Chris tendit donc le bras, quoique un peu réticent, mais avec l'arrière-pensée que s'il voulait échapper au sida, il valait mieux pour lui y passer le premier.

Avec un rapide regard vers le gardien qui faisait sa ronde, Steve prit un briquet – une autre surprise de contrebande – et tint l'aiguille au-dessus de la flamme.

Chris posa son coude sur son genou et sentit une brûlure dans sa chair. Une odeur douceâtre de viande grillée lui monta aux narines, en même temps qu'une douleur lui descendait directement dans le bas-ventre. Il serra le poing et regarda le sang couler le long de son biceps pendant que Steve chauffait, creusait, coupait sa peau. Puis il le sentit faire passer l'encre du stylo dans sa plaie, où elle resterait pour toujours.

— Tu peux pas voir avant de bien laver, expliqua Steve, mais c'est une balle de billard. Une balle de huit.

Il leva les yeux et lui lança un regard incisif :

— Parce que, tous les deux, on a bel et bien l'air d'être coincés derrière une balle de huit.

Chris descendit sa manche le plus bas possible et lécha ses doigts pour enlever les résidus de sang et d'encre. Un gardien passa devant la cellule, et Steve referma la main sur son briquet.

— À moi, s'il te plaît, demanda-t-il à Chris.

Les mains tremblantes, Chris stérilisa l'aiguille avec la flamme du briquet et creusa dans le bras de Steve. Ce dernier sursauta, puis banda ses muscles. Chris dessina le rond, le chiffre 8 et l'arrière-plan noir. Puis il fit couler l'encre dedans et remit rapidement l'aiguille dans la main de Steve.

Leurs doigts se croisèrent.

— Est-ce que c'est vrai, pour le bébé ? demanda Steve sans lever les yeux.

Chris pensa à Jordan qui lui avait recommandé de ne pas dire un mot à quiconque. Il pensa aux tatouages qui les unissaient désormais. Et aux mots qu'il avait lus la nuit précédente dans la crasse du cachot : « Écoutez ma voix et je serai votre Dieu, et vous serez mon peuple. »

Il regarda son ami, son confident, son compagnon.

— Oui, dit-il.

Ç'avait été une bonne visite. Michael se leva, comme il en avait l'habitude maintenant, et regarda Chris s'éloigner. Il n'avait pas prévu de venir, mais sa rencontre avec Mélanie sur la tombe d'Emily l'avait secoué et il avait eu besoin d'en parler à quelqu'un. Finalement, il n'en avait pas parlé à Chris –, après tout, ce n'était peut-être pas le bon interlocuteur – mais le fait d'être venu le voir le jour de Noël apaisait sa conscience, d'une certaine manière. S'il n'avait pas eu l'occasion de parler à sa fille le matin, du moins avait-il pu parler à Chris l'après-midi.

Il souhaita un joyeux Noël au gardien et gravit les escaliers qui menaient à la salle de contrôle. On ne pouvait sortir de la prison sans subir le contrôle, enfermé à l'intérieur, deux par deux.

Michael attendit patiemment derrière une femme vêtue d'un manteau en poil de chameau et aux cheveux recouverts d'une toque de mohair à l'aspect duveteux.

— Oui... annonça-t-elle au gardien. Je viens rendre visite à Chris Harte.

— Il est très demandé, commenta le fonctionnaire.

Il se pencha au-dessus du haut-parleur :

— Harte au contrôle.

Michael sentit son cœur se serrer dans sa poitrine.

— Gus, dit-il, la bouche sèche.

Elle pivota sur elle-même et fit tomber sa toque dans ce mouvement, libérant ses cheveux qui retombèrent sur les revers de son col.

— Michael ! s'exclama-t-elle, bouche bée. Qu'est-ce que tu fais ici ?

— Apparemment, la même chose que toi !

La bouche de Gus s'ouvrit et se referma sans émettre un son.

— Tu... tu viens voir Chris ? dit-elle enfin.

Michael hocha la tête.

— Je lui ai rendu visite, reconnut-il. Je le quitte à l'instant.

Ils se dévisagèrent pendant quelques secondes.

— Comment vas-tu ? s'enquit Gus.

Michael demanda en même temps :

— Tu vas bien ?

Ils secouèrent tous deux la tête et se sourirent. Une vive rougeur envahit les joues de Gus.

— Il faut que j'y aille, dit-elle en jetant un regard vers les escaliers.

— Joyeux Noël, fit Michael.

— À toi aussi ! Oh...

— Ce n'est pas grave.

— ... Bonne Chanukah.

— Merci, sourit Michael.

Gus posa sa main sur le montant de la porte, mais s'attarda sur le seuil.

— Est-ce que... je veux dire... est-ce que tu prendrais une tasse de café, après ? dit Michael.

Elle sourit, le visage illuminé.

— J'aimerais beaucoup, mais je... Chris...

— Je sais. J'attendrai, répondit-il en posant son manteau sur son bras. J'ai tout mon temps.

TROISIÈME PARTIE

LA VÉRITÉ

L'amour ne connaît pas sa propre profondeur,
avant que ne sonne l'heure de la séparation.

KAHLIL GIBRAN
Le Prophète

Un mensonge qui est une demi-vérité est le plus noir des mensonges ;
Un mensonge qui est un mensonge entier peut être affronté et combattu à bon droit ;
Mais un mensonge qui est une partie de la vérité est plus difficile à combattre.

LORD ALFRED TENNYSON
La Grand-mère

AUJOURD'HUI

Février 1998

Au fond, ils auraient pu tomber sur pire que l'Honorable Leslie F. Puckett.

Jordan avait déjà plaidé trois fois, comme procureur et comme avocat de la défense, dans des procès présidés par Puckett. On disait que son abord sévère et ses critiques incisives vis-à-vis de certains avocats venaient de son problème à propos de son prénom. En effet, d'après la rumeur, celui de Leslie manquait un peu de virilité à ses propres yeux. Mais il dispensait ses piques avec autant d'équité à l'accusation qu'à la défense... Cela mis à part, il présentait un seul défaut : son goût pour les amandes, qu'il conservait dans des bocaux de verre posés sur son bureau, dans les salles d'audience comme dans son cabinet, et qu'il ouvrait en les faisant craquer bruyamment entre ses dents.

Les audiences préliminaires avaient généralement lieu en public. Mais la gravité de l'accusation qui pesait contre Chris et la publicité qui lui avait été faite avaient conduit les protagonistes à estimer qu'il était préférable que la séance ait lieu dans le cabinet du juge.

Vêtu de sa robe noire qui flottait autour des chevilles, Puckett entra en trombe dans la pièce, avec Jordan et Barrett Delaney dans son sillage. Ils s'assirent tous les trois. Puckett attrapa une première amande dans le bocal et l'introduisit dans sa bouche.

Au bruit tant détesté, Jordan regarda Barrett.

Bien que les avocats fussent extrêmement formels dans les salles d'audience, même les plus acharnés des procureurs et des défenseurs baissaient la garde à l'extérieur. Jordan, en tant qu'ancien procureur, maintenait des rapports courtois avec la plupart de ses ex-confrères. Mais avec Barrett Delaney, c'était une autre histoire. Il n'avait jamais travaillé avec elle, car elle était arrivée au bureau du procureur général après son départ. Cependant, elle semblait faire une affaire personnelle de la décision qu'il avait prise d'aller rejoindre l'autre côté de la loi. À vrai dire, elle semblait faire une affaire personnelle de tout !

Assise comme une pensionnaire de couvent, les mains croisées, sa jupe noire serrée autour de ses jambes, elle conservait aux lèvres un sourire figé qui ne la quitta pas, même lorsque Leslie Puckett cracha la coquille de son amande dans sa main.

Pendant que le juge était occupé à brasser des papiers sur son bureau, Jordan toussa pour attirer l'attention de son adversaire.

— Joli travail de police, Delaney, souffla-t-il entre ses dents. Rien qu'une toute petite coercition sur mon client.

— Coercition ! riposta le procureur. Il n'était même pas suspect quand il était à l'hôpital. Cet interrogatoire était tout à fait régulier et vous le savez.

— Si c'est tout à fait régulier, comment savez-vous que c'est de cet interrogatoire que je parle ?

— McAfee, Delaney, vous avez bientôt fini ? les interrompit le juge.

Ils se tournèrent en même temps vers son bureau :

— Oui, Votre Honneur, répondirent-ils en chœur.

— Bien, fit-il d'un ton aigre. Donc, qu'y a-t-il à porter sur le rôle ?

— Eh bien, Votre Honneur, s'empressa de dire Barrett, nous avons un spécialiste qui étudie les prélèvements de sang, il lui faut encore un peu de temps ; et le labo a reporté les tests d'ADN. (Elle consulta son agenda.) Nous serons prêts pour le 1er mai.

— Vous avez des choses à produire ?

— Oui, Votre Honneur. Plusieurs motions sur les soi-disant experts produits par la défense et sur des éléments de preuves sujets à objection.

Le juge alla pêcher une autre amande dans son bocal et la fit rouler sur sa langue en se tournant vers Jordan :

— Et vous ?

— Une motion pour supprimer un interrogatoire de mon client effectué à l'hôpital, qui a très clairement violé la loi.

— C'est n'importe quoi ! s'énerva Barrett. Il aurait pu filer à n'importe quel moment !

Jordan eut un semblant de sourire :

— C'est absolument illégal ! dit-il. Mon client était blessé au cuir chevelu, il n'avait sûrement pas envie de filer avec soixante-dix points de suture dans la tête. De plus, il était sous l'effet d'analgésiques divers et variés. Et votre inspecteur le savait parfaitement.

— Continuez comme ça, dit le juge, et je n'aurai pas besoin de lire la motion.

— Je peux vous la remettre dans une semaine... précisa Jordan.

— Et j'y répondrai avec joie ! ajouta Barrett.

— Vous perdrez votre temps, Barrett, murmura Jordan. Sans parler de celui de mon client.

— Espèce de...

— S'il vous plaît !

Jordan se racla la gorge :

— Mes excuses, Votre Honneur. Madame Delaney me fait sortir de mes gonds.

— C'est ce que je vois, répondit Puckett. Est-ce que vous pourrez me remettre ces motions pour la fin de la semaine prochaine ?

— Pas de problème, dit Jordan.

— Oui, acquiesça Barrett.

— Très bien, dit Puckett en posant ses mains écartées à plat sur son agenda, comme pour choisir une date par divination. Nous allons donc commencer la sélection du jury le 7 mai.

Jordan rangea ses papiers dans sa serviette et observa Barrett Delaney du coin de l'œil pendant qu'elle rassemblait ses dossiers. Ayant été procureur lui-même, il savait ce que cela signifiait : un nombre incalculable de paperasses et trop peu de temps pour étudier chaque cas à fond. « Pourvu que ce soit toujours vrai, pour le plus grand bien de Chris Harte », se dit-il.

Par une longue habitude de courtoisie, il s'effaça pour laisser passer Mme Delaney, bien qu'il l'assimilât plus à un pitbull qu'à une représentante du beau sexe.

Ils descendirent le couloir du palais de justice, observant l'un et l'autre un silence furibond et ruminant leur désir de victoire. Puis Barrett se tourna vers Jordan et lui barra la route :

— Si vous voulez un arrangement, dit-elle d'une voix neutre, nous vous proposons l'homicide involontaire.

Jordan croisa les bras.

— Trente ans de réclusion, ajouta-t-elle.

Voyant que Jordan ne cillait pas, elle secoua lentement la tête.

— Écoutez, Jordan, dit-elle, il y passera, d'une façon ou d'une autre. Nous savons tous les deux que j'ai bouclé l'affaire. Vous avez vu les preuves, elles sont incontestables : les empreintes, la balle, la trajectoire à travers la tête... Et nous savons tous les deux qu'elle n'aurait pas pu se tuer elle-même de cette façon. Avec des faits aussi indéniables, il n'en faudra pas beaucoup plus pour convaincre n'importe quel jury, quel que soit le mal que vous vous donnerez pour faire diversion. Si vous prenez trente ans, au moins, il sera sorti avant l'âge de cinquante ans.

Jordan attendit encore quelques instants, puis dit :

— Vous avez fini ?

— Oui.

— Bien, dit-il en se remettant en route.

Barrett lui courut après.

— Alors ?

Jordan s'arrêta.

— Voilà. C'est vraiment parce que j'y suis obligé que je vais rapporter à mon client ce que vous avez le culot d'appeler une proposition. (Il la regarda bien en face, un simulacre de sourire aux lèvres.) J'ai fait ce métier bien plus longtemps que vous. J'étais de votre côté. Je jouais exactement le même jeu que celui que vous jouez en ce moment. Ce qui veut dire que je sais que vous êtes loin d'être aussi convaincue de la culpabilité de mon client que vous le prétendez.

Inclinant brièvement la tête, il ajouta :

— Je vais en parler à mon client, mais de toute façon, nous nous verrons au prétoire.

Lorsque Jordan eut fini de parler, Chris tambourina sur la table du bout des doigts.

— Trente ans, dit-il d'une voix qui se brisait en dépit de ses efforts pour se contrôler. Quel âge avez-vous ?

— Trente-huit ans, répondit Jordan, qui savait exactement où Chris voulait en venir.

— C'est l'équivalent de votre vie entière, et de deux fois la mienne.

— Mais c'est la moitié d'une véritable condamnation à perpétuité. Et il y a la conditionnelle.

Chris se leva et marcha vers la fenêtre.

— Qu'est-ce que je dois faire ?

— Je ne peux pas vous le dire. Je vous ai dit que vous aviez trois décisions à prendre par vous-même. Aller ou non jusqu'au procès est l'une de ces trois décisions.

Chris se retourna lentement :

— Si vous aviez dix-huit ans... si vous étiez à ma place, qu'est-ce que vous feriez ?

Un sourire se dessina sur le visage de Jordan :

— Est-ce que j'aurais le même emmerdeur d'avocat que vous ?...

— Je vous le prête, répondit Chris en riant, je vous en prie.

Jordan se leva à son tour et mit les mains dans ses poches.

— Je ne vais pas vous raconter que nous gagnerons à coup sûr, parce que je n'en sais rien. Mais je ne vais pas non plus vous dire que nous serons battus à plate couture. Ce que je peux vous dire, en revanche, c'est que si vous acceptez l'arrangement, vous passerez trente ans de votre vie à vous demander si nous aurions pu réussir à gagner ou non.

Chris hocha la tête sans rien dire, les yeux rivés sur le paysage d'hiver qu'il apercevait au-dehors.

— Vous n'avez pas à prendre votre décision tout de suite, dit Jordan. Réfléchissez-y.

Chris appuya ses mains sur la vitre froide.

— Le début du procès est prévu pour quelle date ?

— Pour le 7 mai. Ce sera la sélection du jury.

Les épaules de Chris se mirent à trembler et Jordan s'approcha de lui, inquiet de l'effet produit sur le jeune homme par la perspective de passer trois mois de plus en prison. Mais en touchant son épaule, il s'aperçut que son client riait.

— Est-ce que vous êtes superstitieux ? demanda Chris en se frottant les yeux.

— Pourquoi ?

— Parce que le 7 mai, c'est l'anniversaire d'Emily.

— Vous plaisantez ! lança Jordan, bouche bée.

Il essaya d'imaginer de quelle façon Barrett Delaney exploiterait cette découverte. Il y avait gros à parier pour qu'elle joue au maximum sur la corde sensible afin de tirer des larmes au jury pendant son premier réquisitoire. Il fallait absolument qu'il trouve une motion à déposer ou un témoin à retenir pour faire une demande de report. Il se demanda dans quelle mesure Puckett se laisserait attendrir.

— Allez-y, dit Chris, d'une voix si basse que Jordan ne l'entendit pas tout de suite.

— Comment ?

— Pour l'arrangement, envoyez-les se faire foutre.

Aucune règle écrite ne stipulait que Gus et Michael devaient garder secrets leurs déjeuners hebdomadaires. Pourtant, ils entraient furtivement dans leurs lieux de rendez-vous comme s'ils franchissaient des lignes ennemies. Dans un sens, c'était bien cela, ils menaient effectivement une bataille, et ils auraient très bien pu être des espions qui trouvaient un réconfort chez une personne qui avait toutes les raisons de les trahir à la minute même où ils tournaient le dos. Mais, dans un autre sens, chacun était pour l'autre une bouée de sauvetage.

— Bonjour ! lança Gus hors d'haleine, en se glissant à sa place.

Elle sourit à Michael qui parcourait le menu plastifié.

— Comment va-t-il aujourd'hui ?

— Ça va, répondit Michael. Il est impatient de te voir, je suppose.

— Est-ce qu'il est toujours malade ? La semaine dernière, il avait une horrible toux.

— Non, non, il va beaucoup mieux, la rassura Michael. On lui a donné un antitussif.

Gus posa sa serviette sur ses genoux. Elle regarda Michael et un frisson parcourut sa poitrine et ses épaules, exactement comme si elle avait été une collégienne regardant son petit ami... Elle connaissait Michael depuis vingt ans, mais elle commençait seulement à le voir vraiment. Sa situation actuelle semblait avoir changé non seulement sa perception du monde, mais aussi celle des gens qui le peuplaient. Comment avait-elle fait pour ne pas remarquer que la voix de Michael était si rassurante ? Que ses mains étaient fortes, ses yeux remplis de bonté ? Qu'il l'écoutait comme si elle était la seule personne présente dans la salle ?

Ce n'était pas sans un sentiment de culpabilité que Gus se rendait compte que la conversation qu'elle avait avec cet homme était exactement celle qu'elle aurait dû avoir avec son mari. James refusait toujours de parler de son fils. Aussi avait-elle commencé à vivre dans l'attente de ces déjeuners hebdomadaires arrangés autour des heures de visite à la prison, parce qu'elle pouvait parler à quelqu'un.

Mais son confident était Michael, ce qui rendait la situation curieuse. Sa femme avait été la meilleure amie de Gus, ils connaissaient donc beaucoup de choses l'un sur l'autre par personne interposée. Cela leur donnait une intimité qui les mettait un peu mal à l'aise, car ils savaient tous deux des choses qu'ils n'auraient jamais sues autrement.

— Tu es très mignonne, aujourd'hui, dit Michael.

— Moi ? rit Gus. Merci ! Toi non plus, tu n'es pas mal.

Elle le pensait vraiment. La chemise de flanelle et le jean délavé de Michael – sa tenue de travail – évoquaient pour elle des mots aussi doux et douillets que *réconfort, se blottir* et *être bien au chaud.*

— Tu t'es habillée pour ta visite, non ?

— Oui, répondit Gus en regardant sa jupe en tissu imprimé. Je me demande à qui j'ai envie de plaire.

— À Chris, répondit Michael. C'est comme ça que tu as envie qu'il te voie, pour qu'il s'en souvienne entre deux visites.

— Et comment le sais-tu ? demanda-t-elle pour le taquiner.

— Parce que je fais la même chose quand je vais sur la tombe d'Emily. Je me mets en veston et cravate – tu me vois comme ça ? – juste au cas où elle regarderait.

Gus leva un visage affligé.

— Oh, Michael, j'oublie parfois à quel point c'est pire pour toi !

— Je ne sais pas, répondit-il. Au moins, pour moi, c'est fini. Pour toi, ça commence seulement.

Gus baissa la tête.

— Comment se fait-il que je les revoie tous les deux en train d'attraper des grenouilles et de jouer à chat perché comme si c'était hier ?

— Parce que c'était hier, répondit Michael d'un ton tranquille. Ce n'est pas très loin, tout ça... (Il regarda la salle tout autour de lui.) Je ne sais pas comment nous avons atterri ici. Les jours passés sont encore si clairs dans mon esprit que je sens toujours l'odeur de l'herbe que je viens de tondre et que je vois les traces de résine de pin sur les jambes d'Emily. Et puis, tout à coup, boum ! Je me retrouve sur la tombe de ma fille et Chris est en prison.

Gus ferma les yeux.

— Tout était si facile, à l'époque. Jamais je n'aurais imaginé qu'une telle chose puisse arriver.

— Parce que ce n'est pas censé arriver à des gens comme nous.

— Et pourtant, c'est arrivé. Comment est-ce possible ?

Il secoua la tête.

— Je ne sais pas. Je n'arrête pas de me le demander. J'ai l'impression d'avoir trébuché sur une racine qui sortait du sol et que je n'avais pas vue... Des enfants comme Emily et Chris n'ont pas pu un beau jour décider comme ça de se suicider, non ?

Gus tortilla sa serviette entre ses doigts. En dépit de son intimité nouvelle avec Michael, elle ne lui avait pas confié que Chris n'avait jamais eu envie de se suicider.

— Est-ce que tu te rappelles les hurlements que poussait Emily quand ils jouaient à chat perché ? demanda-t-elle pour changer le cours de la conversation. Elle criait si fort que ça nous faisait sortir pour voir ce qui se passait.

Un sourire se dessina sur les traits de Michael.

— C'est vrai, on avait l'impression qu'il était en train de la tuer.

Dès qu'il eut prononcé ces mots, leurs regards se rencontrèrent.

— Excuse-moi, dit Michael en pâlissant. Je... ce n'est pas ce que j'ai voulu dire.

— Je sais.

— C'est la vérité !

— Ne t'inquiète pas, je comprends.

Michael se racla la gorge, visiblement mal à l'aise.

— Très bien... Qu'est-ce qu'on va prendre ?

— Comme d'habitude, répondit Gus, dont le visage s'éclaira. Je n'en reviens toujours pas de voir qu'on peut trouver du bœuf fumé à la new-yorkaise à Grafton, New Hampshire...

— Il y a toujours un coin de ciel bleu quelque part, commenta Michael en faisant signe à la serveuse.

Ils passèrent la commande et ils poursuivirent leur conversation en évitant soigneusement les sujets épineux : Mélanie, James et l'amitié qui les avait unis autrefois.

Bizarrement, l'un des sujets autorisés était le procès à venir. Leur lien commun était Chris, et ils discutèrent de la demande de Jordan qui souhaitait voir Michael témoigner pour la défense, et des réserves bien naturelles de ce dernier.

— Je ne sais pas pourquoi je te demande ton avis, dit-il. On ne peut pas dire que tu ne sois pas partie prenante dans l'affaire !

— C'est vrai, je suis honteusement subjective, reconnut Gus. Mais il faut que tu essaies d'imaginer ce qu'un jury penserait, même si tu ne disais rien, en te voyant témoigner à la barre pour Chris.

Michael reposa sa fourchette.

— C'est justement ce que j'imagine, dit-il doucement. Ils vont se demander quelle sorte de père je suis. Avec tout l'amour que j'ai pour Chris, est-ce que je peux faire cela à Emily ?

— Emily ne voudrait pas que Chris soit condamné pour un meurtre qu'il n'a pas commis, affirma Gus avec fermeté.

Michael eut un sourire en coin.

— Ah, c'est donc pour ça que tu viens déjeuner avec moi ! Tu es l'arme secrète de McAfee.

Le sang se retira du visage de Gus. L'arme secrète de Jordan, c'était qu'il ferait croire au jury que Chris avait eu l'intention de se suicider lui aussi. De la même façon qu'elle, Gus, permettait à Michael de le croire.

Posant sa serviette sur son assiette à demi remplie, elle attrapa son manteau.

— Il faut que j'y aille, marmonna-t-elle en s'acharnant sur son porte-monnaie pour en sortir sa quote-part. Saloperie de truc...

— Hé là ! fit Michael. Gus !

Il tendit le bras et posa sa main sur la sienne qui s'agitait sur le fermoir.

Gus s'arrêta aussitôt. C'était si bon d'être touchée...

Deux larges taches rouges enflammaient les pommettes de Michael.

— Je ne le pensais pas... dit-il. Que tu travailles pour l'avocat.

— Je sais, réussit-elle à dire.

— Alors, pourquoi t'en vas-tu comme ça ?

Gus détourna le regard.

— Je ne dis pas à James qu'on se voit. Et toi, tu le dis à Mélanie ?

— Non, avoua-t-il, je ne lui dis pas.

— Pourquoi, à ton avis ?

— Je ne sais pas.

Gus retira doucement sa main de la sienne.

— Moi non plus.

James s'assit à son bureau et lut le message que lui avait laissé sa secrétaire. Le restaurant s'appelait *Palme d'Or*, et il était situé à quatre-vingts kilomètres, le bout du monde... Et pourtant, la plupart des guides touristiques et gastronomiques lui attribuaient cinq étoiles. Bien sûr, c'était pratiquement garanti : avec leurs menus à prix fixe, pour soixante-quinze dollars par tête, ils vous fourguaient ce qu'ils avaient envie de vous refiler ce jour-là.

En soupirant, James tendit la main vers le téléphone. C'étaient les treize ans de Kate, et c'était elle qui avait choisi l'endroit. Il n'allait pas la décevoir.

Car, depuis Noël, il se montrait plein de sollicitude envers sa fille. Ils avaient pris l'habitude de rester ensemble à table, après avoir débarrassé, juste comme ça, pour bavarder. Contrairement à sa mère, Kate montrait de l'intérêt pour son travail et lui posait des questions. Lui, de son côté, l'écoutait lui parler des garçons, de son désir ardent d'avoir les oreilles percées, de son allergie à l'algèbre. Et il était comme tombé amoureux de sa fille. Soir après soir, il l'écoutait en se disant : « Au moins, il me reste ça. »

— Allô, oui, dit-il en entendant une voix répondre à l'autre bout du fil. Je voudrais faire une réservation. On peut déjeuner ou dîner ? Parfait. Oui, samedi prochain. Au nom de Harte. Nous serons quatre. Non, trois. Nous serons trois personnes.

Il raccrocha. Combien de fois, au cours des derniers mois, n'avait-il pas oublié la réalité, se retournant vers les sièges arrière, dans sa voiture, s'attendant à voir les longues jambes de Chris, ou bien ouvrant la porte de sa chambre le soir, pour vérifier s'il était là ?

Ils seraient trois.

Mélanie balança un bol de soupe devant Michael et s'assit en face de lui. Elle leva sa cuiller et se mit à manger sans proférer un mot.

— Alors, dit-il en se lançant courageusement, qu'est-ce que tu as fait aujourd'hui ?

Les yeux de Mélanie mirent du temps à le voir.

— Quoi ? fit-elle.

— Je t'ai demandé ce que tu avais fait aujourd'hui.

Elle ricana.

— Pourquoi ?

Michael haussa les épaules.

— Je ne sais pas. Pour faire la conversation.

— Nous sommes mariés, dit-elle d'une voix morne. On n'est pas obligés de se parler.

Michael avala sa soupe. Le céleri et les carottes étaient trop cuits.

— Je... euh...

Il hésita. Il avait été sur le point de dire qu'il était allé rendre visite à Chris, à la prison, mais il se rendit compte qu'il n'était pas encore prêt à faire ce genre de révélation.

— Je suis tombé sur Gus aujourd'hui. On a déjeuné ensemble.

Il avait parlé d'un ton léger, mais, à les entendre, ses mots lui semblèrent trop délibérément anodins.

— Elle va bien.

Mélanie en resta bouche bée. Une fine traînée de soupe coula sur sa lèvre inférieure.

— Tu as déjeuné avec elle ?

— Oui. Et alors ?

— Attends, tu ne vas pas me dire que tu as déjeuné de ton plein gré avec elle !

— Écoute, Mel, c'était ta meilleure amie !

— Oui, avant que son fils ne tue Emily.

— Tu ne sais pas s'il l'a tuée !

— Et qui est-ce qui te l'a dit ? grinça Mélanie d'un ton plein de dérision. C'est elle qui te l'a dit, en pleurant au beau milieu de sa salade ? Ou alors, elle a attendu la fin du repas pour te confier que le procureur avait fait une terrible erreur ?

— Elle n'a rien fait de tout ça, répondit Michael d'un ton tranquille. Et même si... même si... Eh bien, ce ne serait pas sa faute à elle.

Mélanie secoua la tête.

— Tu es un pauvre idiot. Tu ne comprends pas qu'une mère est capable de tout pour protéger son enfant ?

Elle le regarda et ajouta, blême et frémissante de colère :

— C'est ce qu'est en train de faire Gus, Michael. On ne peut pas en dire autant de toi.

Il était prévu que Kate et James se rendent ensemble au *Palme d'Or*, le samedi suivant, et que Gus les rejoigne après sa visite à Chris. Il y avait une demi-heure que James et Kate étaient assis à attendre lorsque le maître d'hôtel vint vers eux pour la troisième fois.

— Peut-être souhaitez-vous commencer avant ?

— Non, papa, dit Kate en faisant la grimace. Je veux attendre maman.

James haussa les épaules.

— Nous allons encore attendre quelques minutes, dit-il.

Il s'avachit sur son siège, les yeux fixés sur les doigts de sa fille qui jouaient avec le bord des pétales de la délicate orchidée posée au centre de la table.

— Elle est toujours en retard, dit Kate comme pour elle-même, mais pas à ce point-là.

C'est alors que Gus fit son apparition. Son manteau vola de son dos aux bras du maître d'hôtel.

— Je suis désolée, dit-elle en se penchant au-dessus de Kate pour l'embrasser. Bon anniversaire, ma chérie ! James ! dit-elle à son mari en guise de salut. (Puis, au maître d'hôtel :) Juste de l'eau, s'il vous plaît, je n'ai pas faim.

— Comment est-ce possible ? s'étonna son époux. Il est midi.

Gus baissa la tête.

— J'ai mangé quelque chose en venant, dit-elle, évasive. Alors, Kate, comment on se sent quand on a treize ans ?

— Papa m'a dit qu'il est d'accord pour que je me fasse percer les oreilles, si toi tu veux bien ! annonça Kate, aux anges. Aujourd'hui. Après déjeuner.

— Très bonne idée ! répondit sa mère en se tournant vers James. Tu peux l'emmener ?

Il ne l'entendit pas tout de suite, car il humait les senteurs qu'elle avait apportées avec elle dans la petite salle du restaurant : l'odeur de la neige, l'odeur de pomme de sa laque et celle, subtile, de son parfum. Mais il y avait aussi autre chose, quelque chose de profond et d'exotique qu'il n'arrivait pas à identifier… Qu'est-ce que c'était ?

— Tu peux ? répéta Gus.

— Je peux quoi ?

— Emmener Kate chez le bijoutier. Pour ses oreilles, expliqua-t-elle en jouant avec ses propres lobes. (Elle rosit.) Je… eh bien, je ne peux pas. Je retourne voir Chris.

— Mais tu en viens ! objecta-t-il.

À sa grande surprise, les joues de Gus rougirent de plus en plus.

— Ils ont rajouté des heures de visite aujourd'hui, précisa-t-elle en posant sa serviette sur ses genoux. J'ai dit à Chris que je retournerais le voir.

James poussa un soupir et se tourna vers Kate.

— On ira ensemble chez le bijoutier, après le déjeuner.

Il regarda sa femme, s'apprêtant à lui demander pourquoi elle avait fait tout ce chemin si elle avait l'intention de refaire le trajet en sens inverse immédiatement après… mais il s'arrêta, frappé par une découverte. Après ses visites à Chris, elle rentrait toujours en portant sur elle l'odeur de la prison, faite de renfermé, de confiné, une odeur qui s'accrochait à ses vêtements et à sa peau jusqu'à ce qu'ils aient été lavés. Or, elle était allée rendre visite à Chris, aujourd'hui, mais l'odeur n'était pas là. Elle était remplacée par autre chose, par cet élément exotique que James reconnut soudain : c'était l'odeur sucrée et chaude du mensonge.

Chris se glissa sur son siège en essayant de refréner sa colère contre sa mère et de ne pas se sentir trop malheureux. Il s'efforçait toujours de ne pas trop se réjouir à l'avance de ses visites, d'être le plus détaché possible, pour que les espaces entre deux visites soient supportables. Mais tout de même, aujourd'hui, à l'heure habituelle il était resté dans sa cellule, et il avait dû attendre avant d'être appelé jusqu'à deux heures de l'après-midi !

— Qu'est-ce qui t'est arrivé ? marmonna-t-il.

— Je suis désolée, s'excusa Gus. Nous avons fêté l'anniversaire de Kate au restaurant.

— Ah bon ? Tu aurais pu venir avant !

— Non, j'avais un autre rendez-vous.

Un autre rendez-vous ? Chris se renfrogna encore plus. Qu'est-ce qu'elle pouvait avoir de plus important à faire que d'aller voir son fils qui moisissait en prison ?

— Chris, s'enquit-elle en lui touchant le front, est-ce que tu es de nouveau malade ?

Il se dégagea.

— Non, je vais très bien.

— On ne dirait pas, à te voir.

— Ah bon ? Et comment tu veux que j'aille quand je sais que je vais encore moisir en prison pendant trois mois en attendant qu'un jury me boucle pour le restant de mes jours ?

— Ah, c'est ça ? demanda Gus. C'est la perspective du procès qui te rend nerveux ? Parce que je peux te dire...

— Quoi, maman ? Qu'est-ce que tu peux me dire ?

Il détourna son visage, l'air écœuré.

— Rien, fit-il. Tu ne peux absolument rien me dire.

— Eh bien, précisa-t-elle, Michael et moi, nous pensons tous les deux que Jordan a un très bon dossier.

Chris éclata d'un rire amer.

— Ah ! oui, Michael, c'est le bon conseiller ! Le père éploré de la victime...

— Tu n'as pas le droit de dire ça ! Il fait tout ce qu'il peut pour t'aider. Tu devrais lui être reconnaissant.

— Pour avoir commencé par m'accuser ?

— Il n'a rien à voir avec ça. C'est l'État, pas les Gold.

— Mais maman ! s'écria Chris, abasourdi. De quel côté es-tu ?

Gus le dévisagea pendant quelques instants.

— Du tien, finit-elle par dire. Mais Michael a décidé qu'il serait un témoin de la défense, ce qui est une très bonne chose.

— Il t'a dit ça ? demanda Chris, se gardant de trop d'optimisme.

— Oui. Aujourd'hui.

Le jeune homme fronça les sourcils d'un air de doute :

— Quand ?

— Je l'ai vu ce matin avant le déjeuner avec Kate, répondit Gus en levant le menton. Nous nous rencontrons les jours où nous venons tous les deux te rendre visite.

Comprenant alors la raison du retard de sa mère, Chris se raidit et se détourna, en proie à un bizarre sentiment de jalousie.

— De quoi parlez-vous ? demanda-t-il.

— De tout et de rien. De toi. De nos familles. On... parle, tout simplement.

En prononçant ces mots, elle sentit son cœur battre un peu plus fort dans sa poitrine.

— Il n'y a rien de mal à ça, se défendit-elle, avant de se rendre compte qu'elle n'avait pas à se justifier.

Chris garda les yeux baissés sur la table, sous le regard insistant de sa mère.

— Visiblement, tu as quelque chose à me dire, l'encouragea-t-elle.

Il leva sur elle un visage à l'expression délibérément neutre.

— Est-ce que tu pourrais demander à papa de venir me voir ? demanda-t-il.

— Je me demande si en travaillant avec toi je ne risque pas de devenir vieille et grosse avant l'heure, déclara Selena en avalant un morceau de pizza bien huileuse.

Jordan la regarda, surpris.

— Est-ce que je t'exploite tant que ça ?

— Non, mais tes habitudes alimentaires sont épouvantables. Est-ce que tu sais seulement ce que c'est qu'une salade ?

— Bien sûr, répondit Jordan en souriant. C'est le truc qu'on donne à ruminer aux vaches.

Il mit un morceau de poivron de côté.

— Pour Thomas, expliqua-t-il.

Les yeux de Selena se posèrent sur la porte de la chambre du jeune garçon.

— Ah bon ? Il n'a pas été pourri par les croissants ?

— Eh bien, non. Il a même maigri un peu, là-bas. Il m'a dit que la nourriture était trop grasse pour lui... précisa Jordan avec une grimace vers la pizza qui imbibait le carton. Mais si c'est les saloperies qu'on mange en Amérique qui l'ont ramené, moi, ça me va.

— Oh, il serait rentré de toute façon, le rassura Selena, il avait laissé sa Nintendo ici.

Jordan éclata de rire.

— Vraiment, tu flattes ma vanité.

— Comme si tu ne t'en chargeais pas tout seul ! répondit sèchement Selena. Tu me paies pour faire des enquêtes, pas pour te flatter.

— Ouais... Alors, qu'est-ce que tu as fait dernièrement pour gagner ton pain ?

Selena avait fini d'interroger l'environnement immédiat pour la défense, et elle avait commencé à passer en revue la liste des témoins à charge, de façon que Jordan sache à quoi s'attendre.

— Il ne devrait pas y avoir de grandes surprises de la part du médecin légiste et de l'inspecteur, dit-elle. Et les jeunes qu'ils vont faire témoigner – les copains d'Emily – seront sûrement passablement terrorisés et pas très utiles à Delaney. La seule mauvaise carte est Mélanie Gold, que je n'arrive pas à approcher pour l'interroger.

— Peut-être que nous aurons de la chance, dit Jordan. Peut-être qu'elle va nous faire une déprime et que Puckett la décrétera incapable de témoigner pour incapacité mentale...

Selena leva les yeux au ciel.

— Je ne m'attends pas à des miracles, dit-elle.

— Moi non plus, reconnut l'avocat. Mais va savoir, il se passe parfois des choses plus étranges.

La jeune femme acquiesça et posa ses pieds sur la table basse, à côté de ceux de Jordan.

— Tu as de beaux pieds bien larges, fit remarquer ce dernier. Très pratiques pour les filatures. Pas étonnant que tu aies choisi le métier de détective.

— Et toi, qu'est-ce qui te l'a fait choisir ? lui demanda-t-elle en poussant son pied du bout du sien.

— Le métier de détective ? plaisanta-t-il.

— Tu sais très bien ce que je veux dire.

— J'ai suivi des cours de droit exactement pour les mêmes raisons que tout le monde : je ne savais pas quoi faire de ma vie, et c'étaient mes parents qui payaient.

Selena rit.

— Non, je sais très bien pourquoi tu es devenu avocat : c'est parce que non seulement les gens étaient forcés de t'écouter pérorer, mais encore tu te faisais payer pour ça... Ce que je voudrais savoir, c'est pourquoi tu as changé de rôle.

— Pourquoi j'ai quitté le bureau du procureur ? Le salaire était merdique.

Selena embrassa du regard l'intérieur cossu où ils se trouvaient. Jordan aimait son petit confort, mais il n'était pas du genre ostentatoire.

— La vérité, insista-t-elle.

Il la regarda bien en face.

— Tu sais ce que je pense de la vérité, dit-il.

— Ta version des faits, alors.

— Eh bien, expliqua Jordan, en tant que procureur, il faut réussir à prouver. En tant qu'avocat de la défense, tout le travail, c'est d'introduire un léger doute. Et comment les membres d'un jury ne seraient-ils pas habités par le doute ? À partir du moment où ils n'étaient pas sur les lieux du crime...

— Tu es en train de me raconter que si tu as changé de rôle, c'est parce que tu as choisi le plus facile ? Je n'y crois pas.

— J'ai changé de rôle parce que je n'y croyais pas non plus. Je ne croyais pas non plus qu'il n'y avait qu'une bonne version. Et le procureur, il est obligé d'y croire.

Selena approcha son visage tout près de celui de Jordan :

— Est-ce que tu crois que Chris Harte est coupable ?

Elle posa la main sur son bras.

— Je sais que pour toi, ça n'a aucune importance. Tu le défendrais quand même, et bien. Mais c'est juste pour savoir.

Jordan baissa la tête.

— Je crois qu'il aimait cette fille, et je crois qu'il était complètement affolé quand les flics les ont trouvés. Mais à part ça... Je crois que Chris Harte sait très bien mentir... Mais pas tout à fait aussi bien que le croit l'accusation.

On était jeudi. C'était un jour calme, au cimetière, si bien que la voix du rabbin portait. Elle montait jusqu'aux branches des arbres où les petits oiseaux l'observaient de leurs yeux noirs en boutons de bottine en ouvrant leur bec, comme pour attraper les prières au vol.

Michael sentait le froid du sol pénétrer à travers les fines semelles de ses chaussures habillées. « Comment ont-ils fait pour mettre la pierre ? » se demanda-t-il. Et, pour la cinquantième fois, ses yeux se posèrent sur la pierre tombale de marbre rose flambant neuve qui recouvrait la tombe d'Emily.

La pierre par elle-même ne disait pas grand-chose : le nom d'Emily, la date de sa naissance et celle de sa mort. Et, légèrement en dessous, en lettres larges, se trouvait une inscription : NOTRE FILLE CHÉRIE. Il ne se souvenait pas d'avoir commandé cette gravure, mais c'était bien possible. Il y avait si longtemps de cela, et son esprit était si confus, à l'époque. Mais il n'aurait pas été surpris outre mesure d'apprendre que c'était une initiative de Mélanie.

Il écouta le son guttural de l'hébreu récité par le rabbin, mêlé aux pleurs discrets de Mélanie. Mais ses yeux en éveil continuèrent à se promener jusqu'à ce qu'il eût aperçu ce qu'il cherchait.

Gus descendait la pente, emmitouflée dans une volumineuse parka noire et une jupe également noire, la tête courbée sous l'effet du vent. Elle rencontra les yeux de Michael et s'arrêta derrière lui, de l'autre côté de Mélanie.

Il recula d'un pas, puis d'un autre, pour se mettre au même niveau qu'elle. Caché par les pans de sa veste qui volaient au vent, il toucha sa main gantée.

— Tu es venue, chuchota-t-il.

— Tu me l'as demandé, répondit-elle.

La cérémonie s'acheva. Michael se pencha et prit un petit caillou qu'il posa à la base de la nouvelle pierre tombale. Mélanie l'imita, puis passa devant Gus en l'ignorant. Gus se baissa et trouva un petit galet blanc qu'elle alla déposer à son tour à côté des deux autres cailloux.

Elle sentit de nouveau la main de Michael sur son bras.

— Je t'emmène à ta voiture, dit-il en se tournant vers Mélanie pour l'en informer, mais elle avait disparu.

Gus l'attendit pendant qu'il échangeait quelques mots avec le rabbin et lui tendait une enveloppe. Puis ils cheminèrent côte à côte sans mot dire jusqu'à la voiture.

— Merci, dit Michael.

— Non, merci à toi, répondit Gus. J'avais envie de venir.

Elle s'apprêta à saluer Michael, mais quelque chose dans son visage – les petites rides des coins de ses yeux, ou peut-être son sourire tremblant – la poussa à ouvrir les bras et à les refermer sur lui. Lorsqu'il releva la tête, ses yeux étaient humides, autant que les siens.

— À samedi ? demanda-t-il.

— À samedi, répondit-elle.

L'espace d'un instant, il parut absent, comme en proie à une bataille intérieure. Puis il se pencha, l'embrassa sur les lèvres et s'en alla.

Dans sa voiture, Gus réfléchit. Peut-être qu'en un moment pareil, Michael n'avait pas été tout à fait conscient de son geste. Et pourtant, elle aurait parié le contraire.

Affectivement, elle était en manque, c'était vrai. Car il y avait des mois qu'elle ne dormait plus avec James, et encore plus longtemps qu'elle n'avait pas eu de vraie conversation avec lui. Et au moment même où elle avait commencé à perdre son mari, sa meilleure amie lui avait tourné le dos. Pouvoir parler de Chris avec quelqu'un qui en avait envie – envie ! – lui faisait tellement de bien.

Mais elle se demanda, avec un certain malaise, si elle attendait ses rencontres avec Michael pour pouvoir parler de Chris ou si elle se servait de Chris comme excuse pour voir Michael.

Ils parlaient de Chris, et d'Emily, et du procès. Et cela la soulageait, la libérait de tout ce poids si lourd à porter. Mais ce n'était pas pour cette raison que des frissons parcouraient son cou lorsqu'il la regardait en souriant, ou que, en fermant les yeux, elle voyait son visage et ses expressions avec la même précision qu'elle voyait autrefois ceux de James.

Il y avait des années qu'elle connaissait Michael, qu'elle le connaissait presque aussi bien que son propre époux.

Elle finit par se dire qu'il s'agissait d'une attirance née des moments de fausse intimité qu'ils partageaient. Que cela ne signifiait absolument rien.

Cette sage réflexion ne l'empêcha pas de rentrer chez elle en conduisant d'une main, ses doigts libres posés sur sa bouche, là où il avait posé la sienne.

La question n'avait jamais été abordée entre eux, mais Gus prit la décision de faire chambre à part avant même le refus sans équivoque de James de témoigner en faveur de Chris. Elle s'installa dans la chambre de son fils. L'idée que le matelas sur lequel elle reposait était celui qui avait accueilli le corps de son enfant pendant des années lui faisait du bien. Elle aimait sentir l'odeur de la collection de chaussures de sport rangée au bas de son placard ; s'éveiller au son du radio-réveil branché sur sa station favorite. Tout cela contribuait à lui donner l'illusion qu'il était toujours auprès d'elle.

James fut de garde très tard ce soir-là, à l'hôpital. Gus l'entendit rentrer, refermer la lourde porte d'entrée et gravir les escaliers. Il y eut un léger grincement lorsqu'il alla vérifier que Kate dormait, suivi d'un bruit de chute d'eau lorsqu'il mit la douche en marche dans la salle de bains.

Il ne vint pas la voir. Il ne s'approcha pas de la chambre de Chris.

Elle se glissa hors du lit et enfila sa robe de chambre.

La vue de son lit conjugal lui causa un effet curieux. Les draps étaient propres et lisses, mais ils n'étaient pas bordés. C'était bien la preuve qu'elle n'y dormait pas : James n'aimait pas être serré dans son lit, contrairement à elle.

L'eau s'arrêta de couler dans la douche. Gus imagina son mari en train de sortir de la cabine et de s'envelopper dans une serviette avant de se livrer à un essuyage énergique. Puis elle poussa la porte de la salle de bains.

James se tourna aussitôt vers elle avec inquiétude.

— Qu'est-ce qui se passe ?

— Des tas de choses, répondit-elle en défaisant sa robe de chambre, qui tomba à terre.

Elle s'avança vers lui d'un pas hésitant et posa ses mains sur sa poitrine. Avec une force étonnante, James referma les bras sur elle. Il fit glisser sa bouche le long de son corps, sur ses seins et sur ses côtes, et posa sa joue sur son ventre.

Elle le releva et le conduisit vers la chambre. James se laissa tomber sur elle, le cœur battant aussi fort que le sien. Gus fit courir ses mains sur ses bras, sur le léger duvet de ses fesses, sur tous les endroits qu'elle avait besoin de toucher pour raviver sa mémoire. Lorsqu'il entra en elle, elle s'arcbouta sous lui, semblable à une baguette d'osier, et lui planta les dents dans l'épaule de peur de parler... Tout s'acheva très rapidement et ils se retrouvèrent tous les deux agrippés l'un à l'autre, toujours silencieux.

Avec un sourire, James se dirigea vers la salle de bains, le dos marqué de traces d'ongles. Gus tapota ses seins irrités par la barbe râpeuse de son mari et regarda le désordre du lit, les draps rejetés sur la table de nuit et rougis par les écorchures du dos de James... Ce chaos ne ressemblait nullement à un lieu de réconciliation et encore moins à un nid d'amour. En fait, il ressemblait furieusement à un lieu où se serait déroulé un crime.

Jordan ôta l'élastique qui attachait la petite pile de courrier. À la vue de l'en-tête de la Cour supérieure du comté de Grafton, il sentit son pouls s'accélérer. Il ouvrit l'enveloppe pour en sortir la lettre de l'honorable Leslie Puckett en réponse aux motions déposées par lui-même et par Barrett.

Les motions du procureur, qui demandaient à récuser deux de ses experts et la dissertation de français sur le droit de choisir trouvée par Selena, avaient été rejetées.

Sa propre requête pour supprimer l'interrogatoire effectué par l'inspecteur Marrone à l'hôpital avait été accordée, sur la base que Chris Harte ne disposait pas des moyens de se soustraire à l'interrogatoire et, par conséquent, avait été formellement interrogé sans avoir eu lecture de ses droits.

C'était une mince victoire, mais qui amena un sourire sur ses lèvres. Jordan mit la lettre au dos de la pile de courrier, retourna dans son bureau et ferma la porte.

En voyant son père dans le parloir, raide comme un piquet, debout derrière sa chaise de métal, Chris se renfrogna. Il avait dit à sa mère qu'il souhaitait le voir, mais sans s'attendre réellement à être exaucé. Après tout, lorsqu'il lui avait interdit de venir lui rendre visite, quelques mois auparavant, ils savaient tous qu'il prenait la responsabilité d'une chose que James aurait faite de toute façon.

— Chris ! lui dit son père en lui tendant la main.

— Papa !

Ils se serrèrent la main et le jeune homme fut frappé par la chaleur de la peau de son père. Il se souvint alors que les mains de celui-ci lui avaient toujours paru chaudes et rassurantes, lorsqu'il les posait sur ses épaules lors des parties de chasse.

— Merci d'être venu.

James hocha la tête.

— Merci de me l'avoir demandé, répondit-il poliment.

— Est-ce que maman est venue avec toi ?

— Non, j'ai cru comprendre que tu voulais me voir seul à seul.

Ce n'était pas ce qu'il avait dit, mais sans doute sa mère avait-elle interprété ses paroles ainsi. Et sans doute n'était-ce pas une mauvaise idée.

— Est-ce que tu avais envie de me poser une question en particulier ? s'enquit James.

Son fils acquiesça. Il songea à plusieurs choses simultanément : « Si je vais en prison, est-ce que tu aideras maman à continuer à vivre ? Si je te le demande, est-ce que tu me diras en face que tu n'avais jamais cru que je pourrais te faire autant de mal ? »

Mais au lieu de cela, lorsqu'il ouvrit la bouche, ce fut pour prononcer une phrase qui le surprit autant que James :

— Papa, dit-il, est-ce que tu as déjà fait quelque chose de mal au cours de ta vie ?

James camoufla son rire naissant par une toux.

— Oh oui ! J'ai raté ma première année de biologie, à l'université. J'ai piqué un paquet de chewing-gum dans un magasin quand j'étais petit. Et j'ai bousillé la voiture de mon père en sortant d'une fête avec des copains. Mais, par contre, je n'ai jamais tué personne, gloussa-t-il.

Chris le regarda fixement.

— Moi non plus, dit-il d'une voix douce.

James pâlit.

— Ce n'est pas ce... euh...

Il finit par secouer la tête.

— Je ne te reproche pas ce qui est arrivé.

— Mais est-ce que tu me crois ?

James rencontra le regard de son fils.

— C'est très difficile de te croire en essayant à toute force de se persuader qu'il ne s'est rien passé.

— Il s'est passé quelque chose, dit Chris d'une voix étranglée. Emily est morte. Et moi, je suis bouclé dans cette saloperie de taule, et je ne peux pas changer ce qui a déjà été fait.

— Moi non plus, rétorqua James. Il faut que tu comprennes… J'ai été élevé par des parents pour qui le meilleur moyen de se sortir d'une situation difficile était de faire comme si elle n'existait pas. De laisser les gens parler… en ignorant la rumeur et en niant l'évidence.

Chris sourit furtivement.

— Tu peux toujours faire croire aux gens que je suis dans un hôtel de luxe, mais ce n'est pas pour autant que la bouffe sera meilleure ou que ma cellule sera plus grande.

— Bon, dit James, radouci, peut-être qu'on peut apprendre des choses de ses propres enfants… Au fait, maintenant que tu m'y fais penser, j'ai fait une chose vraiment affreuse au cours de ma vie.

Chris se pencha en avant, intrigué :

— Qu'est-ce que c'est ?

James lui adressa un sourire si rempli d'amour que Chris en détourna les yeux.

— Je me suis tenu loin de toi. Jusqu'à présent.

Le procès pour homicide de Steve dura quatre jours. Son avocat était commis d'office, car ni lui ni ses parents n'avaient les moyens de payer quelqu'un de plus prestigieux. Et même s'il ne parlait pas de son affaire, Chris voyait bien qu'il devenait de plus en plus nerveux à mesure que la fin du procès approchait.

Durant la nuit précédant le jour du verdict, Chris fut réveillé par un léger bruit de frottement. Il s'assit dans sa couchette et vit Steve en train de frotter une lame de rasoir sur le bord de la cuvette des WC.

— Merde, qu'est-ce que tu fais ? chuchota-t-il.

Steve le regarda :

— Ils vont me foutre en prison, répondit-il d'une voix rauque.

— Tu es déjà en prison !

— Peut-être, mais ça, c'est le Club Med comparé au pénitencier. Est-ce que tu sais comment ils traitent les mecs qui ont tué un môme ? Tu le sais ?

Chris eut un léger sourire.

— Ils servent de pute à tout le monde ?

— Tu trouves ça drôle ? N'oublie pas que tu pourrais être dans la même galère dans trois mois ! (Steve haletait et s'efforçait de ne pas pleurer.) Des fois, ils te cognent comme des malades, et les surveillants font semblant de rien voir parce qu'ils pensent que tu l'as bien cherché. Et puis des fois, ils te cognent si bien qu'ils te font la peau.

Il prit la lame de rasoir qui jeta un éclat dans la pénombre de la cellule.

— Je vais leur éviter de se donner tout ce mal.

L'esprit toujours embrumé de sommeil, Chris ne comprit pas immédiatement.

— Tu ne peux pas faire ça, finit-il par dire.

— Chris... murmura Steve. C'est tout ce qui me reste à faire.

Soudain, le jeune homme revit Emily : « Je me vois maintenant, disait-elle, et je vois ce que j'ai envie d'être dans dix ans. Mais je ne sais pas comment je vais faire pour aller d'ici à là-bas. »

Chris vit Steve lever une main tremblante dans laquelle la lame de rasoir vacillait comme une flamme. Il sauta alors au bas de sa couchette et se mit à cogner contre les barreaux de la cellule, afin d'alerter un gardien et de faire pour son ami ce qu'il n'avait pas fait pour Emily.

Les bruits circulent très vite à l'intérieur d'une prison ; ils sont aussi envahissants que des moucherons et aussi difficiles à ignorer... Le lendemain matin, au petit déjeuner, tout le monde savait que Steve avait été transféré en bas, au QHS, dans la cellule des suicidés, où il était surveillé en permanence par une caméra. Au déjeuner, il avait été conduit au palais de justice par le shérif pour y entendre lecture de la décision du jury.

Un peu après quinze heures trente, un gardien entra dans la cellule de Chris et se mit à emballer les affaires de Steve. Le jeune homme posa le livre qu'il était en train de lire.

— Le procès est terminé ? demanda-t-il.

— Ouais. Coupable. Condamné à perpète.

Le gardien ramassa les morceaux épars du rasoir de plastique, celui que Steve avait cassé pour prendre la lame.

Chris mit son oreiller sur sa tête pour cacher ses sanglots. Il pleura comme il ne l'avait jamais fait depuis son arrivée en prison. Et il ne voulut pas se demander s'il pleurait sur Steve ou sur lui-même, pour ce qu'il avait fait, ou pour ce qui ne manquerait pas d'arriver.

Au début, Barrett Delaney avait souvent appelé Mélanie pour la mettre au courant des derniers indices mis en évidence par la médecine légale. Puis, ce fut au tour de Mélanie d'appeler le procureur adjoint, pour rappeler périodiquement Emily à son souvenir. Et à présent, Mélanie ne l'appelait plus qu'une fois par mois environ, soucieuse de ne pas lui faire perdre un temps précieux pour la préparation du procès.

C'est pourquoi elle fut d'autant plus surprise de recevoir un appel téléphonique de Barrett à la bibliothèque.

— Allô... dit-elle en reconnaissant la voix du procureur. Tout va bien ?

— C'est moi qui devrais vous poser cette question, répondit Barrett. Tout va bien, oui.

— Est-ce qu'ils ont changé la date du procès ?

— Oh non ! Il a toujours lieu en mai. (Elle poussa un soupir.) Eh bien, madame Gold... Je voudrais savoir si vous pourriez m'aider en faisant une petite recherche...

— Tout ce que vous voudrez, assura Mélanie avec empressement. Qu'est-ce qu'il vous faut ?

— C'est votre mari. Il a accepté de témoigner pour la défense.

Mélanie resta muette si longtemps que le procureur répéta son nom plusieurs fois.

— Je suis toujours là, finit-elle par répondre d'une voix faible.

Elle revit Gus au cimetière et se persuada que c'était elle qui était à l'origine de la décision de son mari. Son cœur se mit à cogner dans sa poitrine.

— Qu'est-ce que je peux faire ? demanda-t-elle.

— L'idéal serait de le faire revenir sur sa décision. Et s'il refuse, peut-être pourriez-vous réussir à savoir ce qu'il a l'intention de dire de si utile pour la défense.

— Je vois, murmura Mélanie, à présent complètement repliée sur elle-même. Et comment dois-je m'y prendre ?

— Alors ça, madame Gold, répondit le procureur, c'est à vous de voir.

La première chose que nota Michael en rentrant chez lui en sueur, fatigué et empestant le mouton, ce fut la musique. Après des mois de silence prolongé, le son des cuivres lui parut sacrilège, et son premier mouvement fut d'aller l'arrêter. Mais en passant devant la cuisine, il vit Mélanie en train de découper des légumes, pimpante devant son plan de travail, sur lequel des poivrons se détachaient pareils à des bijoux.

— Bonjour ! lui lança-t-elle, le sourire aux lèvres, si semblable à la femme d'autrefois qu'il en resta pétrifié. Tu as faim ?

— Je meurs de faim, répondit-il, la bouche sèche, tout en résistant au désir de toucher sa femme pour vérifier qu'elle était bien réelle.

— Va faire ta toilette, dit-elle. J'ai préparé un bon petit ragoût d'agneau.

Il monta à la salle de bains comme un automate, le cerveau en ébullition. C'était bien ce qu'il avait entendu dire à propos du deuil, après tout... Le chagrin pouvait changer radicalement quelqu'un, et puis, un beau jour, tout rentrait dans l'ordre. Sans doute était-ce ce qui s'était passé pour lui. Et maintenant, c'était au tour de Mélanie de renaître à la vie.

Tout en se savonnant sous la douche, il repassa dans sa tête l'image de Mélanie telle qu'il l'avait vue à la cuisine, avec sa nuque gracile et l'or teinté de roux de ses cheveux brillant au soleil de cette fin d'après-midi.

Il sortit vêtu d'une serviette et trouva Mélanie assise sur le lit, à côté de deux assiettes fumantes et de deux verres de vin rouge.

Elle portait un peignoir de soie verte qu'il l'avait vue porter lors d'une seconde lune de miel, il y avait des milliers d'années de cela... Le peignoir était entrouvert.

— J'ai pensé que tu n'aurais pas envie d'attendre, dit-elle.

Il avala sa salive.

— Quoi ? demanda-t-il.

Mélanie sourit.

— Le ragoût, précisa-t-elle.

Elle se leva, faisant légèrement tinter les assiettes, et indiqua un verre de vin :

— Tu en veux ?

Michael hocha la tête ; elle en prit une gorgée avant de se pencher sur lui pour l'embrasser en ouvrant les lèvres, lui déposant le vin dans la gorge.

Il y avait des mois qu'ils n'avaient pas fait l'amour. Depuis la mort de leur fille. Lui se serait précipité si elle l'avait invité à partager son lit...

Mais la personne qu'il avait aujourd'hui devant lui n'était pas Mélanie. Durant toutes leurs années de mariage, jamais elle n'avait fait le premier pas. En songeant au vin qu'elle venait de lui verser dans la bouche, il sentit son excitation grandir, mais ne put s'empêcher de se demander dans quel livre elle avait pris ça.

Et à cette idée, il éclata de rire.

Le regard de Mélanie vacilla. S'il ne l'avait pas si bien connue, il n'aurait pas remarqué l'indécision qui lui agrandit les pupilles pendant une fraction de seconde. Mais elle reprit ses esprits et, posant son verre de vin, elle attrapa l'arrière de la tête de Michael et le pencha vers elle pour l'embrasser.

Il sentit son peignoir s'ouvrir, ses seins s'écraser contre sa poitrine. Il sentit sa langue s'introduire dans sa bouche et ses doigts caresser sa nuque. Puis il sentit son autre main se glisser entre eux deux.

Soudain, il comprit pourquoi Mélanie avait fait un ragoût, portait de la soie, le caressait. Elle n'avait pas changé d'un seul coup. Elle voulait quelque chose.

Il leva la tête et recula. Elle émit un petit son et ouvrit les yeux.

— Qu'est-ce qui se passe ? demanda-t-elle.

— Et si tu me disais tout ?

Il la vit étudier son visage, sentit sa surprise en constatant que son pénis se ratatinait dans sa main. Elle le serra brièvement d'un geste cruel et le lâcha en refermant brutalement son peignoir.

— Tu vas être un témoin de la défense, siffla-t-elle. Ta propre fille est morte, et toi, tu vas défendre son assassin.

— Ah bon, c'est pour ça ? dit-il, incrédule. Tu croyais que si on baisait, tu pourrais me faire changer d'avis ?

— Je n'en sais rien ! cria-t-elle en fourrageant dans ses cheveux. J'ai pensé que peut-être tu renoncerais à le faire. Que tu me devrais ça.

Michael la regarda, stupéfait de penser qu'au bout de vingt ans de mariage elle pouvait avoir l'idée d'utiliser l'acte d'amour comme un moyen de paiement, et non pas comme un cadeau. Il eut envie de lui rendre le mal qu'elle venait de lui faire.

— Tu te vantais, dit-il en donnant à son visage une expression aussi neutre que possible.

Et il la planta là.

Il était nu, mais cela n'avait pas d'importance. Il fila droit dans son cabinet, à l'étage, et passa un pantalon de chirurgien. Ensuite, il s'assit à son bureau. Il entendit Mélanie qui rangeait de la vaisselle à la cuisine.

D'une main tremblante, il prit le téléphone et forma un numéro.

En entrant au *Happy Family*, Gus se dirigea aussitôt vers le coin au fond de la salle, où ils avaient leurs habitudes le vendredi soir. Michael était là, en pantalon de coton vert, et il buvait ce qui semblait bien être de la vodka.

— Michael ! dit-elle, et il leva la tête.

Elle avait déjà vu ce genre de regard, mais elle ne savait plus où ni quand. L'expression vague des yeux, le pli tombant de la bouche... Elle mit un moment à reconnaître le désespoir, une expression qu'elle avait vue sur le visage de Chris avant qu'il ne décide de poser à la place son masque d'indifférence.

— Tu es venue, dit Michael.

— Je t'avais dit que je viendrais.

Il avait pris le risque de l'appeler chez elle et l'avait suppliée de le rejoindre immédiatement. C'était elle qui avait proposé le restaurant chinois, un endroit qui ne serait pas trop fréquenté à cette heure. Ce ne fut qu'une fois arrivée, et après avoir menti à James et à Kate, qu'elle s'aperçut à quel point il pouvait être chargé de souvenirs.

— C'est Mélanie, dit aussitôt Michael, et Gus ouvrit de grands yeux.

— Elle va bien ?

— Je me le demande, répondit-il avant de lui raconter ce qui s'était passé.

Gus l'écouta en rosissant. Elle se souvint de l'époque, pas si lointaine, où elle riait avec Mélanie en parlant sexe, mais d'une façon très abstraite. Or, tout devenait très concret tout à coup.

— Bon... dit-elle après s'être raclé la gorge. Tu savais bien qu'elle finirait par apprendre que tu allais témoigner.

— Oui, mais ce n'est pas ça qui me rend malade, dit-il en levant sur elle un regard voilé. C'est ce qui nous arrive à tous les deux. C'est affreux, tu comprends. J'avais toujours pensé que nous ferions front ensemble, que nous surmonterions l'épreuve.

Il baissa les yeux sur le set de table décoré d'un calendrier chinois présentant les différentes années : celle du rat, celle du buffle, celle du cheval...

— Est-ce que tu sais ce que c'est que de donner ta personne entière à quelqu'un, et tout ton cœur, jusqu'à ne plus rien avoir à donner... et de t'apercevoir que ce n'est toujours pas assez ?

— Oui, répondit Gus simplement. Je sais.

Elle prit les mains de Michael entre les siennes et les serra pour lui donner de la force. Et ils pensèrent chacun de leur côté à leur conjoint, et à la façon dont des divergences minimes pouvaient se transformer en un fossé infranchissable en l'espace d'une nuit.

Ils se tenaient toujours les mains lorsque le serveur arriva pour prendre leur commande.

— Madame, monsieur, dit-il avec empressement en souriant de toutes ses dents, tandis que les deux amis se séparaient avec un sursaut. Il y a longtemps que vous n'êtes pas venus manger ici ! L'autre couple va bientôt arriver ?

Gus le regarda, bouche bée. C'est Michael qui comprit la méprise.

— Oh... non, dit-il en souriant. Nous ne sommes pas mariés. Enfin si, nous sommes mariés, mais pas ensemble.

Gus renchérit en hochant la tête.

— Les deux autres, ceux qui ne sont pas là...

Elle s'interrompit en voyant le serveur sourire avec bienveillance. Visiblement, il préférait ne pas comprendre.

Michael posa sa main sur le menu.

— Du poulet et des brocolis, dit-il, et encore une vodka.

Durant le silence pénible qui suivit l'intervention du serveur, Gus cacha sous la table ses mains sur lesquelles elle sentait toujours le contact de Michael.

Ce dernier jouait avec les baguettes en les faisant tinter sur le bord de son verre de vodka.

— Il pensait que toi et moi, on était...

— Oui, c'est drôle.

Mais elle garda les yeux rivés sur le calendrier chinois en se demandant si le garçon était le seul à avoir pensé que les épouses étaient interchangeables. Son erreur était compréhensible, après tout. Tous ceux qui avaient connu les deux couples ensemble pendant des années, et vu à quel point ils étaient proches, avaient pu arriver à la même conclusion.

Elle regarda Michael par-dessus sa tasse de thé et vit ses épais cheveux argentés, ses mains carrées, efficaces, sa poitrine... Elle était venue le rejoindre parce qu'il avait besoin d'elle. C'était parfaitement naturel... Après tout, c'était presque un membre de la famille.

En fait, c'était un peu effrayant.

Et incestueux... Sa tasse de porcelaine s'échappa de ses mains et tomba sur la table à grand bruit.

Leur attirance réciproque était caractérisée par un curieux mélange d'intimité et de malaise. Mais ils étaient en âge de se reprendre lorsque la réalité, sous la forme d'un serveur chinois, les ramenait sur terre. Ce n'aurait sûrement pas été aussi simple pour des gens plus jeunes...

Qui pouvait savoir si Emily n'avait pas ressenti le même malaise, poussée dans une histoire d'amour avec un garçon qui aurait tout aussi bien pu être son frère ?

Et enceinte de lui ?

Gus ferma les yeux et fit une courte prière. Elle comprenait soudain ce que personne n'avait été capable de comprendre depuis tous ces mois : ce qui avait peut-être perturbé la brillante, la vive, l'intelligente Emily Gold au point de l'amener à vouloir mourir.

HIER

Octobre 1997

La première fois qu'Emily annonça à Chris qu'elle voulait se suicider, il rit.

La deuxième fois, il fit semblant de ne pas avoir entendu.

La troisième fois, il l'écouta.

Ils rentraient du cinéma en voiture, tard le soir, et Emily s'était endormie. Chris avait constaté qu'elle s'endormait facilement, ces derniers temps, qu'elle s'assoupissait au beau milieu de la soirée, qu'elle dormait tard le matin. C'était lui qui la réveillait le matin pour l'emmener en classe. Un jour, elle s'était même endormie en cours.

Sa tête reposait légèrement sur l'épaule de Chris, son corps penchait un peu sur le côté. La main gauche posée sur le volant, il plaça délicatement sa main droite sous la tête d'Emily pour l'empêcher de ballotter pendant tout le trajet.

Mais, pour sortir de l'autoroute, il avait besoin de ses deux mains. Il la lâcha, et elle glissa de son épaule pour s'affaler sur ses genoux, l'oreille appuyée contre l'anneau de sa ceinture, les seins nichés contre le levier de vitesse, le nez à un centimètre du volant.

Sa tête était lourde et chaude ; Chris posa sa main dessus en traversant les rues silencieuses de Bainbridge. Il s'engagea dans l'allée qui menait chez les Gold et coupa le moteur ainsi que les phares pour regarder Emily dormir.

Il suivit du doigt sa petite oreille rose, si délicate qu'il voyait le fin réseau bleu de ses veines.

— Em, dit-il doucement, on est arrivés !

Elle se réveilla en sursaut et se serait cogné la tête sur le levier de vitesse si Chris ne l'en avait empêchée. Lorsqu'elle se releva, il laissa une main protectrice derrière sa nuque.

Emily s'étira. Le bord de sa ceinture de sécurité avait laissé une profonde marque rouge sur sa joue.

— Pourquoi ne m'as-tu pas réveillée avant ? s'enquit-elle d'une voix ensommeillée.

Chris lui sourit.

— Tu étais trop mignonne, répondit-il en lui mettant une mèche de cheveux derrière l'oreille.

Ce n'était rien, un compliment semblable aux milliers de compliments qu'il lui avait déjà faits, et pourtant, elle éclata en sanglots. Stupéfait, Chris se pencha, essayant tant bien que mal de la prendre dans ses bras.

— Emily... Dis-moi...

Elle secoua la tête ; il sentit son léger mouvement contre son épaule. Puis elle se recula et essuya son nez avec sa manche.

— C'est toi, dit-elle. C'est toi qui vas me manquer.

C'était une curieuse façon de s'exprimer. Elle aurait dû dire : « Tu vas me manquer... » Mais Chris sourit.

— Nous pourrons nous rendre visite, dit-il. C'est pour ça que les universités ont prévu de longues vacances.

Elle rit, d'un rire semblable à un sanglot.

— Je ne parle pas de l'université. J'essaie de te le dire, mais tu ne m'écoutes pas.

— De me dire quoi ?

— Je ne veux pas être ici.

Chris mit la main sur la clé de contact.

— Il est encore tôt. On peut aller quelque part, si tu veux, dit-il, malgré la sourde inquiétude qui l'avait saisi.

— Non, dit Emily en se tournant vers lui. Je ne veux pas *être* tout court.

Il ne répondit pas. La gorge serrée, il repassa dans sa tête les autres petites réflexions qu'Emily avait jetées çà et là, et qui avaient précédé cette déclaration. Et il vit ce qu'il avait essayé d'ignorer avec tant d'obstination : connaissant Emily comme il la connaissait, il était indéniable qu'elle n'était plus la même.

— Pourquoi ? parvint-il à articuler.

Emily se mordit la lèvre.

— Je te dirai tout ce que je pourrai. Tu me crois ?

Chris hocha la tête.

— Je n'en peux plus, dit-elle. J'ai juste envie que tout ça s'arrête.

— Quoi ?... Qu'est-ce qui doit s'arrêter ?

— Je ne peux pas te le dire, répondit Emily d'une voix étranglée. Oh, Chris, nous ne nous sommes jamais menti. On ne s'est peut-être pas toujours tout dit, mais on ne s'est jamais menti.

— OK, fit Chris, les mains tremblantes. OK, Em. Est-ce que... est-ce que tu me parles encore de te suicider ?

Emily détourna les yeux.

— Tu ne peux pas faire ça, dit-il, en constatant avec stupéfaction qu'il était capable d'émettre un son en dépit de la sécheresse de ses lèvres.

« Il ne faut pas que je parle de ça, se dit-il, parce que si j'en parle, ça va vraiment arriver. »

Non, Emily n'était pas là avec lui, belle et pâle, en train de discuter tranquillement de son suicide. Il faisait un cauchemar...

Et pourtant, il entendit sa propre voix, haut perchée, chargée d'angoisse, parce qu'il y croyait déjà :

— Tu... tu ne peux pas faire ça, bafouilla-t-il. Tu ne peux pas te suicider comme ça, quand ça te prend, uniquement parce qu'un jour tu ne te sens pas bien...

— Ça ne me prend pas comme ça, répondit Emily d'un ton égal. Et ce n'est pas qu'un jour. Ça me fait du bien d'en parler. L'idée n'est pas si terrible, finalement, quand on l'exprime à voix haute.

Les narines de Chris frémirent, et il ouvrit brutalement la portière.

— Je vais aller avertir tes parents.

— Non, le supplia-t-elle, avec tant d'affolement dans la voix qu'il s'arrêta net dans son élan. S'il te plaît, murmura-t-elle. Ils ne comprendraient pas.

— Qu'est-ce que tu crois ? Moi non plus, je ne comprends pas ! s'emporta-t-il.

— Mais toi, au moins, tu vas m'écouter, dit-elle.

Pour une fois, elle disait quelque chose qui tenait debout. Oh oui, il l'écouterait, il ferait n'importe quoi pour elle. Et ses parents... oui, elle avait raison. Les parents ne comprenaient pas qu'à dix-sept ans la plus petite crise prenait des proportions démesurées. À cet âge-là, on éprouvait un besoin vital de se faire accepter. Les adultes, à des années-lumière de tout cela, se contentaient de lever les yeux au ciel et de ricaner en disant : « Ça lui passera avant que ça me reprenne », comme si l'adolescence était une maladie comme la varicelle, un petit désagrément. Ils oubliaient complètement à quel point ils avaient souffert eux-mêmes au même âge.

Il y avait des matins où Chris se réveillait en sueur, haletant comme s'il venait d'escalader une falaise en courant. Il y avait des jours où il avait l'impression de ne pas pouvoir rester dans sa propre peau. Il y avait des nuits où, terrifié à l'idée de correspondre au personnage qu'il était en train de devenir, il éprouvait le besoin de cacher son visage dans les cheveux parfumés d'Emily... Il ne pouvait expliquer cela à personne, et encore moins à ses parents. Et Emily, uniquement parce que c'était Emily, avait le pouvoir de chasser la tempête en le tenant bien fort contre elle, et il pouvait respirer de nouveau.

Il était affolé et fier à la fois qu'elle veuille le mettre dans la confidence. Tout exalté à l'idée qu'elle lui faisait l'honneur de lui accorder sa confiance, il décida qu'il la sauverait. Il oublia momentanément qu'elle n'avait pas pu lui confier exactement ce qui la tourmentait...

Puis il eut une brève vision d'Emily en train de s'ouvrir les veines, et il sentit quelque chose se déchirer dans sa poitrine. Non. C'était une charge trop lourde à porter pour eux seuls.

— Il faut que tu te fasses aider, dit-il. Par un psychiatre ou quelque chose comme ça...

— Non, dit-elle, d'une voix douce. Je t'en parle parce que je t'ai toujours tout dit. Mais tu ne peux pas... tu ne peux pas tout gâcher. Ce soir, c'est la première fois depuis... je ne sais pas depuis combien de temps... que je sens que je peux faire face. C'est comme une très grande douleur qu'on peut supporter, parce qu'on a déjà avalé le médicament et qu'on sait que bientôt on ne va plus avoir mal.

— Qu'est-ce qui te fait mal ? demanda Chris d'une voix rauque.

— Tout. Ma tête. Mon cœur.

— C'est... c'est à cause de moi ?

— Non, dit-elle avec une lueur dans les yeux. Pas toi.

Il l'attrapa et l'écrasa contre sa poitrine.

— Pourquoi est-ce que tu me raconterais ça si tu ne voulais pas que je t'aide ? chuchota-t-il.

Elle s'affola :

— Tu ne diras rien ?

— Je ne sais pas. Est-ce que tu crois que je peux me contenter de rester les bras ballants à attendre que tu te suicides ? Pour m'en souvenir après en disant : « Ah, c'est vrai... Elle m'avait vaguement parlé de se suicider ! »

Il se retourna en cachant ses yeux dans sa main.

— Merde, ce n'est pas possible !

— Promets-moi de ne rien dire à personne !

— Je ne peux pas.

Les larmes qui s'étaient accumulées dans les yeux de la jeune fille débordèrent.

— Promets-le-moi ! répéta-t-elle en l'attrapant par sa chemise.

Pendant des années, il avait été considéré comme le futur protecteur d'Emily, comme sa moitié... et même si, pour lui, c'était une affaire entendue, il n'avait jamais réellement su comment endosser pleinement ce rôle. Soudain, il comprit que c'était une mise à l'épreuve pour lui comme pour elle, et qu'il tenait sa chance de l'en sortir pour la mettre en sécurité. Si elle lui faisait confiance, il s'en montrerait digne, et comment !... même s'ils n'avaient pas la même conception de la chose. Il avait le temps. Il l'amènerait à parler. Il percerait son terrible secret et lui montrerait qu'il existait une autre voie, une meilleure voie ; et à la fin, tout le monde, elle y compris, le féliciterait.

— OK, murmura-t-il. Je te le promets.

Malgré ces mots, il eut l'impression qu'un mur s'élevait lentement entre eux deux. Ils avaient beau se tenir l'un contre l'autre, il ne parvenait plus à la sentir vraiment. Et comme si elle partageait son sentiment, elle se rapprocha encore.

— Si je t'en ai parlé, dit-elle, c'est parce que je ne savais pas comment ne pas t'en parler.

Chris comprit la signification profonde de ces paroles. Mais le fait qu'elle le tienne au courant de ses intentions ne changerait pas grand-chose au résultat, s'il devait être pris au dépourvu par la nouvelle de son suicide.

— Non, dit-il d'un ton tranquille et décidé. Je ne renoncerai pas à toi.

Emily le regarda, et il lut dans ses pensées. Mélanie disait qu'ils avaient leur propre langage secret, comme des jumeaux. Chris sentit la peur et la résignation d'Emily, et sa douleur, parce qu'elle se heurtait à un mur, encore et toujours.

Elle détourna le regard et dit :

— Le problème, Chris, c'est que ce n'est pas toi qui choisis.

Chris se réchauffait au fur et à mesure qu'il fendait l'eau. Lorsqu'il nageait, il pouvait réfléchir... Quand on faisait un cinquante mètres, on n'avait pas grand-chose d'autre à faire. Il s'était fait une spécialité de repasser ses leçons dans sa tête en nageant. C'était aussi dans l'eau qu'il avait répété les arguments destinés à décider Emily à faire l'amour avec lui. En général, cela ne changeait rien à son rythme. Mais aujourd'hui, il pensait à la mort, et à Emily, et cela accélérait sa cadence. Ses bras et ses jambes repoussaient rageusement l'eau, comme pour chasser ses pensées à l'extérieur.

Lorsqu'il eut fini, il s'extirpa de la piscine, le cœur battant. Il enleva son bonnet de bain, frotta ses cheveux avec une serviette, puis alla s'asseoir sur un banc le long du bassin. Son entraîneur vint le rejoindre, un sourire aux lèvres.

— OK, Harte, dit-il. Le but, c'est d'essayer de conserver notre record... Mais ce n'est qu'un entraînement, ce n'est pas un suicide !

Ce n'est pas un suicide !

Impossible de laisser Emily mener à bien son projet. Impossible. Peut-être qu'il était égoïste, mais elle le remercierait sans doute un jour de lui avoir sauvé la vie. Quel que soit le problème qui la tourmentait, et on se demandait vraiment ce que ça pouvait bien être pour qu'elle ne puisse pas le lui confier à lui, il pouvait sûrement être résolu. Surtout s'il était là pour l'aider.

Tout à coup, il se dit qu'il tenait la solution. C'était ça. Emily voulait qu'il soit son confident et qu'il ne dise rien à personne. S'il jouait le jeu, il avait une chance de la dissuader. Même à la dernière minute. Il ferait semblant d'accepter, et ensuite, tel un chevalier blanc, il volerait à son secours et la sauverait lui-même. Personne ne saurait qu'un drame avait été sur le point de se dérouler. Et il n'aurait pas à briser sa promesse de garder le secret.

Chris n'envisagea même pas la possibilité d'échouer.

Le cœur beaucoup plus léger, il se leva en entendant le coup de sifflet de son entraîneur et se jeta à l'eau pour un nouvel exercice.

Emily l'attendait après l'entraînement. Elle restait tard au collège, elle aussi. Souvent, en salle de dessin. Elle finissait à temps pour rejoindre Chris, qui la reconduisait chez elle.

Elle l'attendait à côté de la fontaine d'eau installée devant le vestiaire des garçons, son manteau jeté en tas par terre.

Chris sentit la légère senteur de térébenthine qui émanait de ses mains.

— Salut ! lui lança-t-il, son sac de sport jeté sur l'épaule.

Il se baissa pour embrasser sa joue et elle l'enveloppa de sa merveilleuse odeur faite de savon parfumé, et de chlorine, et de lessive. Il avait encore les cheveux mouillés sur les tempes, après sa douche. D'un petit coup de langue rapide, elle attrapa une goutte d'eau au vol. Elle ferma alors les yeux et imprima la scène dans sa mémoire de façon à l'emporter avec elle.

Elle lui emboîta le pas jusqu'au stationnement.

— J'ai réfléchi à ce que tu m'as dit samedi soir, annonça Chris.

Emily hocha la tête, mais garda les yeux baissés.

— Et je voudrais que tu saches bien que c'est la dernière chose que je souhaite au monde. Je ferai tout mon possible pour te faire changer d'avis. (Il prit une profonde inspiration et serra fort la main d'Emily.) Mais si... si tu devais en arriver à ça, je voudrais être avec toi.

Emily comprit en entendant ces mots qu'elle n'avait sans doute pas encore perdu tout espoir, puisque, dans son subconscient, c'étaient ceux qu'elle avait tant souhaité entendre.

— Ce serait bien, oui, dit-elle.

Chris entama une subtile campagne destinée à montrer à la jeune fille tout ce qu'elle perdrait... Il l'emmena dans des restaurants à cent dollars le repas. Il l'emmena voir le soleil se coucher sur les jetées du bord de l'Atlantique. Il déterra d'anciennes notes qu'ils s'étaient fait passer de l'un à l'autre, par un système de boîtes de conserve transportées par poulies qui avait fonctionné exactement trois fois, avant de s'entortiller irrémédiablement dans les pins entre les deux maisons. Il lui montra la documentation qu'il avait réunie pour son inscription à l'université, comme si la contribution d'Emily avait une importance capitale dans sa prise de décision. Et il lui fit l'amour en lui donnant son corps avec une tendresse mélangée de colère, du désespoir de ne pouvoir lui faire passer des fragments de son âme pour qu'elle puisse réparer la sienne avec.

Emily subit tout cela avec patience. C'était le mot qui convenait pour décrire son état d'esprit. Elle supporta toutes les embûches que Chris mit sur son chemin, de loin, absente, comme si elle avait depuis longtemps pris sa décision.

À la surprise du jeune homme, elle ne céda pas d'un pouce. Il essaya de découvrir les raisons de sa souffrance avec toute la bravoure et la stratégie d'un général préparant une invasion... Devant son silence persistant, il imagina le pire : qu'elle était accro à la drogue, qu'elle était lesbienne, qu'elle avait triché à l'examen d'admission à l'université... Rien de tout cela ne l'aurait conduit à cesser de l'aimer.

Il essaya de lui arracher son secret en jouant et en plaisantant. Mais, loin de se laisser fléchir, elle serrait alors les lèvres et le fuyait, de telle sorte que Chris craignit de la perdre plus tôt encore. Il devait agir avec subtilité, car si elle mettait en doute la sincérité de ses intentions, toute sa stratégie s'écroulerait et ses chances de la sauver s'envoleraient.

— Je ne peux pas en parler, disait-elle.

— Tu ne veux pas, rectifiait-il.

Fâchée, Emily répondait qu'en abordant le problème il ne faisait que l'accroître. Que s'il l'aimait vraiment, il arrêterait de lui poser des questions.

Et Chris, aussi las qu'elle d'être dans l'impasse, secouait la tête.

— Je ne peux pas, disait-il.

— Tu ne veux pas, le reprenait Em en l'imitant.

Et une fois de plus, il laissait tomber, en proie à un sentiment de honte.

Ils étaient tous deux couchés sur le ventre dans le salon des parents d'Emily. Leurs livres de maths étaient ouverts devant eux sur des équations et des dérivées aussi abstraites qu'une langue étrangère pour le profane.

— Non, dit Emily à Chris, tu t'es trompé. C'est $2xy-x$.

Puis elle roula sur le dos et regarda le plafond.

— Je me demande pourquoi je veux à tout prix avoir une super-note alors que je ne serai même pas là le jour du résultat.

Elle prononça cette phrase d'un ton si anodin que Chris en eut presque la nausée.

— C'est peut-être parce que tu ne veux pas réellement te suicider, fit-il remarquer.

— Merci, docteur Freud.

— Non, c'est ce que je crois, dit Chris en se soulevant sur un coude. Et si tu attendais six mois, pour voir comment tu te sens ?

Emily fit la grimace.
— Non, dit-elle.
— Non ? Tout simplement ?
— Non, répéta-t-elle.
— Eh bien, c'est parfait ! s'emporta Chris en fermant son livre d'un geste sec. C'est absolument merveilleux, Em.
Elle fronça les sourcils.
— Je croyais que tu allais m'aider ?
— Bien sûr, répondit-il d'un ton furieux. Qu'est-ce que tu veux que je fasse ? Que je pousse la chaise quand tu auras la corde au cou ? Que j'appuie sur la gâchette ?
Emily rougit.
— Parce que tu crois que c'est facile pour moi d'en parler ? demanda-t-elle d'un ton sec. Eh bien, non.
— C'est plus facile pour toi que pour moi ! explosa Chris. Tu ne te rends même pas compte de ce que tu me fais subir. Je te regarde et je te vois, si belle. Tous les livres et toutes les chansons parlent de gens qui cherchent le grand amour et qui ne le trouvent pas, et nous, nous l'avons, et tu t'en fous complètement.
— Non, je ne m'en fous pas, répliqua-t-elle en recouvrant sa main de la sienne. C'est la seule chose qui m'intéresse. Tout ce que j'essaie de faire, c'est de la garder intacte pour toujours.
— Sacrée façon de s'y prendre ! lança Chris avec amertume.
— Ah, tu trouves ? Est-ce que tu préfères passer le restant de tes jours à penser à nous deux comme à un bonheur parfait, ou est-ce que tu préfères tout gâcher et conserver ce gâchis comme souvenir ?
— Pourquoi veux-tu que tout soit gâché ?
— Ce serait gâché, crois-moi. Ça arrive.
— Tu ne vois donc rien ? prononça Chris en tentant de contenir ses larmes, tu ne comprends pas ce que tu es en train de me faire ?
— Non, je ne te le fais pas à toi, répondit-elle doucement. Je le fais pour moi.
— Je ne vois vraiment pas la différence.

Il fut surpris de constater que plus Emily abordait le sujet de son suicide, plus il commençait à s'y habituer. Il arrêta de discuter avec elle, parce que cela ne faisait que la renforcer dans son idée, et attaqua sous un autre angle : il étudia soigneusement avec elle les différentes façons de procéder, de manière à lui montrer à quel point son idée était ridicule.

Un soir, alors qu'ils regardaient un film à la télé, il se tourna vers elle et lui demanda comment elle allait s'y prendre.

— Quoi ?

C'était la première fois qu'il abordait lui-même la question.

— Tu m'as très bien entendu, dit-il. Je suppose que tu y as pensé ?

Emily haussa les épaules et s'assura que ses parents étaient au premier avant de répondre :

— Oui... Pas avec des médicaments.

— Pourquoi ?

— Parce que c'est trop facile de se tromper. Ça se termine par un lavage d'estomac dans un service psychiatrique.

Pour sa part, cette idée ne lui déplaisait pas trop.

— Alors, c'est quoi, ton idée ? demanda-t-il.

— Il y a bien l'oxyde de carbone, dit-elle en souriant, mais j'aurais besoin de ta voiture. Et s'ouvrir les poignets, ça semble... délibéré.

— Je pense que quand on se suicide, en général, c'est assez délibéré.

— Ça doit faire mal, reprit-elle docilement. Moi, je veux que ça se fasse d'un seul coup.

« Avant que tu puisses changer d'avis, lui répondit Chris mentalement, ou que je puisse te faire changer d'avis. »

— J'avais pensé faire ça par balle, annonça Emily.

— Tu as horreur des armes à feu.

— Qu'est-ce que ça a à voir ?

— Où est-ce que tu vas te procurer une arme ?

Elle le regarda bien en face.

— Peut-être par toi.

Il leva les sourcils :

— Il n'en est absolument pas question.

— S'il te plaît, Chris. Tu pourrais juste me donner la clé du râtelier de ton père. Me dire où je trouverai les balles.

— Tu ne vas pas te suicider avec un fusil de chasse, maugréa-t-il.

— J'avais pensé au Colt.

Elle le vit se murer, et sa poitrine se contracta.

Chris avait déjà vu ce regard agrandi et résigné, chez une biche, au moment où il allait l'abattre. Et il comprit que pour Emily, désormais, les seuls moments où elle semblait heureuse étaient ceux où elle mettait au point sa façon de mourir.

Les larmes ruisselaient le long de ses joues. La gorge de Chris se noua et les larmes lui montèrent aux yeux à lui aussi. La douleur d'Emily était communicative, tout comme son plaisir qui, parfois, stimulait le sien.

— Tu m'as toujours dit que tu ferais n'importe quoi pour moi, le supplia-t-elle.

Chris regarda leurs mains jointes et accepta pour la première fois l'éventualité d'un échec... Peut-être bien que ça finirait par arriver.

— C'est vrai, dit-il, le cœur brisé sous le poids de cette vérité.

Ils se tenaient la main dans l'obscurité du cinéma. Le film qu'ils étaient venus voir – Chris ne se souvenait même pas de son titre – était fini depuis longtemps. Le générique avait défilé sur l'écran, les autres spectateurs étaient sortis. Autour d'eux, deux ouvreurs ramassaient les sacs de maïs soufflé vides en faisant de leur mieux pour ignorer le couple toujours enlacé au fond de la salle.

Parfois, Chris était convaincu qu'il s'en sortirait comme un héros et que, plus tard, Emily et lui se remémoreraient cette période avec un sourire. À d'autres moments, il pensait qu'il ne jouerait que le rôle qu'il avait promis d'assumer : celui d'un témoin qui la regarderait s'en aller.

— Je ne sais pas ce que je ferai sans toi, chuchota-t-il.

Il vit Emily se tourner vers lui ; ses yeux brillèrent dans l'obscurité.

— Tu pourrais le faire avec moi, proposa-t-elle.

Mais l'amertume de sa proposition resta coincée dans sa gorge, et elle avala sa salive avec difficulté.

Chris ne répondit pas. Qu'est-ce qui lui faisait croire qu'ils seraient toujours ensemble, après ?

Comme si elle l'avait entendu, Emily lui répondit :

— Je ne vois pas d'autre solution.

Un soir, il descendit au sous-sol et prit la clé sur l'établi de son père. Le râtelier était fermé à clé, comme d'habitude, pour mettre les armes hors de portée des enfants. Pas des adolescents comme Chris, qui étaient initiés.

Il ouvrit le râtelier et sortit le Colt, parce qu'il connaissait Emily suffisamment pour être certain que la première chose qu'elle demanderait serait de voir le revolver. S'il ne l'apportait pas, elle comprendrait qu'il manigançait quelque chose, et elle cesserait de lui faire confiance, lui ôtant toute chance de la dissuader.

Il resta ainsi avec l'arme au creux de la main. Il sentit l'âcre odeur du solvant et revit son père frotter le canon avec un chiffon imbibé de silicone. « Comme la lampe d'Aladin », avait-il pensé un jour, s'attendant à quelque opération de magie.

Son père lui avait raconté l'histoire de cette arme, qui avait connu l'époque d'Al Capone et d'Eliot Ness, des bars clandestins, des descentes secrètes et des gin-fizz à la prunelle. Ce revolver avait servi aux règlements de compte.

Puis il se rappela sa première chasse au cerf. Ils ne l'avaient pas tué du premier coup. Lui et son père avaient suivi la piste de l'animal dans la forêt. Ils l'avaient retrouvé, couché sur le côté, haletant. « Qu'est-ce que je fais ? » avait-il demandé à son père. Celui-ci avait répondu en levant son fusil pour tirer : « Abrège ses souffrances. »

Dans le bas du râtelier se trouvaient les balles de 45. Emily n'était pas bête, elle demanderait à les voir. Chris ferma les yeux et l'imagina en train de lever le canon argenté vers son front... Sa propre main se levait alors pour détourner l'arme.

C'était égoïste, mais c'était simple : il ne pouvait pas laisser Emily se suicider. Quand on avait passé sa vie entière avec quelqu'un, on ne pouvait pas vivre dans un monde dont l'être aimé était absent.

Il l'arrêterait. Oui.

Et il préféra ne pas se demander pourquoi il mettait deux balles dans sa poche, au lieu d'une seule.

AUJOURD'HUI

Mai 1998

Gus ouvrit son placard, en sortit une robe bleu marine très simple, et une paire d'escarpins assortis. Elle mettrait ses perles, également. Sa mise serait élégante et discrète.

Elle n'était pas admise dans la salle d'audience. Les témoins restaient enfermés jusqu'au moment de leur témoignage. Selon toute vraisemblance, elle ne serait pas appelée à la barre aujourd'hui, et peut-être même pas demain. En vérité, elle s'habillait pour le cas où elle verrait Chris, même en passant.

Elle entendit l'eau couler dans la salle de bains, où James se rasait. C'était comme s'ils se préparaient à aller dîner dehors, ou pour un entretien avec l'un des professeurs de leurs enfants.

Lorsque James sortit de la salle de bains, il trouva sa femme assise sur le lit en petite culotte et en soutien-gorge, les yeux fermés et le corps penché en avant. Elle respirait à petits coups comme si elle venait de terminer une course de fond.

Mélanie et Michael sortirent de leur maison ensemble. Les talons de Mélanie s'enfoncèrent dans la terre meuble. Elle ouvrit la portière de sa voiture et s'engouffra à l'intérieur sans mot dire.

Michael monta dans son propre 4×4. Il suivit son épouse pour remonter Wood Hollow Road, les yeux braqués sur l'arrière de sa voiture. De chaque côté de la vitre arrière, il y avait deux feux, ainsi que d'autres, sur le pare-chocs, qui formaient comme une guirlande... Chaque fois que Mélanie appuyait sur le frein, tout s'allumait, et la voiture semblait sourire.

Le chat de Barrett Delaney renversa sa tasse de café à la minute même où elle avait prévu de partir pour le tribunal. « Merde, merde, merde », grommela-t-elle en envoyant promener l'animal qui poussa un miaulement de protestation. Elle essuya la flaque de café avec une serviette, mais le liquide continua à couler sous la table. Elle n'avait plus le temps de parachever son travail.

Elle mettrait plusieurs jours à s'apercevoir que la trace de café maculerait pour toujours le vinyle blanc du sol de sa cuisine, et que, pendant les dix années à venir, elle penserait à Christopher Harte à chaque fois qu'elle entrerait dans la pièce.

Jordan posa sa serviette sur le plan de travail de la cuisine. Puis il se tourna vers Thomas en lissant sa cravate d'une main.

— Alors ?

Thomas poussa un petit sifflement :

— Très bien, dit-il.

— Assez bien pour gagner ?

— Assez bien pour foutre des coups de pied au cul à quelqu'un, fanfaronna son fils.

Jordan rit et donna une tape dans le dos de Thomas.

— Fais gaffe à ce que tu dis ! répondit-il sans conviction, avant de soulever le paquet de Krispies au cacao.

Son visage s'assombrit.

— Oh, Thomas, tu n'as pas fait ça !

Le paquet était désespérément vide.

Thomas, la bouche pleine, en resta tout penaud :

— Il n'y en a plus ? Oh, papa, je te jure que je croyais qu'il en restait.

Avant un procès, il prenait toujours des Krispies au cacao le matin. C'était par superstition, au même titre qu'un joueur de base-ball ne se rasait pas afin de gagner plusieurs fois d'affilée, ou qu'un tricheur professionnel portait une patte de lapin cousue dans la doublure de sa veste… C'était son porte-bonheur à lui et, bon Dieu, ça marchait ! *Quand je mange des Krispies, je gagne mes procès.*

Devant l'expression de son père, Thomas fut rempli de confusion.

— Je pourrais me dépêcher d'aller en acheter d'autres ! proposa-t-il.

— Avec quel moyen de transport ? aboya son père.

— Mon vélo.

— Tu seras donc de retour vers… disons, pour le déjeuner.

Jordan secoua la tête.

— J'aimerais quand même que, de temps en temps, tu réfléchisses avant d'agir, dit-il en essayant de garder son calme.

Thomas piqua du nez dans son bol.

— Je pourrais aller voir à côté si M. Higgins en a.

M. Higgins avait soixante-quinze ans bien tassés. Jordan doutait fort qu'elle soit un amateur de Krispies au cacao.

— Laisse tomber, dit-il d'un ton irrité et en ouvrant la porte du réfrigérateur pour prendre un muffin, c'est trop tard.

Il se sentait tout bizarre, en costume de ville. Un gardien lui avait apporté ses vêtements en même temps que son petit déjeuner. Il n'avait plus vu cette veste ni ce pantalon depuis sa comparution, sept mois auparavant.

— Harte, annonça un gardien à la porte de sa cellule, c'est l'heure.

Il passa devant les autres cellules revêtu de son costume, la sueur au front. Un silence soudain s'était installé chez ses codétenus. Car tous se sentaient concernés. On ne pouvait pas voir quelqu'un marcher vers son procès sans penser à sa propre destinée.

Lorsque la lourde porte se referma sur lui, le gardien l'amena vers un shérif adjoint qui lui mit les menottes et les attacha à une chaîne de poitrine en lui disant :

— C'est le grand jour !

Il attendit que le gardien ouvre la porte principale de la maison d'arrêt et conduise son prisonnier dehors, une main fermement posée sur son bras.

C'était la première fois depuis sept mois que Chris se retrouvait à l'extérieur. Dehors, l'espace était délimité uniquement par les montagnes et par le ruban paresseux du fleuve Connecticut. La ferme qui jouxtait la prison envoyait des relents de fumier. Il inspira profondément et leva son visage vers le soleil, les genoux vacillant sous le poids soudain et provisoire de ce parfum de liberté.

— On y va ! fit le shérif adjoint avec impatience en le poussant vers le palais de justice.

La salle d'audience était remarquablement vide, car la plupart des acteurs de la tragédie dont on allait débattre étaient maintenus à l'extérieur, en tant que futurs témoins. James était assis, très raide, dans la rangée de sièges placés juste derrière la table de la défense. Jordan, qui était arrivé quelques minutes plus tôt, bavardait avec un confrère, le pied posé sur une chaise. Il s'arrêta net en voyant s'ouvrir une porte latérale, et James suivit son regard : on amenait Chris dans la salle.

Un huissier conduisit le jeune homme à la table de la défense. James sentit sa gorge se serrer à la vue de son fils et, avant de pouvoir se retenir, il se pencha par-dessus la cloison qui les séparait pour pouvoir toucher son bras.

Chris était juste en face de lui, mais hors d'atteinte.

« Ça a été fait exprès », se dit James.

— Je ne pense pas que ce soit utile ! hurla Jordan en désignant les menottes.

En réalité, Jordan les avait prévenus, aussi James ne comprit-il pas pourquoi il avait l'air si surpris au spectacle de son client menotté. L'avocat se dirigea à grands pas vers le cabinet du juge, à grands renforts de gesticulations.

Chris se retourna sur sa chaise.

— Papa ! dit-il.

James tendit encore la main. Pour la première fois de sa vie, il ignora complètement les regards braqués sur lui. Enjambant la cloison, il se laissa retomber sur la chaise que Jordan avait délaissée. Il prit alors son fils dans ses bras et l'enveloppa de son corps, de telle sorte que les journalistes et les curieux qui affluaient dans la salle pour épier l'accusé ne s'aperçurent pas qu'il était enchaîné.

Dans le cabinet du juge, Jordan donnait libre cours à son courroux :

— Votre Honneur, je me demande vraiment pourquoi on ne l'a pas déguisé avec des *dreadlocks*, pendant qu'on y était ? On aurait pu lui faire pousser la barbe, aussi, et... Tiens, on aurait pu lui mettre un tatouage de skinhead sur le front, pour être bien sûr que le jury se fasse son opinion avant même le début du procès !

Barrett leva les yeux au ciel.

— Votre Honneur, dit-elle, il est tout à fait habituel de menotter un suspect accusé de meurtre pendant son procès. Il y a eu beaucoup de précédents.

Jordan se tourna vers elle :

— Qu'est-ce que vous croyez qu'il va faire ? Qu'il va tuer quelqu'un en l'assommant avec un stylo à bille ?

S'adressant au juge :

— La seule raison de la présence de ces bracelets, nous le savons bien, c'est de faire croire aux gens qu'il est dangereux !

— Il est dangereux, fit remarquer Barrett en baissant le ton. Il a tué quelqu'un.

— Gardez ça pour le jury, marmonna Jordan entre ses dents.

— Eh bien, je sens que je vais m'amuser avec vous deux ! s'exclama Puckett en crachant une coquille d'amande dans sa main.

Fermant les yeux, il se frotta les tempes, puis déclara :

— Peut-être y a-t-il eu des précédents, madame Delaney, mais je vais partir du principe que Chris Harte n'a pas l'intention de se livrer à des actes de violence meurtrière dans la salle du tribunal. Le prévenu peut rester sans menottes pendant la durée du procès.

— Merci, Votre Honneur, dit Jordan.

Barrett se retourna et heurta les épaules de l'avocat en voulant gagner la porte.

— La défense doit être bien faible, chuchota-t-elle, pour que vous demandiez déjà des faveurs au président.

Jordan adressa un sourire confiant à Chris qui se frottait les poignets.

— C'est un excellent signe, dit-il avec un hochement de tête approbateur vers les mains libérées du jeune homme.

Chris ne voyait pas vraiment pourquoi, car il aurait fallu être complètement inconscient pour attaquer quelqu'un en plein tribunal... Il savait, et Jordan le savait également – d'ailleurs, tout le monde le savait –, que s'il avait été menotté, c'était uniquement pour lui ôter sa dignité.

— Ne regardez pas le procureur, poursuivit Jordan. Elle va dire des choses affreuses. On a la permission de le faire dans un réquisitoire préliminaire. Ignorez-la.

— Ignorez-la, répéta docilement Chris.

C'est alors qu'un homme très maigre et doté d'une pomme d'Adam grosse comme un œuf demanda aux gens de se lever et annonça :

— Monsieur le Président, l'Honorable Leslie F. Puckett.

Un homme vêtu d'une robe flottant autour de ses jambes fit son entrée par une porte latérale en faisant craquer quelque chose entre ses dents.

— Veuillez vous asseoir, dit le juge en ouvrant un dossier.

Il attrapa une amande dans un bocal placé en face de lui et l'aspira entre ses lèvres.

— Le procès peut commencer, dit-il.

Barrett Delaney se leva et se plaça face au jury.

— Mesdames et messieurs les jurés, dit-elle, mon nom est Barrett Delaney, et je suis ici pour représenter l'État du New Hampshire. Je voudrais remercier chacun d'entre vous pour la tâche très importante qu'il va assumer. Vous êtes ici, tous, pour que la justice soit bien rendue dans ce tribunal. Et pour que justice soit rendue dans cette affaire, il faudra prononcer un verdict de culpabilité à l'encontre de cet homme (elle leva un doigt accusateur), Christopher Harte, coupable de meurtre. Oui, de meurtre. Ce mot est choquant, et il est d'autant plus choquant que celui que je désigne du doigt est un jeune homme séduisant. Je parie même que vous vous dites en votre for intérieur : « Il n'a pas l'air d'un assassin. »

Elle se tourna pour examiner Chris avec les membres du jury :

— Il a l'air... eh bien, d'un jeune étudiant bien sous tous rapports. Il ne correspond pas à l'image hollywoodienne du meurtrier... Mais nous ne sommes pas à Hollywood, mesdames et messieurs les jurés. Nous sommes dans la vie réelle, et dans la vie réelle, Christopher Harte a tué Emily Gold. Avant la fin de ce procès, vous saurez quel homme se cache derrière cette tenue élégante : un homme qui a tué de sang-froid.

Elle jeta un regard vers Jordan.

— La défense va essayer de faire jouer l'émotion, et elle va vous dire qu'il s'agit d'un double suicide qui a échoué. Mais les choses ne se sont pas déroulées ainsi. Moi, je vais vous dire ce qui s'est réellement passé.

Elle se retourna et posa les mains sur le rebord du box du jury, dirigeant son attention vers une dame âgée aux cheveux bleutés, vêtue d'une robe de coton à fleurs.

— Le soir du 7 novembre, reprit-elle, à six heures, Christopher Harte est descendu au sous-sol de sa maison pour aller prendre un revolver Colt 45 dans le râtelier d'armes. Il a mis ce revolver dans la poche de son manteau et il est allé chercher sa petite amie, Emily. Il l'a emmenée au manège de Tidewater Road. L'accusé a également apporté de l'alcool. Ils ont bu tous les deux, ils ont fait l'amour, ensuite, tout en tenant toujours Emily dans ses bras, l'accusé a sorti son revolver. Après une brève lutte, Christopher Harte a posé le canon de son arme sur la tempe droite d'Emily et a tiré.

Elle fit une pause pour laisser ses paroles pénétrer dans l'esprit des jurés.

— Mesdames et messieurs les jurés, poursuivit-elle ensuite, vous allez entendre le témoignage de l'inspecteur Anne-Marie Marrone. Elle vous dira que nous détenons l'arme, et que celle-ci porte les empreintes de l'accusé partout. Vous entendrez le témoignage du médecin légiste qui dira que, d'après l'angle de la trajectoire, il est virtuellement impossible qu'Emily ait appuyé elle-même sur la gâchette. Vous entendrez le témoignage d'une bijoutière qui vous dira qu'Emily a acheté une montre valant cinq cents dollars pour l'anniversaire de Chris, qui tombait le mois de sa mort. Et une amie d'Emily et sa propre mère vous diront qu'Emily n'avait aucune tendance suicidaire.

« Et vous connaîtrez également le mobile de Christopher Harte. Vous saurez pourquoi il a tué sa petite amie. Eh bien, mesdames et messieurs les jurés... Emily était enceinte de onze semaines. (À l'exclamation étouffée d'un juré, Barrett sourit.) Ce jeune homme avait de grands projets d'avenir, et il n'avait pas envie qu'un enfant ou une petite amie de collège les détruise, donc il a décidé de se débarrasser du problème, au sens propre du terme.

Reculant de quelques pas, elle poursuivit :

— Le prévenu est accusé de meurtre au premier degré. Une personne est coupable de meurtre au premier degré lorsqu'elle a délibérément causé la mort de quelqu'un, et lorsqu'elle a agi de façon préméditée et délibérée dans ce but. Est-ce que Christopher Harte a voulu tuer Emily Gold ? Absolument. Est-ce qu'il a agi de façon préméditée et délibérée ? Absolument.

Elle pivota sur elle-même, et le regard froid de ses yeux verts accrocha celui de Chris :

— Dans la Bible, mesdames et messieurs les jurés, le Diable apparaît sous plusieurs déguisements. Ne laissez pas son dernier déguisement vous abuser.

— Joli discours. Madame le procureur a fait du beau travail, n'est-ce pas ? dit Jordan en se dirigeant d'un pas lent vers le jury. Malheureusement, elle n'a raison que sur un point : Emily Gold est... morte. C'est une tragédie. Et je suis ici pour éviter une autre tragédie, pour faire en sorte que vous ne fassiez pas expier à ce jeune homme un crime qu'il n'a pas commis.

« Pensez un instant à la terrible peine que l'on éprouve en perdant un être cher. Cela vous est déjà arrivé, dit Jordan en fixant la dame aux cheveux bleutés que Barrett avait déjà distinguée. Et à vous aussi, ajouta-t-il en s'adressant à un fermier au visage ridé comme une pomme. Il nous est arrivé à tous de perdre quelqu'un. Récemment, Chris a perdu quelqu'un, lui aussi. Pensez à la cruelle souffrance que vous avez éprouvée, et imaginez l'horreur que cela représente d'être accusé du meurtre de cette même personne.

« Le ministère public dit que Christopher Harte a commis un meurtre, mais ce n'est pas la réalité. La réalité, c'est qu'il a été à deux doigts de mettre fin à ses jours. C'est ce que son amie a fait sous ses yeux, et il s'est évanoui avant de pouvoir l'imiter.

« Tous les éléments de preuves énumérés par le ministère public sont compatibles avec la thèse d'un double suicide... Je ne vais pas vous ennuyer en apportant la contradiction. Je voudrais simplement vous demander, maintenant, d'écouter très attentivement tous les témoins, et d'examiner avec le plus grand soin ce qu'on vous présente comme des preuves... Parce que tous les éléments que le ministère public présente comme des preuves du meurtre ont fait l'objet d'une interprétation biaisée.

« Mesdames et messieurs les jurés, pour juger Chris Harte coupable de meurtre, vous devez être convaincus sans que subsiste un doute raisonnable que la scène dépeinte par madame le procureur s'est réellement passée. Car c'est tout ce dont le ministère public dispose : une scène dépeinte, un tableau.

Retournant vers la table de la défense, Jordan posa la main sur l'épaule de son client.

— Lorsque ce procès sera fini, vous aurez plus qu'un doute raisonnable, vous saurez qu'aucun meurtre n'a été commis. Emily Gold a voulu se suicider, et Chris a décidé de la suivre dans la mort. Il aimait tant Emily qu'il n'envisageait pas la vie sans elle.

Jordan secoua la tête et se tourna vers Chris :

— Ce n'est pas un crime, mesdames et messieurs les jurés. C'est une tragédie.

— Le ministère public appelle l'inspecteur Anne-Marie Marrone à la barre.

Il y eut un léger brouhaha dans la salle lorsque le premier témoin prêta serment, très à l'aise, les yeux fixés sur le jury.

Anne-Marie Marrone portait un ensemble noir très simple ; ses cheveux étaient relevés en chignon. À l'exception du holster qui pointait sous sa veste, rien ne trahissait sa qualité de policière.

Barrett Delaney vint se planter en face d'elle.

— Veuillez décliner vos noms et adresse pour la Cour.

L'inspecteur s'exécuta et Barrett eut un hochement de tête approbateur.

— Pouvez-vous nous dire quelle est votre profession ?

— Je suis inspecteur à la police de Bainbridge.

— Depuis combien de temps travaillez-vous à la police de Bainbridge ?

— Depuis dix ans. (Elle sourit.) En juin prochain.

Il y eut un bref échange concernant sa formation, son travail à l'école de police et son expérience professionnelle. Puis Barrett attaqua :

— Qui était chargé de l'enquête sur le décès d'Emily Gold ?

— C'est moi, répondit l'inspecteur.

— Avez-vous déterminé la cause du décès ?
— Oui. Une blessure par balle à la tête.
— Donc, une arme a été utilisée.
— Oui, un Colt 45.
— Avez-vous pu récupérer l'arme ?
Anne-Marie acquiesça.
— Elle était sur le lieu du crime, dit-elle. Posée sur un manège. Nous avons pris l'arme et nous avons procédé à une série de tests balistiques.
— Est-ce là l'arme que vous avez récupérée sur le lieu du crime ? demanda Barrett en montrant le Colt 45.
— Oui.
— Votre Honneur, dit Barrett, je voudrais faire considérer ceci comme la pièce à conviction numéro un.
Suivant la procédure coutumière, elle alla montrer le revolver à Jordan qui eut un geste de dédain. Puis elle revint à l'inspecteur :
— Avez-vous déterminé la provenance de cette arme ?
— Oui. Nous sommes remontés jusqu'à son propriétaire, James Harte.
James sursauta à l'énoncé de son nom.
— James Harte... dit le procureur. Y a-t-il une relation avec l'accusé ?
— Objection ! cria Jordan. Quel intérêt ?
— Objection rejetée, dit le juge.
L'inspecteur regarda le juge, puis Barrett Delaney.
— C'est son père, répondit-elle.
— Avez-vous eu l'occasion d'interroger James Harte ? demanda Barrett.
— Oui. Il a déclaré que cette arme était un objet de collection, mais qu'il l'utilisait pour ses exercices de tir sur cible. Il a également déclaré que son fils la connaissait, qu'il y avait accès et qu'il l'utilisait lui aussi pour s'exercer au tir sur cible.
— Pouvez-vous nous parler des examens que vous avez effectués sur cette arme ?
L'inspecteur Marrone remua un peu sur sa chaise.

— Eh bien, nous avons établi qu'une balle avait été tirée. Cette balle est entrée dans la tempe de la victime, elle est sortie de la tête de la victime et est allée se loger dans le bois du manège. Nous avons trouvé la douille de cette balle dans le barillet du revolver, avec une seconde balle qui n'avait pas été tirée. Les empreintes de Christopher Harte se trouvaient sur ces deux balles.

— Par Christopher Harte, vous entendez l'accusé, précisa Barrett.

— Oui, répondit l'inspecteur Marrone.

— Mmm...

Barrett se tourna vers le jury, comme si elle se livrait à cette réflexion pour la première fois.

— Donc, fit-elle, ses empreintes étaient sur les deux balles... Avez-vous trouvé d'autres empreintes sur les balles ?

— Non.

— Et quelles conclusions cela vous inspire-t-il, en tant qu'expert ?

— Les balles n'ont été entre les mains que d'une seule personne.

— Je vois, poursuivit Barrett. D'autres examens ont-ils été effectués sur l'arme ?

— Oui, un examen balistique standard pour rechercher les empreintes sur l'arme elle-même. Nous avons retrouvé les empreintes de Christopher Harte et d'Emily Gold sur le revolver. Cependant, les empreintes de M. Harte étaient partout. Celles de la victime n'étaient que sur le canon de l'arme.

— Pouvez-vous nous montrer ce que vous entendez par là ? demanda Barrett en s'emparant du revolver dûment étiqueté « Pièce à conviction ».

L'inspecteur prit le revolver.

— Les empreintes de M. Harte étaient là, là et là, expliqua-t-elle. Celles d'Emily Gold n'étaient que dans cette région.

Elle passa son ongle le long du canon d'acier.

— Mais pour tirer, inspecteur Marrone, où faut-il placer la main ?

Anne-Marie indiqua la crosse du revolver.

— Et les empreintes d'Emily n'y étaient pas?
— Non.
— Mais celles de M. Harte y étaient.
— Objection, dit Jordan d'un ton nonchalant. Madame le procureur fait les questions et les réponses.
— Objection accordée, dit Puckett.
Barrett tourna le dos à Jordan.
— D'autres investigations ont-elles été effectuées sur le lieu du crime? demanda-t-elle.
— Oui, répondit Anne-Marie Marrone. Nous avons fait un test au Luminol, c'est-à-dire que nous avons vaporisé un produit fluorescent pour détecter les éclaboussures de sang. En nous basant sur le test et également sur l'angle décrit par la balle pour venir se loger dans le bois du manège, nous avons déduit qu'Emily Gold était debout quand la balle a été tirée et que quelqu'un d'autre se tenait très près d'elle, légèrement en face. Nous savons aussi qu'elle était ensuite sur le dos et qu'elle a saigné pendant quelques minutes avant d'être placée dans la position dans laquelle les policiers l'ont trouvée en arrivant sur le lieu du crime.
— Quelle était cette position?
— Elle saignait abondamment, et sa tête était posée sur les genoux de l'accusé.
— Est-ce que le Luminol a révélé autre chose?
— Oui. Une large tache non liée aux éclaboussures de sang de la blessure par balle, à l'endroit où l'accusé est censé s'être cogné la tête.
— Objection! fit Jordan avec un geste vers Chris. Voulez-vous voir la cicatrice?
Puckett adressa un regard circonspect à Jordan.
— Continuez, madame le procureur, dit-il.
— À partir de cette tache, est-il possible de déterminer comment ou pourquoi l'accusé est tombé? demanda Barrett.
— Non, répondit l'inspecteur. Cela prouve seulement qu'il est resté étendu par terre pendant environ cinq minutes, et qu'il saignait.
— Je vois. Vous avez fait d'autres investigations?

— Nous avons trouvé des traces de poudre sur les vêtements de la victime et de l'accusé. Nous avons également vérifié la présence de traces de poudre sur les doigts de la victime.

— Et qu'avez-vous trouvé ?

— Il n'y avait pas de traces de poudre sur les doigts d'Emily Gold.

— En cas de suicide, lorsque la victime tient l'arme dans sa main et qu'elle tire, trouve-t-on normalement des traces de poudre sur ses doigts ?

— Absolument. C'est la première conclusion qui m'a conduite à penser qu'Emily Gold ne s'est pas suicidée.

Barrett resta silencieuse pendant quelques instants pour juger de l'effet produit sur son jury… Car il était à elle, à présent. Les douze membres, sans exception, étaient sur le bord de leur chaise, captivés. Plusieurs d'entre eux prenaient soigneusement des notes.

— Avez-vous trouvé autre chose sur le lieu du crime ? reprit-elle.

— Nous avons trouvé une bouteille de Canadian Club. De l'alcool.

— Ah… une boisson interdite aux mineurs, fit-elle remarquer en souriant.

L'inspecteur précisa en lui rendant son sourire :

— Ce n'était pas ma préoccupation première, à l'époque.

À ces mots, Jordan objecta :

— Votre Honneur, s'il y avait une question, je ne l'ai pas saisie.

Puckett fit rouler une amande sur le bout de sa langue et l'introduisit au creux de sa joue.

— Surveillez-vous, madame le procureur, dit-il à Barrett.

— Y avait-il autre chose dans le rapport d'autopsie ? demanda celle-ci.

Anne-Marie hocha la tête.

— La victime était enceinte de onze semaines.

Le procureur fit ensuite répéter à l'inspecteur les interrogatoires des amis d'Emily Gold, de ses voisins.

— Inspecteur Marrone, dit-elle, avez-vous eu l'occasion de parler également à l'accusé ?

Barrett chercha alors le regard d'Anne-Marie... Cette dernière avait été prévenue de ne pas mentionner la conversation qu'elle avait eue à l'hôpital avec Chris, jugée irrecevable.

Sa simple évocation pouvait faire ajourner le procès pour vice de procédure.

— Oui, répondit Anne-Marie. Il est venu dans nos locaux le 11 novembre. Je lui ai lu ses droits et il y a renoncé.

— Est-ce là le rapport de police retransmettant la conversation du 11 novembre ?

Le procureur levait une chemise portant l'en-tête de la police de Bainbridge.

— Oui, confirma l'inspecteur.

— Combien de temps après votre entretien avec Christopher Harte avez-vous écrit ce rapport ?

— Immédiatement après son départ.

— Quel est l'essentiel de cette conversation ?

— M. Harte m'a dit qu'il avait apporté le revolver sur le lieu du crime, qu'il s'était rendu sur le lieu du crime et qu'il avait regardé Emily Gold se suicider.

Cela correspond-il aux indices que vous avez trouvés ?

— Non.

— Pourquoi ?

L'inspecteur Marrone regarda Chris. Il sentit ses joues rougir et s'efforça de garder un regard ferme et direct.

— Si c'était la seule anomalie, au lieu d'être une anomalie parmi toutes celles que nous avons relevées... S'il n'y avait que la trajectoire bizarre de la balle à travers la tête de la victime...

— Objection !

— Ou s'il n'y avait que les bleus constatés sur ses poignets... le suicide semblerait plausible...

— Objection !

— … ou même si une seule personne avait décrit Emily Gold comme une jeune fille perturbée… Mais il y a trop d'éléments qui s'ajoutent les uns aux autres…

— Objection, Votre Honneur !

Le juge fronça les sourcils en regardant Jordan :

— Objection rejetée, dit-il.

Le cœur de Barrett battait à tout rompre.

— Donc, ce n'était pas un suicide, selon votre opinion d'expert, en dépit de ce que l'accusé vous a dit. En vous appuyant sur les indices que vous avez réunis – les empreintes, les éclaboussures de sang, les traces de poudre, la bouteille d'alcool, les interrogatoires –, vous êtes-vous forgé une opinion des faits ?

— Oui, affirma l'inspecteur Marrone d'un ton ferme. Emily Gold a été tuée par Christopher Harte.

— Comment en êtes-vous arrivée à cette conclusion ?

— Emily était une adolescente heureuse que personne, ni ses professeurs, ni ses parents, ni ses amis, ne considérait comme dépressive. Elle était jolie, avait de nombreux amis, s'entendait à merveille avec ses parents… C'était une fille modèle. Elle était enceinte de onze semaines, elle attendait l'enfant de son petit ami. Quant à Chris, il était en dernière année au collège, il se préparait à entrer à l'université… ce n'était certainement pas le moment pour lui de s'encombrer d'un bébé, ou d'une petite amie trop possessive…

Jordan se demanda s'il n'allait pas soulever une objection – car tout cela n'était que spéculation –, mais il comprit qu'il agirait contre ses intérêts en donnant au témoignage de l'inspecteur plus d'importance qu'il ne le fallait. Il se contenta donc de pousser un soupir sonore destiné à montrer au jury à quel point il trouvait les élucubrations de l'inspecteur Marrone ridicules.

Celle-ci baissa la voix, obligeant le jury à tendre l'oreille.

— Aussi a-t-il emmené sa victime au manège pour une sorte de rendez-vous romantique… Il a pris soin de la faire boire pour l'empêcher de se défendre lorsqu'il sortirait le revolver. Ils ont fait l'amour, ils se sont rhabillés, il l'a prise dans ses bras et, sans lui laisser le temps de comprendre ce qui se passait, il a appuyé un revolver contre sa tête. (Anne-Marie leva une main vers sa tempe, puis la baissa.) Elle s'est défendue, mais il était beaucoup plus grand et beaucoup plus fort qu'elle, et il a tiré. Voilà comment je vois les choses, conclut-elle dans un soupir.

Barrett retourna à son banc et parut sur le point de libérer son témoin.

— Merci, inspecteur... Oh, une dernière question. Avez-vous appris une autre chose importante au cours de votre interrogatoire de Christopher Harte dans les locaux de la police ?

Anne-Marie hocha la tête.

— Selon la procédure, je lui ai demandé de signer un papier pour signifier son accord pour l'interrogatoire. Et il a pris le stylo de la main gauche. Je lui ai posé la question, et il m'a confirmé qu'il était gaucher.

— En quoi cela présente-t-il de l'importance, inspecteur ?

— C'est important parce que nous savons, d'après la trajectoire de la balle et les éclaboussures de sang, que quelqu'un faisait face à Emily. Et si cette personne lui a tiré dans la tempe droite, elle a dû le faire de la main gauche.

— Merci, répondit Barrett. Pas d'autres questions.

Jordan se leva pour son premier contre-interrogatoire et sourit à Anne-Marie Marrone.

— Inspecteur, dit-il, nous vous avons entendue dire à madame le procureur que vous apparteniez aux forces de police depuis dix ans. Dix ans ! (Il émit un sifflement.) Il y a donc longtemps que vous êtes dans le service public.

Anne-Marie acquiesça, cependant trop intelligente et trop expérimentée pour se détendre, comme l'espérait Jordan.

— J'aime ce que je fais, maître McAfee.

— Ah oui ? rétorqua Jordan avec un large sourire. Moi aussi.

Quelqu'un, dans le box des jurés, ricana.

— En dix ans, poursuivit Jordan, combien d'affaires d'homicide avez-vous traitées ?

— Deux.

— Deux. Deux homicides. Celui-ci est donc le second ? demanda-t-il en levant un sourcil.

— C'est exact.

— Donc, vous n'avez traité qu'une seule affaire avant celle-ci.

— Oui.

— Dans ce cas, pourquoi avez-vous été désignée pour faire cette enquête ?

Une rougeur profonde envahit les joues d'Anne-Marie.

— C'est un petit service, expliqua-t-elle, et je suis l'inspecteur principal. Cette affaire m'incombe.

— Bien. Donc, c'est votre second meurtre, répéta-t-il pour mieux souligner la parfaite inexpérience de l'experte. Et vous avez commencé par examiner le revolver. Est-ce exact ?

— Oui.

— Et vous avez trouvé deux sortes d'empreintes dessus.

— Oui.

— Et vous avez trouvé deux balles.

— Oui.

— Mais si quelqu'un devait vous tuer en tirant de très près, il n'aurait pas besoin de deux balles, non ?

— Ça dépend, répondit l'inspecteur.

— Je comprends que tout cela est nouveau pour vous, inspecteur, mais si vous répondiez par « oui » ou par « non », ce serait très bien.

Il vit les mâchoires d'Anne-Marie se crisper.

— Non, prononça-t-elle entre ses dents.

— En revanche, poursuivit jovialement Jordan, si vous et un ami aviez eu l'intention de vous suicider ensemble, vous auriez eu besoin de deux balles, n'est-ce pas ?

— Oui.

— Et les empreintes de Chris étaient sur ces deux balles.

— Oui.

— Le double suicide est-il compatible avec le fait que les empreintes de Chris soient les seules retrouvées sur les balles si Chris, selon son propre aveu, a pris l'arme de son père et l'a lui-même apportée ?

— Oui.

— En réalité, ne serait-il pas étonnant de retrouver les empreintes d'Emily sur les balles chargées dans le barillet, compte tenu du fait qu'elle n'avait aucune expérience des armes ?

— Je pense que oui.

— Parfait. Vous avez également dit à madame le procureur que vous aviez procédé à quelques examens sur ce revolver...

— C'est exact.

— Vous avez trouvé les empreintes d'Emily sur le revolver, avec celles de Chris, n'est-ce pas ?

— Oui.

— N'est-il pas vrai que vous avez trouvé d'autres empreintes sur le revolver ?

— Oui. Certaines étaient celles de James Harte, le père de l'accusé.

— Ah bon ! Mais lui n'a pas été soupçonné lors de votre enquête ?

Anne-Marie soupira.

— C'est parce que ses empreintes étaient les seuls indices qui le plaçaient sur le lieu du crime.

— Donc, vous ne pouvez pas vous baser sur ces seules empreintes, n'est-ce pas ? Ce n'est pas parce que les empreintes de quelqu'un sont sur un revolver qu'elles ont été mises dessus le jour même ?

— C'est exact.

— Ah ! Vous avez donc trouvé les empreintes d'Emily sur le dessus du revolver... dit Jordan en se dirigeant vers les pièces à conviction. Pas d'objection à ce que je prenne cela ? demanda-t-il en désignant le Colt, qu'il souleva avec précaution. Et vous avez trouvé les empreintes de Chris ici, sur le bas.

— C'est exact.

— Mais vous n'avez pas trouvé d'empreintes concluantes sur la gâchette du revolver.

— Non.

Jordan hocha pensivement la tête.

— Est-il exact qu'il ne vous faut qu'un demi-centimètre d'empreinte, donc une toute petite surface, pour en tirer des conclusions ?

— Oui, mais il faut que ce soit le bon demi-centimètre. Un endroit précis.

— Donc, prendre des empreintes, ce n'est pas aussi facile que dans les films ?

— Non.

— Peuvent-elles être recouvertes par d'autres empreintes ?

— Oui.

— En fait, inspecteur, l'examen des empreintes est loin d'être une science exacte, n'est-ce pas ?

— Oui.

— Si je prends ce revolver et que je tire, et si, ensuite, vous le prenez vous-même et que vous tirez, est-il possible que mes empreintes n'apparaissent pas sur la gâchette ?

— C'est possible, reconnut Anne-Marie.

— Par conséquent, est-il possible qu'Emily ait appuyé sur la gâchette et qu'ensuite Chris ait pris le revolver en effaçant, disons, les empreintes originales ?

— C'est possible.

— Récapitulons : bien que les empreintes d'Emily n'aient pas été identifiées sur la gâchette au cours de vos expertises, pouvez-vous affirmer sans doute possible qu'elle n'a jamais touché cette gâchette, inspecteur Marrone ?

— Non... mais Chris aurait tout aussi bien pu la toucher sans que cela apparaisse, répliqua Anne-Marie avec un sourire entendu.

— Parlons maintenant du Luminol, poursuivit Jordan. Vous avez dit que vous aviez pris des échantillons de sang sur le manège à un endroit où l'accusé perdait son sang...

— C'est ce que je suppose. Il saignait d'une blessure au cuir chevelu quand les policiers sont arrivés.

— Et pourtant, vous dites que ce n'est pas une preuve que Chris a perdu connaissance, dit-il d'un ton dédaigneux. Donc, est-ce que vous prétendez que Chris s'est couché par terre, qu'il s'est délibérément cogné la tête contre le bord du manège et qu'il est resté ainsi pendant plusieurs minutes pour laisser se former une flaque de sang ?

Anne-Marie piqua du nez.

— Ça s'est déjà vu...

— Ah bon ? s'exclama Jordan, avec un étonnement non feint. Je suppose que c'était dans votre précédente affaire de meurtre ?

— Objection ! dit Barrett.

— Accordée !

Puckett foudroya Jordan du regard.

— Je n'ai pas d'avertissement à vous donner, maître McAfee !

Jordan se dirigea vers les pièces à conviction.

— Est-ce la transcription de votre interrogatoire de Chris Harte ? demanda-t-il.

— Oui.

— Pouvez-vous lire cette ligne... celle-ci ? dit-il en apportant les papiers à l'inspecteur.

Anne-Marie s'éclaircit la voix.

— « Nous voulions nous suicider ensemble », lut-elle.

— Est-ce une citation directement tirée des déclarations de Chris Harte ?

— Oui.

— Il vous a déclaré catégoriquement qu'il s'agissait d'un double suicide ?

— Oui.

— Et pouvez-vous me dire ce que c'est, ici, en page 3 ?

L'inspecteur jeta un coup d'œil à Barrett Delaney.

— C'est une pause sur l'enregistrement.

— Mmmm... Pourquoi ?

— Il a fallu que j'arrête le magnétophone parce que le suspect pleurait.

— Chris pleurait ? Pourquoi ?

Anne-Marie soupira.

— Nous parlions d'Emily et il était bouleversé.

— D'après votre opinion d'experte, est-ce que cela pouvait être un chagrin sincère ?

— Objection ! dit Barrett. Mon témoin n'est pas experte en chagrin.

— Objection rejetée, dit le juge.

L'inspecteur haussa les épaules.

— Je pense que oui.

— Donc, voyons ce qui s'est passé. Au milieu de cet interrogatoire, un interrogatoire au cours duquel Chris Harte a renoncé à son droit d'être assisté par moi et a déclaré, formellement, que lui et Emily avaient décidé de se suicider ensemble, il s'est mis à pleurer si fort que vous avez dû arrêter la bande ?

— Oui. Mais nous n'avions pas non plus branché de détecteur de mensonge, fit remarquer Anne-Marie d'un ton mordant.

Si Jordan entendit sa remarque, il n'en montra rien.

— Dans votre théorie, vous avez mentionné que Chris avait essayé d'enivrer Emily.

— Oui, c'est ce que je crois.

— L'idée étant de l'empêcher de se défendre, précisa Jordan.

— Exact.

— Auriez-vous, par hasard, fait vérifier le taux d'alcoolémie d'Emily ?

— Ils le font automatiquement, répondit l'inspecteur.

— Et vous avez trouvé ce taux ?

— Oui, dit-elle avec réticence, 0,2.

— Ce qui correspondrait à quoi, inspecteur ?

Anne-Marie toussa.

— À une bonne gorgée. Ce peut être suffisant pour enivrer une jeune fille.

— Elle a pris en tout et pour tout une gorgée d'alcool sur une bouteille entière...

— Apparemment, oui.

— Et quel est le taux légal pour la conduite, dans notre État, inspecteur ?

— 0,8.

— Vous pouvez me rappeler le taux que présentait Emily ?

— Je vous l'ai dit, 0,2.

— C'est considérablement moins que le taux légal pour la conduite. Était-elle ivre, à votre avis, dans ce cas ?

— Probablement non.

— Vous avez mentionné la présence de poudre sur les vêtements d'Emily et sur ceux de Chris, poursuivit Jordan. N'est-il pas vrai que si on trouve de la poudre sur une chemise, tout ce que cela prouve en réalité, c'est que le tissu était en contact étroit avec l'arme lorsque le coup de feu a été tiré ?

— C'est exact.

— Pouvez-vous déterminer la personne qui a tiré, d'après les traces de poudre sur les vêtements ?

— Pas de façon concluante. Mais nous n'avons pas non plus trouvé de traces de poudre sur les mains de la victime. Et lorsque l'on se suicide, on a obligatoirement des traces de poudre sur la peau.

Jordan saisit la balle au bond :

— Dans les enquêtes de meurtre, protège-t-on systématiquement les mains de la victime dès la découverte du crime ?

— Normalement, oui, mais...

— À quel moment la recherche de poudre a-t-elle été pratiquée sur le corps ?

Anne-Marie baissa le nez.

— Le 9 novembre.

— Vous dites que vous n'avez pas effectué d'expertise des mains d'Emily sur le lieu du crime, ni sur le trajet jusqu'à l'hôpital ni à la morgue, et que vous avez attendu deux jours après son décès pour le faire ? Est-il possible que, durant ce laps de temps, quelqu'un ait pu effacer les traces sur les mains d'Emily ?

— Eh bien, je...

— Oui ou non ?

— C'est possible, dit Anne-Marie.

— Quelqu'un a-t-il pu toucher les mains d'Emily pendant le trajet allant du lieu du crime à l'hôpital ?

— Oui.

— Comme le personnel médical ou les fonctionnaires de police ?

— C'est possible.

— Au service des urgences de l'hôpital, quelqu'un a-t-il pu toucher ses mains ?

— Oui.

— Par exemple, des infirmières ou des médecins ?

— Je pense que oui.

— A-t-elle pu être lavée au service des urgences, puisqu'aucune instruction n'avait été donnée dans le sens contraire ?

— Oui, répondit l'inspecteur.

— Donc, un grand nombre de personnes ont pu effacer d'importants indices avant que vous ne les préleviez sur les mains d'Emily ? résuma Jordan.

— Oui, reconnut l'inspecteur Marrone.

— De même, dans les enquêtes pour meurtre, ne vérifie-t-on pas systématiquement les mains de l'assassin, pour rechercher immédiatement les traces de poudre ?

— C'est la procédure habituelle.

— Lorsque vous avez trouvé Chris sur le lieu du crime, avez-vous examiné ses mains pour rechercher les traces de poudre ?

— Non, mais il n'était pas directement soupçonné encore.

Les yeux de Jordan s'agrandirent.

— Vraiment, inspecteur Marrone ? Il n'était pas suspect lorsque la police l'a trouvé sur le lieu du crime ?

— Non.

— Quand l'idée qu'il pourrait être suspect a-t-elle commencé à germer dans votre esprit ?

— Objection ! cria Barrett.

— Pourquoi ne pas reformuler cette question ? proposa Puckett d'un ton sec.

— Je préfère continuer, fit Jordan. L'avez-vous examiné à l'hôpital ? martela-t-il.

— Non.

— L'avez-vous examiné le jour suivant, quand vous avez recueilli plus d'informations ?

— Non.

— Avez-vous examiné Chris le jour où il est allé dans les locaux de la police pour son interrogatoire ?

— Non.

— Donc, il n'a jamais été examiné pour vérifier les traces de poudre ! aboya Jordan. Pas au début, quand il n'était pas encore suspect, et pas plus tard, quand vous avez décidé qu'il était un assassin ?

— Il n'a jamais été examiné.

— Si vous aviez réussi à examiner les mains d'Emily avant que quelqu'un ne les touche, auriez-vous pu y trouver des traces de poudre ?

— C'est possible.

— Et cela vous aurait indiqué que c'était elle qui avait tiré.

— Oui, répondit Anne-Marie.

— Et si vous aviez recherché les traces de poudre chez Chris sur le lieu du crime, peut-être n'en auriez-vous pas retrouvé sur ses mains non plus.

— C'est vrai.

— Et cela aurait indiqué qu'il n'avait pas tiré ?

— C'est exact.

Et aucun de nous n'aurait eu à se trouver ici. Jordan n'eut pas à prononcer ces mots. Il marcha jusqu'au box des jurés et alla se placer tout au bout.

— OK, inspecteur. D'après votre théorie, Chris était sur le lieu du crime. Il avait mis deux balles dans le revolver au cas où il raterait son premier coup à une distance d'un demi-centimètre... Il a essayé en vain de saouler Emily, il a fait l'amour avec elle, il a pris son revolver. Emily l'a vu faire, ils se sont battus, et ensuite, il l'a tuée d'un coup de feu. Vous êtes absolument convaincue que les choses se sont passées ainsi ?

— Oui.

— Il n'y a pas le moindre doute dans votre esprit ?

— Pas le moindre.

Jordan se rapprocha de l'inspecteur.

— Il y avait deux balles dans le revolver, ce soir-là. Cela ne peut-il pas signifier qu'un double suicide était prévu ?

— Eh bien...

— Oui ou non ?
— Oui, soupira Anne-Marie.
— Et le Canadian Club... n'a-t-il pas pu être apporté pour calmer l'appréhension d'une tentative de suicide ?
— Peut-être.
— Peut-être y avait-il sur ce revolver des empreintes qui n'étaient pas à la bonne place, ou assez visibles, pour avoir pu être relevées par votre expertise ?
— Oui.
— Et peut-être qu'une autre recherche des traces de poudre – recherche qui n'a pas été faite pour une raison quelconque – aurait pu démontrer que ce n'était pas Chris Harte qui avait tiré ?
— Peut-être.
— Donc, vous dites, inspecteur, que, selon votre opinion d'experte, il y a peut-être une autre façon de voir les faits.
— Oui, prononça Anne-Marie dans un soupir.
— Ce sera tout, dit Jordan en lui tournant le dos.

L'attention du jury – sans parler de celle du juge – commençait à se relâcher, comme souvent après un témoignage de police très fourni en détails. Le juge Puckett demanda une levée de séance de dix minutes, durant lesquelles la salle d'audience se vida.

Selena attrapa Jordan par le bras lorsqu'il revint des toilettes.

— Beau boulot, le complimenta-t-elle. Tu t'es mis le juré numéro cinq dans la poche, ça c'est sûr, et le numéro sept aussi, je pense.
— Il est encore trop tôt pour le dire.
— Oh, quand même... Par contre, ton client est en train de craquer...

Elle désigna Chris d'un geste. À travers les portes ouvertes, Jordan vit le jeune homme toujours assis au banc de la défense, sous la haute vigilance de deux huissiers et d'un shérif adjoint qui se tenaient derrière lui, bras croisés, en formant une barrière physique pour éviter tout contact.

— Il vient de passer une heure à entendre parler de lui comme d'un psychopathe, et il n'y a pas un seul visage ami dans la salle.

— Si, son père est ici.

— D'accord, mais on fait mieux comme boute-en-train.

Jordan acquiesça et passa une main dans ses cheveux.

— Très bien, je vais aller lui parler.

— Tu fais bien, si tu n'as pas envie de le voir tomber raide pendant le témoignage du médecin légiste.

Jordan rit.

— Ouais... Il risque de s'ouvrir le crâne sur les roulettes du fauteuil de Barrett Delaney, et elle serait bien capable de démontrer que c'est un simulateur.

Selena lui serra légèrement le bras et il retourna dans la salle d'audience, où il fit un signe de tête aux gardes-chiourmes qui entouraient son client.

— Merci, messieurs, fit-il en s'installant dans son fauteuil pendant qu'ils s'éclipsaient. Ça se passe bien, dit-il à Chris. Vraiment.

À sa surprise, le jeune homme éclata de rire.

— Je l'espère, dit-il, parce que ça semble un peu tôt pour jeter l'éponge.

Puis son sourire disparut, remplacé par une bouche pincée dans un visage pâle d'adolescent apeuré.

— Vous savez, dit l'avocat, je comprends qu'il soit difficile pour vous de les entendre vous décrire comme un monstre. Le procureur est autorisé à dire ce qu'il veut... mais nous aussi. Ce n'est pas encore notre tour, mais c'est nous qui avons la meilleure version.

— Ce n'est pas ça... dit Chris en baissant la tête. C'est que... le procureur me fait revivre tout ça. Il y a sept mois maintenant, vous savez. Mais tous ces détails techniques, et le sang, et tout le reste...

Il se tut et enfouit sa tête dans ses mains.

— Elle me le fait revivre, et j'ai déjà eu du mal à survivre une fois.

Jordan – qui savait pourfendre avec assurance n'importe quel témoin à charge avec ses mots, qui avait un millier de réponses à opposer à n'importe quelle question de Barrett Delaney – se contenta de regarder son client sans rien trouver à dire.

Le médecin légiste du comté de Grafton – le Dr Jubal Lumbano – était un homme mince, portant lunettes, qui paraissait bien plus fait pour chasser les papillons avec un grand filet que pour fouiller dans les entrailles d'un cadavre en enfouissant ses bras à l'intérieur jusqu'aux coudes... Barrett Delaney mit dix bonnes minutes à énumérer ses qualifications, soucieuse de convaincre le jury que, dans le cas présent, on avait affaire à un témoin expérimenté : le peu avenant Dr Lumbano avait effectué plus de cinq cents autopsies au cours de sa carrière.

— Docteur Lumbano, demanda Barrett d'entrée, est-ce vous qui avez procédé à l'autopsie d'Emily Gold ?

— Oui, dit le médecin légiste.

Ce faisant, il heurta le micro du bout du nez. Il recula avec un sourire d'excuse.

— Oui, c'est moi.

— Pouvez-vous nous dire quelle fut la cause du décès ?

— Toutes les investigations ont révélé que le décès avait été causé par une balle de calibre 45 tirée à bout portant contre le crâne et à travers le cerveau ; plus précisément, elle est entrée par le lobe temporal droit, évitant le lobe frontal, et est ressortie par le lobe occipital postérieur droit.

Sur la table des pièces à conviction, Barrett alla prendre un graphique représentant les contours d'une tête en trois dimensions entourant un cerveau. Puis elle se tourna vers le jury avec un sourire résigné :

— Docteur Lumbano, pour ceux d'entre nous qui ne sont pas aussi familiarisés que vous avec le lobe occipital et le lobe temporal, pourriez-vous utiliser ce graphique pour nous montrer la trajectoire de la balle ?

Elle tendit au médecin légiste un marqueur – rouge sang – qu'il posa sur le dessin avec précaution.

— La balle est entrée ici, dit-il en dessinant un X sur la tempe droite. Puis elle a suivi approximativement cette trajectoire et est sortie au-dessus de la nuque, ici...

Un autre X derrière l'oreille droite. La ligne qui rejoignait les deux X était presque parallèle à la face latérale de la tête.

— Pouvez-vous nous indiquer le laps de temps qui s'est écoulé jusqu'au décès d'Emily ?

— La mort n'a pas été immédiate, répondit le Dr Lumbano. Elle était toujours vivante lorsque le personnel médical l'a prise en charge. Elle a peut-être été consciente pendant quelque temps.

— Consciente... et... était-elle susceptible de souffrir ?

— Certainement.

Barrett prit une mine horrifiée.

— Donc... Emily a agonisé, peut-être en proie à d'atroces souffrances... pendant combien de temps ?

— Je dirais une demi-heure à peu près.

— Docteur Lumbano, avez-vous trouvé d'autres marques sur le corps d'Emily ?

— Oui.

— Indiquaient-elles qu'il y avait eu violence ?

— Votre Honneur, elle oriente le témoin ! intervint Jordan. Il n'est pas prouvé qu'il y a eu violence.

— Accordé, dit Puckett avec un signe de tête à Barrett. Madame le procureur, n'orientez pas votre témoin.

— Y avait-il des marques visibles sur le corps d'Emily Gold, docteur ? demanda alors Barrett.

— Oui. Il y avait des ecchymoses sur son poignet droit.

— Qu'en concluez-vous ?

— Qu'il y a peut-être eu violence.

— A-t-elle pu être causée par quelqu'un qui l'aurait tenue par les poignets ?

Du coin de l'œil, Barrett vit Jordan ouvrir la bouche.

— Je vais reformuler, s'empressa-t-elle de dire avant qu'il puisse faire une objection. En tant que médecin légiste, à quoi attribueriez-vous ces ecchymoses ?

— Il est possible qu'elles aient été causées par quelqu'un qui avait attrapé Emily Gold par les poignets.

— Combien de temps avant le décès ces ecchymoses ont-elles été causées, d'après vous ?

— Moins d'une heure avant la mort. Le sang avait juste commencé à apparaître à la surface de la peau.

— Avez-vous découvert autre chose au cours de l'autopsie ?

— Il y avait des traces de sperme, ce qui, conjugué à l'aspect des tissus du vagin, tendait à démontrer qu'il y avait eu un rapport sexuel, approximativement une demi-heure avant la mort. Et il y avait également des cellules épithéliales sous les ongles de la victime, qui ne correspondaient pas à la peau de la victime.

— Qu'en concluez-vous ?

— Qu'elle a griffé quelqu'un.

— Avez-vous déterminé à qui appartenaient ces cellules épithéliales ?

— Oui, les échantillons correspondaient à ceux pris sur Chris Harte.

Barrett hocha la tête.

— Pouvez-vous nous dire si Emily était gauchère ou droitière ?

— Oui. Tous les cals se trouvaient dans sa main droite, dont des cals prononcés du côté gauche du médium et du côté droit de l'index. À mon avis, la victime était droitière.

— Et la plaie consécutive au coup de feu se trouvait sur sa tempe droite ?

— Oui.

Barrett hocha pensivement la tête.

— Avez-vous été confronté à de nombreux cas de suicide, docteur ?

— Oh oui ! Soixante à soixante-dix.

— Certains ont-ils été menés à bien par une balle dans la tête ?

— Oui, trente-huit cas. C'est une méthode très prisée, j'en ai bien peur.

— Parmi ces trente-huit suicides, combien ont été effectués avec un pistolet ou un revolver ?

— Vingt-quatre, répondit Lumbano.

— Et comment ces vingt-quatre suicidés ont-ils procédé ?

— Je dirais que quatre-vingt-dix pour cent se sont tiré une balle dans la bouche, parce qu'on est sûr que ça marche. Les dix pour cent restants se sont tiré une balle dans la tempe. Mais j'ai vu le cas curieux d'un homme qui s'était tiré une balle dans le nez.

— Parmi les dix pour cent de personnes qui se sont tiré une balle dans la tempe, par où cette balle est-elle sortie ?

— Par le lobe temporal opposé, indiqua le médecin en montrant ses deux tempes.

— Et par où la balle est-elle sortie, chez Emily Gold ?

— Par le lobe occipital du même côté.

Il plaça sa main gauche derrière sa tête et désigna un endroit derrière son oreille droite.

— Avez-vous trouvé cela inhabituel ?

— Oui, effectivement, répondit le médecin légiste en rosissant d'excitation à ce souvenir. C'était la première fois que je voyais un cas de ce genre. Il est très difficile de tenir un revolver sur la tempe droite et de faire ressortir la balle par la face postérieure droite de la tête. L'arme devrait former un angle comme celui-ci.

Le Dr Lumbano leva sa main droite, posa son doigt sur sa tempe droite comme s'il posait le canon d'une arme, presque parallèlement à sa tête, en tordant son poignet dans une position forcée, peu naturelle.

— À mon avis, fit Barrett, ce n'est pas...

— Objection !

— ... une position typique...

— Objection !

— Accordée, dit Puckett.

— T'as mis le temps, marmonna Jordan entre ses dents.

— Pardon, maître ? s'enquit le juge en fourrant une amande dans sa bouche. Vous avez dit quelque chose ? Non ?

Il se tourna vers le jury.

— Veuillez ignorer la dernière déclaration du Dr Lumbano.

Barrett s'approcha de son témoin.

— En tant que médecin, docteur Lumbano, qu'avez-vous été amené à conclure ?

— Ce sont des spéculations ! cria Jordan.

— Votre Honneur, je demande la permission de m'approcher du banc, dit Barrett avec un signe de tête vers Jordan, qui la rejoignit devant le bureau haut perché du juge.

— Madame Delaney, dit Puckett, le seul moyen qui vous reste pour orienter ce témoin davantage, c'est de lui mettre une laisse autour du cou.

Barrett se mordit les lèvres.

— Si mon témoin ne peut pas émettre de spéculations, je voudrais pouvoir montrer au jury où je veux en venir... mais j'aurais besoin de l'aide de l'accusé.

Jordan regarda alternativement le procureur et le juge. Qu'est-ce que Barrett Delaney avait derrière la tête ? En ce qui le concernait, pas question de lui donner le champ libre avec son client.

— Je demande à être mis au courant de ce qu'elle veut faire, dit-il.

Puckett se tourna vers le procureur :

— Madame Delaney ?

Elle écarta les mains :

— Une petite démonstration, Votre Honneur. Je voudrais montrer au jury comment Christopher Harte aurait pu s'y prendre...

— Absolument pas ! siffla Jordan. Ce serait un préjudice inacceptable.

— Écoutez, Votre Honneur, insista Barrett. Je vais faire ma démonstration. Je vais utiliser le médecin ou un huissier, si nécessaire. Il me faut juste un corps, alors pourquoi ne pas utiliser celui du prévenu ?

Puckett fit craquer une amande.

— Procédez avec prudence, s'il vous plaît, ou il retournera immédiatement à son banc.

— Quoi ! explosa Jordan.

— J'ai décrété ! dit Puckett d'un ton ferme.

Et à Barrett :

— Allez-y.

Jordan retourna à la table de la défense en pensant qu'au moins, maintenant, il avait matière à faire appel. Il se glissa dans son siège et toucha l'épaule de Chris.

— Je ne sais pas ce qu'elle manigance, lui chuchota-t-il. Vous n'avez qu'à me regarder et je vous ferai signe, ou je ferai une objection si elle dépasse ses prérogatives.

Barrett se dirigea vers Chris.

— Bien, docteur Lumbano. L'accusé va venir m'aider. (Elle sourit à Chris.) Voulez-vous avoir l'amabilité de vous lever, monsieur Harte ?

Chris lança un regard vers Jordan qui hocha imperceptiblement la tête. Il se leva.

— Merci. Pourriez-vous vous avancer jusqu'ici ? dit-elle en désignant du geste un endroit situé à mi-chemin entre le box des jurés et la barre des témoins. Maintenant, monsieur Harte, veuillez allonger vos bras devant vous.

Elle leva les bras d'un geste mécanique, pareille à un monstre à la Frankenstein, et Chris l'imita en hésitant.

Barrett Delaney marcha alors droit vers ses bras et l'enlaça. Chris se figea au contact de ses mains qui l'enserraient et de son corps collé contre le sien. Elle posa sa tête sur son épaule droite, exactement au même endroit qu'Emily lorsqu'il la prenait dans ses bras. « Mais qu'est ce qu'elle fout ? » se dit-il.

— Monsieur Harte, prononça Barrett d'une voix légèrement étouffée par le tissu de son veston, pourriez-vous mettre vos bras autour de moi ?

Chris regarda son avocat, qui hocha la tête d'un geste ferme.

— Maintenant, pourriez-vous mettre votre main gauche sur ma tempe droite ?

Les yeux braqués sur Jordan, qui, alors qu'il avait passé jusque-là son temps à objecter, restait à présent muet comme une carpe, Chris s'exécuta.

Ils se faisaient face de telle façon que le jury vit parfaitement Chris reculer de quelques centimètres, juste assez pour poser sa main gauche sur le côté droit de la tête de Barrett, tandis que son bras droit la tenait toujours enlacée.

— Maintenant, docteur Lumbano, dit le procureur, s'il y avait un revolver dans la main de M. Harte, en ce moment, quelles seraient les probabilités pour qu'une balle tirée sur ma tempe ressorte par le lobe occipital droit ?

Le médecin légiste hocha la tête.

— Je dirais qu'il y aurait d'excellentes chances pour que ce soit le cas.

— Merci, dit Barrett en laissant retomber ses bras.

Elle s'éloigna d'un pas rapide, laissant Chris planté seul au milieu de la salle d'audience.

— Mais merde, siffla le jeune homme en se glissant sur son siège, rouge comme une pivoine, pourquoi n'avez-vous rien fait ?

Jordan répondit entre ses dents :

— Je ne pouvais pas. Si je m'étais levé, le jury aurait cru que vous aviez quelque chose à cacher.

— Ah, très bien, parfait. Alors que maintenant, au contraire, il pense que je suis un assassin !

— Ne vous inquiétez pas, j'en tiendrai compte dans mon contre-interrogatoire.

Jordan se leva, persuadé qu'après lui avoir infligé cette défaite, Delaney n'avait plus rien à tirer de son témoin, mais il fut arrêté par sa voix qui poursuivait :

— Une question encore. Avez-vous noté une autre caractéristique sur le corps d'Emily au cours de votre autopsie ?

— Oui, dit le Dr Lumbano. La nuit de sa mort, Emily Gold était enceinte de onze semaines.

Jordan ferma les yeux et se rassit.

— Nous apprécions tous votre présence ici, docteur Lumbano, dit-il quelques minutes plus tard. Vous nous avez appris que vous avez travaillé sur trente-huit suicides. Nous vous avons entendu dire aussi qu'il y avait présence de sperme, d'ecchymoses, et de cellules épithéliales sous les ongles d'Emily. Nous allons mettre tout cela en perspective. Le sperme prouve qu'il y a eu un rapport sexuel, n'est-ce pas ?

— Oui.

— Savez-vous si Emily se faisait des bleus facilement, ou non ?

— Non, répondit le Dr Lumbano. Mais elle avait la peau plutôt claire, ce qui permet de penser qu'elle se faisait facilement des bleus.

— Ces bleus ont-ils pu apparaître durant... (il toussa pudiquement et sourit au jury)... un moment particulièrement ardent pendant le rapport ?

— C'est possible, répondit le médecin légiste, le visage fermé.

— Et la peau sous les ongles, docteur... Est-il possible que l'on puisse avoir des cellules épithéliales sous les ongles en grattant doucement le dos de quelqu'un ?

— Oui.

— Et en griffant les épaules de quelqu'un dans un accès de passion ?... Est-ce que l'on peut avoir des cellules épithéliales sous les ongles ?

— Absolument.

— Et en caressant les joues de quelqu'un ?

— C'est possible.

— Donc, vous me dites que des cellules épithéliales de Chris ont pu se retrouver sous les ongles d'Emily de différentes façons, et ce, pendant un acte sexuel dénué de violence ?

— Oui.

— Vous ne pouvez pas me dire avec certitude qu'il y a eu violence ce soir-là entre Emily et Chris, n'est-ce pas ?

— Non, pas avec précision. Mais il y avait une blessure par balle dans la tête de la victime...

— Ah, oui, dit Jordan. Nous avons vu la démonstration de madame le procureur avec Chris, tout à l'heure... Mais il a pu se passer beaucoup de choses ce soir-là, n'est-ce pas ? Nous allons passer en revue deux autres scénarios possibles pour voir de quelles autres façons la blessure a pu être infligée... (Se tournant soudain vers son client :) Chris ? Si vous n'y voyez pas d'inconvénient... on recommence ?

Stupéfait, Chris se leva et s'avança vers Jordan, jusqu'à la même place que lors de la démonstration du procureur. Puis Jordan alla chercher l'arme sur la table où étaient exposées les pièces à conviction.

— Puis-je utiliser ceci ?

Sans attendre la réponse de Barrett, il prit l'arme et retourna près de Chris.

— Bien.

Avec un sourire à l'adresse du jury, il saisit les mains du jeune homme et les posa sur sa taille.

— Il va vous falloir un peu d'imagination, car je ne ferai pas une femme aussi convaincante que madame le procureur…

Il fit un signe de tête à Chris, qui l'enlaça sans conviction, le feu aux joues.

Il y eut un murmure dans la salle lorsque Jordan appuya l'arme contre sa propre tête. L'avocat sourit, satisfait d'impressionner les jurés par la scène qu'il évoquait.

— Docteur… Et si Emily tenait le revolver comme ceci, comme n'importe qui tiendrait un revolver, mais en tournant le canon vers elle, faute d'expérience ?

Se penchant légèrement en arrière dans les bras de Chris, Jordan dirigea l'arme vers sa tempe dans la même position inconfortable que le médecin légiste auparavant, en formant un angle identique.

— Si le revolver était posé contre sa tête comme cela, reprit-il, est-ce que la trajectoire de la balle aurait pu correspondre avec ce que vous avez trouvé au cours de l'autopsie ?

— Oui, je crois.

— Docteur… Si elle tenait l'arme de cette façon, sur sa tempe, comme les dix pour cent de suicidés au pistolet que vous avez vus, et si sa main tremblait si fort qu'elle a sauté lorsqu'elle a appuyé sur la gâchette ? Est-il possible que la trajectoire ait été déviée ?

— C'est possible.

— Et que se serait-il passé si Emily avait été si mal à l'aise à l'idée même de tenir une arme qu'elle l'aurait prise comme ceci ?

Il mit les deux mains autour du canon de l'arme et la posa sur sa tête, presque parallèlement à sa tempe, les pouces au-dessus de la gâchette.

— Si elle avait tenu l'arme comme cela et utilisé le pouce pour appuyer sur la gâchette, est-ce que la balle aurait pu décrire cette curieuse trajectoire ?

— Oui.

— Donc, vous dites, docteur, qu'il y a une série de possibilités qui pourraient expliquer l'étrange chemin suivi par la balle...

— Je suppose que oui.

— Docteur Lumbano, termina Jordan en se dégageant des bras de son client, dans tous ces autres scénarios, avez-vous vu les mains de Christopher Harte sur la gâchette de ce revolver ?

— Non.

Jordan retourna vers la table des pièces à conviction et posa le revolver en laissant ses doigts posés sur le métal pendant quelques instants.

— Merci, dit-il.

La blonde décolorée qui vint à la barre des témoins jeta un regard de convoitise vers le bocal d'amandes placé devant le juge et leva la main. Surprise, Barrett, qui était plongée dans ses notes, leva les yeux.

Hum... Oui ?

Je voudrais savoir si je pourrais en avoir une, ça me ferait peut-être du bien... Enfin, je sais ce que vous avez dit... et tout et tout... mais puisque je ne peux pas avoir de cigarette, et que je suis un peu émotionnée...

Elle regarda le procureur en battant des paupières comme un hibou :

— Alors ?

À la surprise générale, le juge Puckett éclata de rire.

— D'accord, dit-il, mais je veux que vous m'offriez une cigarette plus tard.

Il fit signe à un huissier d'apporter le bocal d'amandes au témoin.

— J'ai bien peur que cela ne rende votre témoignage difficile à comprendre... Mais je suis d'accord pour partager.

La femme se détendit un peu, jusqu'au moment où elle s'aperçut qu'il n'y avait rien pour casser les amandes.

Mais, à présent, Barrett était prête à l'interroger.

— Pouvez-vous décliner vos nom, adresse et profession ?

— Donna DiBonnalo, articula-t-elle d'une voix forte dans le micro, 456, Rosewood Way, Bainbridge. Et je travaille à la *Ruée vers l'Or*.

— Quelle sorte d'établissement est la *Ruée vers l'Or* ?

— C'est une bijouterie, répondit Donna.

— Avez-vous été en contact avec Emily Gold ?

— Oui, elle est venue au magasin pour acheter un cadeau d'anniversaire pour son copain. Une montre. Elle voulait la faire graver.

— Je vois. Que désirait-elle comme gravure ?

— Le nom de Chris, indiqua Donna avec un coup d'œil en coin vers la table de la défense.

— Et quel était le prix de cette montre ?

— Cinq cents dollars.

— Eh bien ! s'exclama Barrett. Cinq cents dollars ? C'est beaucoup d'argent pour une jeune fille de dix-sept ans...

— Objection ! cria Jordan.

— Retenue.

— Vous a-t-elle dit pourquoi elle faisait cet achat ? demanda Barrett.

Donna acquiesça.

— Elle a dit que la montre était pour les dix-huit ans de son copain.

— A-t-elle laissé des instructions spécifiques ?

— Oui. Elles étaient inscrites sur le reçu. Si nous avions à l'appeler pour lui dire quelque chose à propos de la montre, par exemple qu'elle était arrivée, il fallait que nous demandions à parler à Emily, et c'était tout. Il ne fallait rien dire à propos de la bijouterie ni de la montre.

— Vous a-t-elle dit pourquoi elle voulait garder le secret ?

— Elle a dit que c'était pour faire une surprise.

— Encore ! cria Jordan. On cherche à orienter le témoin.

Le juge fit un signe de tête.

— Veuillez vous approcher.

Jordan et Barrett jouèrent chacun des coudes pour arriver le premier.

— Ou vous trouvez une autre manière d'amener le sujet, ou ce n'est pas pris en compte, dit Puckett au procureur.

Barrett hocha la tête et retourna à son témoin pendant que Jordan reprenait sa place.

— Je vais reformuler ma question, fit Barrett. Quelles ont été exactement les instructions d'Emily Gold ?

Donna réfléchit en fronçant les sourcils :

— « Appelez à la maison… demandez Emily. C'est personnel. Ne dites pas de quoi il s'agit. »

— Emily vous a-t-elle dit la date d'anniversaire de son petit ami ?

— Oui, parce qu'il fallait qu'on soit dans les temps. La montre a été spécialement commandée à Londres. Il fallait qu'elle soit prête pour novembre.

— Vous a-t-elle donné une date précise ?

— Il fallait aussi que la montre soit gravée avec la date d'anniversaire… Le 24 novembre. Emily voulait que je la reçoive en magasin pour le 17 novembre, pour le cas où il y aurait eu quelque chose qui cloche, parce qu'elle avait prévu de la lui donner pour le 24.

Barrett vint s'appuyer contre le box des jurés.

— Vous attendiez-vous à ce qu'Emily vienne prendre sa montre le 17 novembre ?

— Oh oui !

— Est-elle venue ?

— Non.

— Avez-vous su pourquoi ?

Donna DiBonnalo hocha gravement la tête.

— Parce qu'elle est morte la semaine d'avant.

Jordan resta assis à sa place pendant quelques instants lorsque le témoin fut mis à sa disposition pour le contre-interrogatoire. Il n'y aurait pas grand-chose à en tirer. Il se leva lentement en faisant craquer ses genoux.

— Madame DiBonnalo, dit-il d'un ton affable, à quelle date Emily Gold a-t-elle passé sa commande ?

— Le 25 août.

— Et c'était la première fois qu'elle venait chez vous ?

— Non. Elle était déjà venue faire un tour une semaine avant.

— Est-ce qu'elle a payé la montre lorsqu'elle a passé commande ?

— Oui, en totalité.

— Comment vous a-t-elle semblé lorsqu'elle est venue en août ? Heureuse ? Gaie ?

— Oh oui ! Elle était tout excitée à l'idée de trouver une belle montre comme cadeau.

— Quand la montre est-elle arrivée, madame DiBonnalo ?

— Le 17 novembre, répondit cette dernière en souriant. Tout s'est bien passé.

« C'est une question de point de vue », pensa Jordan en lui rendant son sourire.

— Et quand avez-vous appelé chez ses parents ?

— La première fois, c'était le 17 novembre.

— Donc, vous n'avez eu aucun contact avec Emily entre le 25 août et le mois de novembre ?

— Non.

— Lorsque vous avez appelé chez ses parents, qu'avez-vous eu comme réponse ?

— Ça, on peut dire que sa mère n'a pas été aimable !

Jordan hocha la tête, compatissant.

— Combien de fois avez-vous dû appeler ?

— Trois fois, fit Donna avec une grimace.

— La troisième fois, est-ce que vous avez dit à Mme Gold qu'il s'agissait d'une montre ?

— Oui, quand elle m'a dit que sa fille était morte. Ça m'a fait un choc.

— Donc, Emily semblait en pleine forme en août... et, après, vous n'avez plus eu de contact avec elle, jusqu'au mois de novembre où vous avez appris sa mort...

— Oui, dit Donna.

Jordan mit ses mains dans ses poches. Cela semblait un interrogatoire inutile, et pourtant, il avait son idée. Il utiliserait ce témoignage dans sa plaidoirie, pour faire remarquer que, trois mois seulement avant sa mort, Emily Gold ne semblait avoir aucune idée de suicide. Qu'en fait, le phénomène était apparu soudainement. Ce qui expliquait en partie pourquoi les professeurs de la jeune fille, ses amis, sa propre mère, n'avaient rien vu venir.

— Ce sera tout, merci, dit-il en retournant s'asseoir.

Le juge Puckett, qui avait un rendez-vous chez le dentiste, mit fin à l'audition des témoignages peu après quatorze heures. Les jurés furent renvoyés avec pour consigne de ne parler du procès à personne ; les témoins qui n'avaient pas encore été appelés à la barre furent convoqués pour le lendemain à neuf heures ; et on remit les menottes à Chris, qui fut conduit au bureau du shérif, au sous-sol du palais de justice.

James et son épouse se rejoignirent à l'entrée du palais. Il savait que, d'après la loi, il n'avait pas le droit de parler à Gus de ce qui avait transpiré dans la salle d'audience ce jour-là. Il savait également qu'elle ne laisserait pas un petit détail comme le système judiciaire l'empêcher de lui demander comment se passait le procès... Aussi fut-il surpris de constater son silence. Elle marcha à côté de lui sans mot dire, profondément enfouie dans ses pensées.

Il pleuvait.

— Je vais chercher la voiture, annonça-t-il avec un coup d'œil aux talons hauts de Gus. Attends-moi ici.

Elle acquiesça, la main posée sur la large baie vitrée de l'entrée pendant que James s'éloignait en enjambant les flaques d'eau.

En sentant une main se poser sur son bras, elle pivota sur elle-même.

— Bonjour ! dit Michael.

À son contact, elle frissonna, troublée et prise d'une soudaine envie de s'enfuir.

Elle se força à lui sourire.

— Tu as aussi mauvaise mine que moi, j'ai l'impression.

— Merci beaucoup.

Elle aperçut James qui ouvrait la portière de la voiture pour y monter.

— Je t'ai vu avec Mélanie, fit-elle.

Ils étaient retenus hors de la salle d'audience comme elle, à quelques rangées de distance.

Michael mit sa main à côté de la sienne, sur la vitre.

— C'est dur, non, d'essayer d'imaginer ce qui se passe à l'intérieur?

Gus ne répondit pas. Sur le stationnement, la Volvo sortait de sa place.

— Demain, proposa-t-il, nous attendrons ensemble.

Elle préféra ne pas le regarder.

— Il faut que j'y aille, annonça-t-elle avant de sortir sous les trombes d'eau.

Selena se dépêcha de s'engouffrer dans l'appartement pendant que Jordan secouait le parapluie qu'ils avaient partagé.

— Il faudrait que tu t'en procures un plus grand, dit-elle en riant, tout en ébouriffant ses cheveux humides.

— Il faudrait que je me procure une détective un peu plus petite, répliqua Jordan avec un large sourire. J'ai mis des années avant de trouver un parapluie qui me plaise.

Thomas les attendait dans le séjour. Il les accueillit, bras croisés.

— Alors? s'enquit-il.

Selena sourit :

— Ton papa est un chef! dit-elle.

Un large sourire fendit le visage du jeune garçon.

— Je le savais, répliqua-t-il.

Il tapa dans la main de son père et se laissa tomber sur une chaise encombrée de paperasse.

— Donc, tu es de bonne humeur, non?

— Pourquoi? s'enquit Jordan, sur ses gardes. Qu'est-ce que tu as fait comme bêtise?

— Rien ! s'exclama Thomas, offensé. J'ai faim, c'est tout. Est-ce qu'on peut commander une pizza ?

— À trois heures et demie de l'après-midi ? Ce n'est pas un peu tôt pour dîner ?

— On n'a qu'à dire que c'est un en-cas, proposa Thomas.

Son père leva les yeux au ciel et mit le cap sur la cuisine, toujours en imperméable.

— Je vais bien trouver quelque chose dans le frigo... dit-il en ouvrant la porte du réfrigérateur. Finalement, non !

Il en sortit un paquet qu'il jeta à la poubelle.

— Il n'y a rien d'autre, là-dedans ?

— De la bière et du lait, répondit Thomas. Il y a des cultures de pénicilline sur tout le reste...

Selena passa son bras autour des minces épaules du jeune garçon.

— Tu la veux aux poivrons ou à la saucisse ?

— À tout, sauf aux anchois, répondit Thomas. Vous allez appeler ?

La jeune femme hocha la tête.

— Je te préviendrai quand le livreur sera là.

Thomas, satisfait, battit en retraite dans sa chambre. Selena alla chercher une bière dans le réfrigérateur.

— Tu peux t'estimer heureux qu'il n'ait pas liquidé les bières, dit elle à Jordan. Tu en veux une ?

Jordan consulta sa montre, puis se ravisa et regarda Selena ouvrir sa bouteille.

— Oui ! dit-il.

Ils s'installèrent dans le séjour après avoir commandé une pizza. Jordan prit une longue gorgée de bière et fit la grimace.

— Ce qu'il me faudrait, en réalité, c'est une bonne aspirine.

— Viens ici, indiqua Selena en tapotant sa poitrine. Couche-toi.

Il s'exécuta avec reconnaissance et posa sa bouteille de bière par terre. Les longs doigts de la jeune femme repoussèrent les cheveux qui lui tombaient sur le front et vinrent lisser ses tempes comme une eau bienfaisante.

— Tu es drôlement accueillante, murmura-t-il.

Selena frottait doucement son crâne.

— On va essayer de maintenir ce brillant cerveau en état de marche.

Il ferma les yeux et laissa ses mains effleurer les points de pulsation. Lorsqu'elle s'arrêta, il se souleva et toucha son poignet pour l'encourager à continuer… Mais il eut aussitôt devant les yeux l'image de Barrett Delaney en train de lever la main de Chris vers sa propre tempe.

Il poussa un grognement, et sa migraine revint, comme pour se venger. Si, lui, il avait été aussi impressionné par cette image, que fallait-il attendre du jury ?

On avait fouillé Chris et on lui avait fait enlever ses vêtements de ville pour les mettre en sûreté jusqu'au matin suivant. En retrouvant sa tenue de détenu, il se détendit. Ces vêtements, usés et délavés, qui sentaient la prison, étaient mille fois plus confortables que le pantalon au pli impeccable et la cravate serrée qu'il avait été contraint de porter toute la journée.

Mais il était vrai que sept mois s'étaient écoulés… Aujourd'hui, il avait découvert qu'il s'était déshabitué de beaucoup de choses : de la lumière directe, du contact humain, et même du Pepsi. La boîte que Jordan lui avait achetée – la boisson après laquelle il languissait depuis si longtemps – lui avait détraqué les intestins.

Chris alla se réfugier dans sa couchette avec la pensée dérangeante que, même si on devait lui permettre de rejoindre le monde de l'extérieur, eh bien, il n'y était plus adapté.

Au milieu de la nuit, Gus avait toujours les yeux grands ouverts sur les ombres de la chambre. Elle se tourna vers James. Il restait immobile au creux du lit, mais elle savait qu'il était réveillé comme elle. Elle inspira profondément, heureuse de ne pas pouvoir distinguer son visage dans l'obscurité.

— James, dit-elle, est-ce que tout se passe bien ?

Il chercha sa main sous les couvertures et la recouvrit de la sienne.

— Je ne sais pas, répondit-il.

Le lendemain matin, Jordan prit une douche, se rasa et s'habilla. Il se rendit à la cuisine, l'esprit déjà occupé par ses contre-interrogatoires de la journée. Heather Burns, une amie d'Emily, il n'en ferait qu'une bouchée. Mais Mélanie Gold, c'était une autre histoire.

Ce ne fut qu'en s'asseyant qu'il remarqua son fils qui le regardait en souriant, assis en face de lui. À sa place, il trouva un bol propre et une cuiller, une cruche de lait et un paquet flambant neuf de Krispics au cacao.

Heather Burns tremblait si fort à la barre des témoins que les pieds de la chaise, légèrement bancale, battaient la mesure sur le sol... Barrett Delaney se dirigea vers elle pour aller la rassurer et se plaça de façon à lui cacher la vue sur la salle.

— Détendez-vous, Heather, dit-elle à voix basse. Vous vous souvenez ? Nous avons déjà passé toutes les questions en revue.

Heather acquiesça courageusement et tourna vers elle un visage livide.

— Heather, commença Barrett à voix haute, j'ai appris que vous étiez la meilleure amie d'Emily.

— Oui, dit la jeune fille timidement. Depuis à peu près quatre ans.

— Donc, depuis pas mal de temps. C'est au collège que vous aviez fait connaissance ?

— Oui. On était ensemble dans plusieurs cours. En éducation médicale et en maths. Et aussi en dessin... mais Emily était bien meilleure que moi en dessin.

— Vous la voyiez souvent ?

— Tous les jours, au moins en classe.

— Et elle vous parlait de ses projets d'avenir ?

— Elle voulait entrer à l'université pour se perfectionner en peinture.
— Vous connaissiez déjà Emily quand elle a commencé à sortir avec Chris ?
Heather secoua la tête.
— Elle sortait déjà avec Chris quand nous avons fait connaissance. Ils étaient pratiquement toujours ensemble.
— Toujours ?
— Oui, sauf en première. Ils ont rompu pendant quelque temps. Chris est sorti avec une autre fille, et Emily l'a très mal pris.
— Donc, ce n'était pas toujours la parfaite harmonie entre eux ?
— Non, répondit Heather en baissant les yeux, mais ils se sont remis ensemble.
Barrett eut un sourire triste.
— Oui. Effectivement. Heather, pouvez-vous me dire comment allait Emily, au mois de novembre ? Sa personnalité ?
— Elle était plutôt calme, comme d'habitude, d'ailleurs. En tout cas, elle n'était pas toujours en train de pleurer ou de dire qu'elle allait se suicider. Elle était égale à elle-même, et elle passait son temps avec son copain, comme d'habitude. C'est pour ça que... (Sa voix mourut, et ses yeux, pour la première fois depuis le début de son témoignage, se dirigèrent vers Chris.) C'est pour ça que ça m'a fait un tel choc quand j'ai appris ce qui s'était passé.

Jordan adressa un sourire engageant à Heather Burns. C'était une fille menue comme un moineau, aux cheveux bruns mi-longs, qui portait des bagues d'argent à chaque doigt.
— Heather, merci d'être venue. Je sais que c'est difficile.
Puis il ajouta avec un sourire :
— Mais, au moins, cela vous dispense d'aller en classe.
Heather gloussa, et le courant sembla passer entre eux.
— Vous voyiez Emily tous les jours au collège, dit Jordan. Et en dehors ?

— Pas trop, répondit la jeune fille.

— Vous ne la rencontriez pas chez Gap, ou au cinéma, pendant les week-ends ?

— Non.

— Vous ne vous donniez pas rendez-vous pour faire des choses ensemble ?

— Pas très souvent, répondit Heather. Ce n'est pas parce que je ne voulais pas, mais Emily était toujours avec Chris.

— Donc, même en étant sa meilleure amie, vous ne vous voyiez pas souvent en dehors de l'école ?

— J'étais sa meilleure amie fille, avoua Heather, mais c'était Chris qui la connaissait mieux que personne.

— Est-ce que vous voyiez Chris et Emily ensemble ?

Oui.

— Quels étaient leurs rapports ?

Les yeux de Heather se voilèrent.

— Je trouvais que c'était très romantique. Vous savez, ils étaient ensemble depuis toujours, et on avait l'impression qu'ils ne pouvaient pas vivre l'un sans l'autre. (Elle se mordit les lèvres.) Je trouvais qu'Emily avait tout ce que nous aurions voulu avoir, nous, les autres.

Jordan acquiesça gravement.

Heather, puisque vous connaissiez leur mode de relation, est-ce que vous pouvez imaginer Chris en train de faire du mal à Emily ?

— Objection ! cria Barrett.

— Rejetée.

Jordan fit un signe de tête et Heather regarda Chris avec de grands yeux humides.

— Non, murmura-t-elle, je ne peux pas.

Mélanie Gold portait du noir. Assise à la barre des témoins, avec ses cheveux strictement tirés en arrière et ses épaules élargies par les épaulettes de sa veste, elle ressemblait à une implacable mère supérieure, voire à un ange exterminateur.

— Madame Gold, dit Barrett en posant une main sur celle de son témoin, merci d'être venue. Je regrette profondément de devoir vous infliger cette formalité, mais j'ai besoin que vous me précisiez quelques faits. Pouvez-vous décliner votre nom ?

— Mélanie Gold.

— Quel était votre lien avec la victime ?

Mélanie regarda le jury bien en face.

— J'étais sa mère, dit-elle d'une voix douce.

— Pouvez-vous nous décrire vos rapports avec votre fille ?

Mélanie hocha la tête.

— Nous passions beaucoup de temps ensemble.

L'esprit de Mélanie s'évada... des phrases se formèrent dans sa tête. « Elle venait passer un peu de temps avec moi après la classe, lorsque je travaillais à la bibliothèque. Le week-end, nous faisions des courses ensemble. Elle savait qu'elle pouvait compter sur moi. »

— De quoi parliez-vous ensemble ?

Mélanie sursauta et revint au procureur.

— Nous discutions beaucoup de l'université. Elle préparait son dossier pour faire sa demande.

— Que ressentait-elle à l'idée d'entrer à l'université ?

— Elle était très excitée à cette idée, répondit Mélanie. C'était une excellente élève, et une artiste meilleure encore. En fait, elle voulait entrer aux Beaux-Arts, à Paris.

— Oh ! s'exclama Barrett. C'est impressionnant.

— Emily aussi était impressionnante.

— Quand avez-vous appris que quelque chose était arrivé à Emily ?

Mélanie se ratatina sur sa chaise.

— Nous avons été appelés au milieu de la nuit et on nous a demandé de nous rendre immédiatement à l'hôpital. Tout ce que nous savions, c'était qu'Emily était partie quelque part avec Chris. Quand nous sommes arrivés, elle était déjà morte.

— Que vous a-t-on dit à propos de sa mort ?

— Pas grand-chose. Mon mari est allé identifier... Emily... Je... (Elle leva les yeux vers le jury.) Je n'ai pas pu. Et ensuite,

Michael est revenu et m'a annoncé qu'elle avait reçu un coup de feu dans la tête.

— Qu'avez-vous pensé, madame Gold ? demanda doucement Barrett.

— J'ai pensé : « Oh, mon Dieu, qui a fait ça à mon bébé ? »

Le silence qui accompagne toujours un chagrin sincère s'établit dans la salle d'audience, permettant aux jurés d'entendre le grattement du stylo de Jordan, le tic-tac de la montre de l'huissier, la respiration laborieuse de Chris.

— Avez-vous pensé à un quelconque moment qu'il pouvait s'agir d'un suicide, madame Gold ?

— Non, répondit Mélanie d'une voix ferme. Ma fille n'avait pas de tendances suicidaires.

— Comment le savez-vous ?

— Comment ne l'aurais-je pas su ? Je suis sa mère. Elle n'était pas triste ; elle n'était pas déprimée ; elle ne pleurait pas. Elle était comme d'habitude, c'était la fille extraordinaire que nous avions toujours connue. Et elle n'a jamais utilisé une arme de sa vie. Elle ne connaissait rien sur le sujet. Pourquoi aurait-elle voulu se tuer avec une arme ?

— Est-ce que vous avez reçu des appels d'une bijoutière après le décès d'Emily ?

— Oui. Au début, je ne savais pas qui c'était. La personne se contentait de demander Emily et j'avais l'impression que c'était une mauvaise plaisanterie. Mais elle a fini par me parler d'une montre qu'Emily avait achetée pour Chris et je suis allée la chercher. C'était une montre à cinq cents dollars, cinquante dollars de plus que la somme qu'elle avait gagnée pendant tout l'été en travaillant dans un camp de jeunes. Emily savait que nous aurions été très fâchés d'apprendre qu'elle avait dépensé une telle somme pour faire un cadeau d'anniversaire à Chris. C'était trop extravagant, et nous aurions exigé qu'elle retourne cette montre. (Mélanie prit une profonde inspiration et poursuivit :) Après être allée chez le bijoutier, j'ai emporté cette montre à la maison et j'ai compris que c'était la façon d'Emily de me dire de regarder cette affaire d'un peu plus près. (Son regard alla se fixer sur le jury.) Est-ce qu'Emily aurait acheté une montre pour l'offrir à Chris à la fin du mois de novembre si elle avait su qu'ils allaient se suicider ensemble juste avant ?

Barrett se dirigea vers la table de la défense.

— Comme vous le savez, madame Gold, la seule personne présente au manège ce soir-là était Christopher Harte.

Les yeux de Mélanie effleurèrent le jeune homme.

— Je sais.

— Connaissez-vous bien l'accusé ?

— Oui, répondit Mélanie. Chris et Emily ont été élevés ensemble. Nous sommes voisins de sa famille depuis dix-huit ans.

Sa voix se noua et elle détourna les yeux.

— Chez nous, il était chez lui. Il était comme un fils pour nous.

— Et vous savez qu'il est ici parce qu'il est accusé de meurtre ? Du meurtre de votre fille ?

— Oui.

— Croyez-vous que Chris aurait pu être violent envers votre fille ?

— Objection ! dit Jordan. Ce témoin est de parti pris.

— De parti pris ! s'emporta Barrett. L'enfant de cette dame est morte et enterrée. Elle a le droit de prendre tous les partis qu'elle veut !

Puckett se frotta les tempes.

— Le ministère public a le droit d'appeler à la barre tous les témoins qu'il désire. Nous allons accorder à Mme Gold le bénéfice du doute.

Barrett reprit son interrogatoire :

— Croyez-vous, répéta-t-elle, que Chris aurait pu faire preuve de violence vis-à-vis de votre fille ?

Mélanie se racla la gorge.

— Je pense qu'il l'a tuée, dit-elle.

— Objection ! hurla Jordan.

— Refusée.

— Vous pensez qu'il l'a tuée, répéta Barrett en laissant les mots de Mélanie peser comme un défi. Pourquoi ?

Mélanie posa son regard sur Chris.

— Parce que ma fille était enceinte ! cracha-t-elle en oubliant les conseils du procureur, qui lui avait recommandé de garder son calme. Chris se préparait à entrer à l'université. Il n'avait pas envie que sa carrière, et sa formation, et son avenir de champion de natation soient compromis parce qu'il avait fait un enfant à une fille !

Mélanie vit Chris se figer, puis commencer à trembler.

— C'est Chris qui s'y connaissait en armes, ajouta-t-elle fermement. Son père avait tout un arsenal. Ils étaient tout le temps en train de chasser.

Elle foudroya Chris du regard et prononça à sa seule intention :

— Tu as mis deux balles dans le revolver.

Jordan se leva d'un bon.

— Objection !

— C'est toi qui as tout manigancé, poursuivit Mélanie. Mais tu n'as pas pu empêcher qu'elle se fasse des bleus aux poignets quand elle s'est débattue...

— Objection, Votre Honneur ! Cette scène est inconvenante !

Mélanie, impossible à arrêter, continuait de foudroyer Chris du regard.

— Tu n'as pas pu contrôler l'angle de la trajectoire. Et tu n'as rien pu faire à propos de la montre, parce que tu n'étais même pas au courant...

— Madame Gold ! s'interposa le juge.

— C'est toi qui l'as tuée ! hurla Mélanie. Tu as tué mon bébé, et tu as tué ton bébé !

— Madame Gold, voulez-vous cesser immédiatement ! cria Puckett en tambourinant sur son bureau à coups de maillet. Madame le procureur, maîtrisez votre témoin !

Les pointes des oreilles de l'accusé étaient en feu. Le jeune homme se recroquevilla à côté de Jordan.

— Le témoin est à vous, déclara Barrett en désignant Mélanie qui avait éclaté en sanglots.

— Votre Honneur, demanda Jordan d'un ton ferme, peut-être devrions-nous interrompre brièvement la séance...

Puckett adressa un regard furieux au procureur :

— Peut-être que oui, répondit-il.

Lorsque Mélanie revint à la barre, ses yeux étaient rouges et deux taches enflammaient ses pommettes, mais elle avait retrouvé son calme.

— Emily semblait être une fille fantastique, madame Gold, commença Jordan depuis son siège à la table de la défense, d'un ton aussi anodin que s'il l'invitait à déjeuner. Douée, belle, et elle se confiait à vous. Qu'auriez-vous pu souhaiter d'autre, chez un enfant ?

— La vie, répondit froidement Mélanie.

Contrarié – il ne s'était pas attendu à une langue aussi acérée –, Jordan recula mentalement d'un pas.

— Combien de temps passiez-vous par semaine avec Emily, madame Gold ?

— Eh bien, je travaille trois jours par semaine, et Emily allait en classe.

— Donc ?...

— Je dirais deux heures le soir, pendant la semaine. Plus pendant les week-ends.

— Combien de temps passait-elle avec Chris ?

— Beaucoup de temps.

— Pourriez-vous être plus précise ? Plus que deux heures par soirée, et plus pendant les week-ends ?...

— Oui.

— Donc, elle passait plus d'heures en la compagnie de Chris qu'en la vôtre.

— Oui.

— Je vois. Est-ce qu'Emily avait de grands projets d'avenir ?

Surprise par le changement de sujet, Mélanie hocha la tête.

— Oui, fit-elle.

— M. Gold et vous l'encouragiez certainement beaucoup en tant que parents.

— Oui. Nous étions très contents de ses succès scolaires et nous l'encouragions dans ses projets d'études artistiques.

— Pensez-vous qu'Emily était soucieuse de ne pas vous décevoir ?

— Je pense que oui. Elle savait que nous étions fiers d'elle.

Jordan hocha la tête.

— Et vous dites aussi qu'Emily se confiait à vous.

— Absolument.

— Il faut que je vous dise, madame Gold, que je suis un peu jaloux...

Jordan se tourna vers les jurés pour les mettre dans la confidence :

— J'ai un garçon de treize ans, et j'ai assez de mal à rester en contact avec lui...

— Peut-être que vous ne vous rendez pas disponible pour l'écouter, répondit Mélanie, sarcastique.

— Ah !... Donc, c'était ce que vous faisiez, pendant les deux heures qu'elle passait avec vous le soir ? Vous vous rendiez disponible pour écouter ce qu'Emily avait à vous dire ?

— Oui. Elle me disait tout.

Jordan alla s'appuyer contre le box des jurés.

— Vous a-t-elle dit qu'elle était enceinte ?

Mélanie serra les lèvres.

— Non.

— Pendant ses onze semaines de grossesse, pendant toutes ces heures où vous parliez à cœur ouvert, elle ne vous en a jamais rien dit ?

— Je vous ai dit non.

— Pourquoi ne vous en a-t-elle rien dit ?

— Je ne sais pas, répondit Mélanie à voix basse, en jouant avec le tissu de sa jupe.

— Peut-être a-t-elle pensé que le fait d'être enceinte n'allait pas dans le sens des grands espoirs que vous fondiez sur elle ? Qu'elle pouvait ne pas devenir une artiste, ou, même, ne pas entrer à l'université ?

— Peut-être, répondit Mélanie.

— Peut-être était-elle si bouleversée de ne pas répondre à vos attentes, de ne plus être la fille parfaite, qu'elle a pris peur à l'idée de vous le dire ?

Mélanie secoua la tête en donnant libre cours à ses larmes.

— Il me faut une réponse, madame Gold, insista Jordan avec douceur.

— Non, dit-elle, elle me l'aurait dit.

— Mais vous venez de nous déclarer qu'elle ne l'a pas fait, lui rappela Jordan. Et Emily n'est pas parmi nous pour nous indiquer ses raisons. Donc, examinons les faits : vous dites que votre fille était si proche de vous qu'elle vous confiait tout. Si elle vous a caché une chose si importante, ne serait-il pas possible qu'elle vous ait caché d'autres choses aussi, par exemple, qu'elle envisageait de se suicider ?

Mélanie enfouit son visage dans ses mains.

— Non, murmura-t-elle.

— N'est-il pas possible que sa grossesse ait augmenté ses tendances suicidaires ? Que, puisqu'elle ne pouvait répondre à vos attentes, elle n'ait plus eu envie de vivre ?

En entendant ces paroles qui faisaient peser une telle responsabilité sur ses épaules, Mélanie s'effondra et se laissa tomber sur la barre, ramassée sur elle-même, comme la nuit où on lui avait annoncé le décès de sa fille.

Jordan, comprenant qu'il ne pouvait aller plus loin sans faire tourner les choses à son propre désavantage, s'avança pour lui poser la main sur l'épaule.

— Tenez, madame Gold, dit-il en lui tendant un mouchoir.

Elle prit son mouchoir et essuya son visage pendant que l'avocat continuait à lui tapoter l'épaule.

— Je suis vraiment désolé de vous bouleverser de cette façon. Et je sais à quel point il est pénible pour vous d'envisager ces éventualités. Mais j'ai besoin que vous me répondiez, pour les minutes.

Dans un suprême effort de volonté, Mélanie se redressa. Elle se moucha et roula en boule le mouchoir de Jordan, qu'elle garda ensuite dans son poing fermé.

— Excusez-moi, dit-elle avec dignité.

L'avocat hocha la tête.

— Madame Gold, dit-il, est-il possible que la grossesse d'Emily soit la cause de ses idées de suicide ?

— Non, déclara Mélanie d'une voix ferme. Je sais quel mode de relation j'entretenais avec ma fille, maître McAfee. Et je sais qu'Emily m'aurait tout dit, en dépit des mensonges que vous essayez de répandre. Elle me l'aurait dit, si elle avait eu des ennuis. Si elle ne m'a rien dit, c'est qu'elle n'avait pas d'ennuis. Ou peut-être qu'elle ne savait même pas avec certitude qu'elle attendait un enfant.

Jordan pencha la tête sur le côté.

— Si elle ne savait pas qu'elle attendait un enfant, madame Gold, comment a-t-elle pu le dire à Chris ?

Mélanie haussa les épaules.

— Peut-être qu'elle ne lui a rien dit.

— Vous dites qu'elle ne savait peut-être même pas qu'elle était enceinte...

— C'est exact.

— Dans ce cas, demanda Jordan, pourquoi aurait-il voulu la tuer ?

Il y eut un mouvement dans la salle lorsque Mélanie quitta la barre. Elle descendit lentement l'allée centrale, escortée par un huissier. Dès que les portes se furent refermées derrière elle, une nuée de questions et de commentaires monta et parcourut les rangées comme une poussée de fièvre.

Chris sourit à Jordan lorsque celui-ci regagna son siège.

— Vous avez été redoutable, dit-il.

— Je suis content que vous ayez aimé, répondit Jordan en lissant sa cravate.

— Qu'est-ce qui va se passer, maintenant ?

L'avocat ouvrit la bouche pour répondre à Chris, mais Barrett le fit à sa place.

— Votre Honneur, dit-elle, l'accusation n'a rien à ajouter.

— Et maintenant, murmura Jordan à son client, à nous de jouer.

HIER

Le 7 novembre 1997

Emily s'essuya avec sa serviette et l'enroula autour de sa tête. Lorsqu'elle ouvrit la porte de la salle de bains, l'air froid du couloir s'engouffra dans la pièce et la fit frissonner. Elle prit bien soin de ne pas regarder le reflet de son ventre dans le miroir en sortant.

Elle était seule dans la maison, aussi pouvait-elle regagner sa chambre sans avoir à passer de vêtement. Elle lissa son lit et enroula le chandail de Chris, celui qui sentait son odeur, autour de son oreiller. Mais elle laissa ses vêtements sales entassés sur le sol pour donner à ses parents un spectacle familier lorsqu'ils rentreraient.

Elle s'assit devant son bureau et mit la serviette sur ses épaules. Il y avait une pile de dossiers de candidature pour des écoles de dessin, et le dossier des Beaux-Arts de Paris sur le dessus. Et un bloc vierge, qu'elle utilisait pour ses devoirs.

Devait-elle laisser un mot ?

Elle prit un crayon et appuya la pointe sur le papier, en creusant si fort qu'elle laissa une marque sur toutes les feuilles. Que dire aux personnes qui vous ont donné la vie, quand vous vous apprêtez à ficher en l'air ce cadeau qu'ils vous ont fait ? Avec un soupir, Emily reposa son crayon. Rien. Vous ne leur dites rien, parce qu'ils liront entre les lignes et qu'ils se sentiront coupables de votre mort.

Comme si cette pensée lui rappelait son existence, elle fouilla dans sa table de nuit à la recherche d'un petit cahier relié de tissu et alla le déposer dans son placard, derrière les boîtes à chaussures. Là, il y avait un trou creusé par les écureuils des années auparavant. Chris et elle l'utilisaient pour y cacher leurs trésors lorsqu'ils étaient petits.

En y plongeant la main, elle trouva un papier plié. Un message au jus de citron, l'encre invisible qui se révélait lorsqu'on tenait le papier au-dessus de la flamme d'une bougie. Ils devaient avoir dix ans environ, à l'époque. Ils se passaient les messages par l'intermédiaire d'un système à poulies transportant des boîtes de conserve d'une fenêtre à l'autre... jusqu'au moment où le fil de pêche s'était pris dans les arbres. Emily ouvrit le papier et sourit. « Je viens pour te sauver », avait écrit Chris. Si ses souvenirs étaient bons, elle était consignée dans sa chambre. Chris avait escaladé le treillage de la façade pour entrer par la fenêtre de la salle de bains afin de la délivrer, mais il était tombé et s'était cassé le bras.

Elle froissa le papier dans sa main. Bien. Ce n'était pas la première fois qu'il l'avait sauvée en la lâchant.

Emily remonta ses cheveux et alla s'allonger sur son lit. Et elle resta ainsi, nue, le message serré dans sa main, jusqu'à ce qu'elle entende Chris mettre le moteur de sa voiture en route, dans l'allée des voisins.

Lorsque Chris avait eu ses quinze ans, le monde lui était devenu étranger. Le temps s'était mis à passer trop vite et beaucoup trop lentement en même temps. Personne ne semblait comprendre ce qu'il disait. Ses membres étaient parcourus de picotements, sa peau se tendait. Il se souvenait d'un après-midi d'été, alors qu'il était étendu au soleil sur un radeau avec Emily, sur l'étang. Il s'était endormi au beau milieu d'une de ses phrases et lorsqu'il s'était réveillé, le soleil était plus bas et plus chaud, et Emily parlait toujours, comme si, tout à la fois, tout avait changé et rien n'avait changé.

Et maintenant, c'était pareil. Emily, dont il eût été capable de dessiner le visage les yeux fermés, était soudain devenue méconnaissable. Il aurait voulu pouvoir lui donner du temps pour lui montrer à quel point cette idée de suicide était folle, mais le temps avait filé, le cauchemar avait grossi et fait boule de neige. Et maintenant, il était devenu impossible à arrêter. Il voulait lui sauver la vie... donc, il faisait semblant de l'aider à mourir. D'un côté, il se sentait démuni face à un monde trop grand pour qu'il puisse le changer. De l'autre, son univers s'était réduit à une tête d'épingle où il n'y avait d'espace que pour lui et Emily, et leur pacte. Il était paralysé par l'indécision, mais, avec l'inébranlable enthousiasme de l'adolescence, se croyait de taille à affronter un problème de cet ordre, tout en mourant d'envie d'aller confier la vérité à l'oreille de sa mère, qui, elle, saurait ce qu'il fallait faire.

Ses mains tremblaient tant qu'il dut s'asseoir dessus pour les calmer. Il crut perdre la tête. Il tenta de se convaincre que tout ceci n'était qu'une compétition de plus à gagner. Mais sa raison lui rappela qu'il n'y avait pas de mort à la fin d'une course.

Il se demanda comment le temps avait pu passer si vite depuis qu'Emily lui avait fait part de sa décision. Il aurait aimé qu'il passe encore plus vite, afin de se retrouver adulte, et incapable, comme les autres adultes, de se souvenir avec précision de cette période de sa vie.

Il se demanda aussi pourquoi il avait la sensation que la route s'écroulait sous lui, alors qu'il n'avait fait que ralentir dans un passage pour piétons.

Elle s'installa sur le siège du passager, dans un mouvement si familier qu'il dut fermer les yeux.

— Salut! dit-elle, de la même manière que d'habitude.

Chris sortit de l'allée, en se disant que quelqu'un avait sûrement changé les règles du jeu sans l'en avertir.

Ils venaient de s'engager dans Wood Hollow Road lorsque Emily lui déclara :

— Je veux le voir!

Elle avait parlé d'une voix haut perchée qui trahissait son excitation, et ses yeux luisaient comme si elle avait la fièvre. Et Chris se demanda si, après tout, ce n'était pas une fièvre qui brûlait dans ses veines.

Il mit la main dans la poche de son manteau et en sortit le revolver enveloppé d'une peau de chamois. Emily tendit la sienne, hésitant à le toucher. Puis elle passa son index sur le canon.

— Merci, dit-elle d'un ton où perçait le soulagement. La balle, ajouta-t-elle soudain, tu ne l'as pas oubliée ?

Chris tapota sa poche.

Emily regarda sa main posée sur sa chemise à l'endroit du cœur, puis son visage.

— Tu ne diras rien ? fit-elle.

— Non, répondit-il, je ne dirai rien.

C'était Emily qui avait eu l'idée du manège. En partie parce qu'elle savait qu'il serait désert à cette époque de l'année, et en partie parce qu'elle voulait emporter avec elle les meilleures choses du monde qu'elle s'apprêtait à quitter, au cas où les souvenirs auraient pu être emportés et utilisés pour tracer le cours du destin qui l'attendait, quel qu'il fût.

Elle avait toujours aimé ce manège. Elle venait souvent y voir Chris lorsqu'il s'en occupait, pendant l'été. Ils avaient baptisé les chevaux : Tulip et Leroy, Sadie et Etoile, et Dollar. Parfois, elle venait aider Chris à soulever les bambins pour les asseoir sur les selles. Elle venait aussi à la nuit tombante pour l'aider à faire le nettoyage. C'était ce qu'elle préférait. Il y avait quelque chose d'incroyablement attendrissant à voir la grosse machine tourner et les chevaux bouger avec lenteur, dans le grincement et le ronronnement des engrenages.

Elle n'avait pas peur. Maintenant qu'elle avait trouvé une porte de sortie, l'idée de la mort ne l'effrayait plus. Elle avait simplement envie d'en finir avant que les gens qu'elle aimait ne souffrent autant qu'elle souffrait.

Elle regarda Chris, puis la boîte abritant le mécanisme qui activait le manège.

— Tu as toujours ta clé ? demanda-t-elle.

Le vent ramena sa tresse sur sa joue. Elle croisa les bras pour lutter contre le froid.

— Oui, dit Chris. Tu as envie de faire un tour ?

— Oui, s'il te plaît.

Elle grimpa sur le manège et passa la main sur les museaux des chevaux de bois. Elle prit celui qu'elle avait appelé Dalila, un cheval blanc à la crinière argentée, à la bride incrustée de rubis et d'émeraudes en plastique. Chris se tenait près de la boîte, la main posée sur le bouton rouge qui mettait la machine en route. Emily sentit le manège se mettre en branle, puis prendre de la vitesse dans un bruit de tintement. Elle donna un coup de rênes sur le cou du cheval et ferma les yeux.

Elle se revit avec Chris, lorsqu'ils étaient petits. Ils prenaient leur élan sur un rocher du jardin, main dans la main, et sautaient dans un grand tas de feuilles mortes. Elle revit les tons mordorés des érables et des chênes. Elle sentit la traction exercée sur son bras collé contre celui de Chris lorsque la gravité les attirait vers le sol. Mais, surtout, elle se souvint qu'ils étaient alors convaincus tous les deux d'être en train de voler.

Il était en bas et regardait Emily. Sa tête était rejetée en arrière et le vent avait rosi ses joues. Des larmes coulaient de ses yeux, mais elle souriait.

« Cette fois-ci, on y est », se dit-il. Soit il laissait Emily mettre le projet auquel elle tenait par-dessus tout à exécution, soit il imposait sa propre volonté. C'était la première fois qu'ils voulaient deux choses différentes.

Comment rester à la regarder pendant qu'elle se suicidait ? Mais comment l'arrêter, puisqu'elle souffrait tant ?

Emily lui avait fait confiance, mais il allait la trahir. Et la prochaine fois qu'elle essaierait de se suicider – parce qu'il y aurait une autre fois, il le savait – il ne le découvrirait qu'après coup. Comme tout le monde.

Il sentit ses cheveux se dresser sur sa tête. Il essaya de clarifier son esprit comme il le faisait avant une compétition, pour qu'il n'y subsiste rien d'autre que le chemin le plus rapide pour parvenir d'un point à un autre. Mais, cette fois-ci, ce ne serait pas facile. Il n'y avait pas de bon chemin. Il n'y avait aucune garantie pour qu'ils parviennent tous les deux de l'autre côté.

Pris de frissons, il concentra son regard sur la longue ligne blanche de son cou. Il garda les yeux fixés sur le creux de sa gorge jusqu'à ce qu'elle disparaisse de son angle de vision, de l'autre côté du manège, et retint son souffle tant qu'elle ne fut pas revenue vers lui.

Ils s'assirent sur le banc où s'installaient les mamans avec leurs bébés. Le bois était bosselé et épais sous leurs mains, recouvert de plusieurs couches de peinture. La bouteille de Canadian Club était posée entre les pieds de Chris. Il sentit Emily trembler à côté de lui, et il préféra penser qu'elle avait froid. Se penchant sur elle, il ferma complètement sa veste.

— Tu ne veux pas tomber malade ? dit-il.

Il se rendit compte de l'absurdité de ses paroles et fut pris d'une nausée.

— Je t'aime, murmura-t-il.

Il sut à ce moment ce qu'il allait faire.

Quand on aime quelqu'un, on fait passer ses besoins avant les siens propres.

Même si ces besoins sont inconcevables. Même si c'est une foutue merde. Même si on est démoli.

Il ne s'aperçut pas qu'il pleurait, moitié sous le choc, moitié parce qu'il venait d'accepter l'inacceptable. Il n'était pas prévu que les choses se passent ainsi. Mais comment être un héros si, en sauvant Emily, il ne faisait qu'augmenter sa propre souffrance ? Pour le réconforter, Emily se mit à lui caresser le dos, et il se demanda lequel des deux était là pour l'autre. Puis, soudain, il ressentit le besoin d'entrer en elle, et, avec un sentiment d'urgence qui l'étonna lui-même, il se serra contre elle et elle plaça ses jambes autour de lui.

« Emmène-moi avec toi », lui dit-il mentalement.

Emily remit de l'ordre dans ses vêtements, les joues en feu. Chris n'arrêtait pas de s'excuser, comme si le fait qu'il avait oublié de mettre un préservatif était un reproche qu'elle lui ferait pour l'éternité.

— Ça ne fait rien, dit-elle en glissant sa chemise dans son pantalon.

Il s'assit à quelques centimètres d'elle, les mains jointes sur ses genoux. Son jean était toujours ouvert, et l'odeur de l'amour flottait autour d'eux. Il se sentait d'un calme peu naturel.

— Qu'est-ce que tu veux que je fasse, après ? demanda-t-il.

Ils n'en avaient pas parlé. D'ailleurs, jusqu'à cet instant, Emily n'avait pas été tout à fait sûre que Chris ne ferait pas une ultime tentative, par exemple en jetant les balles dans les arbustes au moment de charger le revolver, ou en lui arrachant l'arme des mains à la dernière minute.

— Je ne sais pas, répondit-elle avec sincérité.

Elle n'était jamais allée aussi loin dans ses pensées. Il y avait la préparation et l'organisation, et l'acte lui-même, mais elle ne s'était pas représenté la vérité de la mort.

Elle s'éclaircit la gorge :

— Tu feras ce que tu auras besoin de faire.

— Tu as prévu une heure ? demanda-t-il d'un ton détaché.

— Pas tout de suite, chuchota Emily.

Profitant du sursis, Chris boutonna son jean et l'attira à lui. Il referma les bras sur elle et elle s'abandonna contre lui, en lui demandant mentalement pardon.

D'une main tremblante, il ouvrit le barillet du revolver. Le Colt pouvait contenir six balles. Les douilles restaient à l'intérieur après les coups de feu. Il expliqua tout cela à Emily en fouillant dans ses poches, comme si le fait de la familiariser avec l'aspect mécanique de l'acte pouvait le rendre moins terrible.

— Deux balles ? s'enquit la jeune fille.

Chris haussa les épaules.

— Au cas où, répondit-il, la mettant au défi de lui demander d'expliquer une chose qu'il ne comprenait pas lui-même.

Au cas où une balle ne fonctionnerait pas ? Au cas où il se rendrait compte que, sans Emily, la vie ne valait plus d'être vécue ?

Puis le revolver fut là, entre eux, et sembla prendre vie. Emily le ramassa. Son poignet plia sous son poids.

Chris avait trop de choses à dire. Il voulait qu'elle lui confie son terrible secret. Il voulait la supplier d'arrêter. Il voulait lui dire qu'elle pouvait encore reculer, même s'il sentait bien que les choses étaient allées si loin qu'il n'y croyait plus lui-même.

Il pressa ses lèvres contre les siennes, fortement, comme pour imprimer sa marque, mais du plus profond de lui monta un sanglot qui lui fit interrompre son baiser et se plier en deux comme s'il avait reçu un coup.

— Je fais ça parce que je t'aime, dit-il.

Le visage d'Emily était calme et blanc, ruisselant de larmes.

— Je fais ça parce que je t'aime aussi.

Elle attrapa sa main.

— Je voudrais que tu me tiennes, dit-elle.

Chris la plaça au creux de ses bras et elle posa son menton sur son épaule droite. Il eut une conscience aiguë de sa présence, de son corps où bouillonnait la vie, et l'emporta au plus profond de sa mémoire. Puis il recula légèrement pour permettre à Emily de poser le revolver sur sa tempe.

AUJOURD'HUI

Mai 1998

Randi Underwood s'excusa auprès des jurés.

— Je travaille la nuit, leur expliqua-t-elle, et ils n'ont pas osé vous demander de m'attendre ici pour que je puisse témoigner pendant les heures où je suis généralement plus lucide.

Elle venait d'assurer une garde de trente-six heures à l'hôpital, où elle était l'assistante d'un médecin urgentiste.

— Si ce que je raconte est incompréhensible, n'hésitez pas à me le dire, plaisanta-t-elle. Et si j'essaie de faire une piqûre à quelqu'un avec un stylo, arrêtez-moi.

Jordan sourit.

— Nous apprécions beaucoup votre présence ici, madame Underwood.

— Ah ! bah... répondit le témoin en riant. Un peu de sommeil en plus ou en moins, qu'est-ce que ça peut faire ?

Elle portait toujours sa tenue d'hôpital en tissu imprimé de petits flocons de neige verts. Jordan avait déjà établi son identité pour les minutes.

— Madame Underwood, poursuivit-il, étiez-vous de garde le 7 novembre, le soir où Emily Gold a été transportée au service des urgences du Bainbridge Memorial ?

— Oui.

— Vous souvenez-vous d'elle ?

— Oui. Elle était très jeune, et c'est toujours terrible à voir. Tout le monde s'est activé autour d'elle, au début, parce qu'elle était encore vivante, mais, apparemment, tout a été fini au bout de quelques secondes, et sa mort a été déclarée alors qu'elle était encore dans le box, aux urgences.

— Je vois. Qu'est-ce qui s'est passé ensuite ?

— La procédure habituelle consiste à faire identifier le corps avant de l'emmener à la morgue. On nous avait dit que les parents étaient en route. Donc, j'ai commencé à la laver.

— À la laver ?

— C'est ce que nous faisons d'habitude. Surtout lorsqu'il y a beaucoup de sang. Parce que c'est dur à voir pour les parents. J'ai lavé ses mains et son visage. Personne ne nous a dit de ne pas le faire.

— Que voulez-vous dire ?

— Dans les enquêtes de police, les preuves sont les preuves, et un corps est une preuve. Mais les policiers qui l'ont amenée nous avaient dit qu'il s'agissait d'un suicide, et on ne nous a pas donné de recommandations spéciales. Il n'y a pas eu de recherche d'indices ni quoi que ce soit.

— Vous avez lavé ses mains, en particulier ?

— Oui. Je me souviens qu'elle portait une jolie bague en or, un nœud celtique, vous voyez ce que je veux dire ?

— Et à quel moment avez-vous quitté le box ?

— Quand le père de la jeune fille est entré pour identifier le corps.

Jordan sourit au témoin.

— Merci, dit-il. Ce sera tout.

Comme Jordan s'y attendait, Barrett Delaney n'effectua pas de contre-interrogatoire de l'assistante du médecin. Elle ne pouvait pas prendre le risque, par ses questions, de donner l'impression que son témoin vedette, la détective Marrone, avait agi avec légèreté.

Jordan amena donc le Dr Linwood Karpagian à la barre, tout en se faisant la réflexion, à la vue de ce témoin, qu'il devait une douzaine de roses à Selena pour la remercier de l'avoir déniché.

Le jury paraissait avoir du mal à détacher ses yeux du personnage. Le Dr Karpagian ressemblait à Cary Grant dans sa jeunesse, avec des fils d'argent sur les tempes et des mains fines, délicatement manucurées.

Il prit place avec aisance à la barre des témoins, accoutumé à être un centre d'intérêt.

— Votre Honneur, dit Barrett, je demande la permission de m'approcher.

Puckett lui fit un signe, ainsi qu'à Jordan, qui leva un sourcil interrogateur.

— Votre Honneur, nous récusons toujours ce témoin, expliqua Barrett.

— Madame Delaney, dit le juge Puckett, j'ai déjà donné mon jugement à ce sujet dans la motion préliminaire.

Barrett retourna à son banc, furieuse, et Jordan déclina les qualifications du Dr Karpagian, ce qui ne fit qu'impressionner encore davantage le jury.

— Docteur, dit-il, avec combien d'adolescents avez-vous travaillé ?

— Des milliers, répondit le médecin. Leur nombre exact est impossible à calculer.

— Et combien, parmi eux, avec des tendances suicidaires ?

— Oh, j'ai soigné près de quatre cents adolescents à tendances suicidaires. Sans compter, bien sûr, les profils que j'ai dépeints dans les trois livres que j'ai écrits sur le sujet.

— Vous avez donc publié vos recherches ?

— Oui. En dehors de ces livres, j'ai publié des études dans la *Revue de l'assistance psychologique et de la psychologie clinique* et dans la *Revue de la psychiatrie de l'enfant anormal.*

— Nous ne sommes pas aussi familiarisés que vous avec le phénomène du suicide chez les jeunes, aussi pourriez-vous nous donner un aperçu général de ses caractéristiques ?

— Volontiers. Le suicide des jeunes est un phénomène qui prend des proportions alarmantes, car son taux augmente tous les jours. Pour un adolescent, le suicide est vu comme une manifestation à la fois de courage et de désespoir. Les adolescents ont un besoin primordial d'être pris au sérieux. Et leur monde tourne autour d'eux-mêmes. Prenons le cas d'un adolescent qui a un problème. Ses parents l'envoient promener, soit parce qu'ils ne veulent pas accepter le fait que leur enfant n'aille pas bien, soit parce qu'ils n'ont pas le temps de l'écouter. Le résultat, c'est que l'adolescent, piqué au vif, répond par la provocation, pour être pris au sérieux. Et il se suicide. Il ne pense pas à la mort. Il pense au suicide comme à un moyen de résoudre son problème et de mettre fin à sa souffrance.

— Existe-t-il un taux spécifique pour les garçons et pour les filles ?

— Les filles tentent de mettre fin à leurs jours trois fois plus fréquemment que les garçons, mais le taux de réussite chez les garçons est bien supérieur.

— Ah bon ?

Jordan feignit la surprise. En réalité, lui et le Dr Karpagian avaient passé plusieurs heures à mettre au point ce témoignage la semaine précédente, et rien de ce que pouvait dire le bon docteur n'était de nature à le prendre au dépourvu.

— Et pourquoi donc ? demanda-t-il.

— Parce que lorsque les filles en viennent à se suicider, elles utilisent des méthodes moins radicales, comme les médicaments, ou le monoxyde de carbone, qui n'agissent qu'au bout d'un long moment. La victime est souvent découverte, toujours vivante, et transportée à l'hôpital. Parfois, elles s'ouvrent les veines, mais la plupart d'entre elles les sectionnent transversalement alors que le moyen le plus rapide est de sectionner verticalement, le long de l'artère. Les garçons, eux, tendent à utiliser des armes, ou à se pendre. Les deux méthodes sont rapides, la mort intervient avant que l'on puisse les sauver.

— Je vois, commenta Jordan. Y a-t-il un certain type d'adolescent plus prédisposé à se suicider ?

— C'est très curieux, répondit le Dr Karpagian, que l'on sentait passionné par le sujet. Il n'y a pas de profil socio-économique pour les jeunes à tendance suicidaire. On se suicide aussi bien dans les milieux modestes que dans les milieux aisés.

— Y a-t-il certains comportements flagrants qui peuvent alerter l'entourage de ces jeunes ? demanda Jordan.

— Oui, souvent ces jeunes sont déprimés, répondit Karpagian sans hésiter. Et ce, depuis des années. Mais il arrive aussi qu'ils prennent la décision de mettre fin à leurs jours au bout de quelques mois de dépression seulement. Le suicide en lui-même est souvent déclenché par un événement précis qui, ajouté à la dépression, peut sembler insurmontable.

— Est-ce que cette dépression est visible pour l'entourage de l'adolescent ?

— Justement, maître McAfee, c'est là l'un des problèmes. La dépression peut se manifester de différentes manières. Elle n'est pas toujours visible pour la famille et les amis. Les psychologues, en revanche, reconnaissent les signes et savent qu'ils doivent être pris au sérieux lorsqu'ils apparaissent. Mais chez certains jeunes, il n'y a aucun signe visible, alors que chez d'autres, ils sont tous présents.

— Quels sont ces signes, docteur ?

— Parfois, le sujet semble être préoccupé par la mort. On peut aussi remarquer un changement dans les habitudes alimentaires ou de sommeil... Ou un comportement de révolte... Ou le repli sur soi... Ou la véritable fuite. Il peut aussi consommer de la drogue ou de l'alcool. Il peut négliger sa tenue, changer de personnalité, ou souffrir de maladies psychosomatiques. Parfois, certains jeunes se séparent d'objets auxquels ils tiennent beaucoup, ou annoncent en plaisantant qu'ils vont se suicider. Mais, comme je l'ai dit, parfois, il n'y a aucun de tous ces signes.

— Je connais des adolescents parfaitement normaux qui se comportent ainsi, dit Jordan.

— Exactement, répondit le psychologue. C'est ce qui rend le diagnostic préalable si difficile.

Jordan prit un dossier contenant des informations médicales sur Emily Gold, ainsi que les entretiens avec les voisins, les amis et la famille effectués par Selena, et les interrogatoires de police.

— Docteur, avez-vous eu l'occasion d'examiner le profil d'Emily Gold ?

— Oui.

— Et que disent ses amis et sa famille à son sujet ?

— Ses parents n'avaient vu aucun signe de dépression. Ni ses amis. Par contre, son professeur de dessin a déclaré que bien qu'Emily n'ait jamais évoqué un problème quelconque, ses peintures avaient pris un côté macabre. En lisant entre les lignes, il me semble que, pendant la période précédant son décès, Emily s'était repliée sur elle-même. Elle passait beaucoup de temps avec Chris, d'où l'existence possible d'un pacte de suicide.

— Un pacte de suicide. Qu'est-ce que cela signifie, exactement ?

— Cela signifie que deux personnes ou plus forment le projet de mourir ensemble. Pour un adulte, c'est une idée extraordinaire... l'idée qu'une personne ait suffisamment d'influence sur une autre pour l'entraîner à mettre fin à ses jours.

Le médecin adressa un sourire mélancolique au jury.

— La plupart d'entre vous ont oublié, sans doute pour de bonnes raisons, ce qu'ils ressentaient à l'âge de seize ou dix-sept ans ; à quel point il était primordial pour eux de compter pour quelqu'un, d'être compris et admirés par cette personne. En devenant adulte, on apprend à relativiser les choses. Mais pour un adolescent, cette relation étroite prime sur tout le reste. Le lien est si fort que le jeune porte les mêmes vêtements que l'autre, qu'il écoute le même genre de musique, qu'il a le même genre de distractions et qu'il pense comme lui. Il suffit qu'un seul des deux agite l'idée du suicide... Il faut une quantité de raisons psychologiques pour qu'un second adolescent trouve l'idée bonne.

Le Dr Karpagian regarda Chris comme s'il était en train de l'analyser.

— Les adolescents qui décident de se suicider ensemble sont en général très unis, reprit-il. Mais une fois la décision prise, leur petit monde se rétrécit encore. Ils ne se confient plus que l'un à l'autre. Et leur univers se limite à tout ce qui concerne le suicide : le projet, l'exécution de ce projet. Ils se préparent à faire une déclaration commune à tous les gens qui sont à l'extérieur de ce petit monde clos, le monde qui ne les comprend pas.

— Docteur Karpagian, d'après le profil d'Emily, vous semblait-elle avoir des tendances au suicide ?

— Je ne l'ai pas rencontrée, mais tout ce que je peux dire est qu'il est tout à fait possible qu'elle ait été assez déprimée pour se suicider.

Jordan hocha la tête.

— Vous dites que son profil n'attirait pas particulièrement l'attention ? Qu'une fille qui a l'air tout à fait normale, qui est simplement un peu introvertie, peut avoir envie de se suicider ?

— C'est déjà arrivé.

— Je vois. Est-ce que vous avez eu l'occasion de regarder le profil de Chris ?

C'était sur l'insistance de Jordan que Selena avait créé un profil de Chris, comme elle en avait construit un pour Emily, sur la base de ses entretiens avec sa famille et ses amis.

— Oui, répondit le médecin, j'y ai jeté un coup d'œil. Et la chose la plus importante que j'y ai vue était son souci permanent d'Emily Gold. J'ai été psychologue longtemps avant d'être un expert en suicide, vous savez, et il y a un terme spécifique pour le genre de relation qui s'était établi entre Chris et Emily au cours des années.

— Quel est ce terme ?

— La fusion. (Il sourit aux jurés.) Comme en physique. Cela signifie qu'il y a une telle osmose entre deux personnalités qu'une nouvelle personnalité a été créée, et que celui qui est séparé de l'autre cesse d'exister.

Jordan leva les sourcils.

— Pourriez-vous nous donner quelques éclaircissements ?

— En d'autres termes, répondit le médecin, cela signifie que les personnalités de Chris et d'Emily étaient si unies qu'on ne pouvait plus distinguer l'une de l'autre. Ils ont été élevés de façon si proche qu'ils ne pouvaient fonctionner l'un sans l'autre. Tout ce qui arrivait à l'un d'eux affectait l'autre. Et en cas de mort de l'un d'eux, l'autre ne pourrait littéralement plus continuer à vivre. Est-ce plus clair, maintenant ?

— Oui, répondit l'avocat, mais c'est difficile à accepter.

Le Dr Karpagian sourit.

— Félicitations, maître McAfee. Cela signifie simplement que vous jouissez d'une bonne santé mentale.

Jordan lui rendit son sourire.

— Je ne crois pas que madame le procureur soit d'accord, docteur, mais je vous remercie.

Le jury gloussa derrière lui.

— En tant qu'expert, reprit-il, êtes-vous arrivé à une conclusion concernant Chris Harte et Emily Gold ?

— Oui. Emily est celle qui a eu envie de se suicider pour une raison ou une autre. Et – il est important de le noter – nous ne connaîtrons peut-être jamais cette raison. Mais quelque chose la déprimait et la mort semblait la seule issue. Elle s'est tournée vers Chris parce qu'il était la personne la plus proche d'elle et elle lui a confié son intention de se suicider. Mais une fois cette confidence reçue, Chris s'est aperçu que si Emily mourait, il n'avait plus aucune raison de continuer à vivre.

Jordan regarda le jury.

— Donc, vous dites que la raison pour laquelle Emily a voulu se suicider n'est pas la même que celle qui a poussé Chris à vouloir se suicider ?

— Effectivement. C'est très probablement le simple fait qu'Emily s'apprêtait à se suicider qui a poussé Chris à accepter le pacte de suicide.

Jordan ferma les yeux un instant. Pour lui, c'était le point crucial de sa défense : amener le jury à croire que les deux jeunes gens pouvaient avoir eu cette terrible idée ensemble. Le bon docteur, grâce à Dieu, ou grâce à Selena qui avait mis la main dessus, avait rendu la chose possible.

— Encore une chose, dit-il. Emily a acheté un cadeau très cher pour quelqu'un plusieurs mois avant son suicide. Que pensez-vous de ce genre de comportement ?

— Oh, cela peut être un cadeau d'adieu, quelque chose qu'elle envisageait de laisser après sa mort, pour être sûre qu'on ne l'oublie pas.

— Donc, Emily a acheté ce cadeau pour faire savoir au monde qu'elle envisageait de se suicider ?

— Objection ! cria Barrett. On oriente le témoin.
— Votre Honneur, c'est très important, rétorqua Jordan.
— Reformulez, dans ce cas.
Jordan reprit alors :
— Selon votre opinion d'expert, pourquoi Emily aurait-elle acheté un cadeau très cher comme cette montre, si elle avait vraiment prévu de se suicider ?
— Je dirais qu'Emily a acheté cette montre avant de décider de se suicider et d'entraîner Chris dans un pacte de suicide. Et le fait qu'elle avait coûté cher était sans importance.
Le psychiatre ajouta avec un sourire triste :
— Quand on s'apprête à se suicider, on ne va pas chercher à se faire rembourser.
— Merci, répondit Jordan en s'asseyant.

Barrett se demanda fébrilement comment elle allait bien pouvoir s'y prendre pour faire passer un expert pour un imbécile, alors qu'elle n'avait absolument aucune connaissance dans son domaine.
— Bien, docteur, dit-elle en se jetant courageusement à l'eau. Vous avez examiné le profil d'Emily. Et vous avez mentionné toute une série de traits qui peuvent caractériser les adolescents qui ont des tendances suicidaires...
Prenant son bloc couvert de notes, elle attaqua :
— L'insomnie en est un ?
— Oui.
— Et vous avez trouvé ce trait dans le profil d'Emily ?
— Non.
— Emily se révoltait-elle ?
— Non, je n'ai rien vu de tel.
— Et elle fuyait ?
— Non.
— Était-elle préoccupée par la mort ?
— Pas outre mesure.
— Paraissait-elle s'ennuyer ou avoir des difficultés de concentration ?
— Non.

— Consommait-elle de l'alcool ou de la drogue ?
— Non.
— Avait-elle des échecs en classe ?
— Non.
— Était-elle d'apparence négligée ?
— Non.
— Se plaignait-elle de maladies psychosomatiques ?
— Non.
— Plaisantait-elle à propos du suicide ?
— Apparemment, non.
— Donc, la seule caractéristique qui vous mène à croire qu'Emily avait l'intention de se suicider est qu'elle était légèrement introvertie et un peu mal dans sa peau. N'est-ce pas complètement normal pour quatre-vingt-dix pour cent des femmes, au moins une fois par mois ?
— Je suis bien placé pour le savoir, répondit le Dr Karpagian en souriant.
— Donc, est-il possible que, puisque Emily ne présentait aucun de ces signes, elle n'ait pas eu de tendances suicidaires ?
— C'est possible, répondit le médecin.
— Des quelques signes présentés par Emily, diriez-vous qu'ils correspondent à un comportement normal chez une adolescente ?
— Oui, souvent.
— Très bien. D'autre part, vous avez travaillé à partir d'un profil, est-ce exact ?
— Oui.
— Qui a fait ce profil ?
— J'ai cru comprendre que c'était la détective de la défense, Mme Damascus, qui l'a réuni. Elle s'est appuyée sur une série d'entretiens avec des amis et des membres de la famille de l'adolescente en question, ainsi que sur des interrogatoires de police.
— Selon votre propre témoignage, Chris Harte était la personne la plus proche d'Emily Gold. Ses observations ont-elles été reprises pour effectuer le profil ?
— Non. Il n'a pas été interrogé.

— Mais c'est vers lui qu'Emily se tournait le plus souvent durant la période précédant sa mort ?

— Oui.

— Donc, il aurait pu vous dire si elle présentait ou non quelques-unes des caractéristiques que nous avons évoquées. Sans doute a-t-il remarqué plus de choses que n'importe qui.

— Oui.

— Et pourtant, vous ne lui avez pas parlé, alors qu'il était de toute évidence le mieux placé ?

— Nous avons essayé de nous faire une opinion sans l'aide de Chris afin qu'il ne soit pas de parti pris.

— La question n'est pas là, docteur. La question est : avez-vous interrogé Chris Harte ?

— Non.

— Vous n'avez pas interrogé Chris Harte. Il était en vie et joignable, et pourtant, il n'a pas été consulté, alors que c'était le meilleur témoin du comportement d'Emily avant sa mort. C'est-à-dire, à défaut d'Emily elle-même.

Barrett fusilla le témoin du regard :

— Et vous ne pouviez pas interroger Emily, n'est-ce pas ?

Kim Kenly fit son apparition dans la salle d'audience vêtue d'un caftan de fabrication artisanale, dans un tissu parsemé d'une centaine de petites empreintes de mains.

— Ce n'est pas mignon, ça ? dit-elle à l'huissier qui l'escortait jusqu'à la barre. On me l'a offert au jardin d'enfants.

Jordan déclina sa qualité, puis demanda à Mme Kenly où elle avait connu Emily Gold.

— J'étais son professeur d'arts plastiques au collège, répondit-elle. Emily était incroyablement douée. Vous comprenez, je vois cinq cents élèves par jour. La plupart d'entre eux se contentent de venir faire un tour en salle de dessin et de mettre le désordre. Il y en a une poignée qui sont intéressés par le sujet. Disons qu'un ou deux parmi eux ont du talent. Eh bien, Emily était une perle rare. Il y a, une fois tous les dix ans, je pense, des élèves qui non seulement s'intéressent à l'art, mais savent aussi comment utiliser leurs capacités à leur avantage.

— Elle avait l'air d'être vraiment exceptionnelle...

— Elle était douée, répondit Kim. Et sérieuse. Elle passait tout son temps libre en salle de dessin. Elle avait son propre chevalet au fond de la salle.

Jordan souleva une série de toiles que l'huissier avait apportées en introduisant Mme Kenly.

— J'ai ici plusieurs tableaux à enregistrer comme pièces à conviction, annonça-t-il.

Ceux-ci furent examinés par Barrett et dûment étiquetés par le greffier.

— Pouvez-vous nous en dire plus sur ces peintures?

— Volontiers. Elle a peint le garçon à la sucette à son entrée au collège. La toile qu'elle a peinte plus tard – la mère et l'enfant – est plus évoluée... vous voyez?... dans la structure des visages. Plus vivante. Les sujets sont également représentés en trois dimensions. Quant à cette troisième toile, il est clair qu'elle représente Chris.

— Chris Harte?

— Oui. Emily a saisi l'expression du visage du sujet, aussi bien que le réalisme des traits. D'ailleurs, je dois dire que le travail d'Emily me rappelait un peu Mary Cassatt.

— OK, répondit Jordan. Mais qui est Mary Cassatt?

— C'est un peintre du dix-neuvième siècle qui a souvent utilisé la mère et l'enfant comme sujet. Emily aussi, et elle portait la même attention aux détails et à l'émotion.

— Merci, dit Jordan. Donc, tout à fait logiquement, les œuvres d'Emily gagnaient en maturité au fur et à mesure qu'elle avançait dans ses études au collège?

— Techniquement, oui. Elle y a toujours mis tout son cœur, mais au fur et à mesure qu'elle progressait, j'ai arrêté de voir ce qu'elle pensait de son sujet pour voir plutôt ce que son sujet pensait du fait d'être un sujet. C'est une chose que l'on voit rarement chez les peintres amateurs. C'est le signe d'un véritable raffinement.

— Avez-vous remarqué un changement dans le style d'Emily ?

— Oui. Son dernier travail est une peinture si radicalement différente de ses œuvres habituelles qu'elle m'a réellement surprise.

Jordan montra la dernière toile qui devait servir de pièce à conviction. La tête de mort aux orbites remplies par un ciel de tempête et à la langue rouge produisit un certain effet sur le jury. L'une des femmes mit la main sur sa bouche et s'exclama :

— Oh, mon Dieu !

— C'est ce que j'ai pensé, moi aussi, renchérit Kim Kenly avec un signe de tête en direction de la femme. Comme vous pouvez le voir, ce n'est plus du réalisme, c'est du surréalisme.

— Du surréalisme ? répéta Jordan. Pouvez-vous nous expliquer ?

— Tout le monde a vu des peintures surréalistes. Dalí, Magritte...

Devant le regard inexpressif de l'avocat, elle poussa un soupir.

— Dali. Le peintre qui a peint les montres qui dégoulinent.

— Ah oui, c'est vrai !

Jordan jeta un rapide coup d'œil vers les membres du jury. Comme pour tous les groupes pris au hasard dans le comté de Grafton, la composition de celui-ci était un tissu de contradictions. Un professeur d'économie de Dartmouth voisinait avec un homme dont l'avocat était prêt à parier qu'il n'était jamais sorti de sa ferme. Le professeur de Dartmouth paraissait s'ennuyer. Sans doute savait-il qui était Dali, lui. Le fermier gribouillait sur son bloc.

— Madame Kenly, reprit Jordan, à quelle époque Emily a-t-elle peint cette toile ?

— Elle l'a commencée fin septembre. Elle n'était pas complètement finie quand elle... est décédée.

— Non ? Mais elle est signée.

— Oui, dit le professeur. Et elle a un titre. Sans doute pensait-elle avoir presque fini.

— Pouvez-vous nous dire quel titre Emily a donné à cette toile ?

L'ongle rouge et long de Kim Kenly partit de la ligne du crâne, traversa les nuages crevant les orbites, la langue qui sortait, et vint se poser sur les mots dessinés à côté de la signature de l'artiste.

— C'est écrit ici, précisa-t-elle. *Autoportrait*.

Barrett Delaney regarda la toile pendant quelques instants, le menton posé au creux de la main. Puis elle soupira et se leva.

— Eh bien, à moi, ça ne me dit pas grand-chose, avoua-t-elle à Kim Kenly. Et à vous ?

— Je ne suis pas experte en... commença Kim.

— Non, l'interrompit le procureur. Mais rassurez-vous, la défense a trouvé une explication... Je me demande tout de même si, en tant que professeur, vous avez demandé à Emily pourquoi elle avait peint une toile aussi dérangeante.

— Je lui ai fait remarquer qu'elle était très différente de son travail habituel. Et elle m'a répondu que c'était ce qu'elle avait eu envie de peindre à ce moment-là.

Barrett se mit à faire les cent pas devant la barre des témoins.

— Est-il inhabituel pour les peintres d'essayer différentes matières, et différents styles ? demanda-t-elle.

— Eh bien, non.

— Emily a-t-elle fait des essais de sculpture ?

— Oui, pendant quelque temps, au secondaire.

— Et pour la poterie ?

— Un peu.

Barrett hocha la tête dans un geste d'encouragement.

— Et les aquarelles ?

— Oui, mais elle préférait l'huile.

— Mais, à l'occasion, il arrivait bien à Emily de peindre une toile différente de ses œuvres habituelles ?

— Bien sûr.

Barrett s'avança lentement vers l'*Autoportrait*.

— Madame Kenly, fit-elle, quand Emily a essayé de peindre des aquarelles, avez-vous remarqué un changement dans ses manières ?

— Non.

— Lorsqu'elle a voulu s'essayer à la sculpture, avez-vous remarqué une différence de comportement ?

— Non.

Barrett souleva la toile.

— À l'époque où elle a peint cela, madame Kenly, agissait-elle de façon très différente de ses habitudes ?

— Non.

— Ce sera tout, dit le procureur en plaçant la toile sur la table des pièces à conviction, côté peint vers le bas.

Dans le hall du palais de justice, une large rangée de chaises séparait les deux salles d'audience. Certains jours, les chaises étaient occupées par des avocats harassés, des gens qui attendaient de comparaître et des témoins qui avaient été dûment avertis de ne pas se parler entre eux... Les deux jours précédents, Michael s'était assis à une extrémité du hall avec Mélanie. Gus était de l'autre côté. Mais aujourd'hui, Mélanie ayant donné son témoignage, elle était admise dans l'enceinte du prétoire. Gus avait pris son siège habituel en tentant désespérément de lire le journal pour ne pas voir arriver Michael.

Lorsqu'il s'assit à côté d'elle, elle replia le journal.

— Tu ne devrais pas, lui dit-elle.

— Quoi ?

— T'asseoir ici.

— Pourquoi ? À partir du moment où nous ne parlons pas de l'affaire, il n'y a pas de problème.

Gus ferma les yeux.

— Michael, le simple fait que nous nous trouvions ensemble dans ce hall fait partie de l'affaire. Le simple fait que toi, tu sois toi, et moi, je sois moi.

— Est-ce que tu as vu Chris ?

— Non, je le verrai ce soir.

Prise d'un doute, elle ajouta :

— Et toi ?

— Je ne crois pas que ce serait une bonne chose. Surtout si je témoigne aujourd'hui.

Gus eut un pâle sourire.

— Tu as une étrange notion de la moralité, dit-elle.

— Qu'est-ce que tu veux dire par là ?

— Rien. C'est simplement que tu vas témoigner pour la défense. Chris va vouloir te remercier personnellement de cela.

— Exactement. Je témoigne pour la défense. Et ce soir, je vais sûrement sortir et me saouler la gueule pour l'oublier.

— Ne fais pas ça, dit Gus en lui posant la main sur le bras.

Ils baissèrent tous les deux les yeux sur sa main qui irradiait de chaleur. Michael la recouvrit de la sienne.

— Est-ce que tu sortiras avec moi ?

Gus secoua la tête.

— Il faut que j'aille à la prison, dit-elle avec douceur. Pour Chris.

Michael détourna le regard.

— Tu as raison, dit-il d'un ton neutre. Il faudrait toujours agir pour le bien de son enfant.

Et il se leva pour aller se réfugier tout au bout du hall.

— Madame Vernon, dit Jordan, vous êtes thérapeute par le dessin.

— C'est exact.

— Pouvez-vous me dire ce que c'est ? demanda-t-il avec un sourire engageant. Nous n'avons pas beaucoup de thérapeutes par le dessin dans le New Hampshire.

Sandra Vernon était venue par avion de Berkeley. Elle arborait un bronzage californien, portait des cheveux coupés court couleur platine, et était diplômée de psychologie de l'université de Californie.

— Eh bien, dit-elle nous travaillons dans le domaine de la santé mentale. Généralement, nous demandons au patient de dessiner quelque chose de précis, comme une maison, un arbre ou un personnage. Et sur la base de ce dessin, et du style, nous obtenons des éléments sur sa santé psychologique.

— C'est incroyable ! s'exclama Jordan, sincèrement surpris. Il vous suffit d'examiner des petits bonshommes pour voir ce qui se passe dans la tête de celui qui les a dessinés ?

— Absolument. Avec les tout-petits, qui n'ont pas les mots pour s'exprimer, nous pouvons déterminer s'il y a eu des sévices physiques ou sexuels.

— Avez-vous travaillé avec des adolescents ?

— À l'occasion, oui.

Jordan alla placer sa main sur l'épaule de Chris.

— Avez-vous travaillé avec des adolescents profondément déprimés à tendances suicidaires ?

— Oui.

— Pouvez-vous examiner un dessin d'adolescent et y trouver des signes de sévices sexuels ou de tendances suicidaires ?

— Oui, répondit Sandra. Les dessins peuvent révéler des sentiments inconscients qui ont été refoulés, trop vifs pour pouvoir remonter à la surface d'une autre façon.

— Donc, vous pouvez rencontrer une enfant qui n'exprime rien à l'extérieur, puis regarder l'une de ses peintures et voir qu'il y a un gros problème dans sa vie ?

— C'est vrai.

Jordan alla chercher la toile qu'Emily avait peinte et qui représentait une mère et son enfant.

— Pourriez-vous esquisser un portrait psychologique de la personne qui a peint ce tableau ? demanda-t-il.

Sandra sortit des lunettes de sa poche et les posa sur son nez.

— Eh bien, ceci est le travail d'une personne stable, bien dans sa peau. Vous pouvez voir que le visage et les mains sont bien proportionnés ; qu'il y a un fort élément de réalisme ; que rien ne semble vraiment sortir de l'ordinaire ou être exagéré ; les couleurs utilisées sont brillantes.

— OK.

Jordan souleva le tableau à la tête de mort.

— Et celui-ci ?

Sandra Vernon parut impressionnée.

— Eh bien, dit-elle, celui-ci est très différent.

— Pouvez-vous nous dire ce que vous y voyez ?

— Bien sûr. Tout d'abord, c'est une tête de mort. L'idée qui me vient immédiatement, c'est qu'il y a là une préoccupation possible de la mort. Mais ce qui nous en dit beaucoup plus, c'est la façon dont le rouge et le noir sont juxtaposés dans le fond... Dans beaucoup d'études, une telle association est clairement répertoriée comme une allusion au suicide. Le ciel nuageux est évocateur, lui aussi. Nous voyons souvent des peintures de nuages et de pluie lorsque les gens sont déprimés ou à tendances suicidaires... Mais ce qui est encore plus dérangeant, c'est la façon dont l'artiste place les nuages à l'intérieur de l'espace où auraient dû se trouver les yeux. Les yeux sont le symbole des pensées d'une personne... Je dirais que le choix fait par l'artiste d'avoir peint une averse en train de se former à l'intérieur des orbites laisse à penser que l'idée du suicide germe dans sa propre tête.

Se penchant par-dessus le rebord, elle demanda :

— Pourrais-je... pourriez-vous le rapprocher un peu ?

Jordan rapprocha le tableau en prenant soin de le tenir entre elle et le juge.

— Certains détails sont très dérangeants, également, poursuivit-elle. C'est une peinture de style surréaliste...

— Est-ce important ?

— Pas vraiment, non. Par contre, la façon dont sont assortis les objets est importante. Vous voyez que bien qu'il s'agisse d'une tête de mort, nous trouvons de longs cils et une langue très réaliste qui sort de la bouche. Ces détails m'envoient des signaux d'avertissement. Ils évoquent des sévices sexuels.

— Des sévices sexuels ?

— Oui. Les victimes de sévices sexuels dessinent des langues, des cils et des objets aux contours anguleux. Des ceintures, aussi... De plus, le crâne flotte dans le ciel. Généralement, lorsque nous avons affaire à la représentation d'un corps flottant, sans mains, ou d'une tête détachée, cela indique que la personne qui a fait le dessin a le sentiment de ne pas contrôler sa vie. Ses pieds ne sont pas sur le sol, pour ainsi dire, et donc ils ne peuvent se mettre en marche pour fuir le problème qui les tourmente.

Jordan reposa le tableau parmi les autres pièces à conviction.

— Madame Vernon, si vous examiniez cette peinture dans votre cadre professionnel, quelle recommandation feriez-vous à l'artiste ?

Sandra Vernon secoua la tête.

— Je serais très inquiète pour l'état mental de l'artiste, compte tenu des risques de dépression, voire même de suicide. Je lui conseillerais de consulter un thérapeute.

Mélanie remua sur son siège. C'était la première fois qu'elle était admise au prétoire, puisqu'elle avait déjà témoigné elle-même. Et elle était complètement bouleversée par le témoignage de cette spécialiste de Berkeley. Des langues. Des cils. Des objets aux contours anguleux.

Des signaux d'avertissement. Des sévices sexuels.

Elle joignit les mains sur ses genoux en se remémorant clairement le journal d'Emily, celui qu'elle avait retrouvé caché au fond du placard. Celui qu'elle avait jeté au feu.

Celui qu'elle avait lu jusqu'au bout.

Passant devant les gens de sa rangée, Mélanie se précipita hors de la salle d'audience, passa devant Gus Harte et son mari, puis devant une centaine de personnes, pour aller vomir sur le sol des toilettes.

— Madame Vernon, avez-vous suivi une formation artistique ?

— Oui, répondit Sandra en adressant un grand sourire au procureur. Autrefois, à l'époque des dinosaures.

Barrett ne la gratifia pas de l'ombre d'un sourire.

— Est-il exact que pour entrer dans une école il faut envoyer quinze à vingt échantillons de ses œuvres en même temps que la demande ?

— Oui.

— Serait-il possible que cette toile illustre un style alternatif destiné à montrer la palette de l'artiste ?

— En général, les écoles préfèrent qu'un artiste reste fidèle à lui-même.

— Mais serait-ce possible ?

— Oui.

Barrett sortit deux petits carrés de plastique de sa serviette.

— Je voudrais mettre ceci parmi les pièces à conviction, dit-elle en plaçant deux disques compacts sur la table, pour qu'ils soient étiquetés. Madame Vernon, ce sont des CD trouvés dans la chambre d'Emily. Pouvez-vous nous les décrire ?

La thérapeute prit les disques des mains du procureur.

— L'un d'eux est un CD des Grateful Dead, dit-elle. Ils sont bons, je dois dire.

— Que voyez-vous sur la pochette ?

— Une tête de mort qui flotte sur un fond psychédélique.

— Et que voyez-vous sur l'autre ?

— Les Rolling Stones. Avec sur la pochette une bouche et une langue très longue.

— Vous savez que les adolescents reproduisent les œuvres qui sont importantes pour eux, madame Vernon ?

— Oui, nous le constatons très souvent. Cela fait partie de l'adolescence.

— Il est donc tout à fait possible que l'artiste qui a peint la tête de mort n'ait rien fait d'autre que copier les éléments pris sur la pochette d'un de ses CD préférés ?

— C'est très possible, absolument.

— Merci, dit Barrett en reprenant les disques. Vous avez également déclaré que vous étiez dérangée par certains éléments que vous avez vus sur le tableau... Pouvez-vous me citer les références d'une source précise qui indique que les nuages signifient le suicide ?

— Non. Il n'y a aucune source précise, c'est le résultat d'études faites sur les enfants.

— Pouvez-vous nous donner les références d'une étude qui indique qu'une langue sortant d'une bouche signifie des sévices sexuels ?

— Là aussi, il s'agit de la compilation de différents cas.

— Donc, vous ne pouvez affirmer en vous appuyant sur des références précises que, parce qu'il y a du rouge et du noir dans une peinture, son auteur va se suicider ?

— Non. Mais pour quatre-vingt-dix peintures sur cent contenant du rouge et du noir comme ici, les artistes avaient des tendances suicidaires.

Barrett sourit.

— Comme c'est intéressant, ce que vous dites !

Elle sortit une affiche et la montra à Jordan.

— Objection ! dit-il aussitôt en se dirigeant vers le bureau du juge. Qu'est-ce que c'est que ça, bon Dieu ? demanda-t-il à Barrett. Et qu'est-ce que ça a à voir avec notre affaire ?

— Allez, Jordan, c'est un Magritte ! répondit-elle. Je sais que vous êtes un crétin dès qu'il s'agit de culture, mais vous êtes tout de même capable de voir où je veux en venir.

Jordan se tourna vers le juge.

— Si j'avais su qu'elle nous balancerait un Magritte à la figure, j'aurais pu faire quelques recherches sur le sujet !

Oh, arrêtez, répliqua Barrett. L'idée m'est venue hier soir. Accordez-moi un peu de liberté de manœuvre

— Si vous voulez vous servir de ce truc, riposta Jordan, eh bien, je veux avoir de la liberté de manœuvre, moi aussi. Je veux du temps pour réunir des informations sur Magritte.

Barrett lui dédia un sourire mielleux.

— D'ici là, avec votre connaissance en matière artistique, votre client aura atteint les soixante-dix ans…

— Je veux du temps pour faire des recherches sur Magritte, martela Jordan. Il fréquentait sûrement ce foutu Freud.

— Accordé, dit Puckett.

— Quoi ? s'exclamèrent les deux juristes à l'unisson.

— Accordé, répéta le juge. C'est vous qui avez amené un expert en peinture, Jordan. Donnez à Barrett quelque chose à se mettre sous la dent.

Pendant que Jordan retournait à son banc, l'air furieux, Barrett fit enregistrer l'affiche comme pièce à conviction.

— Reconnaissez-vous ce tableau? demanda-t-elle à Sandra Vernon.

— Bien sûr, c'est un Magritte.

— Magritte?

— C'était un peintre belge, il a fait plusieurs variantes de cette œuvre, expliqua Sandra en désignant l'affiche qui représentait une silhouette d'homme au chapeau melon rempli de nuages.

— Trouvez-vous des similitudes entre cette affiche et le tableau que vous a demandé d'examiner maître McAfee?

— Bien sûr. Il y a des nuages, bien que ceux de Magritte ne soient pas des nuages de tempête. Ils ne remplissent pas uniquement les yeux, mais la tête entière... Vous aimez Magritte, sourit Sandra.

— Il y a des gens qui l'aiment, marmonna Jordan.

— Est-ce que Magritte était en thérapie? demanda Barrett.

— Je ne sais pas, répondit Sandra.

— A-t-il bénéficié d'une thérapie après avoir peint cela?

— Aucune idée.

— Était-il en dépression lorsqu'il a peint cela?

— Je ne pourrais pas le dire.

Barrett tourna vers le jury un regard perplexe.

— Ce que vous me dites, dans ce cas, c'est que la thérapie par le dessin n'est pas concluante. Vous ne pouvez pas examiner une peinture et affirmer sans craindre de vous tromper que si quelqu'un peint une langue réaliste, cette personne a subi des sévices sexuels. Ou que si quelqu'un peint une tempête à l'endroit où devraient se trouver ses yeux, il a des tendances suicidaires. Est-ce exact, madame Vernon?

— Oui, reconnut la thérapeute.

— J'ai une autre question à vous poser. Lors des séances de thérapie par le dessin, vous donnez des directives à l'enfant, ou à l'adolescent, est-ce exact?

— Oui. Nous lui demandons de dessiner une maison, une personne ou une certaine scène.

— Est-ce que la plupart des études faites dans le domaine de la thérapie par le dessin sont basées sur des directives ?

— Oui.

— Pourquoi devez-vous donner des directives ?

— La thérapie implique que nous devons observer la personne pendant qu'elle dessine, expliqua Sandra. C'est aussi important que le résultat final pour interpréter son problème.

— Pouvez-vous nous donner un exemple ?

— Oui. Une fille à laquelle on demande de dessiner sa famille et qui hésite à dessiner son père ou qui occulte complètement sa partie inférieure peut signaler de cette façon des sévices sexuels.

Madame Vernon, avez-vous vu Emily Gold peindre cette tête de mort ?

— Non.

— Lui avez-vous donné pour directive de peindre un autoportrait ?

— Non.

— Donc le fait que vous ayez vu ce portrait ici pour la première fois peut très bien jouer sur le niveau de certitude avec lequel vous pouvez faire des hypothèses au vu de cette peinture.

— Oui, je le reconnais

— Est-il possible, dans ce cas, qu'Emily Gold n'ait pas eu de tendances suicidaires au moment où elle a peint ce tableau, et qu'elle n'ait pas subi de sévices sexuels, et que... peut-être comme M. Magritte, là-bas... elle ait été simplement dans un mauvais jour ?

— C'est possible, répondit Sandra, mais c'est une peinture qui a dû être effectuée sur une durée d'au moins deux mois... C'est fou ce que ça nous fait de mauvais jours consécutifs...

Barrett serra les lèvres devant la claque involontaire qui venait de lui être assenée.

— Le témoin est à vous, dit-elle.

Jordan se leva et se dirigea vers la thérapeute.

— Résumons, dit-il. Vous avez dit à madame le procureur que vous ne pouviez pas affirmer de façon formelle que les éléments de la peinture d'Emily qui vous ont troublée prouvaient qu'elle avait subi des sévices sexuels ou qu'elle avait eu des idées de suicide. Vous avez reconnu qu'il pouvait simplement s'agir d'une expérience de style différent qu'elle avait l'intention de présenter pour son dossier d'inscription à l'École des beaux-arts de Paris. Mais, selon votre opinion d'expert, quelles sont les probabilités pour qu'il s'agisse bien de cela ?

— Très minces. Il y a beaucoup de choses troublantes dans cette peinture. S'il n'y en avait qu'une ou deux, comme une montre en train de fondre ou une pomme au milieu du visage, je dirais qu'elle s'essayait au surréalisme... Mais il y a d'autres façons de donner un aperçu de son talent que d'accumuler les détails qui font se hérisser le poil d'un thérapeute.

Jordan hocha la tête, puis revint à l'affiche de Magritte, qu'il souleva de la pointe des doigts.

— Bien, je crois que si nous avons réussi à prouver quelque chose dans ce procès, c'est mon absolue ignorance en matière de peinture... Mais je vous crois sur parole... ainsi que madame le procureur... quand vous me dites que ceci est un Magritte.

— Oui. C'était un grand peintre.

L'avocat se gratta la tête.

— Je ne sais pas. Je ne l'accrocherais pas chez moi.

Se tournant vers les membres du jury, il leur montra l'affiche.

— Bien, même moi, je sais que Van Gogh s'est coupé l'oreille et que les visages de Picasso n'étaient pas symétriques. Je sais aussi que les artistes sont des personnes souvent très émotives... Savez-vous si Magritte consultait un psychologue ? demanda-t-il en se tournant vers Sandra.

— Non, répondit-elle.

— Donc, il était peut-être perturbé mentalement.

— Je pense que oui.

— Peut-être avait-il subi des sévices sexuels.

— C'est possible.

— Malheureusement, poursuivit Jordan, je n'ai pas eu le temps de faire des recherches sur Magritte, mais ce que vous êtes en train de nous dire, en tant que thérapeute, c'est que Magritte paraît avoir eu quelques problèmes psychologiques. Est-ce exact ?

Sandra rit :

— Sûrement.

— Vous avez également déclaré à madame le procureur que la plupart de vos études étaient effectuées sur la base de directives. Cela signifie-t-il que vous n'examinez jamais de dessins faits au hasard pour vérifier si un enfant a des problèmes ?

— Nous le faisons de temps à autre.

— Un parent inquiet peut très bien apporter un dessin fait par son enfant ?

— Oui.

— Et vous pouvez déterminer d'après ces dessins si un enfant a un problème ?

— Souvent, oui.

Lorsque vous examinez des dessins faits en dehors de toute directive, effectuez-vous souvent des diagnostics à la suite desquels il se confirme que l'enfant a vraiment besoin d'être aidé ?

— Oh, neuf fois sur dix, répondit Sandra. Nous avons un bon discernement.

— Malheureusement, poursuivit Jordan, Emily n'est pas là pour que vous puissiez lui donner des directives. Peut-être que si elle avait été parmi nous, vous auriez pu l'aider. Mais après avoir vu cette œuvre, en tant que thérapeute, auriez-vous eu des inquiétudes quant à la santé mentale d'Emily ?

— Oui.

— Je n'ai plus d'autre question.

Jordan s'assit en souriant à Chris.

— J'aimerais encore poser quelques questions, Votre Honneur ! dit Barrett en s'approchant de Sandra Vernon. Vous venez de déclarer à maître McAfee que vous faites de temps à autre des analyses de dessins qui n'ont pas été effectués d'après vos directives.

— Oui.

— Et vous avez déclaré que, neuf fois sur dix, les dessins comportant des éléments troublants s'avèrent avoir été exécutés par des enfants ayant des problèmes psychologiques qui doivent être traités.

— Oui.

— Et que se passe-t-il pour le dixième ?

— Eh bien, répondit Sandra, il ou elle va généralement très bien.

Barrett sourit.

— Merci, dit-elle.

Joan Bertrand était une femme simple d'un certain âge, dont les yeux verts rêveurs révélaient qu'elle passait des heures à se consacrer à la lecture des grands écrivains du monde entier, ou même, pourquoi pas, à celle de ses élèves masculins préférés... Durant les quelques instants qu'elle passa à la barre comme témoin de la défense, le professeur de français de Chris réussit à faire passer le message que celui-ci était non seulement un élève qu'elle aimait beaucoup, mais, à son avis, probablement l'un des futurs grands esprits du vingt et unième siècle. Jordan ne put s'empêcher de sourire.

— Quelle sorte d'élève est Chris ? demanda-t-il.

Joan Bertrand joignit les mains sur son cœur.

— Oh, il est excellent. Je ne me souviens pas de lui avoir jamais donné moins de 15 sur 20. C'est le genre d'élève que les professeurs se disputent.

— Était-il dans votre classe au moment des faits ?

— Oui, depuis trois mois.

— Madame Bertrand, reconnaissez-vous ceci ? demanda Jordan en lui tendant une dissertation proprement imprimée.

— Oui, dit-elle. Chris a écrit ce texte pour le cours de français. Il l'a remis la dernière semaine d'octobre.

— Quel était le sujet ?

— J'ai demandé aux élèves de prendre un sujet d'actualité controversé et de donner leur point de vue personnel. Je leur ai demandé d'émettre une thèse, de l'argumenter, de développer une antithèse et de donner une conclusion.

Jordan s'éclaircit la voix.

— J'étais presque aussi nul en français qu'en peinture, avoua-t-il avec des yeux de chien battu. Pourriez-vous me répéter cela ?

— Il fallait prendre un sujet, donner le pour et le contre, et arriver à une conclusion, expliqua Mme Bertrand en minaudant.

— Ah, fit Jordan, soulagé, je comprends mieux.

— La plupart des étudiants de deuxième année d'université en sont incapables. Mais Chris, lui, a fait un excellent travail.

— Pourriez-vous nous dire quel a été le sujet choisi par Chris ?

L'avortement.

— Et quel a été son point de vue ?

— Il était résolument contre.

— Aviez-vous demandé aux élèves d'être vraiment convaincus en défendant les thèmes qu'ils avaient choisis ?

— Oui. Certains d'entre eux ne l'étaient pas, bien sûr, mais en ce qui concerne Chris, je peux vous assurer que ses convictions étaient vraiment fermes.

— Madame Bertrand, pourriez-vous lire les lignes soulignées à la fin de la page 4 ?

Le professeur tint la feuille à bout de bras et plissa les yeux :

— « On ne s'approprie pas le *Droit de choisir*. Il n'est pas question de choix. La loi interdit d'interrompre la vie d'un être humain, point final. Dire qu'un fœtus n'est pas un être vivant est un argument spécieux, car tous les principaux systèmes de l'organisme sont déjà formés au moment où la plupart des avortements sont effectués. Dire que la femme a le droit de choisir n'est pas non plus un argument irréfutable, car il ne s'agit pas uniquement de son propre corps, mais également de celui de quelqu'un d'autre. »

Elle leva les yeux et attendit la suite.

— Vous avez raison, fit Jordan. C'est très clair. Selon vous, madame Bertrand, Chris Harte a-t-il pu tuer son amie parce qu'il aurait découvert qu'elle était enceinte ?

— Objection ! dit Barrett. Elle est professeur de français, pas professeur de psychologie.

— Objection refusée, répondit Puckett.

Jordan jeta un coup d'œil à Barrett.

— Voulez-vous que je répète ma question, madame Bertrand ?... Selon vous, Chris Harte a-t-il pu tuer son amie parce qu'il aurait découvert qu'elle était enceinte ?

— Non. Jamais il n'aurait pu faire une chose pareille.

Les fossettes de Jordan se creusèrent.

— Merci, dit-il.

Joan Bertrand le suivit des yeux.

— Je vous en prie, soupira-t-elle.

Barrett se leva immédiatement.

— Contrairement à maître McAfee, dit-elle, j'aimais beaucoup le français. Apparemment, Chris aussi. Et il était sûrement l'un de vos élèves préférés.

— Oh, oui ! fit Mme Bertrand.

— Vous ne pouvez l'imaginer en train de commettre un acte aussi horrible qu'un meurtre.

— Absolument pas.

— Et, bien sûr, en vous basant sur cette dissertation si impressionnante, vous ne pouvez l'imaginer en train de tuer son enfant ou d'abattre son amie de sang-froid ?

— Non. Je ne l'imagine pas tuer qui que ce soit.

— Même pas lui-même ?

— Oh, non ! s'écria Mme Bertrand en secouant vigoureusement la tête. Sûrement pas.

— Bien. Je vais donc récapituler, dit Barrett en comptant sur ses doigts. Il ne serait pas capable de tuer qui que ce soit. Il ne serait pas capable de tuer Emily, il ne laisserait pas Emily se suicider, et il n'est sûrement pas capable de se suicider. Mais d'un autre côté, nous avons une morte ; nous avons des aveux de Chris qui déclare qu'Emily allait se suicider et qu'il allait faire la même chose ensuite ; et nous avons toutes sortes de preuves plaçant Chris sur le lieu du crime. (Elle pencha la tête sur le côté.) Alors, madame Bertrand, quelle est votre théorie ?

— Objection ! hurla Jordan.

— Je retire ce que j'ai dit, s'empressa de répliquer Barrett.

À l'heure du déjeuner, Chris fut emmené dans le bureau du shérif et enfermé dans la cellule. Jordan lui apporta un sandwich à la dinde et mangea le sien assis devant les barreaux.

— J'étais mal pour elle, dit Chris, la bouche pleine. Mme Bertrand, je veux dire.

— Elle est très gentille.

— Ouais. Pas comme le procureur.

Jordan haussa les épaules.

— C'est son boulot, dit-il. J'étais exactement comme elle quand j'étais procureur.

Chris eut un pâle sourire.

— Vous voulez dire que vous n'étiez pas comme maintenant, doux comme un agneau?

— Hé! dites donc, protesta Jordan, vous ne commencez pas à douter de moi, j'espère?

Chris ne répondit pas.

— Ô homme de peu de foi! grogna l'avocat.

À ces mots, Chris leva les yeux, très sérieux.

— Si, j'ai la foi, dit-il. Simplement, je ne sais pas en quoi.

Il ne termina pas son sandwich et emballa le reste dans son papier.

— Qu'est-ce qui va se passer si je suis déclaré coupable?

Jordan le regarda bien en face.

— On vous lira votre sentence et, sur cette base, vous serez transporté à Concord.

Chris hocha la tête.

— Et ce sera tout.

— Non. Nous ferons appel de la décision.

— Ce qui pourra durer éternellement et ne mènera nulle part.

Jordan regarda son sandwich qui, tout à coup, ne lui disait plus rien.

— Vous savez, c'est drôle, reprit Chris. Vous ne voulez pas que je sois honnête envers vous. Et moi, tout ce que je vous demande, c'est d'être honnête envers moi... Mais je ne crois pas que, ni l'un ni l'autre, nous soyons très contents du résultat.

— Chris, dit Jordan, je ne vous donne pas de faux espoirs. Mais vos deux meilleurs témoins n'ont pas encore témoigné.

— Et après, Jordan ?

Son avocat lui adressa un regard parfaitement neutre.

— Je ne sais pas.

Il y eut un léger brouhaha, l'après-midi, lorsque Stéphanie Newell s'avança à la barre. Une personne assise au dernier rang de la salle lança une tomate pourrie, qui atterrit au milieu de son corsage, en criant « Assassin ! ». Elle sortit en courant.

Il s'ensuivit une brève interruption durant laquelle on donna un chemisier propre à Stéphanie tandis que la police s'occupait du petit groupe de manifestants anti-avortement. Au moment où l'infirmière gagna enfin la barre des témoins et déclina ses qualités, la plupart des membres du jury en avaient déjà déduit qu'Emily Gold s'était rendue au Centre de santé des femmes en vue d'avorter.

— J'étais la conseillère affectée au cas d'Emily, dit-elle.

— Avez-vous un dossier sur elle ? demanda Jordan.

— Oui.

— Quand avez-vous vu Emily pour la première fois ?

— Je l'ai vue pour la première fois le 2 octobre.

— Qu'avez-vous fait au cours de ce rendez-vous ?

— J'ai effectué un interrogatoire préliminaire et j'ai expliqué à Emily les résultats du test de grossesse, qui était positif, et les solutions possibles.

— Quand a eu lieu le rendez-vous suivant ?

— Le 10 octobre. C'était la date prévue pour la réunion préparatoire à l'avortement. Le paiement de l'avortement est effectué à ce moment. Nous nous renseignons également pour savoir si quelqu'un sera présent pour assister la patiente pendant l'intervention.

— Par exemple, le père de l'enfant ?

— Exactement. Ou, lorsqu'il s'agit d'une adolescente, ses parents. Mais Emily nous a indiqué que ses parents ne la soutenaient pas, qu'elle n'avait rien dit au père de l'enfant et qu'elle ne voulait pas le faire.

— Qu'avez-vous répondu ?

— Je lui ai conseillé de parler au père, ne serait-ce que pour pouvoir s'appuyer sur quelqu'un.

— Et à quelle date a eu lieu le rendez-vous suivant ?

— Le 11 octobre. C'était la date prévue pour l'avortement. La conseillère est présente pour assister la patiente avant, pendant et après.

Jordan s'avança vers le box des jurés.

— L'avortement a-t-il eu lieu ?

— Non. Quelque chose s'est passé qui a bouleversé Emily, et elle a décidé de ne pas avoir recours à l'intervention.

Jordan s'appuya contre le rebord du box.

— Cela vous a-t-il surprise ?

— Oh, non ! Cela arrive très souvent. Les patientes reculent à la dernière minute.

— Qu'avez-vous fait après qu'elle eut décidé de ne pas avorter ?

Stéphanie soupira.

— Je lui ai conseillé d'en parler au père.

— Quelle a été sa réaction ?

— Cela n'a fait qu'augmenter son désespoir. J'ai donc cessé d'aborder le sujet.

— À quelle date avez-vous vu Emily Gold pour la dernière fois, madame Newell ?

— Le 7 novembre, l'après-midi précédant sa mort.

— Pourquoi l'avez-vous vue ce jour-là ?

— Nous avions pris rendez-vous.

— Emily Gold était-elle préoccupée ?

— Objection, dit Barrett. C'est de la spéculation.

— Objection refusée, dit Puckett.

— Emily Gold vous a-t-elle semblé préoccupée ? répéta Jordan.

— Très préoccupée, repondit Stéphanie.

— Vous a-t-elle dit pourquoi ?

— Elle était dépassée. Elle ne savait plus que faire à propos de l'enfant.

— Que lui avez-vous dit ?

— Je lui ai répété ma recommandation de parler au père, en essayant de lui faire comprendre qu'il pouvait lui être d'un plus grand secours qu'elle ne le croyait.

— Combien de temps avez-vous passé à tenter de la convaincre de parler au père ?

— Pendant presque toute la durée du rendez-vous... une heure.

— À votre avis, lorsqu'elle a quitté votre bureau, s'apprêtait-elle à informer le père de sa grossesse ?

— Non. Rien de ce que j'ai pu lui dire ne l'a fait changer d'avis.

— Pendant les cinq semaines au cours desquelles vous l'avez vue, Emily a-t-elle hésité à un moment pour savoir si elle allait parler au père ou non ?

— Non.

— Avez-vous une raison de croire qu'elle a pu changer d'avis après ce dernier rendez-vous ?

— Non.

Jordan s'assit.

— Le témoin est à vous, prononça-t-il.

Barrett s'avança vers le box des témoins.

— Madame Newell, vous avez rencontré Emily le 7 novembre ?

— Oui.

— À quelle heure ?

— Elle avait rendez-vous à quatre heures. De quatre à cinq.

— Savez-vous que le décès d'Emily est intervenu entre onze heures et minuit ce soir-là ?

— Oui.

— Entre cinq et onze heures, attendez... six heures se sont écoulées. Étiez-vous avec Emily durant ce laps de temps ?

— Non.

— Avez-vous eu l'occasion de rencontrer Chris ?

— Non.

— Avez-vous assisté à l'une de leurs conversations durant les six heures précédant sa mort ?

— Non.

— Donc, madame Newell, est-il possible qu'Emily ait décidé de parler à Chris de l'enfant, finalement ?

— Eh bien... oui, je suppose.

— Merci, dit le procureur.

Michael Gold s'avança vers la barre avec autant d'enthousiasme qu'un condamné. Il garda les yeux fixés sur le juge, refusant délibérément de voir ou Mélanie, sur sa gauche, ou James Harte, sur sa droite. Dès qu'il fut assis, la main sur la Bible, il regarda Chris. Et son regard signifiait : « Je fais cela pour toi. »

Il lui était impossible d'imaginer Chris en train de tuer sa fille. L'accusation aurait bien pu lui montrer Chris avec un revolver fumant dans la main, il aurait encore eu du mal à le croire. Cependant, il existait au fond de son esprit un léger doute, une ombre susceptible de grandir jusqu'à prendre d'énormes proportions, qui lui demandait : « Comment le sais-tu ? » Justement, il ne savait pas. Personne ne savait en dehors de Chris, et d'Emily. Et il était possible que Chris eût commis l'impensable. C'était pour cette raison qu'il ne donnerait pas à Jordan McAfee ce qu'il lui demandait.

Michael et Jordan s'étaient rencontrés quatre jours auparavant pour préparer son témoignage.

« Si vous déclarez sans équivoque au jury que Chris n'a pas tué votre fille, lui avait dit Jordan, Chris aura une chance de s'en sortir. »

Michael avait poliment accepté d'y penser. *Mais si c'était lui ?* lui disait la petite voix. *Si c'était lui ?*

À présent, il avait les yeux braqués sur le garçon que sa fille avait aimé. Le garçon avec lequel elle avait fait un enfant. Et il demanda silencieusement pardon pour ce qu'il n'allait pas faire.

— Monsieur Gold, dit doucement Jordan, je vous remercie d'être venu aujourd'hui.

Michael hocha la tête.

— Vous devez éprouver une curieuse sensation en témoignant pour la défense, ajouta l'avocat. Après tout, c'est un procès pour meurtre, et le prévenu est accusé d'avoir tué votre fille.

— Je sais.

— Puis-je vous demander pourquoi vous avez décidé de témoigner aujourd'hui pour la défense ?

Michael se passa la langue sur les lèvres, et son cerveau formula mécaniquement la réponse qu'il avait mise au point avec Jordan :

— Parce que je connaissais Chris aussi bien que ma fille.

— Je serai bref, monsieur Gold, et je vais essayer de vous ménager dans toute la mesure du possible. Pouvez-vous décrire vos rapports avec Emily ?

— J'étais très près d'elle. C'était ma fille unique.

— Parlez-nous de Chris. Comment l'avez-vous connu ?

Les yeux de Michael effleurèrent ceux de Chris qui ne bougeait pas sur son siège.

— Je le connais depuis le jour de sa naissance.

— Quelle était la différence d'âge entre Chris et Emily ?

— Trois mois. La mère de Chris a assisté à la naissance d'Emily… j'étais un peu en retard. Chris était avec sa mère, il a vu ma fille avant moi.

— Et vous les avez vus grandir ensemble ?

— Oh oui. Ils étaient inséparables, ils ont toujours tout partagé dès le premier jour. Chris était chez lui dans notre maison, autant qu'Emily était chez elle chez ses parents.

— À quel moment sont-ils devenus… plus que bons amis ?

— Ils ont commencé à sortir ensemble lorsque Emily a eu treize ans.

— Quel effet cela vous a-t-il fait ?

Michael montra un léger embarras.

— Le même qu'à tous les pères. J'étais un père protecteur, et elle était ma petite fille. Mais je ne voyais personne d'autre pour lui faire découvrir l'amour. Il fallait bien que ça arrive un jour ou l'autre, et je connaissais Chris, je lui faisais confiance. Je lui confiais l'être le plus important au monde pour moi : ma fille. Je lui faisais confiance déjà depuis des années.

— Comment perceviez-vous leur relation ?

— Ils étaient très, très proches. Plus que la moyenne des adolescents, je pense. Ils se disaient tout. Non... je ne vois pas Emily cacher quelque chose à Chris. Il était son meilleur ami, et elle était sa meilleure amie, et si leur relation se transformait en une relation un peu plus adulte, c'était que le moment était venu.

— Combien de temps passait-elle avec Chris ?

— Des heures et des heures, répondit Michael avec un faible sourire. Ils ne se quittaient pas d'une semelle.

— Serait-il juste de dire que Chris voyait Emily plus que vous-même ?

— Oui. Je pense que je la voyais à peu près autant que les autres parents d'adolescents voient leurs enfants, ajouta-t-il avec un sourire.

Jordan rit.

— Je vois ce que vous voulez dire, j'en ai un à la maison... Enfin, j'espère qu'il est à la maison !

Il s'avança vers Michael.

— Donc, il vous arrivait de ne pas voir Emily si souvent que cela, mais vous vous sentiez toujours très proche d'elle ?

— Absolument. Nous prenions toujours notre petit déjeuner ensemble, et nous parlions beaucoup ensemble.

Jordan adoucit quelque peu sa voix :

— Monsieur Gold, saviez-vous qu'Emily avait des relations sexuelles ?

Michael rougit.

— Je… peut-être que je m'en doutais. Mais je ne crois pas qu'un père veuille vraiment le savoir.

— Était-ce un sujet dont Emily discutait avec vous ?

— Non. Je pense qu'elle aurait été aussi mal à l'aise que moi.

Jordan se rapprocha encore de la barre :

— Vous avait-elle dit qu'elle était enceinte ?

— Non, je n'en savais rien.

— À votre connaissance, l'a-t-elle dit à votre épouse ?

— Non.

— Elle était très proche de vous et de votre épouse, mais elle ne vous a rien dit ?

— Non. Je pense que c'était le genre de choses qu'Emily n'aurait confiées à personne.

— Donc, Emily n'a pas parlé de sa grossesse. Vous a-t-elle confié qu'elle était déprimée ?

— Non. (Michael avala sa salive, car c'était le point le plus douloureux.) Et je ne l'ai pas remarqué de moi-même.

— Vous ne la voyiez pas très souvent parce qu'elle était avec Chris…

— Je sais, le coupa Michael d'une voix creuse. Mais ce n'est pas une excuse. Elle ne mangeait pas beaucoup. Et elle était sous pression, avec les dossiers de candidature pour l'université et tout le reste. Et je pensais… je pensais tout simplement qu'elle était très occupée. (Il prit une gorgée d'eau et s'essuya la bouche du revers de la main.) Je continue à me dire que je vais trouver un mot… Un mot qui me permette de me sentir mieux. Mais je n'en ai pas encore trouvé. Je souffre d'avoir perdu ma fille. Jamais je n'ai autant souffert. Et quand on souffre à ce point, on est tenté de faire porter la faute à quelqu'un d'autre. Ce serait beaucoup plus facile pour moi, pour mon épouse… pour tous les parents qui passent par une telle épreuve, de se dédouaner en disant qu'il n'y avait aucun signe à voir, qu'elle ne s'est pas suicidée, qu'elle a été assassinée.

Michael se tourna vers le jury.

— Un père devrait s'apercevoir que sa fille est sur le point de se suicider, n'est-ce pas ? Ou qu'elle est déprimée. Mais moi, je n'ai rien vu. Si je peux accuser quelqu'un d'autre, alors, ce n'est pas ma faute si je n'ai rien remarqué, si je n'ai pas regardé d'assez près. (Il passa une main dans sa chevelure argentée.) Je ne sais pas ce qui s'est passé au manège, ce soir-là. Mais je sais que je ne peux pas accuser quelqu'un d'autre uniquement pour ne pas me sentir coupable.

Jordan expira l'air qu'il retenait. Gold avait donné plus qu'il n'espérait. Dans un accès d'optimisme, il décida de pousser un peu plus loin.

— Monsieur Gold, nous avons deux scénarios possibles : le meurtre ou le suicide. Aucun des deux ne vous convient, mais il n'en demeure pas moins que, quel que soit le scénario, votre fille est morte.

Objection ! dit Barrett. Y a-t-il une question au témoin ?

— J'en arrive à la question, Votre Honneur. Permettez-moi de l'amener.

— Objection refusée, dit Puckett.

Jordan se tourna vers Michael.

— Vous dites que vous connaissiez Chris aussi bien que vous connaissiez Emily. Pour vous qui avez connu Chris toute sa vie, et qui avez été témoin pendant toutes ces années de sa relation avec votre fille, y a-t-il eu meurtre ou y a-t-il eu suicide ?

Michael prit sa tête entre ses mains.

— Je ne sais pas, je ne sais pas.

Jordan le fixa :

— Que savez-vous, monsieur Gold ?

Il y eut un long silence.

— Je sais que Chris n'aurait pas voulu vivre sans ma fille, finit par prononcer Michael. Et que bien que ce soit lui qui est assis là-bas, il n'est pas le seul à devoir être jugé.

Barrett Delaney n'aimait pas Michael Gold. Elle l'avait pris en grippe dès leur première rencontre, lorsqu'il lui avait paru absolument incapable d'admettre le fait que tous les indices désignaient le fils de ses voisins. Son animosité avait encore augmenté lorsqu'elle avait appris qu'il témoignerait pour la défense. Et maintenant, après sa séance d'autoflagellation, elle en arrivait à le détester.

— Monsieur Gold, dit-elle avec une feinte compassion, je regrette vraiment que vous soyez obligé d'être ici aujourd'hui.

— Moi aussi, madame le procureur.

Elle alla se placer devant le box des témoins, de façon à se trouver dans l'alignement des jurés.

— Vous avez déclaré que vous étiez très proche d'Emily.

— Oui.

— Vous avez également déclaré que vous passiez moins de temps avec votre fille que Chris.

Michael hocha la tête.

— Vous avez déclaré que vous ignoriez que quelque chose la tourmentait.

— Oui.

— Vous ignoriez qu'elle était enceinte.

— Oui, reconnut Michael.

— Vous avez également déclaré qu'elle confiait tout à Chris.

— Oui.

— Que vous ne voyiez pas Emily cacher quelque chose à Chris.

— C'est exact.

— Donc, elle aurait dû dire à Chris qu'elle était enceinte. Exact ?

— Je... je ne sais pas.

— Oui ou non ?

— Oui, je pense.

Barrett hocha la tête.

— Monsieur Gold, vous avez déclaré que vous étiez venu parce que vous connaissiez très bien Chris Harte.

— C'est exact.

— Mais ce procès concerne votre fille et ce qui lui est arrivé. Soit elle s'est suicidée, soit elle a été assassinée. Les deux options sont aussi horribles l'une que l'autre, comme l'a dit maître McAfee. C'est terrible de voir accuser votre voisin. Et il est encore plus terrible que ce soit votre fille qui soit morte, mais le fait est que le jury a deux options, monsieur Gold. Et vous aussi. (Elle prit une profonde inspiration.) Pouvez-vous réellement imaginer votre fille en train de prendre un revolver, de l'appuyer contre sa tête et d'appuyer sur la gâchette ?

Michael ferma les yeux et fit ce que lui demandait le procureur, pour Emily, et pour sa femme, et pour faire taire cette voix stridente à l'intérieur de sa tête. Il imagina le joli visage d'Emily, ses yeux d'ambre refermés et le revolver plaqué contre sa tempe. Il vit une main entourer cette arme avec confiance, avec désespoir, avec douleur. Mais il n'était pas sûr, absolument, que ce fût celle d'Emily.

Il sentit des larmes jaillir du coin de ses yeux, et il se recroquevilla légèrement, comme pour se protéger.

Monsieur Gold ?... le pressa le procureur.

— Non, murmura-t-il.

Il secoua la tête et ses larmes coulèrent plus vite.

— Non, répéta-t-il.

Barrett Delaney se tourna vers les jurés.

— Eh bien, leur demanda-t-elle, qu'est-ce qui nous reste ?

Lorsqu'il troquait ses vêtements de ville contre son uniforme de la prison, Chris avait l'impression de changer de peau, comme si, en enlevant son veston et son élégant pantalon, il enlevait en même temps un vernis de civilité et de reconnaissance sociale pour se retrouver à l'état brut dans sa cellule. Il passait la première heure sans parler à personne, et les autres détenus prenaient soin de ne pas l'approcher. Il inspirait l'air vicié de la prison jusqu'à ce que ses poumons s'emplissent et il s'acharnait à se réadapter. Ce n'était qu'ensuite qu'il pouvait évoluer du pas assuré et indifférent qu'il avait acquis après sept mois passés derrière les barreaux.

En s'aventurant dans la salle commune de moyenne sécurité, il sentit une certaine agitation. Plusieurs détenus lancèrent des regards furtifs dans sa direction, puis détournèrent les yeux. Chris avait désormais suffisamment d'expérience pour savoir que, même si les gens vous laissaient tranquilles pendant votre procès, leur attitude n'était pas naturelle. Les autres détenus ne se contentaient pas de l'ignorer ; ils lui cachaient quelque chose.

Il alla directement vers un groupe d'hommes installés à une table.

— Qu'est-ce qu'il y a ? demanda-t-il simplement.

— T'es pas au courant ? Vernon s'est pendu au pénitencier la nuit dernière. Avec des lacets de chaussures.

Chris secoua la tête, incrédule.

— Il a fait quoi ?

— Il est mort.

— Non, fit Chris en reculant, sous les yeux des détenus qui l'observaient. Non !

Il se dirigea comme un automate vers la cellule qu'il partageait avec Steve un mois auparavant.

Il se représentait plus facilement le visage de Steve que celui d'Emily, désormais. Il repensa à ce que son ami lui avait dit avant de partir, à propos du traitement réservé aux tueurs d'enfants.

À la fin de la semaine, lui-même pourrait se retrouver au pénitencier d'État, tout comme Steve.

Il se réfugia sous ses couvertures, tremblant de chagrin et de peur, et y resta jusqu'à ce qu'il entende son nom. On l'appelait au contrôle. Il avait une visite.

Gus l'enlaça dès qu'elle fut assez près de lui pour pouvoir le toucher.

— Jordan me dit que tout se passe bien ! s'écria-t-elle avec enthousiasme. Que ça ne pourrait pas se passer mieux !

— Tu n'es pas dans la salle ! répliqua Chris en se raidissant. Et d'ailleurs, qu'est-ce que tu veux qu'il te dise d'autre ? Que tu fiches ton argent par la fenêtre ?

Gus s'assit sur sa chaise et répondit :

— Il n'a aucune raison de mentir.

Chris baissa la tête et se massa les tempes.

— Saint Jordan, marmonna-t-il.

Ils étaient seuls au parloir. D'ordinaire, sa mère arrivait plus tôt, mais, avec le procès, elle devait rentrer pour préparer le repas de Kate avant de revenir en hâte à la prison. Chris semblait terriblement agité. Gus le dévisagea avec acuité.

— Tu vas bien ? demanda-t-elle.

Il s'essuya les yeux et battit des paupières.

— Très bien. Je suis frais comme une rose, dit-il en tambourinant nerveusement sur la table et en détournant la tête.

— Jordan dit que je suis le témoin vedette, poursuivit Gus. Il m'a dit que le jury serait sensible à mon émotion et qu'il finirait par te déclarer non coupable.

Chris bondit.

— Ça lui ressemble bien de dire ça !

— Tu as l'air vraiment à cran, ce soir. Mais tout le monde dit que Michael t'a énormément aidé aujourd'hui. Jordan a fait du bon boulot à ce point de vue. Et tu sais très bien que je ferai des pieds et des mains pour te sortir de là...

— Ce que je veux dire, maman, répondit Chris, c'est que peut-être le jury n'en aura rien à faire que tu fasses des pieds et des mains. Qu'il s'est peut-être déjà fait une opinion.

— Mais non ! Ce n'est pas de cette façon que fonctionne le système...

— Qu'est-ce que tu sais de la façon dont fonctionne le système ? Est-ce que je suis en prison depuis bientôt un an uniquement pour attendre d'être jugé, oui ou non ? Est-ce que mon avocat m'a demandé une seule fois ce qui s'était réellement passé ?

Il leva des yeux bleus et froids sur sa mère.

— Est-ce que tu y as réfléchi, maman ? Plus qu'une journée, et le procès sera terminé. Est-ce que tu as pensé à la couleur dont tu peindras ma chambre quand ils m'auront bouclé pour le restant de mes jours ? À quoi je ressemblerai à quarante ans, à cinquante ans ou à soixante ans, quand j'aurai passé toute ma vie dans une pièce grande comme un placard ?

Il avait terminé sa phrase en tremblant et, dans ses yeux, Gus vit la panique s'installer.

— Chris, murmura-t-elle pour l'apaiser, ça n'arrivera pas.

— Comment tu le sais ? s'écria-t-il. Merde, comment tu le sais ?

Du coin de l'œil, Gus vit le gardien faire un pas dans leur direction. Elle secoua doucement la tête et il reprit sa place près de l'escalier. Puis elle toucha légèrement le bras de son fils, cachant soigneusement sa propre angoisse. Chris avait le visage rouge, et il tremblait de tous ses membres. Il avait dix-huit ans et il attendait que des étrangers décident de son sort. C'était très difficile à admettre. C'était exactement ce qu'avait dit James : dans le prétoire, Chris portait un masque. Le fait qu'il fût capable de suivre son propre procès sans craquer en disait long sur sa détermination et sa force de caractère.

— Mon chéri, dit-elle, je comprends pourquoi tu as si peur...

— Non, tu ne peux pas comprendre.

— Si, je peux. Je suis ta mère. Je te connais.

Chris tourna lentement la tête, comme un taureau s'apprêtant à charger.

— Ah bon ? Et qu'est-ce que tu sais de moi ?

— Je sais que tu es le fils extraordinaire que j'aime depuis toujours. Je sais que tu vas te sortir de tout cela, comme tu t'es toujours sorti de tout le reste. Et je sais que le jury ne va pas condamner un innocent.

Chris tremblait si fort que la main de Gus tomba de son épaule.

— Ce que tu ne sais pas, maman, dit-il doucement, c'est que c'est moi qui ai tiré sur Emily.

Et avec un sanglot étouffé, il se détourna et gravit en courant les escaliers, s'en remettant aux gardiens pour qu'ils le placent en sécurité derrière la porte verrouillée.

Gus parvint à signer le registre de contrôle, à passer devant le gardien qui lui ouvrit la porte de la prison, et à marcher jusqu'à sa voiture. C'est là qu'elle s'écroula à genoux et vomit. « Je suis ta mère, avait-elle dit. Je te connais. »

Mais, apparemment, c'était faux. Elle essuya sa bouche sur la manche de sa veste et se glissa derrière le volant, introduisit à l'aveuglette la clé de contact dans la serrure. Mais elle s'aperçut alors qu'elle n'était pas en état de conduire.

Chris l'avait dit sans équivoque. C'était lui qui avait tiré. Et en le défendant bec et ongles devant tout le monde, y compris devant l'indifférence de son père, elle s'était ridiculisée.

Quelques détails surgirent dans sa mémoire : la chemise de Chris couverte de sang à l'hôpital ; la mauvaise volonté qu'il avait mise à parler au Dr Feinstein ; le fait qu'il reconnaisse avec soulagement n'avoir jamais eu l'intention de se suicider. Elle posa son front contre le volant et gémit doucement. « Oh, mon Dieu ! Chris ! Chris a tué Emily ! »

Comment avait-elle fait pour ne pas voir clair ?

Elle mit le moteur en route et sortit lentement du stationnement. Elle allait rentrer et tout dire à James, et lui, il saurait ce qu'il fallait faire... Non, elle ne pouvait rien dire à James, parce qu'il le répéterait alors à Jordan McAfee. Ses connaissances en droit criminel, pour rudimentaires qu'elles fussent, lui dictaient que c'était une mauvaise idée. Elle rentrerait à la maison et ferait comme si elle n'avait pas rendu visite à son fils ce soir. Demain matin, tout lui paraîtrait différent.

Et ensuite, elle irait témoigner à la barre.

Étrangement, le système légal avait prévu une immunité qui vous protégeait de témoigner contre votre mari, mais rien n'était prévu pour vous empêcher de témoigner contre votre propre enfant. C'était une aberration, parce que c'était votre enfant qui avait votre sourire, vos yeux, votre sang dans ses veines. Gus aurait témoigné avec dix fois plus de facilité contre James que contre Chris. Ce n'était pas une question de parjure, c'était une question de sentiment maternel.

Elle portait une robe grenat à manches froncées qui ne faisait que souligner ses tremblements incontrôlés. Elle avait accroché un sourire à son visage, certaine que si elle relâchait son rictus un tant soit peu, elle ne pourrait tenir sa langue et dévoilerait ce qu'elle savait. Elle attendait à l'extérieur de la salle. Jordan lui avait dit qu'elle serait le premier et l'unique témoin ce jour-là. L'huissier se tenait en face d'elle, impassible.

Soudain, la porte s'ouvrit et elle fut amenée à l'intérieur du prétoire. Elle garda les yeux baissés. Lorsqu'elle s'assit dans le petit box, elle se demanda si la cellule où serait enfermé son fils serait beaucoup plus grande.

Elle savait que Jordan souhaitait qu'elle regarde Chris dès son arrivée, mais elle ne put s'y résoudre. Elle sentait l'attraction magnétique de la présence de son fils sur la gauche, son fils aux nerfs aussi tendus que les siens. Mais si elle levait les yeux sur lui, elle ne pourrait s'empêcher d'éclater en sanglots.

Tout à coup, une grosse Bible usagée lui fut mise sous le nez. Le greffier lui demanda de mettre sa main gauche dessus et de lever sa main droite.

— Jurez-vous de dire la vérité, rien que la vérité, toute la vérité avec l'aide de Dieu ?

Avec l'aide de Dieu. Pour la première fois depuis son entrée en salle d'audience, Gus accrocha son regard à celui de son fils.

— Oui, dit-elle d'une voix ferme. Je le jure.

Jordan se demandait quelle mouche avait bien pu piquer Gus Harte. Chaque fois qu'il l'avait vue – y compris la nuit où son fils avait été arrêté par la police locale, tout de même –, elle lui avait paru belle, en pleine possession de ses moyens. Un peu sauvage et nature, avec ce foisonnement de boucles rousses, mais très mignonne. Et voilà qu'aujourd'hui, le seul jour où elle se devait d'être vraiment parfaite, elle était complètement débraillée. Ses cheveux s'échappaient d'une coiffure faite à la hâte. Son visage était pâle et pincé, sans maquillage. Ses ongles étaient rongés jusqu'à la chair.

Les gens appelés à témoigner ne réagissaient pas tous de la même façon. Les uns en étaient magnifiés. Les autres semblaient très impressionnés par le décorum. La plupart s'acquittaient de leur tâche avec la dose de respect appropriée. Mais Gus Harte semblait n'avoir qu'une envie, être ailleurs.

Redressant les épaules, Jordan s'avança vers elle.

— Pourriez-vous décliner votre nom et votre adresse pour les minutes ?

Gus se pencha au-dessus du microphone.

— Augusta Harte, dit-elle, 34, Wood Hollow Road, Bainbridge.

— Et pouvez-vous nous dire quels sont vos liens avec Chris ?

— Je suis sa mère.

Tournant le dos au jury et à Barrett Delaney, Jordan sourit à Gus, dans l'espoir de la détendre.

— Madame Harte, parlez-nous de votre fils.

Les yeux de Gus survolèrent la salle d'audience. D'un côté, elle aperçut Mélanie et son visage de pierre, ainsi que Michael, qui crispait ses mains autour de ses genoux. De l'autre côté, elle vit James qui lui fit un signe de tête.

Sa bouche s'ouvrit et se referma. Puis elle se lança.

— Chris est... c'est un très bon nageur.

— Un bon nageur ? répéta Jordan, se raccrochant aux branches.

— Il détient le record du collège pour le deux cents mètres papillon, expliqua-t-elle. Nous sommes très fiers de lui. Son père et moi.

Jordan préféra aller droit au fait, avant qu'elle ne s'éloigne encore plus du schéma qu'ils avaient mis au point.

— Selon vous, est-il responsable ? Digne de confiance ?

Il sentit très nettement que Barrett était en train de se demander si elle allait faire une objection ou non en le voyant ainsi orienter son témoin vedette.

— Oh oui ! prononça Gus, nerveuse, les yeux baissés. Chris a toujours bien agi jusqu'à cette année. Je lui ferais confiance sur ma... (Elle s'arrêta brutalement.) Sur ma vie.

— Vous connaissiez Emily Gold, dit Jordan, de plus en plus perplexe, mais soucieux de l'empêcher de déclarer au jury des choses qu'il n'avait pas besoin de savoir. Depuis combien de temps ?

— Oh, répondit-elle doucement en cherchant des yeux ceux de Mélanie. J'ai assisté Mélanie Gold pendant son accouchement. J'ai vu Emily avant sa propre mère.

« Ouf ! » Jordan respira.

— Depuis combien de temps étiez-vous voisins de la famille Gold ?

— Depuis dix-huit ans. Chris et Emily ont passé la majeure partie de ces années ensemble, comme des frères siamois.

— Vous voulez dire qu'ils ne se séparaient jamais ?

— Oui, répondit Gus d'un ton neutre. Ils auraient tout aussi bien pu être jumeaux. Ils avaient leur propre langage, ils s'échappaient l'un et l'autre de leur maison pour se rejoindre et... ils étaient toujours collés ensemble.

Jordan hocha la tête.

— Vous étiez proches des parents d'Emily, également.

— Nous étions très bons amis, répondit Gus d'une voix nouée. Nous formions une famille. Chris et Em ont grandi ensemble comme frère et sœur.

— À quel moment Chris et Emily ont-ils commencé à sortir ensemble ?

— Chris avait quatorze ans.

— Est-ce que vous et les parents d'Emily encouragiez cette relation ?

— Nous n'attendions que ça, murmura Gus.

— Pensez-vous que Chris aimait Emily ?

— Je sais qu'il l'aimait, affirma-t-elle avec fermeté. Je le sais.

Mais elle pensa à ce qu'elle-même ressentait en compagnie de Michael. Elle était attirée par lui et, en même temps, elle ressentait l'impérieuse nécessité de l'éloigner. Et elle se demanda si l'on pouvait passer de l'état de frère et sœur à celui d'amoureux sans ressentir ce même sentiment. Était-ce cela qui s'était passé ?

Jordan fronça les sourcils, comme s'il se demandait soudain ce que signifiait ce curieux témoignage. Gus ne regardait pas son fils. Elle semblait même éprouver de la réticence à le faire, ce que ne manquerait pas de remarquer le jury.

— Madame Harte, dit l'avocat, pourriez-vous regarder votre fils pour moi ?

Gus tourna lentement la tête. Elle prit une profonde inspiration et regarda résolument son fils en chassant rapidement les larmes qui surgissaient au coin de ses yeux.

— Ce garçon, poursuivit Jordan, ce fils que vous connaissez depuis dix-huit ans, aurait-il été capable de faire du mal à Emily Gold ?

— Non, murmura Gus en détournant son regard de Chris et en s'essuyant les yeux du revers de la main. Non, répéta-t-elle d'une voix qui tremblait.

Elle sentit les yeux de son fils posés sur elle, la suppliant de le regarder. Elle leva le visage vers lui et vit ce que le jury ne pouvait pas voir : ses yeux torturés et sa bouche serrée de douleur à la vue de sa mère qui mentait pour lui.

— Je sais à quel point c'est dur pour vous, madame Harte, dit Jordan en posant une main sur son bras dans un geste de sollicitude. Je n'ai plus qu'une seule question. Selon vous...

Gus savait ce qui allait venir. Elle l'avait répété avec Jordan McAfee. Elle avait vécu cette scène des dizaines de fois la nuit précédente. Elle ferma les yeux et entendit d'avance les mots qui feraient d'elle une parjure.

— Non !

Au son de cette voix rauque et brisée, Gus ouvrit brutalement les yeux. Jordan se retourna, de même que le juge et le procureur, pour regarder fixement Chris Harte.

— Arrêtez ! dit-il. Arrêtez, s'il vous plaît.

Le juge Puckett fronça les sourcils.

— Maître McAfee, gronda-t-il, contrôlez votre client, je vous en prie.

Jordan se dirigea vers Chris et l'attrapa par le bras, le dos tourné au jury.

— Qu'est-ce que vous foutez, bon Dieu ?

— Jordan, dit Chris d'un ton pressant, il faut que je vous parle.

— Il me reste une question. Ensuite, je demanderai une interruption. D'accord ?

— Non, il faut que je vous parle maintenant.

Jordan respira à fond, leva la tête et, grâce aux années de pratique qui lui permettaient de cacher sa fureur, conserva tout son calme pour demander :

— Votre Honneur, puis-je approcher du banc ?

Barrett, complètement perdue, vint le rejoindre près du juge.

— Écoutez, dit Jordan, mon client me dit qu'il faut qu'il me parle immédiatement. Pourrions-nous avoir une brève interruption ?

Puckett répondit avec une grimace de désapprobation :

— Il vaudrait mieux pour vous que ce soit d'une importance cruciale. Vous avez cinq minutes.

Jordan dénicha une petite pièce du Palais qui n'était pas beaucoup plus grande que la cellule de Chris.

— Alors, dit-il, visiblement en colère. Qu'est-ce qui se passe ?

— Je ne veux plus que ma mère témoigne, répondit Chris.

— Ah, c'est trop dommage ! cracha l'avocat. Elle est votre meilleure défense.

— Retirez-la.

— Il ne reste plus qu'une question, Chris. Il faut que le jury entende de la bouche de votre mère qu'elle ne peut pas imaginer que son fils ait tué Emily Gold.

Chris ignora la réponse de son avocat.

— Je veux que vous supprimiez son témoignage, insista-t-il, et que vous me mettiez à la barre à sa place.

Jordan en resta sans voix pendant quelques secondes. Puis il se ressaisit :

— Si vous allez à la barre, vous perdez votre procès.

Les avocats de la défense avaient pour règle de ne pas mettre leurs clients à la barre. Il était trop facile à un procureur de déstabiliser un accusé, ou de déformer ses paroles. Il suffisait d'un faux pas ou d'une manifestation de nervosité pour faire passer le plus innocent des accusés pour un menteur aux yeux des jurés.

Mais mettre Chris à la barre était absolument hors de question pour une raison différente. Selon ses propres dires, Chris n'avait pas voulu mettre fin à ses jours. N'importe quel procureur un peu compétent était capable de lui faire sortir cet aveu. Et toute la stratégie de défense de Jordan reposait sur la thèse du double suicide avorté. Il avait pourtant le sentiment affreux que ce qu'envisageait Chris, c'était de raconter la véritable histoire.

— Si vous allez à la barre, dit-il avec fièvre, vous allez en prison. C'est aussi simple que ça. Vous êtes un témoin, vous devez dire la vérité. J'ai passé quatre jours à raconter à tout le monde que vous envisagiez de vous suicider, et maintenant vous voulez leur dire que c'est faux. Et qu'est-ce que vous faites de ma stratégie de défense ?

Chris ne répondit pas tout de suite. Il finit par se retourner et parla d'une voix si basse que Jordan dut tendre l'oreille.

— Il y a sept mois, dit-il, vous m'avez dit que c'était à moi et à moi seul de prendre la décision de témoigner. Vous m'avez dit que si je voulais aller à la barre, la loi vous obligeait à accepter.

Ils se mesurèrent du regard, chacun restant sur ses positions. Puis Jordan céda, il leva les mains :

— Très bien, dit-il. Mais, merde, c'est vous qui l'aurez voulu.

Et il sortit.

Il faillit entrer en collision avec Selena.

— Qu'est-ce qui se passe, nom d'une pipe ? demanda-t-elle.

Il la prit par le bras et l'entraîna à l'écart des curieux qui tournaient la tête vers eux.

— Il veut aller à la barre.

Selena retint son souffle.

— Qu'est-ce que tu lui as dit ?

— Que je serai le premier à lui souhaiter un bon séjour au pénitencier... Oh, merde, Selena, on avait une chance de s'en sortir.

— Tu avais plus qu'une chance, le reprit la jeune femme d'une voix douce.

— Je pourrais tout aussi bien le livrer à Delaney en lui disant que c'est un cadeau de Noël que je lui offre avec un peu d'avance.

Selena secoua la tête, compatissante.

— Pourquoi veut-il faire ça ? Et pourquoi maintenant ?

— Il a découvert sa conscience. Il a vu le bon Dieu. Je ne sais pas, merde !

Jordan enfouit ses mains dans ses cheveux.

— Il veut dire aux jurés qu'il n'avait pas l'intention de se suicider, reprit-il. Il ne veut pas que sa mère le fasse pour lui. Et il s'en fout de me faire passer pour un rigolo aux yeux du jury avec ma défense.

— Tu crois vraiment que c'est ce qu'il a l'intention de dire ?

L'avocat gronda :

— Mais putain, tu peux me dire ce qu'il pourrait dire de pire ?

Il entra dans la pièce où l'attendait Chris, sagement assis, et jeta un bout de papier sur la table.

— Signez ça ! aboya-t-il.

— Qu'est-ce que c'est ?

— C'est une renonciation. C'est pour dire que vous vous court-circuitez volontairement et que vous ne m'avez pas écouté quand je vous ai dit de ne pas le faire. Ce qui fait que je ne serai pas poursuivi si vous faites appel à la Cour suprême pour inefficacité. Vous avez peut-être envie de vous faire hara-kiri, mais pas moi.

Le jeune homme prit le stylo que lui tendait son avocat et signa.

La salle vibrait de rumeurs et de questions à voix basse lorsque Jordan se leva pour s'adresser à Gus Harte, toujours à la barre.

— Merci, dit-il. Je n'ai plus de questions.

À la vue de l'expression de Barrett, il eut presque envie de rire. Car le procureur savait pertinemment, tout comme lui, qu'il commettait une erreur en faisant témoigner la mère de l'accusé sans essayer de lui faire déclarer que jamais son fils n'avait tué Emily.

Barrett se leva, stupéfaite. Elle était prête à parier son salaire, quoique maigre, que si Chris était intervenu, c'était pour éviter que Jordan ne pose une question terrible à sa mère. Quelle autre raison aurait-il eue de faire stopper l'interrogatoire en plein milieu ?

Elle s'avança avec précaution vers la barre des témoins en ayant l'impression de marcher sur un champ de mines, et se demandant ce qu'elle pourrait bien tirer d'un contre-interrogatoire.

— Madame Harte, commença-t-elle, vous êtes la mère de l'accusé ?

— Oui.

— Vous n'avez pas envie de le voir aller en prison, n'est-ce pas ?

— Bien sûr que non.

— Il doit être très dur pour une mère d'imaginer que son fils pourrait tuer quelqu'un, vous ne pensez pas ?

Gus hocha la tête et renifla à grand bruit. Barrett lui lança un regard acéré. Une question de plus, et elle pouvait faire craquer le témoin... et passer pour un dragon... Elle ouvrit la bouche, puis la referma.

— Je n'ai pas d'autre question, dit-elle en regagnant précipitamment son siège.

Gus Harte fut escortée par un huissier, et Barrett se plongea dans ses notes. Dans un instant, Jordan dirait que la défense concluait et il lui incomberait alors d'emporter le morceau avec son réquisitoire. Qui serait du gâteau après le passage du dernier témoin. Déjà, elle entendait sa propre voix, vibrante de conviction : « Et sa propre mère... la propre mère de Chris Harte... n'a pas été capable de le regarder pendant son témoignage. »

— Votre Honneur, dit Jordan, nous avons un autre témoin.

— Quoi ? s'exclama Barrett tandis que Jordan appelait Christopher Harte à la barre. Objection ! brailla-t-elle.

Le juge Puckett soupira.

— Madame le procureur, maître, suivez-moi dans mon bureau. Amenez l'accusé.

Ils suivirent le juge dans son bureau, Chris fermant la marche. Barrett n'attendit pas que la porte soit complètement close pour donner libre cours à son courroux :

— C'est une surprise totale, Votre Honneur ! Personne ne m'a informée de ce qui allait se passer aujourd'hui !

— Rassurez-vous, vous n'êtes pas la seule, dit Jordan entre ses dents.

— Voulez-vous une interruption, Barrett ? demanda Puckett.

— Non, grommela-t-elle, mais un peu plus de courtoisie ne serait pas superflu.

Ignorant sa remarque, Jordan posa la renonciation sur le bureau du juge.

— Je lui ai dit que je ne voulais pas qu'il témoigne à la barre, et que cela pouvait détruire sa défense.

Le juge Puckett s'adressa à Chris :

— Monsieur Harte, votre avocat vous a-t-il expliqué toutes les conséquences que peut entraîner pour vous votre témoignage ?

— Oui, Votre Honneur.

— Et vous avez signé ce texte qui dit que votre avocat vous l'a bel et bien expliqué ?

— Oui.

— Très bien, fit le juge en haussant les épaules.

Ils retournèrent tous les trois en salle d'audience.

— La défense appelle Christopher Harte à la barre, dit Jordan.

L'avocat alla se placer devant la table de la défense. Il voyait les jurés assis sur le bord de leur chaise. Et Barrett, qui ressemblait à un chat ayant mangé un canari. D'ailleurs, pourquoi se serait-elle privée ? Elle pouvait interroger Chris en swahili et gagner le procès.

— Chris, dit Jordan, vous savez que vous êtes accusé du meurtre d'Emily Gold ?

— Oui.

— Pouvez-vous nous dire les sentiments que vous éprouviez pour Emily Gold ?

— Je l'aimais plus que tout au monde.

La voix de Chris était claire et ferme. Jordan ne put s'empêcher d'admirer ce garçon. Il n'était pas facile d'affronter une cour, qui avait sans doute déjà prononcé sa sentence dans son esprit, pour lui donner sa propre version des faits.

— Depuis combien de temps la connaissiez-vous ?

Tout en Chris s'adoucit : les lignes de son corps, le tranchant de ses mots.

— J'ai connu Emily pendant toute sa vie, dit-il.

Jordan se demanda fébrilement comment continuer. Son objectif, autant que faire se pouvait, était de prévenir l'explosion.

— De quand datent vos souvenirs les plus lointains ? demanda-t-il.

— Objection ! cria Barrett. Sommes-nous vraiment obligés de passer dix-huit années en revue ?

Le juge Puckett acquiesça.

— Avancez, maître.

— Pouvez-vous me parler de votre relation avec Emily ? fit Jordan.

— Est-ce que vous savez ce que c'est que d'aimer une fille au point que vous ne pouvez pas imaginer la vie sans elle ? répondit Chris. Ce que c'est que de vous sentir complet à son simple contact ? Ce qui se passait entre nous n'avait rien à voir avec le sexe. On ne sortait pas non plus ensemble pour parader et en mettre plein la vue aux copains. Nous étions vraiment faits l'un pour l'autre. Il y a des gens qui passent leur vie entière à chercher la personne qui est faite pour eux. Moi, j'ai eu la chance de l'avoir toujours eue.

Jordan regardait Chris, réduit au silence par ses paroles, comme les autres auditeurs de la salle. Ce n'était pas là le ton d'un garçon de dix-huit ans. C'était le ton de quelqu'un de plus âgé... de plus sage... de plus triste.

— Est-ce qu'Emily voulait se suicider? demanda-t-il enfin.

— Oui, répondit Chris.

— Pouvez-vous nous dire, Chris, ce qui s'est passé dans la nuit du 7 novembre?

Le jeune homme baissa les yeux.

— C'était la nuit qu'Emily avait choisie pour se suicider. J'ai pris le revolver comme elle m'avait demandé de le faire. Je l'ai emmenée au manège. Nous avons parlé un peu, et... peu importe.

Sa voix dérailla, et Jordan, qui l'observait avec soin, vit qu'il était retourné au manège, avec Emily.

— Et alors, dit Chris avec calme, en levant les yeux sur son avocat, c'est moi qui ai tiré.

À cette révélation, la salle fut en effervescence. Les journalistes se ruèrent sur leurs cellulaires. Mélanie Gold se mit à hurler en montrant Chris du doigt. Michael l'entraîna dehors, pâle et silencieux.

— Il me faut une interruption, Votre Honneur, dit Jordan d'une voix ferme en tirant Chris hors de la salle.

Barrett Delaney éclata d'un rire bruyant.

Gus restait assise sans bouger, les joues ruisselantes de larmes. À côté d'elle, James se balançait d'avant en arrière en murmurant : « Ô mon Dieu, ô mon Dieu. » Lorsqu'il se tourna vers son épouse pour lui prendre la main, il vit l'expression de son visage et fut coupé net dans son élan.

— Tu savais, chuchota-t-il.

Gus baissa la tête, incapable de l'avouer, mais également incapable de le nier.

Elle s'attendit à voir James se lever pour marcher, pour penser, ou tout simplement pour ne plus être là.

Mais, au lieu de cela, elle sentit sa main, chaude et ferme, prendre les siennes. Et elle s'y agrippa pour y puiser sa force.

De retour dans le petit vestibule, Jordan s'assit et enfouit la tête dans ses mains. Pendant une bonne minute, il fut incapable de bouger ou de parler. Lorsqu'il ouvrit la bouche, ce fut avec la tête toujours baissée.

— Est-ce que c'est pour obtenir un appel ? demanda-t-il d'une voix égale. Ou est-ce que vous avez juste un dernier vœu à formuler ?

— Ni l'un ni l'autre, répondit Chris.

— Est-ce que vous pouvez me dire ce qui se passe, alors ?

Jordan parlait d'une voix douce, trop douce pour toutes les émotions qui se bousculaient dans sa tête. Il avait une furieuse envie d'étrangler Christopher Harte pour l'avoir fait passer pour un imbécile. Et non pas une fois, mais deux. Il avait envie de se gifler pour n'avoir pas été assez malin pour demander à son client, dix minutes auparavant, ce qu'il avait l'intention de déclarer à la barre. Et il avait envie de coller une bonne claque au procureur pour lui faire passer son sourire triomphant, parce qu'elle savait, et lui savait aussi, lequel des deux allait gagner.

— J'ai voulu vous le dire avant, dit Chris, mais vous n'avez pas voulu m'écouter.

— Bon. Puisque vous avez de toute façon tout foutu en l'air, vous feriez bien de tout me dire.

Jordan ne put s'empêcher de rire devant l'énormité de ses propres paroles. Pour la première fois en dix ans, peut-être plus, il allait être obligé de sauver un procès avec la vérité. Parce que c'était tout ce qui lui restait à faire.

Il avait appris bien longtemps auparavant que la vérité n'avait pas sa place dans une salle d'audience. Personne, ni le procureur ni, bien souvent, l'accusé, ne la voulait en ce lieu. Dans les procès, on débattait de preuves, de preuves contradictoires et de théories, et non pas de ce qui s'était réellement passé. Mais les preuves, les preuves contradictoires et les théories venaient d'être jetées aux orties. Et le seul élément dont disposait Jordan était ce garçon, ce garçon stupide qui mettait un point d'honneur à dire à la face du monde ce qui s'était réellement passé.

Un quart d'heure plus tard, Jordan et son client quittaient la petite pièce, côte à côte, graves et silencieux. Ils marchaient d'un pas rapide en fendant la foule qui avait entendu la rumeur et qui les suivait des yeux, bouche bée. À la porte de la salle d'audience, Jordan se tourna vers Chris :

— Quoi que je fasse, il faut jouer le jeu. Quoi que je dise, il faut abonder dans mon sens.

Il vit le jeune homme hésiter.

— Vous me devez bien ça, siffla-t-il.

Chris hocha la tête et ils poussèrent la porte ensemble.

Il régnait un tel silence dans le prétoire que Chris entendait battre son propre cœur. Il était retourné à la barre des témoins. Ses mains moites tremblaient si fort qu'il les cacha sous ses cuisses. Il n'avait regardé ses parents qu'une fois. Sa mère lui avait adressé un faible sourire et lui avait fait un signe de tête. Son père... eh bien, son père était encore là.

Il ne regarda pas les parents d'Emily, même s'il sentait la flamme de leur colère venir jusqu'à lui.

Il était très, très fatigué. Le tissu de sa veste l'irritait à travers sa fine chemise, et ses chaussures neuves lui avaient fait une ampoule au talon. Il avait la tête prête à éclater.

C'est alors que, soudainement, il entendit la voix d'Emily. Claire, calme, familière. Elle lui disait que tout irait bien, qu'elle ne le quitterait pas. Et il sentit la sérénité envahir son cœur.

— Chris, dit Jordan, que s'est-il passé la nuit du 7 novembre ?

Chris respira à fond et se mit à parler.

HIER

Le 7 novembre 1997

Il garda les yeux fixés sur le revolver, sur la petite marque qu'il faisait sur la peau blanche de la tempe d'Emily. Ses mains tremblaient aussi fort que les siennes, et il se dit : « Ça va partir. » Puis, tout de suite après : « Mais c'est ce qu'elle veut. »

Les yeux d'Emily étaient fermés. Ses dents étaient plantées dans sa lèvre inférieure. Elle retenait son souffle. Il comprit qu'elle s'attendait à éprouver une grande douleur.

Il l'avait déjà vue ainsi.

Il se souvint avec une grande netteté d'un épisode qu'il avait oublié de raconter au Dr Feinstein.

Sûrement son premier souvenir, puisqu'il marchait à peine. Il courait sur le trottoir et il était tombé. Il s'était mis à pleurer et sa mère l'avait soulevé dans ses bras, l'avait assis sur le seuil de la maison en embrassant son genou apparemment intact. Pour faire bonne mesure, elle lui avait placé un sparadrap dessus. Ce ne fut qu'après avoir été consolé qu'il vit qu'Emily criait aussi et que sa mère lui appliquait le même traitement. Elle était avec lui sur le trottoir, mais elle n'était pas tombée. Pourtant, sur son genou gauche, il y avait une marbrure toute neuve.

« C'est lui qui s'est écorché, avait ri sa mère, et c'est elle qui saigne ! »

La même chose s'était passée à plusieurs reprises lorsqu'ils étaient enfants. Lorsqu'il se blessait, Emily faisait la grimace, ou vice versa. Elle tombait de son vélo et c'était lui qui pleurait.

Le pédiatre appelait cela une douleur de solidarité, et il disait que cela leur passerait quand ils grandiraient.

Cela ne leur était pas passé.

Le revolver glissa sur la tempe d'Emily, et Chris sut tout à coup que si elle se suicidait, il mourrait. Peut-être pas tout de suite, peut-être pas avec la même douleur fulgurante, mais il mourrait. Il ne pourrait pas vivre sans cœur pendant très longtemps.

Il attrapa le poignet droit d'Emily avec fermeté. Il était plus grand qu'elle. Il pouvait agir. De sa main libre, il déplia les doigts de la jeune fille crispés sur la gâchette et désarma prudemment le chien.

— Pardonne-moi, dit-il, mais tu ne peux pas faire ça.

Emily mit un moment à pouvoir accommoder sa vue, mais ensuite ses yeux plongèrent dans les siens, noircis de trouble, de surprise puis de rage.

— Si, je peux ! dit-elle en essayant d'attraper l'arme que Chris tenait hors de sa portée. Chris, le supplia-t-elle au bout d'un instant, si tu m'aimes, rends-le-moi !

— Mais je t'aime ! hurla-t-il, le visage déformé par la souffrance.

— Je comprends très bien que tu ne puisses pas rester avec moi, dit-elle en regardant le revolver. Va-t'en, alors. Mais laisse-moi le faire.

Chris serra les lèvres et attendit, mais Emily fuit son regard. « Regarde-moi, la supplia-t-il en une muette prière. Nous ne serons gagnants ni l'un ni l'autre. »

La détermination d'Emily menaçait de le rendre fou. Il fallait qu'il parte, qu'il s'en aille loin d'elle, pour ne plus rien ressentir.

Aveuglé par les larmes, il se mit à courir à travers les buissons qui entouraient le manège et alla se réfugier auprès de la voiture, mais sans monter à l'intérieur. Il comprit alors qu'il attendait le bruit du coup de feu.

Une demi-heure passa lentement. Sans même s'en rendre compte, il se retrouva à mi-chemin du manège. Emily n'avait pas changé de position. Elle était assise, jambes croisées sur le sol, le revolver au creux des mains. Elle le caressait comme elle aurait caressé un petit chat, en sanglotant à gros hoquets.

Elle leva sur lui ses yeux mouillés de larmes et lui annonça :

— Je n'y arrive pas. J'ai beau essayer, je n'y arrive pas.

Le cœur battant, Chris la remit debout et se dit que c'était un signe. Mais dès qu'elle fut sur ses jambes, elle lui mit le revolver entre les mains. L'arme était glissante de la sueur d'Emily, et aussi chaude que sa peau.

— Je suis bien trop lâche pour me tuer, chuchota-t-elle. Et bien trop lâche pour vivre. Qu'est-ce que je vais faire ?

Tout ce que Chris s'apprêtait à dire se coinça dans sa gorge. Il savait que s'il le voulait, il pourrait lancer l'arme si loin qu'elle ne la retrouverait pas. Il était plus fort qu'elle... et le problème était là. Il avait une grande capacité d'endurance, depuis toujours. C'était pour cela qu'il était capable de telles prouesses à la brasse papillon. Pour cela qu'il était capable de rester à l'affût pendant des heures par une température de 0°, à la chasse. Qu'il était capable de se convaincre de laisser Emily se suicider. Mais depuis qu'ils étaient petits, quand il voyait des « bleus de solidarité » surgir sous la peau d'Emily, il souffrait plus que d'être tombé lui-même. Il pouvait supporter lui de souffrir, mais ne pouvait supporter de la voir souffrir, elle.

L'angoisse qu'il vit sur son visage lui tordit le cœur. Quelle que soit la cause de la douleur qu'elle ne pouvait lui révéler, elle la faisait mourir à petit feu, bien plus cruellement que tous les Colt du monde.

Tout à coup, Chris comprit. Emily n'avait pas peur de mourir. Elle avait peur de ne pas mourir.

La nuit se resserrait autour d'eux. Il ne pensa plus à courir, à aller chercher de l'aide, à gagner du temps. C'était leur affaire à tous les deux, et il n'y avait pas de solution.

— S'il te plaît, murmura-t-elle, et il sut que plaire à Emily était ce qu'il avait toujours souhaité durant toute sa vie.

Il prit le revolver de la main gauche et l'enlaça.

— C'est ça que tu veux ? chuchota-t-il.

Comprenant, elle hocha la tête. Elle se détendit dans ses bras et cette ultime manifestation de confiance le décida.

— Je peux le faire pour toi, dit-il en reculant.

Emily posa sa main sur la sienne et mit l'arme sur sa tempe.

— Alors, fais-le pour moi.

Elle ne pouvait voir le visage de Chris dans cette position, mais elle l'imagina.

Et le souvenir lui revint d'un jour d'été où le thermomètre était monté brutalement à 35° et où on se demandait quelle mouche les avait piqués de jouer au tennis… mais le fait était là. Les services d'Emily envoyaient la balle sur l'autre court, et Chris courait la ramasser en riant aux éclats.

Elle le revit dans le soleil, la raquette dans la main gauche et la balle dans la main droite. Il s'était arrêté pour s'essuyer le front et lui avait adressé un sourire radieux. Sa voix était grave et profonde. Sa voix qu'elle aimait.

« Prête ? » avait-il demandé.

Emily sentit le revolver toucher sa peau. Elle prit une inspiration.

— *Vas-y, dit-elle.*

Vas-y, vas-y.

Il entendit les mots, il entendit la voix d'Emily vibrer contre sa poitrine. Mais ses mains s'étaient remises à trembler. S'il appuyait sur la gâchette, ce serait peut-être lui qu'il tuerait. Mais était-ce un si grand mal ?

Vas-y. Vas-y.

Il pleurait si fort qu'en la regardant entre ses cils il ne vit pas son visage et crut qu'il avait déjà commencé à l'oublier. Mais il chassa ses larmes et vit qu'elle était belle et calme et qu'elle attendait, la bouche entrouverte comme parfois lorsqu'elle s'endormait.

Elle ouvrit les yeux et il y lut toute sa détermination.

— Oh, je t'aime, dit-il.

Du moins crut-il le faire, et Emily l'entendit. Levant la main droite, elle la posa sur celle de Chris. Ses doigts vinrent entourer les siens pour l'encourager.

Elle pressa sa main, et du même geste appuya sur la gâchette.

Il n'entendit plus rien et il tomba, Emily dans ses bras.

AUJOURD'HUI

Mai 1998

Chris se tut et la stupeur se posa sur la salle d'audience comme un filet qui aurait retenu captives toutes les questions soulevées durant le procès. Chris s'était ramassé sur lui-même et respirait difficilement.

Jordan fut le premier à reprendre ses esprits. Il n'y avait qu'une façon de sauver cette affaire. Il savait exactement ce que dirait le ministère public, puisqu'il avait fait ce travail pendant des années. Sa seule chance de remonter la pente était de prendre Barrett Delaney de vitesse : il allait faire le réquisitoire avant elle.

Jordan s'approcha de la barre et se prépara à attaquer son propre client.

— Pourquoi êtes-vous allé là-bas ? grinça-t-il. Est-ce que vous aviez l'intention de vous suicider, oui ou non ?

Estomaqué, Chris regarda son avocat. Malgré les événements qui venaient de se dérouler, Jordan était tout de même censé rester de son côté.

— J'ai pensé que je pourrais l'arrêter, répondit-il.

— Ah bon ! aboya Jordan. Vous pensiez pouvoir l'arrêter, mais c'est vous qui avez tiré. Pourquoi avez-vous apporté deux balles ?

— Je... je ne sais pas vraiment. Je l'ai fait sans réfléchir.

— Au cas où vous rateriez ?

— Au cas... je n'avais pas les idées très claires... J'en ai pris deux, c'est tout.

— Vous vous êtes évanoui, poursuivit l'avocat, changeant de sujet. Savez-vous pourquoi ?

— Je me suis réveillé par terre, et je saignais de la tête, c'est tout ce que je me rappelle.

Une parole prononcée par Jordan des mois auparavant lui revint en mémoire : « On peut se sentir très seul à la barre des témoins. »

— Étiez-vous inconscient quand la police est arrivée ?

— Non, répondit Chris. J'étais assis par terre, et je tenais Emily.

— Mais vous ne vous souvenez pas de vous être évanoui. Vous souvenez-vous de ce qui s'est passé avant votre supposé évanouissement ?

La bouche de Chris s'ouvrit, puis se referma sur des mots vides.

— Nous tenions tous les deux le revolver, parvint-il à dire.

— Où se trouvaient les mains d'Emily ?

— Sur ma main.

— Sur le revolver ?

— Je ne sais pas. Je pense que oui.

— Vous ne vous souvenez pas exactement où ?

— Non, dit Chris, dont l'agitation allait en croissant.

— Donc, comment savez-vous avec certitude que ses mains étaient sur les vôtres ?

— Parce que je sens toujours son contact, encore maintenant, quand j'y repense.

Jordan leva les yeux au ciel.

— Oh, ça va, Chris, arrêtez vos conneries sentimentales. Comment savez-vous que les mains d'Emily étaient sur les vôtres ?

Chris regarda son avocat bien en face, le visage empourpré.

— Parce qu'elle essayait de me faire appuyer sur la gâchette ! hurla-t-il.

— Et comment le savez-vous ? insista l'avocat.

— Parce que je le sais ! dit Chris en agrippant le rebord du box. Parce que c'est ce qui s'est passé ! Parce que c'est la vérité.

— Oh, fit Jordan en reculant, la vérité... Et pourquoi devrions-nous croire cette vérité-là ? Il y en a tellement eu !

Chris se mit à se balancer lentement sur son siège. Bien sûr... Jordan lui avait prédit qu'il foutrait sa défense en l'air, et maintenant, il le lui faisait payer. Il ne voulait pas quitter le prétoire en ayant l'air d'un con, il préférait que ce soit son client qui passe pour un con.

Soudain, Jordan vint se mettre à côté de lui.

— Votre main était sur le revolver ?

— Oui.

— Où ?

— Sur la gâchette.

— Et où était la main d'Emily ?

— Sur la mienne. Sur le revolver.

— Comment ça ? Sur votre main ou sur le revolver ?

Chris baissa le nez.

— Sur les deux. Je ne sais pas.

— Donc, vous ne vous souvenez pas de vous être évanoui, mais vous vous souvenez que la main d'Emily était sur la vôtre et sur le revolver. Comment est-ce possible ?

Je ne sais pas.

— Pourquoi la main d'Emily était-elle sur la vôtre ?

— Parce qu'elle essayait de me décider à la tuer.

Comment le savez-vous ? persifla Jordan.

— Elle me disait : « Vas-y, vas-y. » Mais je n'y arrivais pas. Elle me le répétait sans arrêt, et comme elle voyait que je ne me décidais pas, elle a posé la main sur la mienne et l'a secouée à plusieurs reprises.

— Elle vous a secoué la main ? Est-ce qu'elle a secoué votre doigt sur la gâchette ?

— Je ne sais pas.

L'avocat s'approcha encore.

— Est-ce qu'elle a secoué votre poignet pour faire bouger votre main entière ?

— Je ne sais pas.

— Est-ce que son doigt a ne serait-ce qu'effleuré la gâchette, Chris ?

— Je ne me rappelle plus.

Le jeune homme secoua la tête, comme pour tenter d'y mettre de l'ordre.

— Est-ce que sa main a tapé sur votre doigt posé sur la gâchette ?

— Je ne sais pas, sanglota Chris, je ne sais pas.

— Est-ce que c'est vous qui avez actionné cette gâchette, Chris ? insista Jordan.

Chris acquiesça d'un mouvement de tête, le visage barbouillé de larmes.

— Comment le savez-vous ?

— Je ne sais pas ! hurla Chris en se couvrant les oreilles. Je ne sais pas !

Jordan se pencha alors au-dessus du box des témoins et prit délicatement les mains de Chris pour les poser à côté des siennes sur le rebord.

— Vous ne savez pas avec certitude si vous avez tué Emily, n'est-ce pas ?

Chris regarda son avocat en ouvrant de grands yeux. « Ne cherchez pas à comprendre, l'implora silencieusement Jordan. Reconnaissez simplement que vous ne savez pas. » Il était épuisé, moulu, écrasé... mais il se sentit apaisé pour la première fois depuis des mois.

— Non, murmura-t-il, acceptant ce cadeau. Je ne sais pas.

De sa vie, Barrett Delaney n'avait vécu un tel procès. En réalité, Jordan avait fait son travail à sa place, sauf à la fin où l'accusé, brisé par l'émotion, s'était rétracté. Mais des aveux, il y en avait eu. Et elle n'était pas femme à renoncer si facilement à des aveux.

— Il s'est passé beaucoup de choses au cours de cette nuit du 7 novembre, n'est-ce pas ? demanda-t-elle.

Chris regarda le procureur et hocha prudemment la tête.

— Oui.

— Et à la fin de toutes ces péripéties, poursuivit Barrett, c'est vous qui vous êtes retrouvé avec le revolver dans la main ?

— Oui.

— Est-ce que ce revolver était appuyé contre la tête d'Emily ?

— Oui.

— Est-ce que votre doigt était sur la gâchette ?

Chris respira à fond.

— Oui.

— Est-ce qu'un coup de feu a été tiré ?

— Oui.

— Monsieur Harte, dit Barrett, est-ce que votre main était toujours sur le revolver et sur la gâchette quand le coup de feu a été tiré ?

— Oui, murmura Chris.

— Pensez-vous que vous avez tué Emily ?

Chris se mordit la lèvre.

— Je ne sais pas.

— Je vais reprendre, Votre Honneur, dit Jordan en retournant vers son client. Chris, demanda-t-il, vous êtes-vous rendu au manège en pensant que vous alliez tuer Emily ?

— Mon Dieu, non !

— Est-ce que vous y êtes allé en projetant de la tuer ?

Non ! s'exclama Chris en secouant vigoureusement la tête. Non !

— Même lorsque vous teniez le revolver contre la tête d'Emily, Chris... Vouliez-vous la tuer ?

— Non, répondit le jeune homme d'une voix nouée. Non.

Jordan se détourna, de manière à ne plus faire face à Chris, mais à Barrett Delaney, dont il se mit à répéter les questions :

— À la fin de la soirée du 7 novembre, Chris, le revolver était-il dans votre main ?

— Oui.

— Est-ce que le revolver était placé contre la tête d'Emily ?

— Oui.

— Est-ce que votre doigt était sur la gâchette ?
— Oui.
— Un coup de feu a-t-il été tiré ?
— Oui.
— Est-ce que la main d'Emily était sur le revolver avec la vôtre ?
— Oui, oui, dit Chris.
— Est-ce qu'elle disait « Vas-y, vas-y » ?
— Oui.
Jordan alla se placer en face des jurés.
— Pouvez-vous dire sans l'ombre d'un doute, Chris, que ce sont vos seuls actes, vos seuls mouvements, vos seuls muscles, qui ont fait que ce coup de feu a été tiré ?
— Non, dit Chris, les yeux brillants de larmes. Je pense que non.

À la surprise générale, le juge Puckett insista pour que les conclusions aient lieu après le déjeuner. Les huissiers emmenèrent Chris dans le bureau du shérif. En passant, le jeune homme tendit la main pour toucher la manche de Jordan.
— Jordan... commença-t-il.
L'avocat était en train de ramasser ses notes, ses crayons et ses documents éparpillés autour de la table. Il ne se donna pas la peine de lever la tête.
— Ne me parlez pas, dit-il en se levant sans un regard pour son client.

Barrett Delaney alla fêter sa future victoire dans un salon de thé où elle s'octroya une glace au chocolat.
En tant que procureur adjoint, le seul moyen de se faire un nom était d'avoir la chance d'être aux fourneaux quand se déroulait un procès retentissant... En cela, elle avait eu de la chance. Les assassins ne couraient pas les rues dans le comté de Grafton. Quant à des aveux retentissants en plein prétoire, il n'y en avait jamais eu.

On parlerait de ce procès pendant des jours et des jours dans tout l'État du New Hampshire. Peut-être même serait-elle interviewée à la télé.

Elle lécha soigneusement les bords de sa crème glacée, car ce n'était pas le moment de faire une tache sur sa robe avant le réquisitoire. Mais de toute façon, pensa-t-elle, même si elle se contentait de réciter l'alphabet après la plaidoirie de Jordan, Chris Harte serait convaincu de meurtre. En dépit des derniers efforts désespérés de ce pauvre Jordan, les jurés apprécieraient peu d'avoir été pris pour des imbéciles. Ils auraient du mal à avaler toutes ces salades à propos du double suicide raté que la défense avait choisi pour stratégie. Ah, ça pèserait lourd dans les esprits des douze jurés quand ils se retireraient pour délibérer !

Les paroles de Chris avouant que c'était lui qui avait tiré sur la fille... l'attitude désastreuse de sa mère à la barre... sans oublier le fait que, pendant les trois premiers jours du procès, la défense leur avait délibérément menti... Tout cela, ils l'auraient en mémoire.

Les gens n'aimaient pas être dupés.

Barrett Delaney sourit et se lécha les doigts. « Et Jordan McAfee moins que personne », se dit-elle.

Va t'en ! brailla Jordan par-dessus son épaule

— Non, je reste ! répliqua Selena.

— Fiche-moi la paix, d'accord ?

Il détala, mais elle était sacrément grande, et ses longues jambes avalèrent facilement la distance. Il s'engouffra dans les toilettes des hommes, mais Selena ne s'avoua pas vaincue pour autant. Elle le suivit à l'intérieur. Devant son regard insistant, un homme âgé qui utilisait l'urinoir remonta prestement sa fermeture éclair en rougissant, avant de sortir. Selena s'appuya contre la porte pour empêcher l'entrée dans les lieux.

— Vas-y, dit-elle. Parle.

Jordan se mit contre le lavabo et ferma les yeux.

— Est-ce que tu te rends compte de l'effet produit par tout ça sur ma crédibilité ?

— Mais tu es hors de cause ! Chris t'a signé une renonciation...

— Les gens n'en ont rien à foutre. Même si on le dit aux informations, ils ne l'entendront pas. Ils se diront que je suis aussi nul dans un prétoire que n'importe lequel des sept nains.

— Lequel ?... sourit Selena.

— Simplet, soupira Jordan. Bon Dieu, qu'est-ce que je peux être con ! Comment est-ce que j'ai pu le mettre à la barre sans lui tirer les vers du nez avant, sans lui demander ce qu'il avait l'intention de dire ?

— Tu étais furieux, lui rappela la jeune femme.

— Ah bon ?

— Oui. Tu ne sais pas comment tu es quand tu es en colère... Écoute, tu as fait de ton mieux pour Chris. Tu ne peux pas gagner tout le temps.

— Je ne vois pas pourquoi ! jeta-t-il.

— Savez-vous, confia Jordan aux jurés, qu'il y a trois heures encore je ne savais pas ce que j'allais vous dire ? Et puis l'idée m'est venue : j'ai eu envie de vous féliciter. Parce qu'aujourd'hui, vous avez eu droit à une chose tout à fait inhabituelle. Une chose surprenante qui n'arrive jamais dans une salle d'audience. Mesdames et messieurs les jurés, vous avez vu la vérité.

Il sourit et s'appuya contre la table.

— C'est un mot compliqué, n'est-ce pas ? Un mot qui paraît trop grand. Un mot très sérieux. J'ai vérifié dans le dictionnaire. Le dictionnaire dit que c'est l'état réel des choses, la connaissance conforme à la réalité des événements ou des faits... Cependant, Oscar Wilde dit que la vérité pure et simple est rarement pure et jamais simple. La vérité, voyez-vous, c'est ce qu'on veut bien voir.

« Savez-vous que j'ai été procureur ? J'ai travaillé pendant dix ans dans le même bureau que celui où travaille madame le procureur Delaney. Quand vous êtes procureur, le monde est blanc ou noir, et les choses sont arrivées ou ne sont pas arrivées. J'ai toujours cru, quant à moi, qu'il y avait plus d'une façon de raconter une histoire, de voir les choses. Je ne pensais pas que la vérité avait sa place dans un procès. En tant que procureur, on présente ses preuves et ses témoins, et on donne à la défense la possibilité de présenter la même matière sous un autre jour... Mais vous noterez que je n'ai pas parlé de présenter la vérité...

Il rit.

— C'est amusant, vous ne trouvez pas ? Il va falloir que je m'empare de la vérité et la boive jusqu'à la lie... Parce que c'est tout ce qui me reste à faire pour défendre Chris Harte. Ce procès... c'est incroyable, mais vrai... parle de la vérité.

Jordan s'approcha du box des jurés et posa ses mains sur le rebord.

— Nous avons commencé ce procès avec deux vérités, poursuivit-il. La mienne, dit-il en posant une main sur sa poitrine, et celle du procureur. Et à partir de là, nous en avons vu de nombreuses variantes. La vérité, pour la mère d'Emily, c'est que sa fille était rien moins que parfaite. Mais nous ne voyons les gens que comme nous voulons les voir. La vérité, pour l'inspecteur et pour le médecin légiste, est faite d'une série de preuves tangibles. La vérité, pour Michael Gold, c'est d'assumer la responsabilité d'une chose terrible, même s'il est plus facile de désigner un autre coupable. Et la vérité, pour la mère de Chris, n'a rien à voir avec cette affaire. Sa vérité consiste à croire en son fils, quelles que soient les circonstances.

« Mais la vérité la plus importante, vous l'avez entendue de la bouche de Chris Harte. Il n'y a que deux personnes pour savoir ce qui s'est exactement passé le soir du 7 novembre. L'une des deux est morte. Et l'autre vient de tout vous raconter.

« Et maintenant, mesdames et messieurs les jurés, c'est à vous d'intervenir. Madame le procureur vous a livré une série de faits. Et Chris Harte vous a livré la vérité. Allez-vous suivre aveuglément madame le procureur, en voyant les choses de la manière dont elle veut que vous les voyiez, à travers ses lunettes noir et blanc ? Direz-vous : il y a eu un revolver, il y a eu un coup de feu, une jeune fille est morte, par conséquent il y a eu meurtre ? Ou regarderez-vous la vérité ?

« Vous avez le choix. Vous pouvez faire comme j'avais l'habitude de faire, comme j'aime faire en tant que juriste : prendre les faits et vous forger une opinion. Ou vous pouvez tenir la vérité entre vos mains et la prendre comme un cadeau.

Jordan se pencha en avant et poursuivit d'une voix plus douce :

— Il était une fois un garçon et une fille. Ils grandirent ensemble en s'aimant comme frère et sœur. Ils passèrent tout leur temps ensemble. Et lorsqu'ils devinrent plus grands, ils devinrent amants. Leurs sentiments et leurs cœurs étaient si entremêlés qu'ils ne vivaient plus que l'un pour l'autre.

« Puis, pour une raison que nous ne connaîtrons sans doute jamais, la jeune fille se mit à souffrir. Elle souffrit si atrocement qu'elle ne voulut plus vivre. Et elle se tourna vers la seule personne en qui elle avait confiance.

Jordan s'avança vers Chris et s'arrêta à quelques centimètres de lui.

— Il essaya de l'aider, reprit-il. Il essaya de l'arrêter. Mais en même temps, il sentait sa douleur aussi fort que si c'était la sienne. Et à la fin, il ne put l'arrêter. Il échoua. Alors, il partit, il la laissa seule.

Jordan regarda les jurés.

— Le problème, c'est qu'Emily n'arrivait pas à se suicider. Elle l'a supplié, elle a pleuré, elle a mis sa main sur la sienne, sur le revolver. Elle faisait tellement partie de lui et lui faisait tellement partie d'elle qu'elle n'a pu accomplir seule l'acte final. Il y a donc un problème que vous, jury, avez à considérer : est-ce que Chris *a agi de lui-même ?*

« Comment savoir ce qui a déclenché la gâchette, mesdames et messieurs les jurés ? Il y a le pouvoir physique, et il y a le pouvoir mental. Peut-être est-ce parce que Emily a poussé la main de Chris. Et peut-être est-ce parce qu'elle lui avait dit qu'elle souhaitait par-dessus tout mourir. Qu'elle lui avait dit qu'elle lui faisait confiance et qu'elle l'aimait assez pour lui demander de l'aider à accomplir son acte. Chris Harte est le seul parmi nous à s'être trouvé sur place. Et selon son propre témoignage, lui-même ne sait pas exactement ce qui s'est passé.

« Madame le procureur souhaite que vous condamniez Chris pour meurtre au premier degré. Mais pour cela, il lui reste à prouver qu'il a eu le temps et l'occasion de réfléchir auparavant. Qu'il avait préparé ce qu'il allait faire et qu'il avait pris les dispositions nécessaires, et que son but était de tuer Emily.

Jordan secoua la tête.

— Non, Chris n'a pas voulu tuer Emily ce soir-là, ni jamais. C'était la dernière chose au monde qu'il avait envie de faire. Chris n'a pas eu le temps de préparer ce qui s'est passé. Il n'a jamais rien préparé. C'est Emily qui a tout préparé pour lui.

« Ce procès ne repose pas sur les faits rassemblés par madame le procureur, ni sur ce que j'ai dit dans ma plaidoirie préalable, ni sur les témoignages que j'ai présentés. Il repose sur Chris Harte, et sur ce qu'il a choisi de vous révéler.

Jordan tourna lentement les yeux vers le jury et capta le regard de chacun de ses douze membres.

— Il y était, et il a quelques doutes sur ce qui s'est réellement passé. Comment ne douteriez-vous pas, vous ?

Il retourna vers la table de la défense et s'arrêta à mi-chemin.

— Chris vous a confié une chose que la plupart des jurys n'entendent jamais : la vérité. Maintenant, c'est à vous de lui dire que vous l'avez écouté.

— Maître McAfee a certainement un grand avenir en tant que romancier, persifla Barrett. Moi-même, je me suis laissé prendre par le récit dramatique qu'il nous a fait... Mais tout l'objectif de maître McAfee était de vous détourner des faits indéniables de cette affaire qui, à l'en croire, ne représentent pas « la vérité ».

« Eh bien, nous ne savons pas vraiment si Chris Harte dit la vérité. Nous savons qu'il a déjà menti à la police, et à ses parents. En fait, nous avons entendu trois versions différentes au cours de ce procès. Dans la première version, Emily allait se suicider avec Chris. Dans la deuxième version, Emily voulait toujours se suicider... mais Chris allait l'en empêcher. (Barrett fit une pause.) Vous savez, c'est un peu plus plausible, pour moi, parce que Chris n'a pas l'air de quelqu'un qui veut se suicider.

« Ensuite, Chris nous a livré une troisième version : Emily n'arrivait pas à appuyer sur la gâchette elle-même, donc il a fallu que ce soit lui qui le fasse à sa place. (Barrett poussa un gros soupir.) Maître McAfee veut que vous regardiez la vérité. Très bien, mais laquelle ?

« Bien. Nous n'allons pas polémiquer et nous allons prendre la dernière version de Chris. Partons du principe que c'est la vérité. Mais même si c'est vraiment la vérité, vous n'avez d'autre choix que de le condamner. Vous avez vu la preuve physique : c'est la seule chose qui n'ait pas changé au cours de ce procès. Vous avez entendu l'inspecteur Marrone déclarer que les empreintes de Chris étaient sur le revolver. Vous avez entendu le médecin légiste déclarer que la trajectoire de la balle à travers la tête d'Emily indiquait que quelqu'un l'avait tuée par balle. Vous l'avez entendu fournir la preuve de la présence de cellules épithéliales de Chris sous les ongles d'Emily et de la présence de bleus sur son poignet, ce qui indique qu'il y a eu une lutte. Mais, et peut-être est-ce là le plus important, vous avez entendu Chris Harte déclarer qu'il avait tiré un coup de revolver sur Emily Gold. Selon son propre aveu, il l'a tuée.

« Une personne est coupable de meurtre au premier degré si elle a agi avec l'intention de causer la mort de quelqu'un d'autre. Si son action est préméditée, délibérée et commise de plein gré.

« Réfléchissons à ceci : Chris Harte a pesé le pour et le contre, puis a décidé d'apporter un revolver sur le lieu du crime. C'est de la préméditation. Il a chargé le revolver. C'est délibéré. Il a pris le revolver de la main d'Emily de son plein gré, il l'a placé contre sa tête et il le tenait toujours lorsque le coup a été tiré. Mesdames et messieurs les jurés, cela est un meurtre au premier degré. Peu importe la compassion que Chris éprouvait pour Emily. Peu importe qu'il ait agi sur sa demande. Peu importe qu'il ait souffert en la tuant. Dans notre pays, vous n'avez pas le droit de prendre un revolver et de tuer quelqu'un. Même si ce quelqu'un vous le demande.

Barrett s'avança vers le jury.

— Si nous croyons Chris maintenant, pouvons-nous pour autant accepter son acte ? Surtout si la victime n'est plus parmi nous pour témoigner ? Accepter, ce serait ouvrir la porte à tous les abus. Nous nous retrouverions avec des criminels qui circuleraient dans les rues en jurant leurs grands dieux que leurs victimes les avaient suppliés de les tuer. (Elle désigna la barre des témoins.) Ici, Chris Harte vous a déclaré qu'il avait pris le revolver, qu'il l'avait tenu contre la tête d'Emily, et qu'il avait tiré. Peu importe ce qui se passait autour de cela, les émotions, le charabia psychologique, le désarroi. Voilà ce qui s'est passé. Voilà votre vérité.

« Vous devez juger Christopher Harte coupable si la mort d'Emily Gold est le résultat direct de ses actes. Si ces actes étaient prémédités, délibérés et commis de plein gré... Comment savoir avec certitude si les actes commis par Christopher Harte entrent dans ce cadre ? Eh bien, il aurait pu poser le revolver. Il aurait pu partir à tout moment. Il n'était pas forcé de tirer sur Emily Gold.

Barrett alla prendre l'arme du crime sur la table des pièces à conviction et l'agita devant les jurés.

— Après tout, mesdames et messieurs les jurés, personne ne tenait de revolver contre la tête de Christopher Harte.

À six heures du soir, le jury n'avait pas encore rendu son verdict. Chris fut reconduit en prison pour y passer la nuit. Il se déshabilla et se glissa sous les couvertures en refusant de dîner et de parler à ceux qui vinrent cogner contre les barreaux de sa cellule.

Une pulsation tapait à la base de son crâne. Il y avait une chose que ni Jordan McAfee ni le procureur n'avaient mentionnée. Peut-être n'était-ce pas important pour eux.

Chris lui-même n'y avait pas songé jusqu'à ce que son avocat lui rafraîchisse la mémoire à propos de cette soirée.

Emily l'aimait. Il le savait. Il n'en avait jamais douté. Mais elle lui avait aussi demandé de la tuer.

Quand on aime quelqu'un, on ne lui fait pas porter un tel fardeau pour le restant de ses jours.

Il s'était battu avec ça, il avait décidé qu'aimer Emily signifiait qu'il fallait la laisser partir, si c'était vraiment ce qu'elle voulait. Mais Emily était si égoïste qu'elle ne lui avait jamais donné le choix... Elle l'avait entraîné vers l'irrévocable, avec la honte, la douleur et la culpabilité.

Le vacarme d'un pugilat entre deux détenus à l'étage du dessous attira un gardien qui accourut en faisant tinter ses clés. Mais Chris n'entendit rien. Un accès de fureur irrépressible vint gronder à ses oreilles, qui recouvrit les bruits du monde extérieur : Emily lui avait fait une chose pareille. Elle avait fait passer ses désirs d'abord, alors que lui avait fait exactement l'inverse.

Elle l'avait expédié dans ce trou puant pendant sept mois, sept mois dont il ne se remettrait jamais. Elle ne lui avait pas parlé de sa grossesse. Elle l'avait laissé tomber. Elle avait détruit sa vie.

Et à ce moment, Chris comprit que s'il avait eu Emily Gold en face de lui, il l'aurait tuée de son plein gré.

Selena repoussa son verre vide.

— C'est fini, dit-elle. Tu ne peux plus rien changer maintenant.

— J'aurais pu...

Elle ne laissa pas Jordan terminer :

— Non, tu n'aurais pas pu.

Il ferma les yeux et se cala au fond de sa chaise. Devant lui, le steak qu'il avait commandé était presque intact.

— J'ai horreur de ce moment, fit-il. L'attente. S'ils m'avaient simplement donné un sabre pour me faire hara-kiri, ce serait revenu moins cher aux contribuables.

Selena éclata de rire.

— Jordan, tu es un optimiste-né ! Ce n'est pas un petit pépin qui va mettre ta carrière en l'air...

— Je m'en fous, de ma carrière.

— Qu'est-ce que c'est, alors ?

Elle l'examina, et sa bouche s'arrondit.

— Oh !... c'est à cause de Chris.

Il se passa les mains sur le visage.

— Tu sais ce que je n'arrive pas à me sortir de la tête ? C'est le moment où Chris, quand il était à la barre, a dit que parfois il sentait encore Emily le toucher. Et moi, je lui ai dit d'arrêter ses conneries.

— Il fallait que tu le fasses, Jordan.

Il balaya ses paroles d'un geste.

— Ce n'est pas ça. C'est que j'ai plus du double de l'âge de Chris Harte, et j'ai été marié, et je n'ai jamais rien ressenti de tel. Il avait cette fille dans la peau. Est-ce que je pense qu'il l'a tuée ? Oui, il l'a tuée. Techniquement. Mais merde, Selena, je suis jaloux de lui. Je ne peux m'imaginer aimer une femme au point de faire n'importe quoi pour elle. Même si ça doit être un meurtre.

— Tu ferais n'importe quoi pour Thomas.

— Ce n'est pas la même chose et tu le sais.

Selena se tut un instant, puis répondit :

— Ne sois pas jaloux de Chris Harte. Tu ferais mieux d'être peiné pour lui. Parce que ses chances d'être de nouveau aussi proche de quelqu'un sont très minces. Toi, en revanche, tu as toujours l'espoir de connaître ça.

Jordan haussa les épaules.

— Peu importe, dit-il.

Selena soupira et lui rappela :

— Il est temps de rentrer. Demain, tu te lèves tôt.

Sur ce, au beau milieu du restaurant, elle le saisit doucement par les oreilles et attira son visage vers elle pour l'embrasser.

Sa bouche était volontaire, et sa langue se glissa facilement entre les lèvres de Jordan. Lorsqu'elle le lâcha, il lutta pour reprendre son souffle.

— Qu'est-ce qui t'a poussée à faire ça ? demanda-t-il.

Elle tapota sa joue.

— C'est uniquement pour que tu sois obsédé par autre chose.

Sur ce, elle tourna les talons, et il la suivit.

À neuf heures du soir, Gus et James Harte étaient prêts à se coucher. Il n'y avait pas d'autre moyen d'arriver plus vite au lendemain matin. Gus éteignit la lumière et attendit James, qui se trouvait toujours dans la salle de bains.

Le matelas grinça et se creusa sous son poids lorsqu'il s'engouffra sous les couvertures. Gus tourna la tête et regarda par la fenêtre. Un mince croissant de lune brillait dans le ciel. Lorsqu'elle serait de nouveau pleine, son fils serait emprisonné à vie dans un pénitencier.

Elle savait pourquoi Chris avait interrompu son témoignage. Il n'avait pas supporté de la voir mentir à la barre en sachant que chacun de ses mensonges lui déchirait le cœur un peu plus. Chris n'avait jamais été capable de voir souffrir quelqu'un qu'il aimait.

C'était pour cette raison qu'il avait tué Emily.

Sans doute Gus avait-elle émis un son, un sanglot involontaire, car, soudain, James la prit contre lui. Elle se blottit dans sa chaleur et jeta ses bras autour de son corps.

Elle eut envie d'être encore plus près, sous sa peau. De faire partie de lui, pour ne plus avoir à se tourmenter, à penser par elle-même. Elle voulait sa force. Au lieu de parler, elle tourna vers lui son visage et l'embrassa, faisant courir sa bouche sur sa nuque et se lovant contre lui.

Le lit, la pièce se consumèrent autour d'eux... Ils s'agrippèrent désespérément l'un à l'autre. James entra en Gus au bout de quelques secondes et elle s'abîma dans cette étreinte, l'esprit enfin vide de toute pensée.

Après, James caressa son dos en sueur.

— Tu te souviens de la nuit où on l'a fait ? murmura-t-elle.

Il hocha la tête, le nez enfoui dans ses cheveux.

— Je l'ai su dès ce moment, poursuivit-elle, j'ai senti que c'était différent des autres fois... Comme si tu t'étais donné à moi pour que je te garde.

James resserra son étreinte.

— Oui, c'est vrai, chuchota-t-il.

Il sentit les épaules de Gus trembler, et des larmes vinrent mouiller sa poitrine.

— Je sais, je sais, dit-il, cherchant à apaiser sa douleur.

Lorsque le jury fit son entrée dans la salle, Chris se rendit compte qu'il ne pouvait pas déglutir. Sa pomme d'Adam s'était coincée dans sa gorge, et il sentit ses yeux s'humidifier. Pas un seul membre du jury ne regarda de son côté et il tenta de se souvenir de ce que disaient les détenus à ce propos, d'après leur propre expérience : était-ce une bonne chose, ou non ?

Le juge Puckett se tourna vers l'un des jurés, un homme d'un certain âge portant un costume de drap au col fermé.

— Monsieur le président, avez-vous établi un verdict ?

— Oui, Votre Honneur.

— Et ce verdict a-t-il été établi à l'unanimité ?

— Oui.

Sur un signe de tête du juge, le greffier s'approcha du box du jury et prit la feuille de papier pliée que lui tendait le président. Il retourna lentement – à une allure d'escargot, se dit Chris – vers le juge et la lui remit. Le juge hocha la tête et rendit la feuille au président.

Leslie Puckett leva les yeux, le visage impassible.

— Accusé, levez-vous.

Chris sentit Jordan se lever à côté de lui. Il voulut faire de même, mais ses jambes refusèrent de le porter. Jordan baissa sur lui un regard interrogateur.

— Levez-vous, dit-il.

— Je ne peux pas, chuchota Chris.

Son avocat le saisit sous les bras et le mit debout.

Le cœur de Chris battait à tout rompre, ses mains étaient si lourdes qu'il ne pouvait même pas les fermer, en dépit de ses efforts. Son corps semblait ne plus lui appartenir.

Mais ses sens étaient développés au maximum... Il sentit l'odeur du savon qui avait été utilisé pour nettoyer le bois la veille au soir, l'odeur de la sueur qui coulait entre ses omoplates. Il entendit le claquement de la chaussure d'une journaliste sur le bord de son poste de travail.

— Dans l'affaire de l'État du New Hampshire contre Christopher Harte, accusé de meurtre au premier degré, quel est votre verdict ?

Le président regarda son morceau de papier.

— Non coupable, lut-il.

Chris vit Jordan se tourner vers lui, le visage fendu en deux par un énorme sourire. Il entendit le léger cri poussé par sa mère. Il entendit le grondement de surprise qui parcourut la salle. Et, pour la troisième fois de sa vie, Christopher Harte s'évanouit.

ÉPILOGUE

Partout où il allait, Chris ouvrait les fenêtres. Il conduisait vitres baissées, y compris lorsque l'air conditionné marchait. Il les ouvrait dans chaque pièce de la maison. Même la nuit, lorsque le froid s'installait, il amoncelait les couvertures sur son lit, faisant toujours circuler l'air.

Parfois pourtant, malgré l'air frais, le vent transportait une odeur. Il se réveillait alors brutalement et s'échappait de sa chambre en suffoquant. Ses parents le retrouvaient le lendemain matin endormi sur le canapé, ou par terre dans le salon, et même, une fois, au pied de leur lit.

— Qu'est-ce qui se passe ? demandaient-ils alors.

Mais il était inutile de vouloir le leur expliquer. Ils ne pouvaient pas comprendre. Ils n'y étaient pas.

Car, sans raison aucune, Chris était réveillé par l'odeur de la prison.

Par un samedi de juin, un grand camion blanc aux flancs décorés du globe terrestre remonta l'allée des Gold et cracha six hommes chargés d'emporter leurs meubles. De leur seuil, Gus et James les virent charger des caisses, fixer des matelas, attacher des lampes avec leurs cordons et faire entrer des bicyclettes dans le ventre du camion. Les Harte n'échangèrent pas un mot, mais se trouvèrent des occupations à l'extérieur pendant toute la journée.

La rumeur se répandit que les Gold étaient partis, pas très loin, mais à une bonne distance tout de même. La maison avait été mise en vente et ils en avaient acheté une autre avant même que la vente ait été conclue.

Les gens disaient que Michael aurait voulu partir loin, au Colorado peut-être, ou même en Californie. Mais Mélanie avait refusé de laisser sa fille seule.

La nouvelle maison avait aussi un cabinet, pour que Michael puisse exercer son métier de vétérinaire, et, au dire de tous, elle était située dans un endroit charmant et retiré.

C'était une rumeur, bien sûr, mais quelqu'un avait entendu dire qu'il y avait trois chambres : l'une pour Michael Gold, l'autre pour son épouse et la troisième pour Emily.

Avant d'avoir pu s'en empêcher, Gus avança jusqu'au bout de l'allée. Elle vit le long camion monter jusqu'à la route, suivi de la Taurus de Mélanie. Puis, à quelque distance derrière, le 4×4 de Michael.

Les glaces étaient baissées ; la voiture était trop vieille pour que l'air conditionné fonctionne encore régulièrement.

Michael ralentit en arrivant sur l'allée des Harte. Gus vit qu'il allait s'arrêter. Elle vit qu'il avait envie de lui parler. Pour recevoir ses excuses, pour lui offrir son absolution, ou simplement pour lui dire au revoir.

La voiture roula jusqu'à un Arrêt, et le regard de Michael croisa celui de Gus. Elle y vit de la douleur, le poids de la fatalité, et de la compréhension.

Sans dire un mot, il poursuivit sa route.

Chris était dans sa chambre lorsque le camion sortit de l'allée de la maison voisine. Sa longue forme blanche avançait en grondant à travers les arbres qui bordaient le chemin gravillonné, suivie de la voiture de Mélanie et enfin du 4×4 de Michael. « Une vraie caravane, se dit Chris. Comme les gitans, qui partent pour se chercher un endroit plus facile, ou meilleur. »

La maison resta vide, semblable à un monolithe. Les fenêtres dénuées de rideaux ressemblaient à des yeux éloignés et vagues, désireux de regarder, mais incapables de se souvenir.

Chris se pencha par sa fenêtre ouverte et écouta le bourdonnement des insectes dans la chaleur de l'été qui s'installait, et le bruit tranquille du camion qui s'éloignait.

Il passa la tête à l'extérieur de la fenêtre et essaya de voir le rebord supérieur... La poulie qui terminait le système de messagerie par boîtes de conserve, qu'il avait mis au point avec Emily lorsqu'ils étaient petits, était toujours là. Il savait qu'il y en avait une autre sur le rebord de la fenêtre d'Emily.

Il tendit la main et attrapa le fil de pêche. Il était moisi, mais toujours intact. Bien des années auparavant, il s'était pris dans un pin et avait entortillé la boîte avec le message qu'elle contenait, et les deux enfants n'avaient jamais réussi à démêler l'ensemble.

Chris avait essayé, mais il était trop petit à l'époque.

Il s'assit sur le rebord de la fenêtre et attrapa le fil. Il parvint à le casser et ressentit alors une sensation d'accomplissement disproportionnée, comme si le fait d'avoir réussi du premier coup avait une signification. Le fil rongé lâcha, la boîte rouillée tomba de son perchoir entre les deux maisons.

Le cœur battant, Chris dévala les escaliers quatre à quatre. Il courut vers l'emplacement où la boîte était tombée et la chercha des yeux. Il ne tarda pas à apercevoir un éclat argenté.

Les arbres étaient hauts et rapprochés à cet endroit, ils cachaient le soleil. Chris se laissa tomber à côté d'un pin et passa un doigt dans la boîte pour en sortir un morceau de papier. Il ne se souvenait plus de la teneur de ce message. Il ne se souvenait pas non plus si l'expéditeur était lui, ou Emily. Son estomac se noua à la vue du papier.

Il le déplia avec soin et l'ouvrit.

Rien n'était écrit dessus.

Peut-être avait-il toujours été vierge. À moins que les années n'aient effacé le texte.

Chris enfouit le message dans la poche de son short, tournant le dos à la maison d'Emily.

Après tout, que ce soit l'un ou l'autre, cela n'avait pas réellement d'importance.

REMERCIEMENTS

Au cours de mes recherches pour ce livre, j'ai rencontré des gens qui, au fur et à mesure, m'ont amenée à le changer un peu à chaque fois, jusqu'à ce qu'il devienne complètement différent de ce que j'en attendais, et bien, bien meilleur. J'aimerais donc remercier les personnes suivantes de m'avoir communiqué leur expérience de spécialistes et aidée dans le domaine de la création : le Dr Robert Racusin, le Dr Tia Horner, le Dr James Umlas ; Paula Spaulding, Candace Workman, Bill McGee, de la police montée, Alexis Aldahondo, Kirsty DePree, Julie Knowles, Cyrena Koury et ses amis ; le superintendant Sidney Bird de la Maison d'arrêt du comté de Grafton ; les sergents Frank Moran et Mike Evans, ainsi que le chef Nick Giaccone, des services de police de Hanover, New Hampshire. Merci encore à mes premiers critiques : Jane Picoult et Laura Gross ; et à Beccy Goodhart, qui, avec ses troupes de Morrow, me rend ma confiance dans le monde de l'édition. Et, pour finir, un toast à ma Dream Team, mon équipe de rêve, pour avoir travaillé tard, sous pression, et *pro bono* : les avocats Andrea Greene, Allegra Lubrano, Chris Keating et Kiki Keating.

TABLE DES MATIÈRES

PREMIÈRE PARTIE
LE GARÇON D'À CÔTÉ

DEUXIÈME PARTIE
LA FILLE D'À CÔTÉ

TROISIÈME PARTIE
LA VÉRITÉ